Голос Сердца

Danielle
STEEL

The Long
Road Home

Даниэла СТИЛ

Ни о чем не жалея

Роман

МОСКВА
«ЭКСМО-ПРЕСС»
1999

УДК 820(73)
ББК 84(7 США)
С 80

Danielle STEEL

THE LONG ROAD HOME

Перевод с английского *В. Гришечкина*

Разработка серийного оформления
художника *С. Курбатова*

Серия основана в 1997 году

Стил Д.
С 80   Ни о чем не жалею: Роман / Пер. с англ. В. Гришечкина.—
М.: ЗАО Изд-во ЭКСМО-Пресс, 1999. — 528 с. (Серия «Голос
сердца»).

ISBN 5-04-003105-X

   Жизнь Габриэллы в доме своих богатых родителей полна страха,
боли и предательства, и в этом мире ей негде укрыться от одиночества.
Мать отдает ее в монастырь, и понемногу ее израненная душа начинает
оттаивать. Но и здесь ее преследуют призраки прошлого. И вот Габриэлла уже в Нью-Йорке, пытается вновь склеить осколки своей души.
Только найдя в себе силы понять и простить своих близких, она
начинает новую жизнь, свободную от горечи и обид.

УДК 820(73)
ББК 84(7 США)

ISBN 5-04-003105-X

Глава 1

В коридоре громко тикали старинные напольные часы. Они прятались в высоком резном ящике красного дерева. Будь Габриэлла (не Габи, а именно Габриэлла) чуть поменьше, она тоже могла бы спрятаться в нем — за глухой дверцей, где ходил из стороны в сторону огромный, как луна, латунный маятник и чуть слышно звенели натянутые гирями цепи. Но даже если бы ей удалось поместиться в часовом футляре, прятаться там все равно было рискованно — сухое, тонкое дерево, словно дека рояля, отзывалось гулким звоном на каждое прикосновение. Чулан, битком набитый зимними куртками и шершавыми пальто, царапавшими Габриэлле лицо при каждом движении, был гораздо более надежным.

Впрочем, даже здесь шуметь не стоило, но она не могла побороть страха, который потихоньку толкал ее к самой дальней стене чулана. Она запнулась о зимние сапоги матери и чуть не упала, но вовремя ухватилась за мохеровый жакет и удержалась на ногах. Габриэлла была почти уверена, что здесь ее не найдут. Почти!.. Во всяком случае, когда в прошлый раз она спряталась здесь, все более или менее обошлось. Той, что ее искала, просто не пришло в голову заглянуть в этот душный и пыльный чулан. Габриэлла очень надеялась, что и сегодня все кончится благополучно. Тем более что на улице стояла такая жара...

В Нью-Йорке был самый разгар лета, и в чулане было жарко, как в паровозной топке, но Габриэлла почти не замечала этого. Забившись в самый дальний угол, она стояла совершенно неподвижно и напряженно всматривалась в пыльную темноту перед собой, едва осмеливаясь дышать. Вот за дверью послышались приглушенные, еще далекие шаги. Сердце девочки ухнуло в пустоту — шаги приближались. Твердые каблуки-шпильки звонко процокали по паркету у самой двери чулана, но Габриэлле этот звук показался похожим на рев урагана. Она почти почувствовала на лице легкое шевеление воздуха, колеблемого там, за дверью, и... с облегчением вздохнула. Шаги удалялись.

Габриэлла тихонько вздохнула и снова затаила дыхание, словно боясь, что даже этот тихий звук может выдать матери ее убежище. Элоиза Харрисон обладала поистине сверхъестественными способностями, которые позволяли ей с легкостью отыскивать дочь в самых невероятных местах. Порой Габриэлле даже казалось, что у ее матери — нюх собаки и глаза, способные с одинаковой легкостью видеть и сквозь филенчатые двери чуланов, и сквозь каменные стены. Где бы Габриэлла ни пряталась, в конце концов мать обязательно ее находила и наказывала, однако девочка упрямо не оставляла своих попыток. Страх перед матерью был сильнее любых доводов разума.

В прошлом году Габриэлле исполнилось шесть, но она была такой маленькой, хрупкой и худой, что никто бы не дал ей этих лет. В ее облике было что-то от сказочных эльфов: тонкие черты, огромные в пол-лица голубые глаза и мягкие светлые локоны, действительно производившие ощущение чего-то неземного, воздушного. Люди, которые видели ее впервые, обычно говорили, что девочка — чистый маленький ангелочек. И лишь немногие замечали, что в глазах Габриэллы — в этих больших голубых озерах — где-то на самом дне никогда не исчезает страх. Она выглядела словно настоящий ангел, изгнанный с небес на землю и пребывающий в тревожном неведении, чего следует ожидать от своего нового, незнакомого окружения. Впрочем, что ждет ее, Габриэлла отлично знала — за все шесть лет своей земной жизни девочке еще ни разу не пришлось столкнуться с тем, что могло бы быть приятно или хотя бы знакомо ангелу небесному. Страх и боль — постоянные спутники ее земной судьбы.

Острые и тонкие шпильки матери снова застучали почти возле самой двери чулана. На этот раз звук был гораздо более резким, сердитым, словно в паркет вгоняли стальные гвозди, и Габриэлла поняла, что мать раздражена до предела. Наверняка она уже перерыла чулан в детской, обыскала кладовку под лестницей и стенной шкаф возле кухни. Пожалуй, и в небольшой сарай за домом заглянула. Там хранился садовый инвентарь. Возиться с землей мать Габриэллы не любила, и лишь поиски дочери могли заставить ее зайти в столь неподобающее место. Обычно за крошечным садом ухаживал садовник-японец, приходивший дважды в неделю. Он косил траву на лужайке, подстригал кусты, белил стволы двух грушевых деревьев и высаживал на единственной клумбе белоснежные нарциссы, яркие тюльпаны и мохнатые хризантемы. Благодаря его усилиям сад выглядел как игрушка, и Элоиза имела возможность с гордостью показывать его гостям.

Надо сказать, что Элоиза вообще терпеть не могла беспорядка. Она ненавидела шум, грязь, ложь, собак, но больше всего она ненавидела детей, в чем ее дочь убедилась на собственном опыте. Элоиза Харрисон была твердо убеждена, что дети лгут, шумят, пачкаются, все портят и разбрасывают одежду. Ну и как же она могла к ним относиться, учитывая все вышесказанное; так что Габриэлле строжайшим образом наказывалось тихо сидеть в комнате и ничего не трогать. Ей не разрешалось ни слушать радио, ни рисовать фломастерами, потому что от них на скатерти оставались трудновыводимые следы. Однажды Габриэлла испортила ими свой лучший наряд и получила серьезную трепку — мать отхлестала ее платьем по лицу и приказала выстирать его, хотя одежда и белье взрослых обычно отправлялись в прачечную или химчистку.

Это, впрочем, случилось еще тогда, когда ее отец был на войне в месте, которое называлось Корея. Где-то в глубине одного из стенных шкафов все еще хранилась его шинель — Габриэлла обнаружила ее, когда в очередной раз пряталась от матери. Шинель была очень колючей, но пуговки на ней были такие красивые и блестящие, что немедленно хотелось взять их в рот. Габриэлла до сих пор жалела, что папа не может ходить в шинели в свой банк. Но и без шинели он был достаточно красив. Высокий, стройный, такой же голубоглазый, как Габриэлла, и почти такой же светловолосый, он был похож на принца из сказки о Золушке, которую ей читала бабушка, когда была еще жива.

Впрочем, мать тоже напоминала девочке сказочную королеву. Элоиза была стройной, элегантной и очень красивой женщиной. Беда была в том, что она постоянно злилась на дочь, а вывести Элоизу из себя способны были любые пустяки. Ей не нравилось даже, как Габриэлла ест. А если дочери случалось просыпать на стол несколько крошек или, не дай бог, опрокинуть стакан, Элоиза взрывалась как тонна динамита. Да и вообще она привычно реагировала на каждое слово или действие дочери так, словно вся жизнь Габриэллы состояла из непоправимых поступков. Безнадежность царила в их отношениях: маленькая Габриэлла никогда не могла угодить, взрослая Элоиза никогда не могла быть довольна.

Габриэлла помнила требования матери все до единого и прилагала отчаянные усилия, чтобы не совершить ошибку, но это было невозможно. Даже если ей удавалось не повторить старых промахов, она непременно совершала новые. На самом деле Габриэлла росла послушной и доброй девочкой; она вовсе не хотела огорчать маму, это получалось у нее как будто само собой. Словно назло матери, Габриэлла то сажала на подол крошечное чернильное пятнышко, то роняла за завтраком вилку, то забывала в школе осеннюю шапочку из клетчатой шотландки. Как ни старалась девочка объяснить, что она не нарочно, что этого никогда-никогда больше не повторится, это не помогало, и все завершалось, как обычно. Элоиза не ведала ни жалости, ни сомнений. Кроме того, обе они хорошо знали, что очень скоро Габриэлла совершит новый непростительный промах, который потребует незамедлительного наказания. И даже умоляя мать о прощении, девочка заранее была уверена, что она — плохая и непослушная, и что ее гадкие руки обязательно выкинут что-то такое, отчего мамочка опять разозлится.

Стук высоких каблуков раздался у самой двери чулана, и девочка вздрогнула. Все поиски были почти закончены, непроверенным оставался только этот чулан. Пройдет еще несколько секунд, и мать обнаружит ее, вытащит на свет божий и... В панике Габриэлла подумала, а что, если прямо сейчас выйти (иногда Элоиза говорила дочери, что если бы та не пряталась, то и наказание было бы мягче). Но нет — и это не принесет ей пользы. К тому же девочка начинала понемногу догадываться — от того, прячется она или нет, на самом деле мало что зависит. Ведь несколько раз она пыталась признаться матери в том или ином проступке, не дожидаясь, пока та сама заметит сломанный карандаш или сбившийся носочек. Но, увы, Элоиза заявляла, что Габриэлла слишком долго раздумывала, повторяя, впрочем, что все, конечно, было бы по-другому, обратись она к ней пораньше.

И вообще, добавляла Элоиза, доставая из гардероба узкий кожаный ремешок гадкого желтого цвета, все было бы, разумеется, по-другому, если бы Габриэлла вела себя как следует и слушала, что ей говорят. Никто и не подумал бы наказывать ее, если бы она содержала в чистоте свою комнату, если бы не причмокивала во время еды и не гоняла по тарелке жареные бобы, которые так легко перепрыгивают через край и оставляют на скатерти жирные пятна.

Как мечтала Габриэлла научиться вести себя как следует! Как было бы хорошо уметь сдерживаться и открывать рот только тогда, когда к ней обращаются! И еще не царапать башмаки во время короткой прогулки по их крошечному садику! И еще... Да что там говорить: список проступков и промахов Габриэллы был поистине бесконечен. Ей никак не удавалось научиться вести себя так, чтобы гадкий желтый ремешок, с противным свистом опускавшийся на ее крошечный задик, на спину, на плечи, на голову, остался без работы (впрочем, все чаще и чаще, придя в ярость, Элоиза лупила ее чем попало, не давая себе даже труда дойти до гардероба). С каждым днем Габриэлла все больше утверждалась в мысли, что она — непослушный, отвратительный, гадкий ребенок, который только и делает, что расстраивает родителей. Девочка искренне верила: отец и мать просто не могут любить ее, пока она поступает подобным образом. Она — их разочарование, их позор, и это причиняло ей ни с чем не сравнимые страдания. Она готова была сделать все, что угодно, чтобы изменить это. О, как она хотела добиться одобрения родителей, завоевать их любовь, но все — тщетно. Во всяком случае, мать ни на минуту не позволяла дочери забыть о том, что она — скверная, непослушная, гадкая девчонка.

На этот раз перед дверью чулана звук шагов замер. На мгновение воцарилась мертвая тишина, потом дверь с резким скрипом распахнулась, и в глубину чулана, где скорчилась Габриэлла, проник тонкий, прямой лучик с пляшущими в нем пылинками. Чулан сразу заполнился тяжелым запахом духов Элоизы, потом пальто и куртки с шуршанием раздвинулись, и уже настоящий поток солнечного света хлынул внутрь.

В первое мгновение Габриэлла зажмурилась, но тотчас же снова открыла глаза и встретилась взглядом с матерью.

Никто из них не издал ни звука, не произнес ни слова, не сделал ни одного движения. Элоиза была в бешенстве, и Габриэлла мгновенно поняла, что плакать или оправдываться бесполезно, и все же ее огромные голубые глаза невольно наполнились слезами.

Гнев в глазах Элоизы разгорался все ярче. Она схватила дочь за локоть и с такой силой рванула на себя, что ноги девочки чуть не оторвались от земли. В следующую секунду Габриэлла уже стояла возле матери и, зажмурившись, ожидала неминуемого наказания.

Первая же затрещина оказалась такой сильной, что Габриэлла упала. Казалось, весь воздух разом вырвался из ее легких; она не могла ни вскрикнуть, ни заплакать. Мать, схватив ее за шиворот, рывком поставила на ноги. Яростно встряхнув Габриэллу, она отвесила дочери такую крепкую пощечину, что в ушах у нее зазвенело, а перед глазами вспыхнуло и погасло красно-оранжевое зарево.

— Ты снова прячешься, негодяйка! — взвизгнула Элоиза. Она была высокой, сухощавой женщиной с правильными, аристократически-тонкими чертами лица, обычно отличавшимися одухотворенной, почти божественной красотой. Обычно, но не сейчас. Сейчас Элоизой владело безумие. Она казалась почти безобразной.

— Отвечай! — рявкнула она, наотмашь ударяя дочь по другой щеке.

На руке Элоизы было два перстня с крупными голубыми сапфирами, подобранными в тон ее дорогому шелковому платью темно-синего цвета. Драгоценности до крови рассадили щеку Габриэллы, но мать этого даже не заметила, как никогда не замечала ни разбитых губ, ни синяков и ссадин, остававшихся после очередного наказания. Вот и теперь, вместо того, чтобы остановиться, она изо всей силы ударила Габриэллу по уху и, тряся за плечи, заорала прямо в перекошенное страхом маленькое личико:

— Почему ты вечно прячешься, мерзавка? Почему с тобой столько проблем? Что ты натворила на этот раз?! Ведь ты опять что-то натворила, да? Иначе зачем бы тебе прятаться?!

— Я ничего не делала, мама... Ничего такого... — голос Габриэллы был чуть слышным. Удары, которые только что на нее обрушились, напугали ее чуть не до потери сознания и заставили ее маленькое сердце замереть, словно из него вдруг ушла вся жизнь.

Габриэлла подняла на мать умоляющие, полные слез глаза:

— Прости меня, мамочка. Я никогда больше не буду. Мне очень стыдно, что я...

— Тебе? Стыдно?!! Да тебе никогда не бывает стыдно. Ты просто сводишь меня с ума, мерзкая девчонка! Откуда у тебя эта идиотская привычка прятаться по углам? Или ты надеешься, что я тебя не найду? — Элоиза закатила глаза. — Боже мой, если бы кто-нибудь знал, что нам с твоим отцом приходится терпеть! Это же не ребенок, а какое-то наказание!

С этими словами она так сильно толкнула Габриэллу, что девочка заскользила по навощенному паркету и упала... увы, недостаточно далеко, чтобы туфля из голубой замши — изящная, модная лодочка на высоком каблуке и с острым мыском — не сумела до нее дотянуться. Удар пришелся прямо в верхнюю часть худенького бедра девочки, которое тотчас же пронзила острая боль.

Габриэлла закусила губу, чтобы не вскрикнуть. Самые страшные удары ее мать всегда наносила по закрытым частям тела, чтобы никто из посторонних не заметил багрово-черных кровоподтеков. Синяки на лице Габриэллы исчезали обычно довольно быстро — можно было подумать, Элоиза отлично знала, куда и как бить, чтобы не оставлять следов, и, несмотря на всю свою кажущуюся ярость, умело рассчитывала силу удара. Впрочем, вероятно, все дело было в богатой практике. Единственный метод воспитания дочери, признаваемый Элоизой, — это беспрестанное битье за любую провинность с самого раннего возраста. Габриэлла, во всяком случае, не помнила того времени, когда бы ей не угрожали порка или оплеуха.

Она лежала на полу и молчала, хорошо зная, что, если попытается что-то сказать или подняться, все начнется сначала. Лучше тихо лежать и не привлекать к себе внимания. Может быть, обойдется. Она морщилась от боли, но изо всех сил старалась не плакать. От одного вида ее слез Элоиза могла снова прийти в неистовство. Глядя в пол на тонкую щелку между паркетинами, Габриэлла мечтала: ах, если бы она могла стать маленькой, как муравей, чтобы проскользнуть в эту щель и укрыться от гнева матери!..

— Ну-ка вставай! Хватит валяться! — за этим резким окликом последовал сильный рывок, и Габриэлла в одно мгновение оказалась на ногах. Уклониться она не посмела, и от нового удара в голове загудело как в трубе парового отопления.

— Ты мерзкая девчонка, Габриэлла! — отчеканила Элоиза. — Мало того, что ты отвратительно себя ведешь, ты опять вся перемазалась. Взгляни на себя, на что ты похожа!..

При виде этой милой заплаканной мордашки, пусть она и была слегка замурзана, сердце сжалось бы от жалости. Но только не у ее матери... Элоиза Харрисон целиком принадлежала холодному и злому миру собственного детства. Когда-то родители попросту бросили ее, отправив в Миннесоту к двоюродной тетке по матери. Старая дева жила затворницей, не желая ни видеть, ни знать своих ближайших соседей. Она почти не разговаривала с маленькой Элоизой, считая, что для развития девочки куда важнее собирать побольше хвороста для растопки или сгребать снег с дорожек у дома, когда зима выдавалась холодной.

Детство Элоизы пришлось на годы Великой депрессии; ее родители потеряли почти все свои деньги и уехали в Европу. Там можно было как-то прожить на те крохи, что у них еще оставались. Всю свою любовь мать и отец отдали старшему брату Элоизы Филиппу, умершему от дифтерии; а дочь оказалась совершенно им не нужной. Они решительно выбросили ее из своей жизни и забыли об этом.

Элоиза жила в Миннесоте до тех пор, пока ей не исполнилось восемнадцать. Потом переехала в Нью-Йорк к троюродной сестре и там встретила Джона Харрисона, который когда-то был приятелем Филиппа. Его родителям повезло — их состояние почти не пострадало во время депрессии, и через полтора года ухаживаний Элоиза вышла за него замуж. Ей было двадцать два года.

Учитывая обстоятельства, партия была неплохая. Джон родился в богатой семье с традициями, получил блестящее образование. Правда, как выяснилось, ему не хватало честолюбия и силы характера. Благодаря связям отца Джон получил неплохую должность в банке, однако карабкаться выше не спешил. Когда он встретил подросшую сестру своего друга, то был просто ослеплен ее красотой. Любовь, вспыхнувшая в его груди с небывалой силой, заставила Джона встряхнуться; во всяком случае, взаимности Элоизы он добивался с настойчивостью и энергией, каких не проявлял ни до, ни после того.

Юная Элоиза была настоящей красавицей, хотя уже в те времена характер ее был не сахар. Но даже недостатки ее сводили Джона с ума. Он умолял, унижался, валялся у нее в ногах, осыпал знаками внимания, но чем сильнее он старался, тем холоднее и отчужденнее становилась дама его сердца. Джону потребовалось почти два года, чтобы убедить Элоизу стать его женой. Когда же она наконец согласилась — не то от скуки, не то ей просто надоела его настойчивость, Джон готов был прыгать до потолка. Он купил Элоизе чудесный городской дом с садом и начал водить ее на приемы, где собирался весь высший свет Нью-Йорка. Он так гордился своей красавицей-женой, что с его лица не сходила идиотски-счастливая улыбка, которая очень скоро стала раздражать Элоизу.

Джон очень хотел детей, однако это совершенно не входило в планы Элоизы. Каждый раз, когда он заводил речь о сыне или о дочке, она отвечала, что еще не готова. Нужно же ей в конце концов время, чтобы освоиться со своей новой ролью жены и хозяйки дома! Но это была только половина правды. На самом деле Элоиза просто не хотела иметь детей, поскольку воспоминания о собственном безрадостном детстве были слишком свежи в ее памяти. Кроме того, в ее голову было навсегда заложено: любой ребенок это обуза, тяжкий крест и вообще несчастье всей жизни. Джону понадобилось еще два года, чтобы уговорить жену. Для него это значило так много, что Элоиза в конце концов махнула рукой и уступила.

О, как она пожалела о своем решении! Как она проклинала Джона за его тупое упрямство, а себя — за легкомыслие! Со второго по восьмой месяц Элоизу беспрестанно рвало. Роды обернулись сплошным кошмаром, который — она знала — она будет помнить всю жизнь и никогда не решится повторить. Она была совершенно уверена, что ребенок, какой бы он там ни оказался, — не стоит ни дня из девяти месяцев непрерывных страданий, ни одной секунды из двенадцати часов непрерывной, разламывающей боли, которую она испытывала во время родов.

Ее сразу стало безмерно раздражать то внимание, которое Джон уделял дочери. Раньше муж принадлежал Элоизе безраздельно; теперь же, казалось, он только и думает о том, тепло ли маленькой Габриэлле, сыта ли она, сменили ли ей пеленки, и о прочих глупостях. Когда Джон впервые спросил Элоизу, заметила ли она, какой очаровательной становится их дочь, когда улыбается, она чуть не завизжала от злобы. Этот мерзкий несмышленыш забирал у нее то единственное, что как-то примиряло ее с замужеством — безграничное восхищение Джона. Да и вообще с рождением Габриэллы Джон на глазах превращался в слюнявого, сентиментального болвана. И чем больше росли его обожание и восторг, тем сильнее Элоиза ненавидела дочь. Каждый раз, когда Джон заводил речь о том, как Габриэлла похожа на нее, ей хотелось затопать ногами, треснуть его чем-нибудь тяжелым, задушить своими руками это отродье. В общем, любыми способами вернуть то почти золотое время, когда не было, не было, не было этой ужасной помехи в ее жизни.

Едва оправившись от родов, Элоиза поспешила вернуться к своим излюбленным занятиям, пытаясь сделать вид, что ничего не изменилось. Она разъезжала по магазинам, посещала чаепития и ужинала с друзьями. Дочь ее абсолютно не интересовала. Напротив, по вечерам Элоизе все чаще хотелось уйти из дома, чтобы не слышать изматывающего душу писка Габриэллы и идиотского сюсюканья Джона. Дамам, с которыми она каждую среду играла в бридж, Элоиза откровенно признавалась, что возиться с ребенком ей и скучно, и противно.

Подобная откровенность не только не шокировала ее партнерш, но даже казалась им забавной. Элоизу они считали большой оригиналкой — им и в голову не могло прийти, что она действительно ненавидит дочь. Но Элоиза говорила совершенно серьезно. С самого начала она не только не испытывала к Габриэлле никаких материнских чувств, но и считала ее непрошеным гостем, агрессором, который вторгся в ее жизнь и угрожал ее безмятежному и беззаботному существованию.

Джон видел все это, однако ему казалось, что со временем Элоиза сумеет полюбить дочь. Некоторые люди, утешал он себя, просто не умеют общаться с младенцами, побаиваются их, и оттого им кажется, будто они не любят детей. Однако он был уверен, что рано или поздно

положение непременно изменится. Стоит только Габриэлле немного подрасти, и Элоиза осознает, что за пре-
лестное создание живет теперь в их доме.

Однако этот день так никогда и не настал. Когда Габриэлла начала сначала ползать, а потом и ходить по всему дому, хватая всякие понравившиеся ей вещи и сбра-
сывая с кофейного столика вазочки и пепельницы, она
едва не свела свою мать с ума.

— Боже мой! — восклицала Элоиза, хватаясь за голову. — Ты только погляди, что опять натворил этот про-
клятый ребенок! Просто прирожденный бандит — все
портит, все ломает. Кругом грязь. Я не могу так жить!

— Но она же еще совсем крохотная, Эл! — пытался
возражать Джон, подхватывая Габриэллу на руки. Он дул
ей в лицо или щекотал животик двумя пальцами, отчего
девочка заливалась звонким смехом.

— Прекрати сейчас же этот шум, — немедленно по-
вышала голос Элоиза, с отвращением глядя на мужа.
В отличие от Джона, она брезговала даже прикасаться к
дочери, не говоря уже о том, чтобы купать или, не дай
бог, менять пеленки. Няня, взятая специально для того,
чтобы ухаживать за Габриэллой, быстро поняла это и поделилась своими наблюдениями с Джоном. «Ваша жена
ревнует вас к девочке», — сказала она, но он ей просто
не поверил. Это заявление показалось ему нелепым и
смешным, однако со временем он начал склоняться к
мысли, что нянька была в чем-то права. Каждый раз,
когда он брал дочь на руки или разговаривал с ней,
Элоиза начинала раздражаться и сердиться без всякой
видимой причины.

Когда Габриэлле исполнилось два года, Элоиза начала бить ее по рукам каждый раз, когда девочка тянулась к
какой-нибудь безделушке. Кроме того, она перестала
пускать дочь в спальню и гостиную; место ребенка — в
детской и только в детской.

— Не можем же мы все время держать ее под замком, — сказал однажды Джон, когда, вернувшись с работы, в очередной раз обнаружил, что Габриэлла заперта в
детской.

— Можем и должны! Иначе она все здесь перепортит

и переломает, — твердо заявила Элоиза и сердито нахмурилась. Опасаясь ее гнева, Джон только покачал головой. Он еще надеялся, что все изменится.

В другой раз он довольно неосторожно заметил, какие у Габриэллы чудесные льняные локоны. Лицо Элоизы потемнело от гнева, но она ничего не сказала. Зато на следующий день Габриэллу впервые в жизни постригли. Элоиза сама отвезла дочь в парикмахерскую Беста, где Габриэлла лишилась своего украшения. Когда же Джон выразил свое удивление по поводу ее короткой, как у мальчика, стрижки, Элоиза заявила, что это полезно для здоровья девочки.

На новую ступень соперничество между Габриэллой и Элоизой вышло тогда, когда девочка перестала лепетать и начала говорить осмысленными фразами. Особенно Элоизу бесило, как Габриэлла с визгом несется по коридору встречать вернувшегося с работы папу. Если в этот момент ей на дороге попадалась мать, Габриэлла, словно почувствовав опасность, огибала ее по широкой дуге, однако это редко спасало ее от окрика. Если Джон играл с девочкой или читал ей вслух книжки, Элоизе стоило огромных трудов сдержать себя и не придушить маленькую мерзавку. Ее нельзя баловать — таково было мнение Элоизы, которое она не раз высказывала мужу. Когда он, в свою очередь, упрекнул ее в том, что она почти не уделяет Габриэлле внимания, Элоиза только фыркнула. С этого дня в отношениях между ней и Джоном появилась первая трещина, которая быстро росла и вскоре превратилась в широкую и глубокую пропасть. Элоиза буквально выходила из себя, когда он принимался пускать слюни по поводу того, какая у них миленькая дочка. Она считала, что это не по-мужски, и что отец, так носящийся с дочерью, не может вызывать ничего, кроме отвращения.

Первую серьезную трепку Габриэлла получила в три года, когда за завтраком случайно уронила на пол тарелку. Элоиза сидела рядом с ней, нервно прихлебывая утренний кофе. И не успела злосчастная тарелка долететь до пола и разбиться, как Элоиза с размаху ударила дочь по лицу.

— Не смей никогда больше так делать, ясно?! — взвизгнула она.

Габриэлла была так потрясена, что даже не заплакала. Она только сидела и смотрела на мать широко раскрытыми голубыми глазами. Девочка была в шоке.

— Тебе ясно? Отвечай! — заорала Элоиза, у которой лицо пошло красными пятнами.

— Прости меня, пожалуйста, мамочка... — в конце концов прошептала девочка.

Джон, только что вошедший в столовую, был так потрясен безобразной сценой, что даже не попытался вмешаться. Вместо этого он застыл на пороге, словно соляной столп. Джон еще никогда не видел Элоизу в таком гневе и подумал, что если он попытается защитить девочку, то только сделает хуже. Гнев, ревность, разочарование, скопившиеся в Элоизе за три года, вырвались наружу, и она бушевала, как вулкан.

— Если ты еще раз позволишь себе что-то подобное, Габриэлла, я тебя выдеру! — с угрозой прошипела Элоиза и, схватив девочку за плечи, тряхнула с такой силой, что у Габриэллы лязгнули зубы. — Ты — мерзкая, непослушная девчонка, а непослушных детей никто не любит. Даже их папа и мама!

Габриэлла судорожно сглотнула и, с трудом оторвав взгляд от перекошенного лица матери, перевела взгляд на отца, который все так же стоял в дверях. Но Джон молчал. Он боялся что-то сказать или сделать, чтобы не разозлить Элоизу еще больше.

Элоиза тоже увидела Джона. Не говоря ни слова, она выволокла дочь из-за стола и отвела в детскую.

— Без завтрака, — вынесла она окончательный приговор и ушла, на прощание наградив плачущую девочку увесистым шлепком по заду.

— Не слишком ли сильно ты ее наказываешь? — тихо спросил Джон, когда Элоиза вернулась в столовую, чтобы закончить завтрак. — Ведь ей только недавно исполнилось три.

У Элоизы, наливавшей себе вторую чашку кофе, сильно тряслись руки, и Джон решил, что она раскаивается, но он ошибся. Просто припадок ярости еще не прошел.

— Если ее не наказывать, — отрезала она, — из нее вырастет малолетняя преступница. Детям нужна дисциплина.

— Но, может, не такая жесткая... — неуверенно начал Джон и замолчал. Его собственные родители были мягкосердечны. Внезапное бешенство Элоизы не на шутку испугало его. Вместе с тем, с тех пор как родилась Габриэлла, Элоиза сильно переменилась. Она постоянно нервничала, раздражалась, сердилась по пустякам. И хотя со своей мечтой о большой, счастливой семье Джон уже давно расстался, Элоизу ему терять не хотелось.

— Не такой уж это ужасный проступок, — проговорил он как можно спокойнее. — В конце концов, она сделала это не нарочно.

— Не нарочно?! — взвилась Элоиза. — Да она просто швырнула тарелку на пол! Я видела это своими собственными глазами. Ей всего три года, а она уже становится неуправляемой. Все начинается с капризов, Джон.

— Но что, если это не каприз? Может быть, она заболевает... — сказал Джон и осекся. Все его попытки както защитить Габриэллу только ухудшали дело. Лицо Элоизы снова покраснело и сделалось злым.

— Воспитывать Габриэллу — моя задача, — процедила она сквозь стиснутые зубы. — Девчонка совсем отбилась от рук, надо ее приструнить. И, будь добр, не вмешивайся. Я же не лезу в твои дела!

С этими словами Элоиза пулей вылетела из столовой, так и не допив свой кофе.

С этого дня Элоиза действительно с пугающим рвением взялась за Габриэллу. Не проходило и дня, чтобы девочка не совершила какого-нибудь проступка, который вознаграждался немедленной пощечиной, оплеухой, шлепком. Именно в этот период из пыльных глубин старого гардероба появился узкий желтый ремешок из толстой свиной кожи, который Элоиза все чаще и чаще пускала в дело. Запачканное платье, зеленые травяные пятна на коленях, царапина на руке, оставленная соседским котенком, пятнышко пыли на башмаках — все эти кош-

марные преступления вызывали в Элоизе бешеную злобу, которую она без стеснения срывала на дочери. Когда
же незадолго до своего четвертого дня рождения Габриэлла случайно порезала палец осколком бутылки (он казался таким красивеньким, когда лежал и переливался на
солнце) и закапала кровью новую блузку, ярости Элоизы
не было пределов. Ремешок трудился над крошечной
попкой девочки не меньше получаса, так что еще три
дня она не могла нормально сидеть. А это, в свою очередь, снова раздражало Элоизу, которая была совершенно уверена, что дочь нарочно вертится на стуле, стараясь
вызвать к себе жалость или — вероятнее всего! — еще
больше досадить матери.

Джон, разумеется, знал о воспитательных методах
Элоизы, но ничего не предпринимал. Порой ему казалось, что он и вправду ничего не понимает в детях, а особенно в девочках. Порой он просто не решался вмешаться, чтобы не разозлить жену еще больше, а иногда он
бывал с ней почти согласен. Каждый раз, когда Джон
становился свидетелем порки, его начинало мутить, и
тем не менее он не сделал ничего, чтобы остановить
Элоизу. Даже его попытки утешить девочку приводили
лишь к тому, что в следующий раз наказание бывало еще
более жестоким и продолжительным.

В этой ситуации самым простым выходом было закрыть глаза, заткнуть уши и согласиться с доводами
Элоизы. А уж она с легкостью находила объяснения всем
своим поступкам. «А быть может, она и в самом деле
права», — рассуждал Джон. Детям действительно нужна
суровая дисциплина, чтобы из них вышло что-нибудь
путное.

Джон уже давно догадался, что его собственные родители воспитывали его из рук вон плохо. Да, они любили и баловали сына, но это привело к тому, что он вырос
нерешительным, безвольным, инертным человеком. Казалось, что, ухаживая за Элоизой, Джон израсходовал
всю отпущенную ему на жизнь энергию, и теперь у него
просто не было сил во что-либо вмешиваться. Впрочем,
будь его родители живы, он, несомненно, посоветовался
бы с ними, но они погибли в автокатастрофе. А больше у

него не было никого достаточно близкого, с кем он мог бы поговорить о воспитательных методах Элоизы.

Но, боже мой, со стороны Габриэлла выглядела идеальным ребенком. Она разговаривала мало и негромко, убирала за собой посуду, никогда не разбрасывала одежду и делала все, что ей говорили. Она не дерзила старшим, не шумела, не сорила. Чудо-дитя, да и только! Постепенно Джон начал утверждаться в мысли, что жена совершенно права. Разве ее стараниями Габриэлла не вела себя как образцовая девочка из книжки для дошкольников? А что ужас перед матерью сковывал ее по рукам и ногам, этого Джон не понимал. И, наверное, не мог понять.

Что касалось Элоизы, то, по ее мнению, Габриэлла все еще была далека от совершенства. Как бы безупречно девочка себя ни вела, пристрастный глаз матери с легкостью подмечал множество промахов и проступков. Желтый кожаный ремешок не лежал без работы. Каждое слово, обращенное к дочери, Элоиза считала необходимым подкрепить оплеухой. Порой Джон даже побаивался, что Элоиза может серьезно покалечить девочку, но держал свое мнение при себе. Молчание сделалось его высшей доблестью. Методы Элоизы, по крайней мере, не противоречат основам педагогики. Джон предпочитал почаще задерживаться на работе, а стало быть, не присутствовал при наказаниях, ставших почти ежедневными. Элоиза же все синяки и ссадины Габриэлы объясняла феноменальной неловкостью девочки. Под этим же предлогом (ради ее собственного блага!) Габриэлле не разрешали ни кататься на скейтборде, ни учиться ездить на велосипеде.

Джон почти искренне считал, что Габриэлла действительно очень неуклюжа. В конце концов, чего на свете не бывает.

Когда девочке исполнилось шесть, наказания стали привычными для всех троих. Джон привык их не замечать, Габриэлла привыкла каждую минуту ожидать окрика, пинка или удара, что касалось Элоизы, то она, несомненно, получала удовольствие, лупцуя дочь ремнем. Если бы кто-нибудь сказал ей об этом, она была бы возмущена до глубины души. Ведь все это — ради самой же девочки! Ребенка «необходимо воспитывать», а порка — единственное средство, способное помешать этой девчонке сделаться еще более испорченной, чем она есть.

Надо сказать, Габриэлла была вполне согласна с матерью. Не то чтобы ей нравилось, когда ее били... Просто она твердо знала, что хуже ее — нет. Она — непослушный, избалованный, капризный ребенок. Если бы она была хорошей, мамочка, конечно, никогда бы ее не била. И папа не разрешил бы маме наказывать ее.

Ах, часто задумывалась Габриэлла, если бы она была хорошей, все было бы совсем иначе. Быть может, мама и папа смогли бы даже полюбить ее. Об этом, впрочем, она не осмеливалась и мечтать. В конце концов, она гадкая и непослушная и постоянно совершает скверные поступки. Ей это было известно потому, что так ей говорила Элоиза, но от этого вера девочки в свою бесконечную порочность не становилась меньше. Разве такую можно любить?!

И вот теперь, когда мать рывком подняла ее с теплого, залитого солнечным светом паркета и потащила по коридору, Габриэлла вдруг увидела отца. Джон, который по случаю воскресенья был дома, стоял на пороге своего кабинета и, глубоко засунув руки в карманы, молча следил за расправой. Он все видел, но, как всегда, ничего не сделал, чтобы защитить дочь. Правда, когда Элоиза проволокла девочку мимо него, в глазах Джона промелькнуло тоскливое выражение, но он все же не сказал ни слова. Он даже не вынул рук из карманов, просто отвернулся, словно боясь встретиться с дочерью взглядом.

— Марш в свою комнату, и не смей выходить! — выкрикнула Элоиза и, в последний раз толкнув дочь в спину, скрылась в гостиной. Джон тоже вернулся в кабинет, а Габриэлла медленно побрела по коридору, осторожно ощупывая кончиками пальцев начинающую распухать щеку. Она была уже большой девочкой и прекрасно понимала, что наказание она заслужила. Однако, войдя в детскую, Габриэлла все же не сдержалась и громко всхлипнула, но тут же, испуганно оглянувшись через плечо, бесшумно прикрыла за собой дверь. Потом она подошла к своей кроватке и, взяв сидевшую рядом на столе куклу, крепко прижала ее к груди.

Эта кукла была единственной игрушкой Габриэллы. Много лет назад этот подарок сделала ей бабушка — папина мама, которая умерла. Куклу звали Меридит; у нее были прелестные светлые волосы и большие синие глаза в длинных ресницах, которые могли открываться и закрываться. Она была изумительно красивой, и Габриэлла очень ее любила, втайне надеясь когда-нибудь стать столь же очаровательной. Но дело было не только в этом. Меридит была единственной союзницей Габриэллы, ее единственным утешением, ее единственной молчаливой подругой.

Вот и сейчас, осторожно опустившись на краешек кровати, Габриэлла принялась раскачиваться вперед и назад, баюкая Меридит и гадая, почему мама так сильно ее избила... Ей никак не удается стать хорошей. Потом ей вспомнилось странное выражение, промелькнувшее в папиных глазах, когда мать протащила ее мимо него. Отец показался Габриэлле разочарованным. Он как будто ожидал, что хотя бы сегодня дочка будет вести себя лучше, чем обычно.

Наверное, она действительно была маленьким чудовищем, как не раз говорила ей мама. Должно быть, ее подменили в больнице, а может... Тут Габриэлла просто задохнулась от страха. Ах, неужели ее заколдовали. Какая-то злая колдунья, наподобие той, про которую она краем уха слышала по радио. Ее звали Умиранда, и она зарабатывала себе на жизнь тем, что по просьбе одного плохого дяди заколдовывала маленьких детей. Те начинали так плохо себя вести, что родители в конце концов отказывались от них, и тогда дядя забирал озорников на свой страшный остров, в замок, чтобы...

Что там делал дядя с маленькими детьми в своем замке, Габриэлла дослушать не успела. Элоиза обнаружила ее и тут же надавала дочери таких сильных пощечин, что потом у Габриэллы полдня звенело в ушах. Впрочем, по поводу судьбы злосчастных неслухов сомнений не было. Злодей, конечно, варил из них суп, обильно приправленный луком (Габриэлла не любила вареный лук), или пропускал через огромную мясорубку, которую приводил в движение закованный в цепи маленький шотландский пони.

Но главное-то во всем этом то, что она действительно была заколдована! Потому что как иначе объяснить, что, несмотря на все свои старания, она все делала не так? Мама сердилась с каждым днем все больше, и даже папа... даже папа махнул на нее рукой! В конце концов они от нее откажутся и... и, может быть, мама сама отвезет ее дяде, который варит суп из маленьких непослушных девочек?

Сидя на кровати с бессловесной куклой на руках, Габриэлла снова и снова переживала кошмар неизбежного, страшного конца и собственное бессилие. У нее не оставалось уже никакой надежды исправиться. Она не заслуживала любви — в этом Габриэлла убедилась уже давно. Она заслужила только побои. Но в глубине души девочка все же продолжала удивляться, что же она такого сделала, отчего родители ненавидят и стыдятся ее?

Слезы безостановочно катились из больших голубых глаз Габриэллы. Она просидела несколько часов, предаваясь своим невеселым размышлениям и по-прежнему прижимая к себе Меридит. Меридит — ее единственная подруга. Ни бабушек, ни дедушек, ни теток, ни даже двоюродных братьев или сестер у Габриэллы не было. Играть же с другими детьми ей не разрешалось — должно быть, из-за ее мерзкого поведения. «И потом, — с горечью подумала девочка, — никто из детей и не станет со мной водиться. Кому понравится играть с такой, как я, если даже мама и папа с трудом меня терпят?..»

Габриэлла никогда и никому не рассказывала о своей жизни. Она не хотела, чтобы кто-нибудь знал, насколько она плохая. Когда в школе ее спрашивали, откуда у нее синяки, она отвечала, что упала с лестницы или споткнулась о собаку, хотя никакой собаки у них никогда не было.

Ее родители не были ни в чем виноваты. Во всем была виновата злая Умиранда, но и к ней Габриэлла относилась почти что с пониманием. В конце концов, как еще феи могут заработать себе на кусок хлеба, если не колдовством? А уж в том, что она не в силах исправиться, виновата она сама.

Габриэлла услышала доносящиеся из гостиной голоса родителей. Они, как это все чаще и чаще случалось, кричали друг на друга, и это тоже была ее вина. Несколько раз, когда мама наказывала ее при папе, он потом кричал на маму. Вот и сейчас он что-то говорил — громко и возбужденно, почти се́рдито, но слов Габриэлла разобрать не могла. Впрочем, речь, несомненно, шла о ней — о том, какая она плохая и непослушная. И ссорились родители из-за нее, и вся жизнь их шла наперекос из-за нее, и дом их потихоньку становился адом из-за нее. Кажется, все плохое, что происходило на свете, творилось из-за нее.

В конце концов, когда за окном сгустились сумерки, Габриэлла разделась и забралась под одеяло. Ужинать ее так и не позвали. Она слишком долго плакала, да и фантазия ее разыгралась не на шутку, ей было не до еды. Болела разбитая щека, болела нога, куда мать пнула ее носком туфли, но усталость все же брала свое, и вскоре Габриэлла стала забываться сном. Но прежде чем она окончательно провалилась в спасительный морок, ей пригрезился весенний сад весь в цвету — далеко-далеко, в той счастливой стране, где она была совсем другой. С ней играли все дети, все любовались ею, и высокая, ослепительно красивая женщина прижала Габриэллу к себе и сказала, что любит ее. Это были самые замечательные в мире слова, и душа девочки вновь обрели опору на этой земле.

Габриэлла заснула, продолжая прижимать к себе Меридит.

— Послушай, ты не боишься, что однажды просто убьешь ее? — спросил Джон Элоизу. Та посмотрела на него с легкой презрительной гримасой. Он выпил почти полбутылки виски, и теперь его слегка покачивало. Пить Джон начал примерно в то же самое время, когда из недр шкафа был извлечен желтый ремень. Дозы с тех пор постоянно увеличивались. Это было гораздо проще, чем пытаться прекратить издевательство над девочкой или попытаться как-то объяснить себе поведение Элоизы.

Виски отлично помогало. Во всяком случае, после хорошей порции Джон начинал смотреть на вещи проще и находил ситуацию вполне терпимой.

— Нет, не боюсь, — холодно парировала Элоиза. — Я знаю, что, если сейчас я научу ее уму-разуму, она никогда не будет пить столько, сколько пьешь ты. Это поможет ей сохранить здоровыми сердце и печень.

Она с отвращением покосилась на Джона, который повернулся к бару, чтобы налить себе новую порцию виски.

— Знаешь, самое ужасное то, что ты, кажется, действительно веришь в то, что говоришь, — пробормотал Джон в пространство.

— Не хочешь ли ты сказать, что я обращаюсь с ней слишком жестко?! — воскликнула Элоиза. Она терпеть не могла, когда Джон пытался упрекать ее в чем-либо.

— Слишком жестко? Слишком жестко?! Да ты в своем уме? Габриэлла вся в синяках! Откуда они у нее?

— Не говори глупости, Джон! — резко оборвала его Элоиза. — Ты сам отлично знаешь, что это неуклюжее создание падает каждый раз, когда ей нужно зашнуровать башмаки! Удивительно, как она до сих пор не разбила себе башку!

Тут она закурила сигарету и, откинувшись на спинку дивана, пустила вверх тонкую струйку дыма.

— Послушай, Эл, ты ведь разговариваешь со мной — не с кем-нибудь... — Джон наконец-то справился с пробкой и убрал бутылку обратно в бар. — Кого ты хочешь обмануть? Я прекрасно знаю, как ты относишься к девочке. И она это знает. Бедняжка, она не заслужила и одной сотой доли того, что ей приходится терпеть!

— Я тоже!.. Ты хоть представляешь, каково мне приходится? За этим ангельским личиком, за светлыми кудряшками и невинными голубыми глазками, в которые ты, похоже, влюбился, скрывается настоящее маленькое чудовище — тупое, упрямое, злое. Когда она начинает буйствовать, с ней просто невозможно справиться!..

Джон посмотрел на Элоизу неожиданно внимательным взглядом, словно с его глаз на мгновение спала пелена. Казалось, он даже слегка протрезвел.

— Ты ревнуешь? — спросил он. — Скажи правду, Эл:

ведь все из-за этого? Ты просто ревнуешь, ревнуешь к своей собственной дочери.

— Ты пьян, — отрезала Элоиза, взмахнув рукой, в которой была зажата дымящаяся сигарета. Она не желала его слушать, но Джон уже не мог остановиться.

— Я прав, и ты это знаешь, — сказал он. — Это... это отвратительно, Эл. Я начинаю жалеть, что мы завели ребенка. Честное слово, лучше бы Габриэлле не рождаться на свет! Это чудовищно — иметь такую мать!

Джон совершенно забыл о том, что тоже несет ответственность за дочь и за все, что с ней происходит. Он гордился тем, что ни разу не тронул Габриэллу и пальцем, а то, что мать колотит ее почем зря, как бы и не было важным.

Элоиза криво усмехнулась.

— Если ты хочешь, чтобы я почувствовала свою вину, можешь не стараться. Я знаю, что делаю.

— Вот как? — Джон попытался усмехнуться самой саркастической улыбкой, но выпитое виски сыграло с ним злую шутку. Он покачнулся и, чтобы не упасть, вынужден был схватиться за угол буфета. Элоиза, наблюдавшая за ним, презрительно скривила губы.

— Ты каждый день избиваешь ее чуть ли не до бесчувствия, — продолжил Джон, не без труда обретя равновесие. — И это — воспитание?! И до каких же пор? Пока она не вырастет? По-моему, ты убьешь ее раньше!.. Но ей-богу, смерть лучше, чем такая жизнь.

С этими словами он залпом осушил свой бокал и на несколько мгновений затих, прислушиваясь к ощущениям. Иногда виски делало его храбрее, и Джон вскипал праведным гневом. Но еще ни разу ему не удалось полностью забыть о том, что происходит в их доме. Наверное, чтобы не думать об этом, ему надо было выпить море.

— Габриэлла — просто узел неразрешимых проблем, Джон, — произнесла Элоиза, не без труда сохраняя видимость спокойствия. — И наш долг — любыми средствами приучить ее вести себя как положено.

— Да, твои уроки Габриэлла запомнит на всю жизнь! — заявил Джон и снова покосился в сторону бара.

— Надеюсь. — В глазах Элоизы вспыхнул какой-то

огонек, но она сразу опустила ресницы, и Джон не успел понять, что это было. — Нечего попусту носиться с детьми и баловать их — им же самим во вред. И, заметь, Габриэлла знает, что я права. Когда я ее наказываю, она никогда не спорит. Она понимает, что заслужила трепку, и это уже хорошо. Значит, она не безнадежна. *Пока* не безнадежна, и я не имею права опускать руки.

— Чушь! — воскликнул Джон. — Она слишком боится тебя. Я уверен, Габриэлла считает, что, если она попытается что-то сказать в свое оправдание, ты убьешь ее на месте.

— Послушать тебя, так получается, что это я — чудовище. Не она, а я!.. — Элоиза изящным движением закинула ногу на ногу. У нее были очень красивые, стройные ноги, но ее внешность уже не волновала Джона. Вместо утонченной леди с прекрасным лицом он видел разъяренную красную образину, почти нечеловеческую. Такою его изысканная жена бывала с Габриэллой. Но ему по-прежнему недоставало решимости, чтобы что-то изменить. Пожалуй, он скорее бросил бы Элоизу, чем осмелился вмешаться в ее «воспитание». И, подсознательно понимая это, Джон начинал понемногу ненавидеть себя.

— Я считаю, — сказал он, — что Габриэллу необходимо отправить в частный пансион, где она могла бы жить и учиться. Перемена обстановки пойдет ей на пользу. Главное, рядом не будет тебя... нас...

— Но прежде чем это случится, я должна обучить ее хорошим манерам, — возразила Элоиза.

— Обучить?! Ах вот как это, оказывается, называется! А скажи, разбитая щека и синяки на ногах — это тоже входит в программу воспитания маленькой леди?

— К утру все пройдет, — спокойно ответила Элоиза.

Джон знал, что тут она, несомненно, права, но ему чертовски не хотелось признавать это. Элоиза действительно как будто знала, куда и с какой силой бить, чтобы не оставлять синяки и ссадины на открытых частях тела Габриэллы. Другое дело — синяки на плечах и на ногах от колена и выше. Тут она была непревзойденным мастером. Кровоподтеки от ее ударов не сходили неделями, изменяясь в цвете от черно-багровых до светло-желтых.

— Ты просто сука!.. — выругался Джон и, нетвердо ступая, вышел из гостиной. Его жена действительно была настоящей сукой, но с этим, похоже, уже ничего нельзя было поделать.

По дороге в спальню Джон остановился перед слегка приоткрытой дверью детской и долго стоял, вглядываясь в темноту внутри. Из комнаты не доносилось ни звука, а смутно белеющая во мраке кровать казалась пустой, но, когда Джон на цыпочках вошел внутрь, он увидел, что дочь спит, свернувшись клубочком в ногах кровати и накрывшись одеялом с головой. Такую манеру спать Габриэлла приобрела уже довольно давно. Ей казалось, что если матери почему-либо вздумается зайти сюда, то она, возможно, ее не заметит. Это, разумеется, нисколько не помогало, но отказаться от этой привычки Габриэлла не могла. Так она чувствовала себя безопасней.

При взгляде на дочь глаза Джона невольно увлажнились. Он сразу понял, что означает эта поза и это натянутое на голову одеяло. В крошечном комочке, который едва угадывался под складками, было столько ужаса, что он не посмел даже прикоснуться к дочери, чтобы уложить ее как следует. Оставив Габриэллу, Джон повернулся и вышел так же бесшумно, как и вошел.

Поднимаясь в свою комнату, он раздумывал о том, а не безумна ли Элоиза и какова будет дальнейшая судьба Габриэллы. О том, что у девочки, кроме полусумасшедшей матери, есть еще и отец, Джон искренне забывал. Он ничего не мог сделать, чтобы спасти Габриэллу. В каком-то смысле он был столь же бессилен и беспомощен перед Элоизой, как и их маленькая дочь.

Ему оставалось только презирать себя, и он презирал, заливая виски собственные стыд и горечь.

Глава 2

Гости начали собираться в начале девятого вечера, и особняк на Шестьдесят девятой улице в нижнем Ист-Сайде наполнился звуками музыки и негромким гулом голосов. Все приглашенные занимали заметное положение в обществе. Был русский князь со своей английской любовницей, был управляющий банком Джона с женой и присутствовали все дамы, с которыми Элоиза каждую среду играла в бридж. Наемные официанты в форменных белых куртках с золотыми пуговицами разносили шампанское на серебряных подносах.

За всем этим Габриэлла наблюдала, сидя на верхних ступеньках лестницы, ведущей на второй этаж. Там было темно, и никто не мог разглядеть маленькую фигурку, притаившуюся у перил. Рассматривать гостей, которых приглашали раз в месяц, а то и чаще, было ужасно интересно. Это строжайше запрещалось, но бороться с искушением было выше ее сил.

Хозяева встречали гостей в вестибюле. Элоиза — в черном атласном платье с глубоким вырезом на спине — была совершенно обворожительна; Джон тоже выглядел весьма представительно. Отменно пошитый темно-коричневый смокинг с шелковыми лацканами сидел на нем, как влитой. Хотя, если приглядеться, было ясно, что еще до прихода гостей Джон выпил больше, чем следовало. Мужчины курили ароматные сигары, шуршали вечерние туалеты женщин. Кольца, серьги и браслеты вспыхивали крошечными алмазными радугами каждый раз, когда их владелица поворачивала изящную голову или поднимала руку, чтобы взять с подноса бокал шампанского. Обменявшись приветствиями с хозяевами, прибывшие пары уходили в гостиную, откуда доносились смех и музыка.

Габриэлла знала, что ее родители любят устраивать вечеринки. Правда, теперь они приглашали гостей не так часто, как раньше, и девочка искренне жалела об этом, потому что в ее небогатой радостями жизни каждый прием превращался в настоящий праздник. Сначала она с увлечением рассматривала гостей из своего постоянного убежища на лестнице, а потом, лежа в своей комнате, долго прислушивалась к музыке, доносящейся из гостиной. Впечатлений от увиденного ей обычно хватало надолго, и даже наказания, которые продолжали сыпаться на нее как из рога изобилия, переносились не в пример легче.

Недавно Габриэлле исполнилось семь. На дворе стоял сентябрь; в этом месяце в Нью-Йорке открывался новый светский сезон, и вечеринка у Харрисонов была первой после долгого летнего перерыва. Никакого особенного повода для нее не было — это была просто встреча старых друзей, большинство из которых Габриэлла давно знала в лицо.

Разумеется, сходить вниз ей строго запрещалось. Элоиза никогда не представляла дочь гостям. Что, спрашивается, детям делать в обществе взрослых? Однако несколько раз Габриэлле доводилось сталкиваться и даже разговаривать с друзьями матери или отца. Эти красивые, веселые, уверенные в себе люди очень нравились девочке. Они были ласковы с ней и всегда улыбались, разговаривали. Это было так непривычно и необыкновенно приятно. Но обычно перед приходом гостей мать просто отправляла Габриэллу в детскую, и девочка сидела там, всеми забытая и никому не нужная. Время от времени кто-нибудь из гостей — в особенности дамы из кружка любительниц бриджа — спрашивал Элоизу о ребенке, но от подобных вопросов она отмахивалась как от назойливых насекомых. Габриэлла не играла в ее жизни никакой роли. В доме не было даже ни одной фотографии девочки, хотя и в гостиной, и в столовой, и в библиотеке висели снимки Элоизы и Джона в серебряных багетных рамках. Габриэллу — за исключением одного-единственного раза — никто никогда не фотографировал; Элоизе это было не нужно, а Джону просто не приходило в голову фиксировать на пленке этапы жизни дочери.

Внизу снова звякнул колокольчик, парадная дверь открылась, и Габриэлла невольно улыбнулась. Вошла миссис Марианна Маркс — высокая светловолосая красавица, которая часто бывала у Харрисонов в гостях. Марианна была в пышном платье из тонкого белого шифона, которое окутывало ее словно невесомое облако. Они с Элоизой дружили. А Роберт, муж Марианны, приехавший вместе с ней, работал в одном банке с отцом Габриэллы.

Габриэлла прижалась лицом к столбикам перил. Марианна Маркс очень нравилась девочке, и теперь она с жадностью ловила каждое ее движение, каждый жест изящных рук, каждый поворот головы. Бриллиантовое ожерелье Марианны играло и переливалось словно раздробленная радуга. Очаровательная гостья, словно что-то почувствовав, подняла голову и посмотрела вверх. Взгляд ее остановился на Габриэлле, и девочка невольно отпрянула, но вовсе не от страха. Цвета слоновой кости лицо Марианны, когда та повернулась, оказалось в тени. Зато пышные волосы, в которых играл колеблющийся свет, походили на настоящий нимб, какой Габриэлла видела только на картинках в Библии. А изящная алмазная диадема была точь-в-точь как настоящая королевская корона. Девочка застыла в немом восхищении.

— Габриэлла! — окликнула девочку королева-святая. — Что ты там делаешь?

Голос у Марианны был негромким и ласковым, а улыбка — такой приветливой и доброй, что Габриэлла, скорчившаяся на верхней ступеньке в своей розовой ночной рубашке, едва не ответила ей. В следующий момент она, однако, вспомнила о грозящей ей опасности и умоляющим жестом приложила палец к губам. Если мама узнает, что она здесь сидит, она опять расстроится, и тогда...

— О-о!.. — Марианна мгновенно поняла, — или думала, что поняла — в чем дело. Кивнув мужу, она выпустила его руку и легко и бесшумно поднялась по лестнице к Габриэлле.

— Что ты тут делаешь, малышка? — спросила Марианна Маркс, прижимая к себе худенькое и теплое тельце девочки. — Смотришь на гостей?

— Ты такая красивая, Марианна, — прошептала Габриэлла, кивнув в ответ на заданный вопрос. — Просто ужасно красивая!..

И она действительно так считала. Женщина, державшая ее в объятьях, была почти полной противоположностью ее матери. Высокая, светловолосая, с большими голубыми глазами, как у Габриэллы. Улыбка, которая, казалось, освещала все вокруг, сияла на ее лице. Девочка видела в ней добрую фею из сказки. Иногда Габриэлла всерьез задумывалась о том, почему миссис Марианна не может быть ее мамой. В самом деле, они были так похожи. Марианна была ровесницей Элоизы, но у нее никогда не было детей. Лицо ее часто бывало печальным, когда она думала, что ее никто не видит. Но у Габриэллы, все замечавшей из своего укромного уголка, от жалости сжималось сердце. Однажды она даже выдумала историю о том, что Марианна Маркс на самом деле должна была быть ее мамой, но по ошибке (к которой, несомненно, приложила руку злокозненная Умиранда) Габриэлла досталась Элоизе. Впрочем, в историю эту девочка и сама не верила — не могла же Умиранда, в самом деле, быть такой злой; просто ей было очень приятно мечтать о том, что и у нее может быть ласковая, добрая и внимательная мать.

Марианна действительно была очень внимательна и добра к девочке каждый раз, когда им удавалось встретиться. Вот и сейчас, когда она наклонилась и поцеловала Габриэллу, та почувствовала себя совершенно счастливой. От Марианны исходил знакомый, сладковато-терпкий запах парфюма, и, вдыхая его полной грудью, Габриэлла снова подумала, что такая женщина просто не может никого наказывать. Даже ее, какой бы плохой и непослушной она ни была...

— Может быть, ты спустишься к нам хотя бы на несколько минут? — предложила Марианна, которой очень хотелось взять девочку на руки. Ее хрупкое сложение, миловидное личико, взгляд широко открытых глаз — все вызывало в Марианне желание любить и защищать это робкое, молчаливое создание. Откуда у нее было такое чувство, Марианна не знала; должно быть, она инстинктивно чувствовала, что Габриэллу есть от кого защищать. Как жаль, что она не задумалась, не смогла понять эту нежную душу. Как только тонкие, в синих прожилках кисти девочки оказалось в ее руках — Марианна снова ощутила это странное притяжение... Казалось, девочка о чем-то молча умоляет ее, но о чем?

— Н-нет, нет, я не могу вниз... мама будет очень сердиться. Я давно должна быть в постели, — пробормотала

Габриэлла срывающимся шепотом, и в глазах ее промелькнул ужас. Она прекрасно представляла себе, каково будет наказание. Каждый раз, решаясь на свои преступные, с точки зрения Элоизы, вылазки, Габриэлла дрожала как осиновый лист. Но в ее жизни было так мало радостей, что она снова и снова пряталась, чтобы подсмотреть чужой праздник. Иногда ее ждала награда, такая, как этот разговор с Марианной.

— Это у тебя настоящая корона? — спросила Габриэлла, разглядывая затейливую бриллиантовую диадему, которую делала Марианну похожей на крестную из сказки про Золушку.

Вообще-то Габриэлле не разрешалось называть взрослых на «ты»; та же Марианна должна была быть для нее «миссис Маркс» или, на худой конец, «вы», «тетя Марианна», но девочка чувствовала себя с ней настолько спокойно и свободно, что часто сбивалась на фамильярное «ты». Даже наказания, которые налагала на нее мать, не сумели отучить Габриэллу от этой привычки.

— Это называется диадема, — поправила Марианна и бросила быстрый взгляд назад и вниз, где у подножия лестницы ее терпеливо ждал Роберт, облаченный в смокинг и блестящие лаковые туфли. — Когда-то она принадлежала моей бабушке.

— Она была королева? — замирая от восторга, спросила Габриэлла, и Марианна не сдержала улыбки. У девочки был такой доверчивый и вместе с тем — такой мудрый, знающий вид. Необыкновенно трогательный ребенок.

— Нет. Моя бабушка была чудаковатой пожилой леди из Бостона, но однажды она действительно встречалась с английской королевой и надевала эту штуку. Мне показалось, что она очень идет к этому платью.

Сказав это, Марианна аккуратно сняла диадему и одним плавным движением пристроила ее на светлые кудряшки Габриэллы.

— А вот ты действительно похожа на принцессу, — сказала она.

— Правда? — в восторге ахнула Габриэлла.

— Взгляни сама, — шепнула Марианна и, обхватив

Габриэллу за плечи, подвела ее к большому зеркалу в массивной бронзовой раме.

Габриэлла во все глаза уставилась на свое отражение. Она действительно была похожа на маленькую сказочную принцессу, которую только что разбудил поцелуем прекрасный принц.

«Но почему, — тут же спросила она себя, — почему Марианна такая добрая, а мама — нет? Как они двое могут быть такими разными?» В этом была какая-то загадка, которую, как чувствовала Габриэлла, ей не разгадать, даже если она будет думать сто лет. Или даже тысячу. Одно объяснение пришло ей в голову почти сразу, но оно было слишком ужасным. «Быть может, — подумала Габриэлла, — я не заслужила такую маму, как Марианна...»

— Ты — чу́дная маленькая девочка, — негромко сказал Марианна, снова наклоняясь, чтобы поцеловать Габриэллу в макушку. Потом она взяла алмазную диадему и снова водрузила ее себе на голову. Бросив последний взгляд в зеркало, она поправила украшение изящным движением руки и повернулась к Габриэлле.

— Твоим родителям очень повезло, что у них есть такая замечательная дочка, — со вздохом сказала она.

От этих слов на глаза Габриэллы набежали слезы. Если бы только миссис Марианна знала... Тогда она не только не дала бы ей померить диадему, но и разговаривать-то с ней не стала бы! Впрочем, все еще было впереди. Габриэлла не сомневалась, что рано или поздно мама расскажет своей подруге, какое чудовище — ее дочь, и тогда... «Нет, не стану об этом думать, — решила она и проглотила застрявший в горле комок. — Пусть что будет — то будет».

Марианна несильно пожала ей пальцы.

— А теперь мне пора идти вниз, — шепнула она. — Бедный Роберт совсем меня заждался.

Габриэлла с пониманием кивнула. Она никак не могла прийти в себя после всего, что произошло с ней за каких-нибудь несколько минут. Поцелуй, ласковые слова, нежное объятие, сверкающее украшение на голове — казалось, это происходит не с ней, а с какой-то другой девочкой. Сама того не подозревая, Марианна сделала ей самый дорогой подарок.

— Как бы мне хотелось немножко пожить с тобой! — неожиданно для себя выпалила Габриэлла, когда они шли по коридору к лестнице. Марианна по-прежнему держала ее за руку, и Габриэлле очень хотелось оттянуть неизбежное расставание.

Услышав это странное заявление, Марианна невольно замедлила шаг. Она не понимала, что могло заставить девочку сказать такое.

— Я бы тоже этого хотела, — ответила она негромко и сильнее сжала пальцы Габриэллы. Ей вдруг показалось, что нельзя выпускать из рук эту маленькую ладошку, которая каким-то неведомым образом протягивалась прямо к ее сердцу, к ее душе. В глазах Габриэллы стояла такая недетская печаль, что Марианна испытывала почти физическую боль каждый раз, когда встречалась с ней взглядом.

— Но, — добавила она первое, что пришло ей в голову, — твои мама и папа очень огорчатся, если тебя не будет с ними.

— Нет, — с неожиданной твердостью ответила Габриэлла. — Они не огорчатся.

Марианна даже остановилась и некоторое время стояла неподвижно, внимательно глядя на Габриэллу. Девочка низко опустила голову, так что Марианне не было видно ни ее глаз, ни лица, но сама поза Габриэллы была настолько красноречивой, что в конце концов Марианна решила, что девочка в чем-то провинилась и мать отругала ее или даже наказала. Самой Марианне казалось совершенно невероятным, что кто-то может хотя бы повысить голос на такого прелестного ребенка, однако она не сомневалась — сегодня что-то случилось.

— Хочешь, я вернусь через некоторое время, и мы еще немножко поболтаем? Или, может быть, мне лучше зайти к тебе в комнату? — предложила Марианна. Молящие глаза и печальное лицо Габриэллы буквально разрывали ей сердце, и Марианна чувствовала, что, если она уйдет, она совершит предательство. Обещание прийти еще раз было единственным, что могло как-то успокоить ее совесть.

Но Габриэлла отрицательно покачала головой.

— Тебе нельзя, — сказала она, думая о том, что сделает мама, если Марианна поднимется в детскую. Элоиза терпеть не могла, когда гости разговаривали с девочкой или — того хуже — восхищались ею. «Не смей надоедать взрослым!» — не раз говорила она, сопровождая свои слова шлепком или затрещиной.

— Почему? — удивилась Марианна.

— Тебе не разрешат. — Габриэлла снова покачала головой.

— А мы потихоньку... — Марианна выпустила ее пальцы и стала медленно спускаться по лестнице, придерживая свое сверкающее платье, которое как будто плыло в воздухе вокруг нее. На половине пути она остановилась и, обернувшись через плечо, послала Габриэлле воздушный поцелуй.

— Я вернусь, Габриэлла, обещаю!.. — проговорила она еще раз.

Габриэлла ответила ей таким печальным взглядом, что вторую половину лестницы Марианна преодолела чуть ли не бегом.

Роберт, ожидавший ее внизу, пил уже второй бокал шампанского и коротал время за разговором с польским графом Пшесецким. Граф был очень хорош собой и избалован женским вниманием, однако при виде Марианны глаза его невольно вспыхнули. Склонившись в изящном поклоне, он поцеловал Марианне руку, и она, смеясь, что-то сказала в ответ. Они еще немного поговорили, а потом медленно пошли в гостиную.

Габриэлла провожала их взглядом. Ей очень хотелось сбежать вниз, чтобы снова прижаться к тете Марианне, ощутить ее тепло и почувствовать себя в безопасности, но она не смела. Она только вздохнула, и в этот момент Марианна обернулась и еще раз помахала ей рукой. Потом, рассмеявшись в ответ на очередной комплимент графа, исчезла в дверях гостиной.

Габриэлла закрыла глаза и, опустившись на корточки, прислонилась головой к полированным деревянным перилам. Несколько секунд она сидела совершенно неподвижно, заново переживая все, что с ней только что произошло. Словно наяву она видела сверкающую диадему у себя в волосах, вспоминала ласковый и добрый взгляд Марианны, ощущала запах ее духов и мечтала о том, что когда-нибудь они снова встретятся.

Габриэлла долго еще не покидала своего наблюдательного пункта. Никто из приезжающих не замечал ее. Все были слишком заняты, оживленно беседуя между собой, пересмеиваясь, обмениваясь приветствиями и шутками. Габриэлла знала, что мать вряд ли поднимется на второй этаж, чтобы проверить, легла она или нет. Элоиза была абсолютно уверена, что дочь, как ей и было сказано, давно спит. Ей и в голову не могло прийти, что Габриэлла станет подглядывать за гостями. «Ложись и спи! Если не будешь спать — я тебя нашлепаю», — таковы были последние слова Элоизы, которые она произнесла, отводя дочь в детскую. И, относись угроза к чему-нибудь иному, Габриэлла и не подумала бы ослушаться, но ей слишком хотелось посмотреть на вечеринку.

Кроме того, спать она все равно не могла. Габриэлла знала, что в кухне полно разных вкусностей — сладких булочек, печенья, шоколадных кексов и прочего. Она своими глазами видела, как привезли ветчину и сыр, как готовили на кухне салаты, жарили индейку и сладкий картофель, который шипел и подпрыгивал на противне, покрываясь золотистой поджаристой корочкой.

Габриэлле было строжайше запрещено трогать что-либо из того, что готовилось для вечеринок, и все же девочка продолжала мечтать о кусочке кекса, о пирожном или о тарталетках с ежевикой. Да что там тарталетки!.. Сейчас она не отказалась бы и от простого бутерброда с маслом или даже с противной, пахнувшей рыбьим жиром черной икрой, но никто и не думал предлагать ей его. Мама была так занята, готовясь к вечеринке, что просто-напросто забыла дать Габриэлле поужинать, и теперь у девочки немилосердно сосало под ложечкой. Попросить же поесть она не решилась. Элоиза всегда начинала готовиться к приемам с самого утра — она часами сидела в ванной, подолгу красилась в своей комнате, примеряла то одно, то другое платье и бывала взвинчена до предела. В такие дни она редко вспоминала о дочери, и Габриэлла считала это благом. Она отлично понимала, что может случиться, если она напомнит матери о своем существовании. Уж лучше поголодать, чем быть избитой.

Тут музыка внизу заиграла громче, и Габриэлла догадалась, что это значит. В большой гостиной начались танцы. Люди в столовой, библиотеке и малой гостиной смеялись, разговаривали, звенели ножами и вилками по тарелкам, и от этого звука Габриэлла чуть не сошла с ума. И все же она не уходила с лестницы, надеясь снова увидеть Марианну, однако та так и не появилась. В конце концов девочке стало ясно, что ждать бесполезно. Должно быть, миссис Маркс просто забыла о ней, а может, просто узнала от мамы, какая Габриэлла скверная и непослушная девочка, и не захотела больше с ней видеться. Да, скорее всего так и случилось, поняла Габриэлла и... продолжала сидеть на верхней ступеньке, надеясь вопреки всему хоть одним глазком увидеть миссис Марианну еще раз.

Но вместо Марианны Маркс в вестибюль неожиданно вышла Элоиза. Она спешила в кухню, но внезапно остановилась, словно каким-то сверхъестественным образом почувствовав присутствие дочери. Вот она подняла голову и посмотрела сначала на высокий бронзовый подсвечник у подножия лестницы, потом ее взгляд скользнул вверх — туда, где сидела Габриэлла.

Брови Элоизы гневно сомкнулись на переносице, и Габриэлла невольно задержала дыхание, сжимая худенькой рукой воротник своей старой розовой рубашонки. В следующее мгновение она вскочила на ноги и попятилась, но споткнулась и с размаху шлепнулась на ступеньку.

Выражение лица Элоизы напоминало маску бога войны какого-нибудь туземного племени. Не сказав ни слова, она стала стремительно подниматься вверх, словно на ее ногах были надеты Черные Крылатые Сандалии, как у вестницы зла. Тонкое атласное платье облегало изящную фигуру Элоизы, поблескивая, точно змеиная кожа, а золотые серьги с бриллиантами негромко вызванивали что-то вроде похоронного марша («...Вот летит злая фея Динг-Донг, погибель моряков. О горе, горе нам!..» — вспомнилось в эти мгновения Габриэлле).

— Что ты здесь делаешь? — прошипела Элоиза прямо в лицо девочке, и та отшатнулась. Черные волосы матери были собраны в такой тугой пучок на затылке, что казалось, будто кожа на лице натянута и уголки ее глаз приподняты. Коварный и злобный демон смотрел на Габриэллу, застывшую от ужаса.

— Я же запретила тебе выходить из комнаты! Как ты посмела, отвечай!

— Я... я просто... — пролепетала девочка. Она знала, что снова не послушалась маму и что ей нет прощения. Но Габриэлла не просто вышла из комнаты — она разговаривала с Марианной Маркс и даже примеряла ее диадему. Если мама узнает, она...

К счастью, об этих ее преступлениях Элоизе пока не было известно.

— Не лги мне, дрянь!.. — процедила сквозь зубы Элоиза и так крепко сжала запястье дочери, что кисть у Габриэллы почти мгновенно онемела и ее закололи тысячи иголочек. — И не смей оправдываться! — добавила она потише и почти волоком потащила девочку по коридору второго этажа. Если бы кто-нибудь случайно увидел ее перекошенное, пошедшее красными пятнами лицо и сверкающие злобой глаза, этот человек, наверное, остолбенел бы от изумления. Но все гости были внизу, и главное было — не привлечь их внимания. Снова наклонившись к девочке, Элоиза прошипела с угрозой:

— Ни слова, маленькое чудовище! Молчи, иначе я тебе оторву руку!

Габриэлла сразу поняла, что это не пустая угроза. Элоиза была вполне способна оторвать ей руку или ногу — в этом она не сомневалась. В свои семь лет девочка твердо усвоила, что у ее матери слово не расходится с делом. Какими бы карами, какими бы наказаниями ни грозила Элоиза своей непослушной дочери, она непременно приводила их в исполнение.

На пороге детской Элоиза с такой силой дернула дочь за руку, что Габриэлла почувствовала, как ее ноги отрываются от пола. И действительно, следующие несколько футов она пролетела по воздуху и неловко упала на пол возле своей кроватки, подвернув при этом лодыжку. Было очень больно, но Габриэлла не закричала. Инстинктивно подтянув колени к подбородку, она осталась лежать на полу в темной детской и только закрыла глаза, ожидая почти неминуемого удара.

— Сиди здесь и не смей никуда выходить, ясно? Я не желаю, чтобы ты бродила голышом по всему дому и надоедала гостям. Если я увижу тебя на лестнице, Габриэлла, или еще где-нибудь в доме, ты об этом очень пожалеешь. Посмей только снова изображать из себя маленькую сиротку!.. Заруби себе на носу: ты никому здесь не нужна, и никто не хочет тебя видеть. Твое место в детской и только в детской. Ты поняла?

Ответа не было. Габриэлла беззвучно плакала от боли. Она не могла произнести ни слова.

— Ты поняла?! — снова спросила Элоиза, на полтона повышая голос.

— П-поняла, мамочка, — прошептала Габриэлла, испугавшись, что Элоиза может пнуть ее ногой. Она частенько поступала таким образом, когда ей казалось, что до Габриэллы слишком долго доходит.

— Перестань ныть! — рявкнула Элоиза. — Ступай в постель.

С этими словами она с грохотом захлопнула дверь и ушла. Спеша по коридору к лестнице, Элоиза все еще хмурилась, но, прежде чем она спустилась вниз, ее лицо претерпело разительные изменения. Элоиза как будто выбросила из головы инцидент с дочерью; во всяком случае, когда она шагнула в холл, где стояли трое собравшихся уходить гостей, на лице ее играла самая любезная улыбка.

Проводив их, Элоиза как ни в чем не бывало вернулась в гостиную. Она снова шутила, танцевала и болтала с гостями, словно на свете никогда не существовало никакой Габриэллы. Для Элоизы это действительно было так. Дочь не значила для нее ровным счетом ничего — она вспоминала о ней только тогда, когда девочка попадалась ей на глаза.

Примерно часа через полтора засобирались домой и супруги Маркс. Прощаясь с Элоизой, Марианна попросила ее передать привет «маленькой Габриэлле».

— Я обещала перед уходом ненадолго подняться к ней в детскую, — сказала она с искренним сожалением. — Но сейчас девочка, наверное, спит...

По лицу Элоизы пробежала какая-то тень.

— Хотелось бы надеяться, — проговорила она неожиданно суровым тоном. — А разве ты сегодня с ней виделась?

— Да, — кивнула Марианна. Она совершенно забыла о словах Габриэллы насчет того, что ей не разрешают выходить к гостям. Впрочем, Марианна с самого начала не придала этому большого значения — она и представить себе не могла, чем это грозит девочке. Кто, в самом деле, мог всерьез рассердиться на такого ангелочка?

Увы, Марианна плохо знала Элоизу, которую считала своей близкой подругой.

— Как я тебе завидую, дорогая!.. — вздохнула она печально. — Габриэлла — прелестный ребенок. Когда мы приехали, она сидела на верхней ступеньке лестницы и смотрела вниз. Я поднялась к ней, и мы немножечко поболтали. Знаешь, эта розовая рубашечка ей очень к лицу...

— Мне очень жаль, Марианна, — с трудом сдерживая раздражение, проговорила Элоиза. — Ей не следовало выходить из комнаты. Я не хочу, чтобы ребенок надоедал гостям.

И она посмотрела на Марианну, словно извиняясь перед гостьей за наверняка сказанную маленькой мерзавкой дерзость или какой-то иной непростительный промах. И с ее точки зрения дерзость действительно была! Габриэлла посмела показаться гостям, и они нашли ее «прелестной»... В глазах Элоизы это был тягчайший грех, но Марианна Маркс не могла этого знать.

— О, это была моя вина! — отмахнулась она. — Когда я ее увидела, то просто не смогла удержаться. У нее такие красивые глазки, такие чудные мягкие волосы... Девочке хотелось посмотреть мою диадему — представь, она решила, что это корона, — умилялась Марианна, приглашая и Элоизу разделить ее чувство.

— Надеюсь, ты не позволила ей хватать твою диадему руками?

Во взгляде и голосе Элоизы было что-то такое, что Марианна не решилась сказать правду. Вместо этого она, переменив тему, заговорила о чем-то постороннем. Когда они с Робертом вышли из дома Харрисонов и сели в такси, Марианна неожиданно сказала:

— Ты знаешь, Боб, по-моему, Эл слишком сурова с девочкой. Тебе не кажется?.. Когда я ей рассказала, как мы сегодня болтали с Габриэллой, она вдруг повела себя так, словно малышка могла чуть ли не украсть мою диадему!..

— Может быть, она придерживается устарелых взглядов на воспитание, — рассеянно отозвался Роберт. — Я думаю, на самом деле Элоиза боялась, что ребенок надоест гостям. Не всем, знаешь ли, нравится общаться с маленькими девочками, да и дети не всегда хорошо разбираются, что к чему.

— Не представляю, кому может не понравиться эта очаровательная крошка, — улыбнулась Марианна. — Габриэлла очень мила и прекрасно воспитана. В ее годы дети редко бывают такими серьезными. Конечно, она могла бы быть и поживее, но... — Она вздохнула и закончила: — Как бы мне хотелось, Боб, чтобы у нас была своя девочка!

— Я знаю... — Роберт тоже вздохнул и, сочувственно похлопав Марианну по руке, отвернулся к окну, чтобы не видеть печального лица жены. Они были женаты уже девять лет, но детей у них не было. Недавно они узнали, что у Марианны вряд ли вообще когда-нибудь появится малыш. И теперь им оставалось только смириться с неизбежностью.

— Кстати, и с Джоном она тоже разговаривает довольно резко, — заметила Марианна после долгой паузы. Она никак не могла отвлечься от мыслей о детях, которых у них никогда не будет, и все вспоминала Габриэллу.

— Кто? — спросил Роберт, который давно уже думал о другом. Прошедшая неделя была для него не из самых легких, а в понедельник предстояли еще одни сложные переговоры. Иными словами, проблемы семейства Харрисонов его интересовали мало — ему хватало своих.

— Элоиза, — пояснила Марианна, и Роберт кивнул.

— Да, пожалуй, — согласился он, вспоминая прошедшую вечеринку.

— Когда Джон танцевал с этой англичанкой... ну, которую привел князь Орловский, — продолжала Марианна, — Эл смотрела на него такими глазами, что мне даже стало не по себе. Мне показалось, что она готова была его убить. Или обоих.

Роберт невольно улыбнулся такой оценке.

— Думаю, Джон просто выпил лишнего, — сказал он и добавил немного погодя: — А какими глазами смотрела бы ты, приди мне в голову пригласить на танец эту красотку?

Он шутливо приподнял бровь, и Марианна рассмеялась.

— Такими же, Боб, такими же... — ответила она, беря его за руку. — Весьма развязная особа, к тому же на ней почти ничего не было...

Англичанка, о которой шла речь, и в самом деле была одета весьма вызывающе. Тонкое атласное платье телесного цвета, которое облегало ее плотно, как вторая кожа, не скрывало ничего из того, что призвано было скрывать. Наоборот, оно скорее подчеркивало соблазнительную анатомию ее чувственного тела, и на протяжении всей вечеринки мужчины буквально не сводили с нее глаз. И Джон Харрисон не был исключением.

— Пожалуй, я понимаю Элоизу, — задумчиво добавила Марианна и вдруг спросила с самой невинной улыбкой: — А ты?.. Разве тебе эта Джейни не показалась привлекательной?

Но Роберт слишком хорошо знал свою жену, чтобы попасться на эту удочку. Вместо ответа он только от души рассмеялся и покачал головой. Такси уже сворачивало к их дому на Семьдесят девятой улице, и Роберт рассчитывал уйти от ответа, но Марианна не отставала.

— Нет, скажи!.. — потребовала она, дернув его за

рукав. — Неужели Джейни тебе ни капельки не понравилась?

— Ни в коем случае, мэм, — ответил Роберт с напускной торжественностью. — Во-первых, она косит, а во-вторых... Во-вторых, с такой фигурой, как у нее, нельзя носить открытые платья. Просто не понимаю, о чем думал Орловский, когда приглашал ее на вечеринку...

Тут они оба рассмеялись. Роберт был прирожденным дипломатом, и Марианне редко удавалось загнать его в угол своими каверзными вопросами. Так и сейчас он подтвердил свою лояльность жене и в то же время не погрешил против истины. Огромные зеленые глаза Джейни действительно были с легкой косинкой, которая, впрочем, ничуть ее не портила. Что касалось слишком откровенного платья, то и здесь Роберт был прав: такое тело, как у нее, надо было прятать под самым толстым драпом, чтобы окружающие мужчины не посходили с ума.

Впрочем, на самого Роберта красавица-англичанка действительно не произвела никакого впечатления. Его уже давно не интересовал никто, кроме его собственной жены. Роберт обожал Марианну, и ему было совершенно наплевать на то, что она не может иметь детей. Сейчас ему хотелось только одного — как можно скорее подняться с ней на второй этаж и запереться в спальне.

Примерно в это же самое время похожий разговор происходил между Элоизой и Джоном. Правда, здесь преобладали повышенные тона и, уж точно, совсем другие намерения.

— Знаешь, — едко сказала Элоиза, — в какой-то момент мне показалось, что сейчас ты начнешь ее раздевать.

Джон действительно весь вечер танцевал только с Джейни и так крепко прижимался к ней, что это заметили все — в том числе и князь Орловский. Впрочем, самому Джону было решительно наплевать на произведенное впечатление. Еще до прихода гостей он совершил опустошительный набег на бар в кабинете, потом пил шампанское и мартини и вскоре вовсе перестал соображать, что делает. Впрочем, именно этого ему и хотелось больше всего.

Теперь Джон сидел на кровати, широко расставив ноги и опираясь на руки. Воротник его рубашки был расстегнут, «бабочка» съехала куда-то к левому уху, а влажные светлые волосы (он вынужден был намочить голову под краном, чтобы прийти в себя) клином свешивались на лоб.

— Ради бога, Эл, пр... прекрати!.. — пробормотал Джон заплетающимся языком. — Я просто хотел быть вежливым. Джейни недавно в Штатах, и ей многое еще кажется чужим, странным. Я хотел, чтобы она чувствовала себя как дома...

— Как удачно... для тебя, — холодно произнесла Элоиза. — Если судить по тому, что вы практически целовались у всех на глазах, то тебе это удалось, мистер Гостеприимство. Ну а то, что у нее с плеча соскользнула бретелька и все увидели ее грудь, это, наверное, было простой случайностью. Верно я говорю, Джон?..

Элоиза тоже выпила больше обычного, но, в отличие от Джона, продолжала держать себя в руках. Теперь она расхаживала по комнате из стороны в сторону и нервно курила, презрительно поглядывая на пьяного мужа.

— Ничего мы не целовались, и ты это отлично знаешь, — возразил он. — Мы танс... танцевали.

— Пожалуй, ты прав, — неожиданно согласилась Элоиза. — Вы не целовались. Вы почти что трахались под музыку...

Она остановилась посреди комнаты и притопнула каблуком.

— Ты унизил меня перед моими друзьями, подонок! — прошипела она с неожиданной злобой. — И ты за это заплатишь!..

Как уже убедилась Габриэлла, слова у ее матери никогда не расходились с делами, однако Джон только громко фыркнул.

— Быть может, Эл, если бы ты не отказывалась спать со мной, мне бы и в голову не пришло танцевать подобным образом с первой попавшейся... незнакомкой, — проговорил он и сразу же подумал, что на самом деле ему уже давно безразлично, спит с ним Элоиза или нет. Особенно после мерзких сцен избиения Габриэллы.

— Ты мерзавец! — выкрикнула Элоиза. — Отвратительный, мерзкий негодяй!

— На себя посмотри! — заорал в ответ Джон, и лицо его налилось темной кровью. Обычно он старался не повышать голоса, чтобы Габриэлла не слышала их ссор, но сейчас он совершенно забыл о дочери. К счастью, на этот раз Габриэлла действительно ничего не слышала. Она крепко спала.

— Ты пьян, Джон, — Элоиза подошла к мужу так близко, как только осмелилась. Джон был в ярости, а все потому, что жена была совершенно права: он действительно был не прочь отбить девчонку у Владимира Орловского. «И, пожалуй, еще не поздно, — подумал Джон неожиданно. — А Элоиза?.. Что ж, плевать на нее...»
Его любовь к Элоизе остыла уже давно и окончательно, и он считал, что продолжать хранить ей верность только потому, что они состояли в браке, было бы глупо. Больше того, Элоиза заслуживала всяческого пренебрежения с его стороны уже тем, что была холодна с ним и жестока с дочерью. На этом основании Джон считал, что ничем ей не обязан.

— Ты просто ублюдок, а она — шлюха, — заявила Элоиза, желая унизить и уязвить его. Но Джону было все равно, что она думала или говорила, к тому же он был действительно пьян, сильно пьян. В эти минуты он ненавидел свою жену, и она это почувствовала. И — из предосторожности — отступила на полшага назад.

— А ты — сука, мерзкая сука, Элоиза. Даже хуже... И все об этом знают. В этом городе не найдется ни одного порядочного мужчины, который бы захотел тебя.

На этот раз Элоиза решила не тратить слов. Вместо этого она чуть откинулась назад и с размаху влепила ему пощечину, вложив в это движение всю свою силу.

Джон покачнулся и... неожиданно рассмеялся странным, лающим смехом.

— Не трать силы зря, дорогая. Я тебе не Габриэлла...

С этими словами он, не вставая с кровати, резко выбросил вперед правую руку и с такой силой ударил Элоизу кулаком в живот, что она попятилась. Налетев на кресло, она потеряла равновесие и упала на пол, зацепив по дороге журнальный столик, который свалился на нее.

Прежде чем Элоиза сумела встать, Джон быстро вышел из спальни, с грохотом захлопнув за собой дверь. На жену он даже не взглянул — ему было все равно. Мысль о том, что Элоиза могла сильно удариться или что-нибудь себе сломать, даже не пришла ему в голову. Впрочем, если бы это действительно было так, Джон только порадовался бы — он считал, что Элоиза этого заслуживала. Она методично мучила их обоих: его самого и его маленькую девочку.

Выйдя из дома, Джон ненадолго остановился на ступеньках парадного крыльца. Куда он пойдет сегодня ночью, пока не ясно. В этот час Джейни скорее всего была в постели с Орловским, поэтому к ней он поехать не мог, хотя она и сообщила ему свой адрес. Но, кроме Джейни, существовали и другие девушки, которым Джон время от времени звонил. Среди них были профессиональные проститутки, к услугам которых он изредка прибегал; замужние дамы, которые бывали рады провести с ним вечерок; одинокие или разведенные женщины, лелеявшие надежду, что Джон когда-нибудь оставит ради них «свою стерву». Много, много красоток были не прочь переспать с ним, и Джон не упускал ни одной возможности сходить налево. Почему бы, собственно, нет? В конце концов, каждая встреча с другой женщиной была его маленькой местью Элоизе.

Подумав об этом, Джон сбежал с крыльца и, остановив проезжавшее по улице такси, забрался внутрь и назвал адрес. Водитель опустил флажок, и машина отъехала как раз в тот момент, когда Элоиза, прихрамывая, подошла к окну. Падая, она сломала каблук и ушибла бедро. На ее лице не было ни тени раскаяния или сожаления о том, что произошло. О, вся ее фигура дышала жгучей ненавистью и яростным гневом, который требовал немедленной разрядки. Джон уехал — уехал к одной из своих шлюх, но Элоиза знала, кто может заплатить ей за это оскорбление.

Сорвав с ноги вторую туфлю, она швырнула ее в

дальний угол спальни и в одних чулках вышла в холл. Элоиза шагала по коридору, и глаза ее горели яростным огнем. Джон еще узнает, каково это — оскорблять ее. Сейчас Элоиза хотела только одного — сделать как можно больнее именно ему.

Включив свет, чтобы видеть, что делает, Элоиза резким движением сдернула одеяло с маленькой кроватки. Наивная уловка Габриэллы, которая по своему обыкновению спала, укрывшись с головой, в ногах кровати, ни на мгновение ее не обманула. Элоиза знала, что дочь должна быть в постели, и она действительно была там — крошечный, жалкий комочек, скорчившийся, словно от сильного холода. Так эта подлая девчонка — такая же мерзкая и отвратительная, как ее отец, — пряталась от своей матери, и Элоиза с особенной остротой почувствовала, что ненавидит, ненавидит ее каждой клеточкой своего тела.

В этот момент Габриэлла пошевелилась, и Элоиза увидела куклу, которую девочка прижимала к груди. Эту куклу Элоиза тоже ненавидела, потому что ее подарила девочке мать Джона, и с тех пор мерзавка всюду таскала ее с собой.

Не помня себя от ярости, Элоиза выхватила у Габриэллы куклу и принялась колотить ею о стену. Уже на втором ударе фарфоровая голова треснула, на третьем — разлетелась на куски, а Элоиза никак не могла остановиться.

— Нет, мамочка, нет! Не убивай Меридит! — Проснувшись, Габриэлла не сразу поняла, в чем дело. Она только чувствовала, что происходит что-то ужасное. Когда же девочка увидела, что от ее любимой куклы остались одни ноги и туловище, она зарыдала — так велико было ее горе. Отныне одиночество становилось всеобъемлющим.

— Мамочка, миленькая, не надо, пожалуйста!.. — всхлипывала Габриэлла и даже пыталась схватить мать за руки, хотя и знала, что за это ей достанется вдвойне.

— Вот тебе, вот!.. — приговаривала Элоиза, с наслаждением уничтожая куклу. — Эта дурацкая кукла давно мне надоела. Я ее ненавижу. И тебя ненавижу, мерзкая, испорченная девчонка! Что ты рассказала Марианне? Небось нажаловалась на меня, да? Отвечай, ты жаловалась ей на меня?! А сказала ты Марианне, что ты заслуживаешь, чтобы тебя драли каждый день, нет — двадцать раз в день?! Ты рассказала доброй тете Марианне, что ты — маленькая дрянь, шлюха, что родные отец и мать тебя ненавидят, потому что ты не желаешь их слушаться и все делаешь назло?! Отвечай — сказала?!! Сказала, сказала, СКАЗАЛА?!

Элоиза уже не кричала — она ревела, как самое страшное чудовище из самой страшной сказки, и Габриэлла только всхлипывала от ужаса и от боли, когда остатки куклы начали опускаться ей на плечи, на голову, на руки, которыми она пыталась закрыть лицо. Наконец кукла окончательно развалилась, и Элоиза принялась работать кулаками, в слепой ярости не видя, куда попадает. Она хватала Габриэллу за рубашонку и трясла, как пес трясет половую тряпку; она таскала ее за волосы и била лицом о плетеную боковину кроватки до тех пор, пока сама не устала и не задохнулась.

На памяти девочки это было самое жестокое наказание. Казалось, вся злоба и все разочарование матери выплеснулись на нее словно кипящий котел. Габриэлла понятия не имела о том унижении, которое Элоиза пережила, когда ушел Джон, и принимала эту бешеную ярость на свой счет. Девочка уже не помнила себя от боли и страха, но какая-то часть ее истерзанной души была уверена: она такая плохая, что действительно заслужила это страшное наказание. И смириться с этой мыслью было тяжелее всего.

Элоиза наконец ушла, оставив Габриэллу почти в бессознательном состоянии. Простыня была испачкана в крови, а при каждом вдохе в бок девочке как будто вонзался длинный и острый стеклянный осколок. Габриэлле неоткуда было знать, что у нее треснуло два ребра — она просто чувствовала боль, которая становилась еще сильнее при малейшей попытке пошевелиться. Она даже дышала с трудом, а между тем ей отчаянно хотелось по-маленькому. Зная, что, если она намочит постель, мать наверняка убьет ее, Габриэлла попыталась приподняться, но тут же снова упала на постель и негромко заскулила от боли.

Разбитая вдребезги кукла исчезла. Габриэлла догадалась, что мать забрала ее с собой, чтобы выбросить в мусорный контейнер. При мысли о том, что ее любимая куколка умерла, у Габриэллы снова подступили слезы к глазам, однако она сдержалась. Что-то подсказывало ей, мать утолила на сегодня свою ярость, накормила сидящего в ней голодного дракона и больше не вернется, как это частенько бывало. Завтра утром мама скорее всего встанет поздно, а значит, ближайшие несколько часов должны были быть спокойными.

Относительно спокойными... Девочка поняла это, как только попыталась лечь поудобнее и накрыться одеялом. Дракон, который поселился в маме, съел, изжевал, переварил Габриэллу и выплюнул остатки. Все тело у нее болело.

Она долго лежала в постели и смотрела на лампу под потолком, которую Элоиза оставила включенной, и не могла даже плакать, а только вздрагивала, как от холода. Ее и вправду знобило. Кое-как она натянула на себя одеяло. При каждом вздохе в бок ей вонзался уже не один, а целый десяток стеклянных осколков или длинных стальных ножей. В отчаянии Габриэлла подумала, что умирает, и неожиданно пожелала, чтобы это было действительно так. В целом мире не осталось ни одной вещи, ради которой стоило бы жить. Ее куколка умерла — мама убила ее, и Габриэлла знала, что рано или поздно саму ее постигнет такая же судьба. Мама, которой она доставляет столько огорчений, хлопот и горьких разочарований, в конце концов не выдержит и размозжит ей голову о стену. И чем скорее это случится, подумала Габриэлла, тем будет лучше для всех.

В эту ночь Элоиза спала не раздеваясь. Она слишком устала и слишком много выпила, чтобы стаскивать с себя тесное атласное платье. Разметавшись на широкой двуспальной кровати, она даже негромко похрапывала, пока ее дочь лежала в луже крови и мочи, ожидая, пока с небес слетит ангел и заберет ее. Время от времени Габриэлла вспоминала о Марианне Маркс и о тех чудесных минутах, которые выпали ей сегодня вечером, но сейчас они казались девочке такими далекими, что впору было всерьез усомниться, действительно ли это было или только пригрезилось.

Потом она впала в странное состояние. Ей было слишком больно, даже когда она лежала неподвижно. Одно чувство росло в ее маленькой душе, и оно было таким огромным и сильным, что очень скоро вытеснило все остальное. Даже боль стала почти терпимой. Габриэлла поняла, что ненавидит свою мать. Ненавидит и будет ненавидеть всегда, до самой смерти.

В то же самое время Джон лежал в объятиях итальянской проститутки, которую он подцепил в нижнем Ист-Сайде. Ни Габриэлла, ни Элоиза не видели, где он и что с ним, но для обоих это больше не имело значения. Что касалось Элоизы, то она сказала себе, что ей наплевать: пусть Джон будет хоть в аду. Габриэлла же твердо знала: будь папа хоть за тридевять земель, хоть совсем рядом, он все равно не сможет защитить ее. Она осталась совершенно одна на свете. Хотелось только умереть, потому что смерть сулила избавление. А может, даже и больно не будет.

Так, размышляя о смерти, которую она с недетской серьезностью звала и приветствовала, Габриэлла незаметно провалилась в спасительный сон без сновидений.

Глава 3

Джон вернулся домой только в начале девятого утра. Бесшумно отворив и закрыв за собой парадную дверь, он поднялся по лестнице на второй этаж и, стараясь не шуметь, пошел по коридору к спальне. У дверей детской он, однако, остановился, заметив пробивающийся из-под нее свет. Это его не удивило — Джон знал, что Габриэлла обычно просыпается рано. Он мельком заглянул в спальню дочери и обнаружил, что девочка вроде бы спит. Голова побаливала, запах перегара после вчерашнего перебивал все остальные, так что привыкший ничего не замечать Джон поспешил облегченно вздохнуть. Пожалуй, обошлось. Наверно, Элоиза не трогала ее. Усталость ли взяла свое, или Элоиза просто слишком много выпила — так или иначе, похоже было на то, что на этот раз Габриэлле не пришлось расплачиваться за грехи отца.

И, подумав так, Джон погасил свет в детской и на цыпочках двинулся дальше.

Открыв дверь спальни, он еще больше уверился в том, что его догадка была правильной. Элоиза спала не раздеваясь, не сняв ни бриллиантового ожерелья, ни серег. Ее сон был так крепок, что она не пошевелилась, даже когда Джон улегся рядом с ней. За годы супружества он успел неплохо изучить ее и знал, что когда Элоиза проснется, то не станет заводить ту же шарманку и вспоминать о его вчерашнем поведении и бегстве. Это, однако, не означало, что Элоиза простила мужа. Джон предчувствовал, что она будет холодна, саркастична, едко-молчалива, но это продлится всего день, от силы — два. Элоиза редко возвращалась к предмету ссоры после того, как был выпущен последний снаряд, клинки вычищены и убраны в ножны и уничтожены все следы потерь обеих сторон. Впрочем, Джон знал и то, что в следующий раз она все ему припомнит.

Вскоре Элоиза проснулась. Она несколько раз перевернулась с боку на бок, потом лениво потянулась и, открыв глаза, в упор посмотрела на Джона. Она была ничуть не удивлена, обнаружив рядом с собой вчерашнего громовержца, унесшегося в ночь на крыльях праведного гнева. Элоиза с самого начала была уверена, что он вернется. Джон дремал вполглаза, наверстывая упущенное. Разумеется, этот негодяй провел ночь с одной из своих шлюх. С кем именно, Элоиза не интересовалась. Единственная соперница, которая постоянно подворачивалась под руку, спала в комнате чуть дальше по коридору.

Не сказав ни слова своему блудному мужу, Элоиза встала и, сняв серьги и ожерелье, ушла в ванную. Вчера она действительно выпила лишнего, и теперь в правом виске тупо ворочалась боль, однако все события вчерашнего вечера и ночи Элоиза помнила отчетливо и ясно.

В особенности то, что произошло после ухода Джона. И, вспоминая об этом сейчас, Элоиза почувствовала мрачное удовлетворение — Габриэлла заслужила трепку. И Джон тоже. Правда, все досталось одной Габриэлле.

В начале одиннадцатого Элоиза спустилась вниз, чтобы приготовить завтрак, и с неудовольствием обнаружила, что Габриэлла еще не вставала. Раздражение ее усилилось еще и оттого, что хозяйничать пришлось самой. Готовя тосты и овсянку, она несколько раз недобрым словом помянула экономку, хотя сама дала ей выходной. Вчера вечером той пришлось задержаться допоздна, помогая официантам убирать посуду и приводить в порядок дом. Впрочем, на самом деле Элоиза ничего против экономки не имела. Она работала у Харрисонов уже несколько лет и была молчаливой, безответной женщиной, содержащей дом в образцовом порядке. В особенности Элоизе нравилось, что экономка не лезла не в свои дела, и это было действительно так. Безусловно, она не одобряла, как хозяйка обращается с дочерью, но помалкивала и никогда не вмешивалась, даже если Элоиза начинала «воспитывать» Габриэллу у нее на глазах.

Дождавшись, пока сварится кофе, Элоиза налила себе полную чашку и, сев за стол, взяла в руки газету. Примерно через четверть часа явился Джон. Он тоже налил себе кофе и, сделав несколько глотков, с видимым отвращением отодвинул от себя чашку.

— А где Габриэлла? — спросил он. — Все еще спит?

— Она вчера поздно легла, — холодно ответила Элоиза, не отрывая глаз от газеты.

— Может, разбудить ее? — снова спросил Джон.

В ответ Элоиза только пожала плечами. Джон взял со стола воскресный выпуск «Таймс», раскрыл его на страницах, посвященных деловой информации, и углубился в чтение.

Еще через полчаса он снова вспомнил о Габриэлле.

— Может, она заболела? — спросил Джон, откладывая газету в сторону. Он действительно немного беспокоился, но ему и в голову не пришло, в чем может состоять истинная причина отсутствия девочки, которая обычно вставала очень рано и первой приходила сюда — не столько благодаря воспитанию Элоизы, сколько из-за острого чувства голода, которое не позволяло ей особенно разлеживаться в постели. На самом деле Джон давно должен был понять, что после их ссор Элоиза всегда вымещает свою злобу на Габриэлле. Увы, истина состояла в том, что он просто не желал этого знать и продолжал закрывать глаза на очевидное.

Но когда часы в коридоре гулко пробили одиннадцать, Джон залпом допил остывший кофе и поднялся в детскую.

Габриэлла перестилала постель, двигаясь с медлительной осторожностью человека, страдающего от сильной боли. На ее распухшем лице застыла маска болезненной сосредоточенности, жесты были неуверенными, скованными, но Джон ничего этого не заметил.

— С тобой все в порядке, милая? — спросил он.

Габриэлла кивнула в ответ, но ее глаза снова налились слезами. Все утро она думала о Меридит, которая умерла прошлой ночью. Девочке казалось, что вместе с куклой, которую мать вдребезги разбила о стену, умерла и она сама. Еще никогда Элоиза не избивала дочь с такой яростью и с такой жестокостью, и в этом калейдоскопе боли и ужаса растворилась, исчезла навсегда последняя слабая надежда девочки на то, что когда-нибудь мама сможет полюбить ее. Теперь Габриэлла была совершенно уверена, что рано или поздно мать убьет ее — гадкую девчонку, которая своим поведением не заслужила ни одной улыбки, ни одного ласкового слова. Это приводило девочку в совершенное отчаяние, однако даже оно не могло сравниться с острой режущей болью в боку, которая пронзала ее насквозь при каждом вздохе, при каждом движении. Только эта боль — да еще воспоминание о том, как от удара о стену разлетелась на куски фарфоровая голова Меридит, — вот и все, о чем могла думать Габриэлла.

— Хочешь, я помогу тебе? — предложил Джон, но Габриэлла покачала головой. Она очень боялась. Если мама увидит, как папа помогает ей выполнять ее обязанности, это закончится новым наказанием. Элоиза постоянно повторяла дочери, чтобы она не смела жаловаться отцу и настраивать его против нее. Габриэлла никогда этого не делала — сначала потому, что боялась матери, потом — потому что поняла: папа ничем ей не поможет.

— Пойдешь завтракать? — как ни в чем не бывало предложил Джон, и девочка опять покачала головой. Она боялась встретиться с матерью. Да и голода Габриэлла больше не чувствовала — ей казалось, что она уже никогда в жизни не сможет проглотить ни кусочка. И прежде совместные завтраки были для нее суровым испытанием, теперь же Габриэлле достаточно было неловко пошевелить рукой или слишком глубоко вздохнуть, и в груди у нее сразу вспыхивала огненная боль, от которой темнело в глазах, а на лбу выступал холодный пот.

— Н-нет, папа, я не хочу есть, — с трудом выдавила Габриэлла, заметив, что Джон вопросительно смотрит на нее.

Он подумал про себя, что девочка, должно быть, очень устала. Джон ни в какую не желал замечать ни очевидной неловкости, с какой двигалась Габриэлла, ни распухшей губы, ни запекшейся в волосах крови. Он уговаривал себя, что всему этому должно быть иное объяснение, вроде пресловутого падения с лестницы, и весьма преуспел в этом.

— Пойдем-пойдем, — сказал он. — Я приготовлю тебе оладьи с ежевичным вареньем.

Он говорил почти заискивающим тоном, потому что в глубине души все знал. Но даже думать о том, что Элоиза сделала с их дочерью вчера вечером, Джон боялся. Это сделало бы бремя его вины непереносимым.

Только сейчас он заметил, что поверх платья Габриэлла надела тонкий свитер с длинными рукавами. Она всегда поступала таким образом, когда ее руки оказывались покрыты синяками и ссадинами. Это был бесспорный признак того, что Элоиза снова «воспитывала» дочь, но Джон и тут нашел для себя приемлемую отговорку. «Должно быть, девочка слегка простыла, и ее знобит».

А Габриэлла прикрывала свои увечья свитером совершенно сознательно. Даже дома она не осмеливалась напоминать матери о своем «отвратительном поведении», выставляя напоказ синяки, полученные в наказание за тот или иной «проступок». Между ними троими — включая и Джона — существовало что-то вроде молчаливого соглашения. Девочке милостиво позволялось надевать любую одежду, которая прикрывала бы кровоподтеки, багрово-синие опухоли и ссадины, частенько сплошь покрывавшие худенькие плечи и руки Габриэллы.

— А где твоя Меридит? — неожиданно спросил Джон, оглядевшись по сторонам и не увидев куклы на привычном месте — на тумбочке возле кровати. Обычно девочка не расставалось со своей единственной игрушкой, но сейчас ее нигде не было.

— Она... уехала, — ответила Габриэлла, опустив глаза и прилагая колоссальные усилия, чтобы не заплакать. Ей вдруг вспомнилось, с каким глухим, тошнотворным звуком врезалась в стену белокурая головка Меридит, и как полетели в разные стороны осколки фарфора. Она знала, что никогда этого не забудет и никогда не простит мать за то, что она лишила ее единственной подруги. Даже нет, не подруги — Меридит была для нее чем-то бо́льшим. Она была дочкой Габриэллы — ее ребенком, изуродованным и убитым у нее на глазах.

— То есть? — удивился Джон, но, спохватившись, решил, что развивать эту тему не стоит. — В общем, спускайся-ка вниз. Сегодня мы пойдем в церковь, и ты обязательно должна что-нибудь съесть.

Сказав это, он поспешно вышел из детской и сбежал вниз, испытывая огромное облегчение от того, что больше не видит печальных глаз дочери. Теперь Джон точно знал, что в его отсутствие случилось что-то страшное, но он не желал расспрашивать об этом ни Габриэллу, ни Элоизу. Подробности очередного наказания ему были ни к чему — он никогда не стремился знать больше того, что ему доводилось увидеть своими собственными глазами. Но даже тогда Джон не предпринимал ничего, чтобы помешать жене и спасти дочь от расправы.

Через некоторое время Габриэлла все же пришла, хотя спуск по лестнице был для нее настоящей пыткой. От боли в груди и в ушибленной лодыжке Габриэлла едва не теряла сознание, но она слишком боялась не выйти к завтраку.

— Ты сегодня поздно, — не поднимая взгляда от газеты, приветствовала ее Элоиза.

— Прости, мамочка, — прошептала девочка. Говорить было больно, но она знала, что ответить необходимо. Для своего же блага.

— Налей себе стакан молока и возьми овсянку, — сказала Элоиза, которой очень не хотелось отрываться от чтения. — Если ты, конечно, проголодалась... — добавила она.

Габриэлла беспомощно оглянулась по сторонам, но, прежде чем она успела что-нибудь сказать, Джон положил ей полную тарелку овсянки, которая уже успела остыть. Он как раз наливал в стакан молоко, когда Элоиза, дочитав заинтересовавшую ее статью, подняла голову.

— Ты все время ее балуешь, — недовольно произнесла она. — Ты что, хочешь совсем испортить ребенка?

И она посмотрела на него с нескрываемой злобой, которая, впрочем, не имела никакого отношения к Габриэлле. Джон провинился, и Элоиза хотела напомнить ему об этом. Хотя она всегда одергивала его, когда он пытался сделать что-то для девочки.

— Сегодня воскресенье, Эл, — ответил Джон с таким видом, будто это все объясняло. — Хочешь еще кофе, дорогая?

— Нет, спасибо, — коротко ответила Элоиза. — Я должна идти одеваться. — Она с угрозой посмотрела на дочь. — Да и тебе пора, если не хочешь опоздать в церковь. Сегодня наденешь розовое платье и такую же кофточку. Ясно?

Габриэлла невольно вздрогнула и чуть не зарыдала, представив себе ту муку, которую ей придется испытать, переодеваясь в парадную одежду. Но приказ был совершенно недвусмысленным, как и намек на страшное наказание, которое грозит ей, если она ослушается.

— И оставайся в детской, пока тебя не позовут, — привычно добавила Элоиза. — Постарайся за это время не изгваздаться.

Габриэлла только кивнула и, так и не притронувшись

к овсянке и молоку, выскользнула из-за стола. Она знала, что сегодня ей потребуется гораздо больше времени, чем обычно, чтобы переодеться и расчесать волосы. Не дай бог лишний раз испытывать терпение матери. Промолвив свое вымученное «спасибо», она проковыляла к себе.

Джон молча проводил ее взглядом. Что он мог сказать? Заговор молчания накрепко связывал его с Элоизой — ни возмутиться, ни что-нибудь сказать он не смел. Да, по правде говоря, ему и не хотелось.

Подниматься по лестнице оказалось намного труднее, чем спускаться, однако в конце концов Габриэлла сумела добраться до своей комнаты. Сначала она пошла еще раз умыться. Ополоснувшись холодной водой, Габриэлла убедилась, что лицо почти в порядке. Поистине мастерство Элоизы не знало границ. Потом, отворив дверцу стенного шкафа, она сразу нашла розовое платье, о котором говорила мать, но натянуть его оказалось неимоверно трудно. Поминутно морщась от боли и отирая слезы, которые катились из глаз против ее воли, Габриэлла в конце концов сумела одеться и даже умудрилась застегнуть верхний крючок на спине. Как она ни старалась, до остальных ей было не дотянуться, и в конце концов девочка решила, что кофточка скроет ее «неряшливость» от проницательного взора матери.

К назначенному времени она была готова. Заслышав в коридоре резкий голос Элоизы, Габриэлла поспешным движением подтянула гольфы (на этот раз она действительно чуть не упала, так как от боли у нее сразу закружилась голова) и, выйдя на лестницу, стала осторожно спускаться, держась обеими руками за перила. В розовом платьице, удачно скрывшем все синяки, она выглядела как настоящий маленький ангелочек, вот только не один из небожителей не имел таких больших голубых глаз, полных горя и боли.

— Ты что, причесывалась вилкой и ножом? — встретила ее внизу Элоиза. Волосы девочки действительно были в беспорядке — она так и не сумела уложить их как следует и наивно надеялась, что мать этого не заметит.

— Я забыла... — пролепетала Габриэлла. Это было

первое, что пришло ей в голову, к тому же так мать не могла уличить ее во лжи. Скажи она, что причесывалась — и наказание последовало бы незамедлительно.

— Вернись в комнату и приведи себя в порядок, — не терпящим возражений тоном заявила Элоиза. — И подвяжи волосы атласной лентой. Думаю, розовая будет лучше всего.

На этот раз Джон неожиданно пришел к ней на помощь. Он достал из кармана пиджака расческу, но, вместо того, чтобы дать ее девочке, принялся сам расчесывать ее длинные шелковистые локоны. Почти сразу Джон наткнулся на опухоль, но притворился, будто ничего не замечает. Меньше чем через минуту Габриэлла выглядела вполне прилично, и Джон убрал расческу в карман.

— Сегодня обойдемся без ленточки, — сказал он жене, и Габриэлла поглядела на него с благодарностью и восхищением. В темном костюме, белой сорочке и красно-синем галстуке Джон Харрисон выглядел очень представительно. Элоиза ничуть ему не уступала. Светло-серый шерстяной жакет с такой же юбкой, боа из перьев, элегантная черная шляпка с вуалью и перчатки из кожи козленка были, как всегда, безупречны. Общую картину дополняли элегантные ботики из черной замши и сумочка из крокодиловой кожи с золотым замком. Просто картинка из модного журнала. Впечатление портил только сердитый взгляд и свирепо сдвинутые брови, но Габриэлла уже и не помнила, когда ее мама выглядела иначе.

К счастью, в этот раз Элоиза не стала настаивать на том, чтобы дочь надела розовую ленту. Очевидно, она почувствовала, что Джон настроен оставить последнее слово за собой, и решила, что вопрос не стоит того, чтобы ввязываться из-за него в бесполезную перепалку с мужем. Всегда можно отыграться на Габриэлле. Элоиза уступила.

В церковь они поехали на такси. Несмотря на это, они чуть не опоздали к началу и заняли свое место на скамье буквально за минуту до начала службы. Габриэллу мать усадила между собой и отцом, и девочка сразу догадалась, что это означает. Каждый раз, когда Элоизе не нравилось, как дочь себя ведет, она с силой стискивала ей локоть или пребольно щипала за руку или за ногу, отчего на коже девочки оставались синяки.

Но сегодня Габриэлла сидела совершенно неподвижно. За всю службу она не только ни разу не переменила положения, но боялась даже дышать — в основном из-за того, что каждый вздох по-прежнему причинял ей нечеловеческие страдания. Слова священника едва доходили до ее сознания. Габриэлла полностью сосредоточилась на своих собственных ощущениях. Все окружающее представлялось ей каким-то нереальным.

Элоиза рядом с ней полуприкрыла глаза и, казалось, с головой ушла в молитву, однако время от времени она бросала на дочь быстрый, острый взгляд. К счастью, ей так и не удалось обнаружить в поведении Габриэллы ничего предосудительного — такого, что требовало бы немедленного вмешательства.

После окончания службы Габриэлла вышла из церкви вместе с родителями, которые то и дело останавливались, чтобы обменяться приветствиями со знакомыми и соседями. Когда они встречались с кем-то, кто еще никогда не видел Габриэллу, Элоиза — словно действуя со злобным расчетом — непременно представляла ее, и тогда девочке приходилось приседать в вежливом реверансе. Для нее это было нешуточным испытанием, однако иного выхода не было. Она даже не могла позволить себе потерять сознание — потом мать непременно припомнила бы ей, как она опозорила ее перед новыми знакомыми или друзьями.

— Какой очаровательный, воспитанный ребенок, — сказал кто-то Джону, и тот с довольным видом кивнул. Вот оно! «Воспитанный ребенок» — именно этого Элоиза и добивалась от Габриэллы, и та изо всех сил старалась вести себя так, чтобы мама была довольна. Сегодня ей это удавалось, хотя только она одна знала, каких мучений это стоило.

Казалось, прошло несколько часов, прежде чем они вышли из церкви и, снова сев в такси, отправились перекусить в «Плазу». Здесь играла музыка, и по залу разносили начищенные серебряные подносы, на которых стояли стаканы с чаем и соками и высились горы сандвичей. Они сели за отдельный столик, и Джон заказал для Габриэллы горячий шоколад со взбитыми сливками. Это было ее любимое лакомство, но, когда девочка потянулась к сливкам, поданным в высокой вазочке на тонкой ножке, Элоиза переставила их на дальний конец стола.

— Тебе это вредно, — сказала она. — В мире нет ничего более отвратительного, чем толстые дети.

И Джон, и Габриэлла, и сама Элоиза прекрасно знали, что эта опасность девочке не грозит. Сложением Габриэлла походила на голодающих детей, подробный рассказ о несчастной судьбе которых она выслушивала каждый раз, когда ей почему-либо не удавалось доесть завтрак или обед. Но, несмотря на это, взбитые сливки так и не вернулись туда, где она могла бы их достать, а попросить хоть ложечку Габриэлла не решилась. Она лучше всех знала, что не заслуживает ни сливок, ни шоколада, ни — если уж на то пошло — даже и противной липкой овсянки, которую ей всегда подавали к завтраку. Кто, как не она, регулярно выводил маму из себя? Кто, как не она, постоянно пачкался, портил вещи, дерзил, произносил имя Господа всуе, падал с лестниц и набивал себе шишки? Кто, как не она, был отвратительной, мерзкой, непослушной девчонкой, маленьким чудовищем, которое и кормить-то не стоило?

В «Плазе» они сидели довольно долго; Элоиза и Джон разговаривали со знакомыми. В другой день Габриэлла ужасно радовалась бы такому времяпровождению, но сегодня ей было не до того. Боль в груди становилась все сильнее. И когда наконец Элоиза встала и объявила, что пора возвращаться домой, девочка почувствовала настоящее облегчение.

Джон сразу же вышел на улицу ловить такси, а Элоиза немного задержалась. Не спеша расплатившись с официантом, она взяла в руки свою элегантную сумочку и величественно тронулась к выходу. И в ресторане, и в вестибюле мужчины оборачивались на нее, и Габриэлла, которая плелась следом, с невольным восхищением и ненавистью подумала о том, какая у нее красивая мама.

«Ну почему, — снова и снова спрашивала она себя, — мама не может быть доброй?»

Это была одна из тех загадок, разгадать которую Габриэлла не могла, как ни старалась. Тем не менее она продолжала ломать над этим голову и — о ужас!.. На выходе из отеля Габриэлла споткнулась и нечаянно наступила на мысок материной туфли. На черной замше четко обозначилось пыльное серое пятно.

Габриэлла еще не успела до конца осознать, что же она совершила, а Элоиза уже отреагировала. Она остановилась как вкопанная и со злобным удовлетворением указала наманикюренным пальцем на испачканную туфлю.

— Ну-ка, вытри, — сказала она негромко, но у Габриэллы от страха сердце ушло в пятки.

— Прости меня, мамочка, прости, пожалуйста... — залепетала она, беспомощно оглядываясь по сторонам. Поза и жест Элоизы были весьма выразительны и красноречивы, но никто из окружающих этого не замечал или делал вид, что не замечает.

— Вытри немедленно! — повторила она, и Габриэлла опустилась на корточки, от страха позабыв про боль. У нее не было платка, поэтому она в панике принялась счищать пыльное пятнышко пальцами. На мгновение у нее в голове промелькнула мысль воспользоваться для этого подолом платья, но это рассердило бы Элоизу еще сильнее.

Габриэлла удвоила усилия. Она терла и терла черную замшу своими тонкими пальчиками, пока они не заболели, но пятнышко грязи никак не желало исчезать. Наконец Габриэлла справилась.

— Только посмей еще раз наступить мне на ногу, и я так тебя отлуплю, что век будешь помнить. — Этой хриплой фразой Элоиза дала дочери понять, что удовлетворена, и Габриэлла мысленно возблагодарила Бога за хорошую погоду. Если бы на улице было мокро, ей вряд ли удалось бы счистить с замши грязь, и тогда мать несомненно избила бы ее.

Впрочем, до вечера было еще далеко, и Элоиза вполне могла передумать.

Домой они возвращались на такси, но поездка не доставила Габриэлле никакого удовольствия. С каждой минутой боль в груди все больше донимала ее. Девочка с трудом сдерживала тошноту. Лицо ее сделалось белым, как бумага, на лбу выступили капли пота, но она не произнесла ни слова жалобы, не издала ни единого звука.

На Элоизу, что называется, напал добрый стих, и, добравшись домой, она совершенно позабыла о дочери. Что касалось Джона, то, учитывая вчерашнюю ссору, Элоиза была с ним необычайно любезна. По крайней мере, она с ним разговаривала, и в ее голосе не звучало обычной насмешливой холодности.

Не успели они войти в прихожую, как Элоиза тут же отослала дочь наверх. Она терпеть не могла, когда Габриэлла путалась под ногами.

Габриэлла подчинилась почти с радостью. Ей было так больно, что единственное, о чем она в состоянии была думать, это о том, чтобы посидеть неподвижно хотя бы несколько минут. Но, стоило ей очутиться в знакомой обстановке, как она тотчас вспомнила о Меридит. Красивая фарфоровая кукла была ее единственной подругой, которой Габриэлла могла пожаловаться и от которой получала хотя бы видимость сочувствия. Теперь даже этого она лишилась.

Габриэлла все еще раздумывала о том, как она будет теперь жить без Меридит, когда в коридоре послышался смех. Девочка сразу узнала голос матери и даже вздрогнула от удивления. Элоиза вообще смеялась очень редко, а сейчас она хихикала совсем как молоденькая девушка. Джон что-то говорил ей, но слов Габриэлла разобрать не смогла. Потом громко хлопнула дверь родительской спальни, и голоса смолкли. Похоже, мама и папа не ссорятся, потому что в этом случае они принимались кричать друг на друга. Теперь же из их спальни лишь изредка доносились приглушенные взрывы смеха, который отчего-то показался девочке если не счастливым, то вполне беззаботным и довольным.

Габриэлла долго сидела, прислушиваясь и гадая, в чем дело. Она была уверена, что рано или поздно родители выйдут из своей комнаты хотя бы для того, чтобы покормить ее ужином, но ошиблась. Когда часы в холле пробили десять, ей стало ясно, что сегодня ей снова придется лечь спать голодной. Позвать их она не смела, да и вряд ли Джон или Элоиза стали бы объяснять ей свое непонятное поведение. Что ж, ложиться без ужина ей было не впервой.

И, превозмогая вновь проснувшуюся в груди боль, Габриэлла стала раздеваться.

В тот вечер никто из родителей так и не пришел к ней. Джон и Элоиза заключили временное перемирие и, уединившись в спальне, торопливо наслаждались друг другом. Элоиза простила — или сделала вид, что простила — Джона за его вчерашнюю выходку, и это было настолько не характерно именно для нее, что он чувствовал себя по-настоящему сбитым с толку. Это — и еще то, что в «Плазе» он успел пропустить несколько порций мартини — смягчило его настолько, что впервые за много месяцев Джона физически потянуло к Элоизе — к женщине, которой он уже давно и почти демонстративно пренебрегал.

Что касалось Элоизы, то и она почувствовала влечение к мужу совершенно неожиданно. В душе она уже давно поставила на нем жирный крест, и они до утра ворковали в своей комнате словно двое голубков. Увы — их новообретенные чувства не распространялись на Габриэллу. Оба отлично знали, что этот мир — временный, и каждый спешил получить от него как можно больше удовольствия. Элоиза, во всяком случае, не собиралась жертвовать ни одной минутой, проведенной в постели с Джоном, ради того, чтобы накормить дочь.

Разумеется, Габриэлла могла бы спуститься в кухню и пошарить там — после гостей всегда оставалось много разных вкусностей, но кто его знает, что будет, если она так сделает. Куда лучше — и уж точно безопаснее — было оставаться в комнате. Вскоре ей стало ясно, что и папа, и мама совершенно о ней забыли, и Габриэлла легла спать, думая о том, что в этом есть и хорошая сторона. Пусть ее желудок буквально сводило от голода, зато ничего плохого с ней больше не случилось. Правда, было совсем не исключено, что если папа и мама снова поссорятся и папа, как он часто поступал, уйдет на всю ночь, Элоиза поднимется в детскую, чтобы выместить на ней свою злобу и разочарование, однако думать об этом Габриэлле не хотелось.

И действительно — в этот день ничего плохого не случилось. Джон и Элоиза не поссорились, папа никуда не ушел, и Габриэлла в конце концов уснула.

Глава 4

К девяти годам — пережив еще два года побоев и унижений — Габриэлла наконец нашла для себя что-то вроде отдушины, которая позволяла ей хотя бы на время забыть о боли и страхе. Она стала выдумывать всякие невероятные истории о феях, волшебницах, подменышах, корнях мандрагоры и других удивительных вещей и событиях, потом ей пришло в голову, что она может их записывать. Книжек у нее почти не было, и тетрадки, в которые девочка заносила свои выдуманные истории, коротенькие стишки и письма к воображаемым друзьям, с успехом заменили их. К тому же сам процесс письма ей очень нравился. По большей части Габриэлла писала о счастливых людях, живущих в прекрасной стране, где происходили самые удивительные вещи, и невольно забывала о собственных бедах и невзгодах. Так, буква за буквой, строка за строкой, Габриэлла начала создавать свой собственный мир, в котором она могла чувствовать себя в безопасности.

Она никогда не писала о своей настоящей жизни, о родителях и о наказаниях, которые становились все более жестокими и продолжительными. Эти рассказики и даже коротенькие новеллы были для нее единственным средством спасения, единственным способом уцелеть и не сойти с ума. Уходя в свой выдуманный мир, Габриэлла получала необходимую передышку и возможность хоть ненадолго отключиться от окружавших ее ужасов. За внешне благопристойным и респектабельным фасадом скрывались горы почти нечеловеческих мук. Несмотря на свой не то что бы солидный возраст, девочка уже догадалась, а вернее — почувствовала, что ни размер годового дохода ее отца, ни дом в престижном районе, ни благородное происхождение, которым так гордились ее родители, ничуть не отменяют мрачной реальности, среди которой она не жила, а выживала. То, с чем Габриэлла сталкивалась каждый день, нормальному человеку не могло привидеться и в самом кошмарном сне. Тем не менее девочка умудрилась сохранить не только здравый рассудок, но и удивительно развитое воображение, которое рисовало ей картины радостного, оптимистического мира. Красота матери, ее элегантные костюмы, ее золотые и бриллиантовые украшения ничего для девочки не значили. Она лучше, чем свои сверстницы, и лучше, чем большинство взрослых людей, понимала, что такое настоящая, нормальная жизнь, и отчетливо видела уродливость и противоестественность жизни собственной. С самого нежного возраста, сначала инстинктивно, потом — все более и более сознательно, она разбиралась в том, что действительно важно, а что — наносное, внешнее, незначительное. Любовь, которой она не знала, означала для нее все. В этом слове был заключен целый мир, о котором она мечтала, и который бессчетное число раз воображала себе, лежа после очередного наказания в своей одинокой кроватке.

Знакомые матери — гости, которые приходили к ним в дом дважды в месяц, — продолжали восхищаться ее ангельской внешностью и ее безупречным воспитанием. Габриэлла действительно никогда не дерзила родителям, убирала за собой одежду и даже мыла посуду, когда экономка брала выходной. В школе она отлично успевала по всем предметам. Единственное, что вызывало некоторую озабоченность учителей, так это робость девочки. Она почти никогда не заговаривала первой, предпочитая молчать, если ее не спрашивали.

Физически Габриэлла по-прежнему выглядела намного младше своего возраста, однако в умственном развитии опережала большинство одноклассников. Она была сообразительна и умна, обладала отличной, почти фотографической памятью, но, самое главное — она очень много читала. Уже во втором классе ей разрешили сначала посещать школьную библиотеку, а потом и брать книги на дом, и она вовсю пользовалась этой возможностью. Взятые в библиотеке книги, как и ее собственные рассказы и стихи, переносили Габриэллу в совершенно иной мир, находящийся в десятках и сотнях световых лет от того ада, в котором она жила. Неудивительно поэтому, что она читала запоем, посвящая чтению все свое свободное время.

Элоиза сразу заметила, что дочь любит читать, и теперь в качестве наказания часто отнимала у нее книги и убирала под замок карандаши и тетради. Она была достаточно наблюдательна и, заметив, что Габриэлла находит утешение в том или ином занятии, спешила вмешаться, но на этот раз достичь успеха ей не удалось. Когда мать в клочки рвала ее тетради с рассказами и возвращала в библиотеку книги (своих книг у Габриэллы по-прежнему почти не было), девочка просто садилась на стул и начинала грезить о своих далеких мирах, нанизывая выдумку за выдумкой на нити своего воображения.

И этого у нее уже никто не смог бы отнять — разве что вместе с самóй жизнью. Даже Элоиза, которая была сверхъестественно проницательна во всем, что касалось поведения дочери, так и не сумела распознать, что стоúт за этим «бессмысленным», как она выражалась, сидением на одном месте. Она пыталась излечить дочь от безделья, заставляя ее помогать в кухне, драить полы и чистить столовое серебро, но мечтать это Габриэлле не мешало. По причинам, которые она сама еще не понимала, мать потеряла часть своей власти над ней, и порой девочка считала себя если не победительницей, то, по крайней мере, человеком, который уже пережил самое страшное и сумел уцелеть. Что ей теперь были самые грязные работы по дому и самые жестокие наказания? Главное, мать больше не могла быть причиной настоящего горя. Душа Габриэллы стала для нее недоступна. Даже побои Габриэлла переносила теперь легче. У нее теперь навсегда был волшебный мир, в котором все было правильно.

Разумеется, Элоиза продолжала считать Габриэллу ленивой, избалованной, испорченной девчонкой. Она считала, что ей уже пора начать отрабатывать свой долг перед родителями, и с каждым днем на худенькие плечи Габриэллы ложилось все больше и больше забот. Свободного времени у нее почти не оставалось, поскольку каждый раз, когда мать заставала ее «праздно» сидящей за своим письменным столом, она тут же находила для нее какое-нибудь дело. Ее жизнь больше чем когда-либо напоминала жестокую борьбу за существование. По мере того, как девочка становилась старше, предъявляемые к ней требования становились все жестче, а правила игры менялись чуть ли не каждый день. Все это заставляло Габриэллу на лету ловить малейшие признаки нарастающего раздражения или близкой вспышки гнева, чтобы своевременно предупредить их. Однако удавалось ей это далеко не всегда. Элоиза слишком ненавидела дочь, а значит, всегда находила повод показать это.

Она продолжала жестоко избивать Габриэллу. Правда, количество уроков в школе прибавилось, и, слава богу, Габриэлла проводила дома на час-два меньше, чем прежде. Зато и преступления, в которых обвиняла ее Элоиза, стали серьезнее. Несделанная домашняя работа, чернильное пятнышко, помятый воротничок, пропавший модный журнал, сломанный зонтик (однажды, когда Габриэлла шла из школы, внезапный порыв ветра просто вывернул зонт наизнанку, и девочке так и не удалось сложить его обратно) — все это дополнило и без того обширный перечень ее прегрешений.

Синяки и кровоподтеки, остававшиеся на ее теле после очередной порки, Габриэлла виртуозно скрывала и от учителей и одноклассников. Впрочем, это было не очень трудно. В школе она почти ни с кем не играла, а приглашать товарищей домой Элоиза ей запретила, так как с трудом выносила присутствие одной Габриэллы. Она считала, что дочь способна разнести весь дом и не собиралась приглашать ей на подмогу других «таких же, как ты, маленьких мерзких свиненышей», как она говорила. И, глядя на ее искаженное яростью лицо, Габриэлла верила: присутствие в доме хотя бы еще одного ребенка станет для ее матери невыносимо тяжелым испытанием.

Как бы там ни было, за все три года, что она проучилась в школе, учителя только однажды заметили, что с Габриэллой что-то неладно. Когда на переменке она прыгала через веревочку, подол ее школьного платья слегка задрался, обнажив огромный, черный с желтой каймой, синяк. Классная руководительница, разумеется, спросила у девочки, в чем дело. Габриэлла ответила, что упала, когда качалась на качелях в саду за домом. Объяснение выглядело вполне правдоподобно. Учительница, посочувствовав девочке и посоветовав смазать синяк настойкой арники, вскоре обо всем забыла.

Что касалось Джона, то он по-прежнему ни во что не вмешивался. В последние два года Габриэлла вообще видела отца очень редко. Он уезжал в командировки, посещал отделения банка в других городах, а иногда и просто не приходил ночевать. Постепенно девочке стало ясно, что папа и мама серьезно не ладят друг с другом. Вообще-то, родители никогда не жили особенно дружно, однако когда примерно полгода назад они стали спать в отдельных комнатах, Габриэлла почувствовала смутное беспокойство. Каждый раз, когда ее отец проводил вечера дома, Элоиза сердилась сильнее, чем обычно, и это тоже казалось девочке дурным знаком.

Зато когда Джона не было, Элоиза часто исчезала, оставляя Габриэллу одну или с экономкой. Перед уходом она обычно подолгу говорила по телефону, потом долго и особенно тщательно одевалась.

Габриэлле ясно было одно: отношения между ее родителями становятся все хуже день ото дня. Элоиза, не стесняясь дочери, отпускала в адрес мужа откровенно грубые замечания. Большей частью они касались каких-то таинственных «мужских способностей» папы, которые он проверял на других женщинах. Этих женщин Элоиза называла «шлюхами» и «просто утками», что было девочке не совсем понятно. Правда, «маленькой шлюхой» Элоиза не раз называла саму Габриэллу, и девочка знала, что это — плохое слово, хотя его происхождение оставалось для нее загадкой. В конце концов, она никогда нигде не «шлялась», проводя дома все свободное от занятий в школе время. Но кто такие «просто утки»?

Правда, одну такую утку папа «трахнул», однако на обед в этот день была баранина, и Габриэлла начала догадываться, что «трахнуть» означает что-то вроде «переночевать в другом месте». Но не мог же папа в самом деле ночевать в деревянном домике для водоплавающих на пруду в Центральном парке. Однако спросить она не решалась. Мать устроила бы ей очередной скандал, а папа... Папа все больше молчал. Он почти никогда не отвечал Элоизе, когда та заводила речь о его похождениях и называла его «блохастым кобелем» (еще одно непонятное сравнение). Он просто пил все больше и больше, потом вдруг исчезал на несколько дней, а Элоиза вымещала свою злобу на дочери.

По привычке Габриэлла продолжала спать, свернувшись клубочком в ногах кровати, но ей по-прежнему не удавалось обмануть мать. Та находила ее для расправы в любом случае. Ничего поделать с этим было нельзя — оставалось только терпеть. Габриэлла терпела, терпела из последних силенок, зная, что ее единственная задача — выжить, причем выжить в буквальном смысле слова.

То, что она, возможно, стала причиной ссор между матерью и отцом, тоже мучило Габриэллу. Правда, когда Элоиза накидывалась на Джона, она почти никогда не упоминала ее имени, однако Габриэлла каким-то образом чувствовала, что не родись она на свет или родись она хорошей, послушной девочкой, и тогда, быть может, у мамы с папой все было бы по-другому. Но и тут Габриэлла ничего не могла изменить; ей оставалось только смириться с этим, как она смирилась с бранью и побоями.

К Рождеству Джон уже почти не жил дома. Когда он все же появлялся, Элоиза приходила в настоящее бешенство. Это казалось невозможным, но все же она сердилась сильнее, чем когда-либо, насколько помнила Габриэлла. Вместе с тем обвинения в адрес отца стали если не более понятными, то, во всяком случае, более конкретными. Все чаще и чаще она упоминала некую Барбару, с которой папа теперь «жил» и «спал». Кто такая эта Барбара, Габриэлла, естественно, не знала — среди всех друзей и знакомых, перебывавших в их доме за много лет, не было ни одной женщины с таким именем. Барбару Элоиза тоже называла «шлюхой» и еще — «плебейкой», однако, несмотря на это, Габриэлла чувствовала к этой неизвестной женщине что-то вроде симпатии. Уж если папа спит с нею в одной постели, рассудила она, значит, эта Барбара не может быть такой уж плохой. Габриэлла сама когда-то спала с куклой по имени Меридит, ближе которой у нее никого не было.

И все-таки понять до конца, что на самом деле происходит, она не могла. С каждым днем, нет — с каждым возвращением домой, которые были уже совсем редкими, отец становился все более далеким и чужим. Казалось, его ничто больше не связывает ни с Элоизой, ни с Габриэллой, ни с домом на Шестьдесят девятой улице. Он почти не разговаривал с дочерью и большую часть времени был сильно пьян.

В Рождество Элоиза вовсе не вышла из своей комнаты. Джон куда-то уехал днем раньше и долго не возвращался. В этом году в доме Харрисонов не было ни елки, ни украшений, ни подарков. Праздничный ужин Габриэллы состоял из бутерброда с ветчиной и листочком свежего салата, который она сама себе сделала. Она хотела сделать такой же и для мамы, но гораздо умнее было держаться тише воды, ниже травы и не попадаться матери на глаза.

Причина ненависти, которую питали друг к другу мама и папа, все еще не была ясна ей окончательно. Габриэлла была уверена только в одном: в том, что все это имеет непосредственное отношение не только к таинственной Барбаре, к которой папа поехал в канун Рождества, но и к ней самой. Во всяком случае, Элоиза не раз заявляла дочери, что лучше бы той не появляться на свет. «Для кого лучше?» — спросила себя Габриэлла теперь. Несомненно — для всех: для нее самой, для мамы и для папы. Значит — она и есть главная виновница того, что мама и папа разлюбили друг друга.

Когда поздним рождественским вечером Джон наконец вернулся домой, он был сильно навеселе, и Элоиза учинила ему грандиозный скандал. Мама и папа не просто орали, запершись в спальне, а бегали по всему дому, опрокидывая стулья и швыряя друг в друга всем, что попадало под руку. Джон кричал, что больше не может этого выносить; Элоиза отвечала, что скорее убьет его и «эту чертову шлюху Барбару», чем позволит Джону уйти из дома. Потом она ударила мужа по щеке, и Джон впервые на памяти Габриэллы ответил ударом на удар. Сначала это потрясло ее, но очень скоро девочка инстинктивно почувствовала, что, как бы ни закончилась эта рукопашная, пострадавшей стороной в конечном итоге будет именно она, и никто другой. И впервые за девять с небольшим лет своей жизни она пожалела о том, что у нее нет ни по-настоящему надежного места, где она могла бы спрятаться, ни знакомых взрослых, к которым она могла бы обратиться за помощью и защитой.

Но помощи ждать было неоткуда, и Габриэлле оставалось только ждать — ждать и надеяться, что и на этот раз все обойдется и мать не забьет ее до смерти.

Часа через два Джон, швырнув в жену последнюю статуэтку с камина, снова куда-то ушел, и Элоиза, слегка переведя дух, ринулась на поиски дочери. Ее волосы были распущены, как у самой настоящей фурии, глаза метали молнии, лицо исказила гримаса свирепой ярости. Она налетела на Габриэллу словно ястреб на цыпленка, схватила за волосы, потащила в детскую и бросила на кровать. После первого же удара Габриэлла почувствовала острую боль в правом ухе, но понять, что случилось, она не успела. На нее обрушился такой ураган, что девочка в ужасе закрылась руками, защищая лицо. Потом в руке матери откуда ни возьмись появился подсвечник. Она с силой ударила им по ногам дочери, но та только вздрогнула. Габриэлла до смерти боялась, что в следующий раз тяжелый бронзовый подсвечник опустится ей на голову, но, к счастью, этого не случилось. Вместо этого Элоиза продолжила молотить дочь кулаками с такой силой, что в голове у бедняжки помутилось.

Габриэлла перестала чувствовать что-либо. Она не стонала, не плакала и даже не пыталась уворачиваться. Инстинкт самосохранения подсказывал ей, что лучше дождаться, пока мать выдохнется, но это случилось не скоро. Элоиза была в таком бешенстве, что не ощущала усталости и не замечала даже, что до крови разбила костяшки пальцев правой руки. В конце концов она стащила Габриэллу с кровати и, несколько раз пнув ее ногой, ушла, оставив дочь валяться на полу.

Лишь убедившись, что мать не собирается возвращаться, Габриэлла осмелилась пошевелиться. Как ни странно, на этот раз у нее ничего не болело — только из уха шла кровь. Сознание то отступало, то снова возвращалось подобно морскому приливу, и Габриэлла мерно покачивалась на этих беззвучных волнах, чувствуя, как ее понемногу уносит все дальше и дальше от берегов реальности. В глазах ее сгущался мрак, и Габриэлла приветствовала его, решив, что это и есть смерть — блаженная смерть, которая наконец-то подарит ей покой. Время от времени ей чудились далекие голоса; во мраке проплывали расплывчатые световые пятна, и девочка подумала, что это, наверное, ангелы Господни пришли за ней.

Время близилось к рассвету, когда она осознала, что с ней действительно кто-то разговаривает. Голос показался ей знакомым, но она по-прежнему не могла разобрать слов. Габриэлла даже не понимала, что это ее отец, не видела его слез, не слышала глухого возгласа ужаса, который сорвался с губ Джона, когда, отворив дверь детской, он увидел на полу растерзанное, жалкое существо, лежащее в луже начавшей подсыхать крови. Лицо девочки распухло и почернело, открытые глаза закатились, на ноге зияла глубокая рана, пульс был редким и неровным.

Первым побуждением Джона было вызвать «Скорую помощь», но он знал, что все это — дело рук Элоизы, и боялся вопросов, которые непременно начали бы задавать ему медики. Поэтому, вместо того, чтобы вызвать врача на дом, он завернул девочку в одеяло и, легко подняв на руки, выбежал на улицу.

Ему повезло. Он сразу остановил такси и велел водителю срочно отвезти их в ближайшую больницу. До госпиталя Святой Анны они домчались за семь минут, однако за это время Джон едва не поседел. Ему все время казалось, что девочка перестала дышать. Он в отчаянии сжимал ее хрупкие запястья, нащупывая тонкую ниточку пульса. Оказавшись в приемном покое больницы, Джон уложил безвольно обмякшее тело дочери на первую же попавшуюся свободную каталку и хриплым голосом объяснил дежурной сестре, что его бедная Габриэлла упала с лестницы.

По лицу его катились слезы, да и сам он выглядел таким несчастным и растерянным, что ему поверили, хотя от Джона все еще пахло виски. Девочка была в таком состоянии, что ни один нормальный человек не мог бы представить себе даже на минутку, что это — дело рук ее родной матери. Джону, во всяком случае, не задали ни одного вопроса — быть может, еще и потому, что времени не было. Врачи сразу же надели на Габриэллу кислородную маску, ввели в вену толстую иглу капельницы, после чего две санитарки увезли ее в отделение интенсивной терапии. Джон остался ждать в приемной.

Он просидел там несколько часов, прежде чем вышедший к нему молодой врач сказал, что девочка, без сомнения, будет жить. У Габриэллы оказалось сломано три ребра и порвана барабанная перепонка; кроме того, врачи подозревали сильное сотрясение мозга. Страшная рана на ноге, которая так напугала Джона в первые минуты, ни жизни, ни здоровью Габриэллы не угрожала, хотя его и предупредили, что шрам скорее всего останется. В заключение врач выразил надежду, что через несколько дней опасность будет уже позади и мистер Харрисон сможет забрать девочку домой.

«Только не домой!» — чуть не выпалил Джон, но вовремя спохватился. Вместо этого он спросил:

— Как вы считаете, сотрясение мозга — это... серьезно?

— Зависит от того, сколько времени прошло от момента падения до поступления в больницу, — ответил молодой врач. — Во сколько это случилось?

Но Джон только покачал головой.

— Возможно, она пролежала без сознания несколько часов, — выдавил он наконец из себя. — Я нашел ее не сразу. Меня, видите ли, не было дома...

И он отвернулся, думая о том, что сказал бы врач, если бы знал правду.

— Думаю, ничего страшного не произойдет, она поправится, — поспешил успокоить его врач, заметив выражение лица Джона. — Домашняя обстановка и соответствующий уход быстро поставят ее на ноги.

И Джон скрепя сердце заверил доктора, что они с матерью сделают все возможное для девочки.

Он не хотел уходить, не увидев дочь, и ему разрешили заглянуть к ней в палату. Габриэлла спала. Это несколько успокоило его, и примерно через полчаса Джон решился наконец уехать. Уже сидя в такси, он неожиданно подумал о том, что́ он скажет Элоизе. Джон не знал, как остановить ее, как не дать изуродовать или убить девочку. Он хорошо понимал, что вчера Габриэллу спасло только чудо и что в следующий раз ей может не повезти. Он мучился, но решиться ни на что не мог. А лучше всего будет уйти самому, навсегда бросить Элоизу, чтобы никогда больше не видеть того, что он увидел сегодня утром. О дочери, о том, какая судьба ее ждет, Джон почти не думал. В больнице Габриэлла была в безопасности, и это было все, что он желал знать.

Двери особняка он открывал не без содрогания. Когда же обнаружилось, что Элоизы нигде нет, Джон испытал настоящее облегчение. У него словно гора с плеч свалилась. Он понятия не имел, куда она могла отправиться, но не все ли равно. Машинально поглядев на часы, Джон прошел в библиотеку и, налив себе на два пальца чистого виски, опустился в глубокое кресло у камина, раздумывая над тем, что же он все-таки скажет Элоизе, когда наконец ее увидит.

Теперь-то он знал, что Элоиза — бесчувственное животное, злобная инопланетная тварь, бездушная машина, которая способна уничтожить все, к чему ни прикоснется. Когда-то он любил ее, но сейчас воспоминание об этом вызывало в Джоне одно лишь удивление. Он не понимал, как он мог так обмануться. Неужели он и вправду думал, что Элоиза может быть ему хорошей женой и доброй матерью их детям. Теперь, во всяком случае, Джон ничего так не желал, как оказаться от нее как можно дальше.

Элоиза вернулась домой вскоре после полуночи. На

ней было вечернее платье из темно-синего бархата, и, несмотря ни на что, Элоиза оставалась чертовски привлекательной женщиной — она сама это знала и пускала в ход свои чары каждый раз, когда это было необходимо. Но только не сегодня.

Увидев мужа, полулежащего на кушетке с недопитым бокалом в руке, Элоиза смерила его взглядом, исполненным ледяного презрения.

— Как любезно с твоей стороны навестить меня, — проговорила она, не скрывая своего отвращения. — А ты неплохо выглядишь, Джон... И все-таки, чему я обязана удовольствием видеть тебя здесь? Что, Барбара уехала из города или просто занята с другим клиентом?

Она стояла прямо перед ним, слегка помахивая в воздухе своей изящной бисерной сумочкой, и Джон испытал сильнейшее желание заорать на нее, выплеснуть остатки виски ей в лицо. Но, что бы он не предпринял, Элоиза все равно была намного сильнее его. Он, конечно, мог ее ударить, но это до странности ничего не меняло. Рядом с Элоизой он был рохля, тряпка — плюнуть и растереть.

— Тебе известно, где сейчас наша дочь? — спросил Джон заплетающимся языком. Он уже почти опустошил стоявшую в баре бутылку виски и снова был пьян. Несмотря на это, он точно знал, что именно он хочет и должен ей сказать. Единственное, о чем Джон сожалел, это о том, что не сказал ей этого раньше, но раньше он бы не посмел. Барбара вдохнула в него мужество, вид страшных ран Габриэллы укрепил его решимость, а виски — избавило от вечной, самому ему непонятной зависимости.

— Я вижу, тебе не терпится мне это сказать, — ответила Элоиза и улыбнулась с видом кошки, только что придушившей и съевшей беспомощного птенца. — Ты ее куда-то увез? Спрятал? Выгнал?..

Теперь Джон воочию лицезрел, каким чудовищем была его жена. Но вот чего он никак не мог взять в толк, это где же были его глаза раньше. Да что тут гадать — он сам хотел быть обманутым. Джон вообразил себе, какой должна быть Элоиза, и сам же поверил в собственную выдумку. И даже сейчас он не собирался думать о последствиях этого самообмана.

— Ты была бы рада, не так ли? — Джон криво усмехнулся. — Наверное, надо было отдать девочку в приют сразу после рождения. Или пустить по водáм в плетеной корзинке. Ты была бы довольна, да и Габриэлле было бы лучше...

Его лицо снова скривилось, но это была уже не улыбка. Джон с трудом сдерживал слезы.

— Избавь меня от этих глупостей, Джон. Где Габриэлла? У Барбары? Ты что, решил ее похитить? Боюсь, в этом случае мне придется вызвать полицию. — С этими словами Элоиза положила на стол свою элегантную сумочку и села в кресло напротив, скрестив изящные ноги в тонких чулках. — Так что, Джон, где эта мерзавка? Где ты ее прячешь?

О, теперь Джон видел ее насквозь. В ней нет ничего, кроме мрака и черной ядовитой гнили, способной убить все живое. Похоже, Господь забыл вложить душу в это создание, и невольно думалось, а имел ли Творец вообще отношение к этому поистине безбожному существу. Барбара была не так красива, но Джон не был ей безразличен. Ее предки не были аристократами, но у нее и душа, и сердце были на месте. Она любила Джона. И единственное, чего ему хотелось, это навсегда забыть Элоизу, выкинуть ее из своей памяти, из своей жизни, и уехать как можно дальше, чтобы никогда больше с ней не встречаться. Габриэлла мешала ему сделать это, но сейчас он готов был перешагнуть даже через нее. В любом случае, помочь девочке было выше его сил — остановить Элоизу Джон не мог. Ему оставалось только спасаться самому, пока не стало слишком поздно.

— Габриэлла в больнице, — сказал он с пьяной многозначительностью. — Когда я нашел ее сегодня утром, она была без сознания.

Он искоса взглянул на Элоизу. Одного этого было вполне достаточно, чтобы его снова затрясло от гнева, и Джон поспешно отвернулся. Теперь он стал бояться потерять над собой контроль. Зная про нее все, он ее убьет. Многое можно понять, особенно в близком человеке, но

Элоиза была выше его понимания. Ее поведение пугало своей необъяснимостью, полной и беспросветной, хотя в этом он не мог бы признаться себе хотя бы из чувства самосохранения.

— Как удачно, что ты все-таки соблаговолил вернуться домой, — холодно заметила Элоиза. — Мерзавке здорово повезло...

— Если бы я пришел хотя бы на полчаса позже, девочка могла бы умереть, — закричал Джон. — Врачи обнаружили, что у нее сломаны ребра и порвана барабанная перепонка... К тому же они подозревают сотрясение мозга, — он посмотрел на Элоизу и замолчал.

«А мне наплевать!» — вот что было написано на ее прекрасном лице. Переломы, сотрясения — для нее это были пустые слова, коль скоро они относились к такому никчемному существу, как Габриэлла. Она нисколько не чувствовала себя виноватой.

— Ну и что? — равнодушно спросила она, пожимая хрупкими плечами. — Я что, должна зарыдать? Негодяйка заслужила все это и даже больше.

С этими словами она прикурила сигарету и как ни в чем не бывало пустила вверх тонкую струйку голубоватого дыма.

— Ты — сумасшедшая!.. — хриплым шепотом произнес Джон и нервным движением пригладил зашевелившиеся на голове волосы. — Ты маньяк...

Такого даже он не ожидал. Элоиза казалась совершенно непробиваемой — ничто не могло ее ни тронуть, ни взволновать. Ее неколебимое спокойствие и холодная жестокость не знали пределов, и Джона охватила паника.

— Я не сумасшедшая, Джон, — проговорила Элоиза. — А вот ты действительно смахиваешь на шизофреника. Взгляни на себя в зеркало — ей-богу, словно только что сбежал из «желтого дома».

В глубине ее глаз Джон разглядел насмешку, и ему снова захотелось плакать.

— Ты же могла убить ее! Неужели ты не понимаешь?! — снова выкрикнул он, зная, что все, все напрасно. В ней живет безумие, которое способно перекинуться на него.

— Но ведь я ее не убила, не так ли? — холодно возразила Элоиза и тут же добавила: — Хотя, возможно, мне давно следовало это сделать. Ведь все наши проблемы, Джон, — из-за нее и только из-за нее. Если бы я не любила тебя так сильно, я бы не ревновала. Все было чудесно, пока эта маленькая тварь не встала между нами, пока она не очаровала тебя своими ангельскими голубыми глазками и белокурыми патлочками...

Слушая ее, Джон почувствовал, как сердце его леденеет от ужаса. Ему было совершенно очевидно, что Элоиза сама верит в то, что говорит. Обладая холодным, извращенным умом, она убедила себя в том, что девочка действительно виновата во всем, что произошло между ней и мужем, и что Габриэлла на самом деле заслужила то жестокое обращение, которому подвергалась с раннего детства. И теперь никакими словами Элоизу нельзя было убедить в обратном.

«Все бесполезно! — с горечью подумал Джон, закусив от бессилия губу. — Она сошла с ума. Убеждать ее бессмысленно — Элоиза уже не понимает нормальных, человеческих слов».

И тем не менее он сделал еще одну попытку.

— Габриэлла не имеет никакого отношения к тому, что произошло и происходит между нами, — сказал он как можно тверже. — Ты — настоящее чудовище, Эл. Ты просто спятила от ревности. Обвиняй меня, если уж тебе непременно нужно сделать кого-то виноватым, но не трогай Габриэллу. Ненавидь меня, потому что я предал тебя, изменял тебе, потому что я оказался слабаком и не смог дать тебе того, что было тебе нужно, но, пожалуйста, пожалуйста... — Тут он заплакал, но, не смущаясь своих слез, продолжал взывать к ее здравому смыслу: — Прошу тебя, Элоиза, не обвиняй в наших бедах Габриэллу — она здесь ни при чем!..

— Ни при чем, вот как? — Элоиза раздавила в пепельнице сигарету и сразу закурила новую. — Это ты ослеп, а не я... — Она с горечью покачала головой. — Неужели ты не видишь, чтó Габриэлла сделала с нами... с тобой? Ведь до того, как она родилась, ты любил меня!

И я тоже любила тебя, а теперь погляди, что с нами стало!.. И все это из-за этой проклятой девчонки!

Впервые за много-много лет в глазах Элоизы блеснули слезы, и Джон невольно вздрогнул. Она обвиняла их дочь даже в том, что он изменил ей, что полюбил другую женщину.

— Это не она — это *ты* виновата во всем! — воскликнул он. — Я разлюбил тебя, когда увидел, как ты ее бьешь! О, боже, когда-нибудь она будет ненавидеть нас за все, что мы ей сделали!

— Все, что я ей сделала, Габриэлла заслужила, — убежденно повторила Элоиза. — За все то горе, которое она мне принесла, ее надо было бы пороть дважды в день железными прутьями, ее надо было бы убить... Из-за нее я потеряла все — семью, любовь, тебя...

— Но ты... ты же возненавидела ее с того самого дня, как она появилась на свет. Тогда она еще ничего не сделала.

— О, я предвидела, чем все это кончится.

— Остановись, Элоиза, остановись, пока не поздно! — мрачно произнес Джон. — Иначе в один прекрасный день ты убьешь ее и проведешь остаток своих дней в тюрьме.

— Мерзавка этого не стоит, — усмехнулась Элоиза. Она сама не раз думала об этом и старалась сдерживаться, чтобы не зайти слишком далеко. Разумеется, она делала это ради себя самой, соизмеряя силу ударов таким образом, чтобы причинить максимальную боль, но не убить. Но она куда лучше Джона понимала, что минувшей ночью подошла опасно близко к той черте, за которой могло случиться непоправимое. И... нисколько об этом не жалела. Пусть только эта маленькая дрянь вернется из больницы, она ей еще не то устроит.

Джон вспомнил госпиталь Святой Анны, вспомнил острый запах лекарств и безжизненное тело дочери, укрытое крахмальной простыней. Только сейчас он понял, что его запросто могли обвинить в избиении дочери. К счастью, никому это просто не пришло в голову. Ни врач, ни сиделки не могли представить, что такой хорошо одетый, прекрасно воспитанный господин, проживающий на престижной Шестьдесят девятой улице, способен избить ребенка. Любой вопрос на эту тему, даже заданный в самой вежливой форме, мог быть расценен как оскорбление, так что даже если кто-то что-то и заподозрил (а Джон от души надеялся, что это не так), то спросить не решился.

— Я не убью ее, Джон, можешь не беспокоиться, — вдруг заявила Элоиза, и это обещание заставило его содрогнуться. — Кстати, девчонка отлично знает, что во всем виновата. Она хитра и изворотлива. Лгунья проклятая, всем лезет на глаза, лебезит, а эти дураки тают. Ах, какой ангелочек! Она просто изводит меня, каждый день изводит!.. Ну, достаточно, я устала. — Она встала и потянулась. — К тому же твои нотации мне надоели. Ты сегодня ночуешь дома или опять поедешь к своей шлюшке? И когда, кстати, это кончится?

Никогда, мысленно пообещал себе Джон. Никогда! Жить с этой холодной, бессердечной дрянью он не смог бы за все сокровища мира. Но вместе с тем он знал, что должен пробыть здесь хотя бы до возвращения Габриэллы. Жертвовать ради дочери всей своей жизнью Джон не собирался, но его пребывание дома способно на время успокоить Элоизу. И тогда, быть может, девочке хотя бы поначалу будет не так доставаться.

— Я еще немного посижу, — сказал он и, прищурившись на огонь в камине, налил себе новую порцию виски. Джон был очень рад тому, что теперь у них с Элоизой — раздельные спальни. Спать с ней в одной постели ему было по-настоящему страшно — он всерьез начинал побаиваться, что Элоиза может без колебаний прикончить его. Он несколько раз говорил об этом и Барбаре, но та нисколько не испугалась, простодушно твердя про законы, про полицию. Что ж, возможно, ей с ее ограниченным умом просто не дано было постичь, насколько Элоиза жестока и опасна. Никто не мог этого понять за исключением его самого и Габриэллы.

— Значит, ты собираешься спать в своей комнате, — констатировала Элоиза и вышла из библиотеки, слегка покачивая бедрами.

Джон взглядом проводил выползающий за дверь ше-

лестящий шлейф ее вечернего платья и залпом прогло-
тил содержимое бокала. Элоизе он ничего не ответил —
он снова думал о Габриэлле. Лишь дождавшись, когда
наверху хлопнула дверь спальни, Джон поднялся с кушетки и отправился в кухню за новой бутылкой.

Когда поздним вечером Габриэлла наконец очнулась,
то не сразу поняла, где находится. В свете небольшого
ночника, стоявшего на столике возле кровати, она раз-
глядела белые стены, белый потолок и лицо незнакомой
женщины в белой крахмальной шапочке, которая смотрела на нее и озабоченно хмурилась. Заметив, что девочка открыла глаза, женщина ласково улыбнулась, и Габриэлла невольно вздрогнула. На нее еще никто никогда
не смотрел с такой добротой и сочувствием.

— Я... в раю? — негромко спросила девочка. Она
была уверена, что умерла, и значит, можно ничего не бояться.

— Нет, милая, ты в больнице Святой Анны, но с
тобой уже все в порядке... почти в порядке. Сюда тебя
привез папа — он только что уехал домой, но завтра
утром он снова придет навестить тебя.

В мозгу Габриэллы зародилась безумная надежда, что
если она никогда не поправится, то ей, возможно, разрешат остаться в больнице насовсем. Но она была еще
слишком слаба, чтобы разговаривать, поэтому только
кивнула и сразу же почувствовала боль во всем теле.

— Постарайся не двигаться, — наклонилась к ней
молодая сиделка, заметив, как исказилось лицо девочки.
И немудрено, сотрясение мозга должно было давать острую головную боль, к тому же из уха Габриэллы все еще
сочилась кровь.

— Твой папа сказал, что ты упала с лестницы, — продолжила она, приветливо улыбаясь. — Тебе повезло, что
он сразу привез тебя к нам. Но теперь уже все позади. Ты
обязательно поправишься, но несколько деньков тебе
придется полежать у нас. Но не волнуйся — тебе у нас
понравится. Мы будем ухаживать за тобой не хуже, чем
дома.

Габриэлла снова кивнула, хотя боль сделалась почти
нестерпимой. Она была искренне благодарна этой не-

знакомой женщине, которая разговаривала с ней так спокойно и ласково, как никогда не говорила родная мать.

Потом Габриэлла заснула и плакала во сне. Сиделка несколько раз подходила к ней, чтобы пощупать лоб. Утром она ушла домой, а на дежурство заступила другая, более опытная женщина. Она пощупала девочке пульс, заглянула в зрачки, потом стала менять повязку на ноге. Вид раны озадачил ее настолько, что она несколько мгновений просидела неподвижно, вглядываясь в лицо Габриэллы. В глазах сиделки застыл вопрос, который вчера никто так и не осмелился задать отцу девочки. За свою жизнь она видела много похожих ран и ушибов у других детей и отлично знала, что это следы жестоких побоев.

Но сделать она ничего не могла. Избитые дети, вылежав в больнице сколько положено, неизбежно возвращались в свои семьи. И эта девочка тоже вскоре отправится домой. «Что с ней там будет?» — задумалась сиделка. Дети бедняков рано или поздно попадали в больницу снова и по тому же поводу; что касалось Габриэллы, то тут дело было сложнее. Сиделка понадеялась, что родители девочки слишком напуганы делом своих рук. Возможно, Габриэлла больше никогда не окажется в больничной палате. А может — наоборот. Сказать наверняка не мог никто.

Габриэлла спала так крепко, что даже перевязка не смогла ее разбудить. Утром она плотно позавтракала, а после обхода снова уснула. Она была слишком слаба, и на протяжении последующих нескольких дней в основном ела и спала, хотя дневной ее сон был неглубоким и тревожным. Дома ей никогда не разрешали валяться в постели, и подсознательно Габриэлла боялась, что ее накажут, если застанут спящей. Дважды ее приезжал навестить отец. Каждый раз ему приходилось объяснять, что мать Габриэллы не может приехать, потому что больна. Ему верили, и сочувствовали, и завидовали тому, какая у них славная, воспитанная дочурка. Действительно, Габриэлла не капризничала, не жаловалась, никогда ничего не требовала и с благодарностью принимала все, что для нее делали. Она почти не заговаривала с сиделками и лишь внимательно наблюдала за тем, что и как они делают, и смущенно улыбалась, когда замечала, что на нее смотрят.

Джон приехал забирать ее первого января. Девочка выглядела очень бледной и худой. Когда, поблагодарив врачей и сиделок за все, что они для нее сделали, Габриэлла вышла из дверей больницы, у нее все еще слегка кружилась голова, однако она нашла в себе силы, чтобы обернуться и помахать рукой сестрам и сиделкам, которые смотрели на нее из окон. Все они захотели проводить малышку, потому что успели полюбить Габриэллу. «Второго такого милого и воспитанного ребенка просто не найти», — говорили они. Накануне вечером Габриэлла призналась им, что ей не хочется возвращаться домой. Все согласились, что такого в их практике, пожалуй, еще не было. За неполную неделю Габриэлла успела сделаться любимицей всего педиатрического отделения.

Габриэлла была в отчаянии. В больнице Святой Анны она впервые в жизни столкнулась с человеческим отношением, узнала, что такое жизнь без страха. И возвращение домой было для нее равносильно возвращению в ад.

Когда Габриэлла и Джон приехали, Элоиза поджидала их внизу. Брови ее были сурово сдвинуты, а глаза смотрели обвиняюще и мрачно. Она так ни разу и не навестила дочь в больнице, да и Джону все время повторяла, что все эти глупые сантименты совершенно ни к чему. Он с ней не спорил, но к дочери все равно ездил.

— Ну что, симулянтка, не надоело тебе валяться без дела? — спросила Элоиза, когда Джон поднялся в детскую, чтобы отнести туда вещи девочки и постелить ей постель. Врач сказал, что Габриэлла все еще очень слаба и ей надо как можно больше лежать. К тому же девочка нуждалась в постоянном присмотре, так как после травмы барабанной перепонки чувство равновесия могло подвести ее в любой момент. «Вы же не хотите, чтобы Габриэлла снова упала», — сказал он, и Джон мрачно кивнул. Он, конечно, не хотел, чтобы с его дочерью случилось то, что случилось, но ничего поделать здесь было нельзя. Габриэлла возвращалась к Элоизе, и та могла снова сделать с ней все, что заблагорассудится.

— Мне очень жаль, мамочка, — пискнула Габриэлла, не поднимая головы. — Я не хотела...

— То-то же!.. — Элоиза удовлетворенно кивнула. — И запомни: здесь тебе не больница. Если там ты сумела разжалобить врачей, то здесь я никакого нытья не потерплю, понятно?

С этими словами она повернулась на каблуках и ушла.

Вечером Габриэлла ужинала вместе с родителями, однако чувствовала она себя при этом крайне неловко. Элоиза держалась с ледяной враждебностью; что касалось Джона, то он успел слишком много выпить и теперь явно думал о чем-то постороннем, не замечая ничего вокруг.

Габриэлла так боялась сделать что-нибудь не так, что не могла проглотить ни кусочка. Руки ее дрожали так сильно, что, наливая себе воду из графина, она пролила несколько капель на стол и тут же в испуге покосилась на мать.

— Я вижу, за последнюю неделю твои манеры нисколько не улучшились, — едко заметила Элоиза. — Тебя там что, с ложечки кормили?

Габриэлла только опустила глаза. Отвечать было опасно. До конца ужина она не промолвила ни слова и послушно поднялась в свою комнату.

В детской она быстро разделась и поскорее легла, прислушиваясь к тому, как внизу ссорятся и кричат папа и мама. Гроза, приближение которой она давно чувствовала, разразилась, и Габриэлла была счастлива, что находится далеко от центра боевых действий. Впрочем, это ровным счетом ничего не значило, и, когда поздно ночью за дверью послышались шаги, девочка невольно сжалась в комок, думая, что это мама идет выместить на ней свою обиду.

Когда кто-то осторожно приподнял одеяло, Габриэлла зажмурилась, ожидая первого жестокого удара, но его не последовало. Кто-то стоял над нею, но девочка не чувствовала знакомого запаха духов матери и не слышала шелеста ее платья. Она вообще ничего не слышала и в конце концов, не выдержав томительного ожидания, осторожно приоткрыла один глаз.

— Привет... Ты не спишь? — Это был Джон; он стоял рядом с ее кроваткой и смотрел на дочь с каким-то странным выражением на лице. Только теперь Габриэлла почувствовала идущий от него сильный запах виски, но папа почему-то не выглядел пьяным.

— Я пришел сказать... взглянуть, как ты, — проговорил Джон, и Габриэлла смущенно улыбнулась. Папа никогда раньше не делал ничего подобного.

— А где мама? — спросила она.

— Спит.

Габриэлла с облегчением вздохнула. Боже, это было счастье, короткое, мимолетное счастье.

— Я... мне просто хотелось повидать тебя. — Джон осторожно опустился на краешек ее кровати. — Я очень сожалею... насчет больницы и всего остального. Сиделки сказали, что ты вела себя очень мужественно и что ты умеешь терпеть боль...

Но он и так знал, что Габриэлла умеет терпеть боль, и что она очень храбрая и сильная девочка. Гораздо сильнее его...

— Мне там было хорошо, — прошептала Габриэлла, внимательно следя за выражением его лица. В отличие от Элоизы, Джон не стал включать люстру, и она едва различала его черты в свете яркой зимней луны.

— Очень хорошо, — повторила она и отвернулась, смутившись.

— Я понимаю... — Джон немного помолчал. — Как ты себя чувствуешь?

— Хорошо... Ушко немного болит, а так больше ничего... Они меня вылечили.

Действительно, вот уже два дня голова у нее совсем не болела, да и стянутые пластырем ребра тоже почти не беспокоили. Впрочем, пластырь ей велели не снимать еще две недели.

— Береги себя, Габриэлла. И всегда будь храброй и мужественной. Я знаю, ты все выдержишь, потому что ты очень сильная, — неожиданно сказал Джон, и девочка удивилась. Она не понимала, что папа хотел сказать. Она — сильная? Это она-то сильная?! Плохая? Да, конечно... Непослушная? Тысячу раз — да, мама об этом постоянно ей твердит. Но сильная?.. Непонятно...

Но она не решилась ничего спросить, а Джон неожиданно замолчал. Ему хотелось сказать девочке, что он любит ее, но он не знал — как, какими словами он может выразить свои чувства. Потом ему пришло в голову, что если бы он действительно любил свою дочь, то не позволил бы Элоизе издеваться над ней. Он должен был схватить Габриэллу в охапку и убежать с ней на край света, пока мать не убила ее. Он должен был...

Он о многом передумал в эти минуты, но Габриэлла так и не узнала, какие мысли мелькали в его голове. Джон просто сидел и молчал, глядя на нее. Потом он снова накрыл дочь одеялом и все так же молча встал. На пороге детской он на мгновение обернулся, но вышел, так ничего и не сказав. Дверь бесшумно закрылась за ним. Габриэлла поспешно накрылась одеялом с головой. Она очень боялась, что Джон ненароком разбудит маму, но все обошлось, он неслышно на цыпочках прокрался к себе.

Потом она заснула и спала до самого утра, когда ее разбудил привычный крик матери.

— А ну, просыпайся, чертова дрянь!.. — завопила Элоиза, пинком распахивая дверь детской, и Габриэлла, еще не опомнившись до конца, кубарем скатилась с кровати. От резкой перемены положения снова мучительно заболела голова, заныли ребра, но Габриэлла только прикусила губу и зажмурилась, ожидая удара или пощечины.

— Отвечай, дрянь, ты знала? Знала?! Он сказал тебе? Сказал?! — С этими словами Элоиза схватила Габриэллу за худенькие плечи и затрясла так, что голова девочки закачалась на тонкой шее. Элоизе было совершенно наплевать, что дочь только вчера выписалась из больницы. Элоиза требовала ответа и не сомневалась, что получит его.

— О чем? О чем, мамочка? Я ничего не знаю, честное-пречестное!.. — За неделю, проведенную в больни-

це, Габриэлла успела отвыкнуть от подобного обращения и сейчас неожиданно расплакалась. Элоиза тут же
наградила ее звонкой затрещиной, но Габриэлла не могла сдержаться, и все равно слезы катились по ее щекам.
По лицу матери она поняла, что случилось что-то ужасное, но что это могло быть, Габриэлла не знала, и от этого охвативший ее страх стал еще сильнее.

— Я честное слово ничего не знаю, мама, милая, не
бей меня! — в отчаянии выкрикнула девочка. Впервые на
ее памяти Элоиза выглядела по-настоящему растерян-
ной, и это напугало ее сильнее, чем могли бы напугать
самая дикая ярость и самые жестокие удары.

— Ты знала, знала! — взвизгнула Элоиза. — Он сказал тебе, когда приезжал в больницу... Что он сказал, по-
втори мне слово в слово!

И она снова с силой тряхнула Габриэллу, у девочки
лязгнули зубы.

— Он... ничего... не говорил. — Новая страшная мысль
поразила ее. — Папа? Что с папой?!

У нее просто не укладывалось в голове, что с папой
могло случится что-то плохое. Быть может, он... Но,
прежде чем она успела представить себе, как папа броса-
ется со скалы в пропасть (так поступил герой одного ее
волшебного рассказа, когда злые великаны отняли у него
единственную дочь), Элоиза выпалила:

— Он ушел, и ты об этом знала! И в этом виновата
только ты, ты, ты!.. Ты доставляла нам столько хлопот,
что он не выдержал и сбежал. Ты небось думала, что он
любит тебя, правда? Так вот, ему на тебя наплевать! Он
бросил тебя точно так же, как и меня. Так и запомни,
маленькая дрянь, это ты во всем виновата! Ты одна! Он
ушел, потому что ненавидел тебя! Он ушел из-за тебя, га-
дина, и теперь тебя некому будет защищать. Вот тебе,
вот, вот, вот!..

И она ринулась на Габриэллу, выкрикивая проклятья
и осыпая ее хлесткими ударами.

Только тут девочка начала понимать, что случилось.
Папа ушел от них. Вот зачем он заходил к ней вчера вечером — он хотел попрощаться. Теперь он был где-то далеко, а это значило, что у нее в жизни осталось только

одно: непрекращающиеся, жестокие побои и боль. Папа велел ей быть храброй, быть сильной... Эти его слова были единственным, на что Габриэлла могла опереться, но кулаки матери опускались на ее голову, на незажившие ребра с такой силой, что она не сдержалась и заплакала еще горше. Она просто не знала, как она сможет пережить этот нескончаемый кошмар. Неужели папа ненавидел ее? Габриэлла была уверена, что это неправда, но теперь она заколебалась. Джон никогда не защищал ее, никогда ничем не помог, и вот теперь он и вовсе бросил ее, хотя не мог не знать, что мама постарается сорвать все зло на ней. И от этой неуверенности Габриэлле стало так горько, что она даже забыла о боли.

Потом боль вернулась, но это была уже боль души, от которой ее не могли избавить ни в одной больнице.

Глава 5

Следующий год жизни Габриэллы был окутан мраком, в котором воздвигались и таяли неясные, расплывчатые фигуры. Злые горбатые тени подкрадывались сзади, преследовали ее днем и ночью и, визгливо крича, наносили ей удары и снова отступали в темноту. Вездесущий страх лип к коже, тек по спине холодным потом, отзывался острой болью в каждой клеточке ее избитого, худенького тела. И не было в этом мраке ни одного просвета, ни одного светлого пятна, на которое она могла взирать с надеждой.

Отец ее исчез и не подавал о себе вестей. Можно было подумать, что у Габриэллы никогда не было папы. Джон не звонил, не писал, не приезжал, чтобы навестить ее; он не сделал ни одной попытки объяснить, почему все случилось именно так.

Впрочем, день, когда Элоиза получила первое уведомление от его адвоката, запомнился Габриэлле надолго. Мать была в такой ярости, что сначала зверски избила ее, а напоследок столкнула с лестницы. «Надеюсь, ты сломаешь себе шею», — сказала она при этом. К счастью, Габриэлла даже не очень ушиблась, однако это был еще не конец. Элоиза не знала ни жалости, ни милосердия, и даже боязнь попасть в тюрьму за убийство ее больше не останавливала. Она прекращала истязать дочь только тогда, когда уставала сама. При этом она кричала, что ненавидела Габриэллу всю жизнь, что все ее несчастья — из-за дочери, и что это она — мерзкая маленькая дрянь — виновата в том, что отец бросил ее. От нее же Габриэлла узнала, что папа хочет жениться на женщине, у которой есть две маленькие дочки, которые с успехом ее заменят. «Они — не такие, как ты! — выкрикивала Элоиза, награждая дочь увесистыми оплеухами и пинками. — Они красивы, добры, воспитанны, вежливы. Они умеют все, чего не умеешь или не хочешь делать ты. И Джон любит их!» — заканчивала она мстительно. Однажды Габриэлла попыталась возразить. Она изо всех сил цеплялась за те чувства, которые всегда приписывала отцу. Элоиза буквально взбесилась. Схватив ершик для посуды, она заставила дочь открыть рот и стала промывать его жидким мылом для принятия ванн. Плотная мыльная пена летела во все стороны, попадала в глаза, лезла в горло и в нос, и в конце концов Габриэллу вырвало. Ощущения собственного унижения и бессилия охватило ее. Папа любил ее — она знала это, верила... Или только хотела верить. Сомнения разъедали маленькую душу, и под конец Габриэлла уже не знала, что ей думать.

Бо́льшую часть времени она по-прежнему проводила дома, читая или сочиняя свои собственные рассказы. Время от времени Габриэлла писала долгие, обстоятельные, хотя и несколько однообразные по содержанию письма папе, но она не знала его нового адреса и не могла их отправить. Хранить их тоже было небезопасно, поэтому чаще всего Габриэлла рвала их на мелкие клочки и спускала в уборную.

Правда, несколько раз Габриэлла пыталась выяснить, где теперь живет папа, но у нее ничего не получилось. Спросить у матери она, разумеется, не могла, поэтому, выбрав момент, когда Элоиза куда-то уехала, девочка перерыла всю адресную книгу Нью-Йорка, но безрезультатно. В другой раз она позвонила в банк, где когда-то работал папа, но ей сказали, что мистер Харрисон оставил службу и переехал в Бостон.

В Бостон... Для Габриэллы это звучало примерно так же, как «в другую галактику», но она все еще на что-то надеялась. И лишь когда отец не объявился даже на ее десятилетие, Габриэлла поняла, что потеряла его навсегда.

Несмотря на это, она частенько продолжала вспоминать последнюю ночь, когда Джон зашел к ней в комнату, и каждый раз испытывала непонятное смятение. В голове ее роилось множество слов, которые она могла бы сказать папе тогда... И быть может, он бы никуда не ушел, не променял бы ее на двух других маленьких девочек, которые, как утверждала Элоиза, были гораздо лучше ее.

Ах, мечтала Габриэлла, если бы я была послушнее или талантливее. Если бы мной можно было гордиться. Может, тогда бы он не оставил нас? «А вдруг, — прокрадывалась ей в голову страшная мысль, — вдруг мама меня обманывает и папа умер? Вдруг он попал под машину или под поезд?» Думать об этом было так страшно, что у Габриэллы перехватывало дыхание, и она гнала от себя эти картины, но они возвращались вновь и вновь, потому что ничем другим она не могла объяснить себе странного молчания отца.

При мысли о том, что папа мог погибнуть и что она никогда больше его не увидит, Габриэлла непроизвольно вздрагивала. Она очень боялась, что может забыть, как он выглядит, и, если поблизости не было матери, тут же вскакивала и бежала к ближайшей папиной фотографии. Они, как ни странно, по-прежнему висели чуть не в каждой комнате, и Габриэлла подолгу стояла перед ними, стараясь получше запомнить его лицо. Но однажды Элоиза застала ее за этим занятием и, выдрав фотографии из рамок, разорвала их.

После этого у Габриэллы остался только один снимок. Ей тогда было три года, и они ездили в Истгемптон на ярмарку. Папа был очень красивый — он держал маленькую Габриэллу на руках и улыбался. Это была любимая фотография девочки, и она хранила ее как зеницу ока. Вездесущая Элоиза нашла ее и, разумеется, порвала, предварительно отхлестав дочь по щекам.

— Забудь его! — рявкнула она. — Он тебя не спасет.

Элоиза ушла, а Габриэлла еще долго сидела в своей комнате и плакала. После здоровенных оплеух щеки у нее горели, словно к ним приложили утюг, но сильнее этой боли было сознание того, что папа ее не любит. Ей трудно было в это поверить, но со временем девочка привыкла к мысли, что это скорее всего правда. Само молчание Джона неопровержимо доказывало, что дочь ему безразлична. И все же, вопреки логике, здравому смыслу и словам матери, Габриэлла продолжала надеяться, что однажды получит от него весточку и убедится, что папа все-таки любит ее. Этого надо было только дождаться. Габриэлла пообещала себе — и ему, — что будет ждать.

Отец ушел от них в Новый год. Следующее Рождество Габриэлла встречала одна. Элоиза весь день провела у каких-то знакомых. Вернувшись домой, она наскоро приняла ванну и, переодевшись в вечернее платье, снова уехала, чтобы провести вечер со своим новым другом из Калифорнии.

Этого человека Габриэлла уже несколько раз видела у них дома. Он был высоким, смуглым, темноволосым и очень красивым мужчиной. Как и отца Габриэллы, его тоже звали Джон — Джон Уотерфорд, но он был совсем не похож на папу. Девочка немного его побаивалась. Правда, поначалу, когда Джон-второй заезжал за мамой, чтобы отвезти ее в ресторан или на концерт, он очень мило разговаривал с девочкой. Элоиза очень скоро дала ему понять, что совершенно ни к чему болтать с ребенком и ей это очень не нравится. «Габриэлла — испорченная и хитрая девчонка», — частенько повторяла она, избегая, впрочем, пускаться в подробности, и очень скоро Джон Уотерфорд понял, что подружиться с девочкой — лучший способ потерять расположение Элоизы. Он тоже перестал замечать Габриэллу и только кивал в ответ на ее робкое: «Здравствуйте, мистер Уотерфорд».

Он, правда, был не единственным другом Элоизы.

После того, как папа их бросил, в доме стало появляться много молодых мужчин, которых Габриэлла никогда раньше не видела, но Джон Уотерфорд приходил чаще других. Из обрывков разговоров, долетавших до ее слуха, Габриэлла узнала, что он приезжает в Нью-Йорк только на зиму, а летом живет в Сан-Франциско. Джон много рассказывал Элоизе о Калифорнии; он был совершенно уверен, что ей там очень понравится. Элоиза действительно несколько раз мимоходом упомянула о том, что она, возможно, съездит месяца на полтора в Рино[1].

Габриэлла не знала, ни что такое Рино, ни зачем маме понадобилось туда ехать, а Элоиза, разумеется, не потрудилась объяснить это дочери. Свои сведения девочка черпала из случайно подслушанных бесед матери с Джоном Уотерфордом и из ее телефонных разговоров. Сначала все было весьма неясным, расплывчатым и противоречивым, но постепенно поездка в таинственное Рино приобретала все более конкретные очертания. Габриэлла начала задумываться, как быть со школой, если ей придется уехать с мамой на целых шесть недель. Но спросить об этом у Элоизы она, разумеется, не могла. Габриэлла прекрасно знала, что своим вопросом она только лишний раз разозлит мать, но ответа не добьется.

Ей оставалось только одно — терпеливо ждать, ловить новые и новые обрывки разговоров и сопоставлять их с услышанным ранее, чтобы получить хоть какое-то представление о своем ближайшем будущем. Каждый день она бегала проверять почту, надеясь найти письмо от отца, но его все не было и не было. Однажды Элоиза заметила, как Габриэлла роется в почтовом ящике, и сразу все поняла. Вооружившись отставленным было желтым кожаным ремешком, она заставила Габриэллу спустить штанишки и жестоко выпорола ее, но ни боль, ни испытанное унижение странным образом не произвели на девочку никакого особенного действия. Вообще в последнее время Габриэлле стало казаться, что мать то

---

[1] Рино — город на западе штата Невада, крупный центр игорного бизнеса. Известен как место, где можно быстро и без лишних формальностей оформить брак или развод. Иногда его даже называют «Бракоразводной столицей мира». (*Прим. пер.*)

ли слегка успокоилась, то ли просто устала. Во всяком случае, наказания стали не такими частыми и приобрели воспитательно-академический характер. Если раньше мать просто налетала на нее и начинала бить чем попало и по чем попало, то теперь она сначала заставляла Габриэллу принять наиболее удобное для наказание положение и, хлеща ее ремнем, почти доброжелательно втолковывала девочке, какая она дрянь, чудовище и мерзавка.

Возможно, впрочем, все это происходило потому, что теперь Элоиза была слишком занята своей собственной жизнью, так что на «воспитание» дочери у нее не оставалось ни времени, ни сил, ни желания. Объявив ее «безнадежной» и «неисправимой» («Твой отец наконец-то это понял и ушел!»), Элоиза как бы сняла со своих плеч часть материнского долга, и Габриэлла вздохнула свободнее. Она могла больше не опасаться, что мать ворвется к ней посреди ночи и, сбросив на пол, примется топтать ногами. То, что она оказалась фактически предоставлена самой себе, даже радовало девочку. Случалось, что Габриэлла не находила вовсе никакой еды, однако голодать ей было не привыкать. «Лучше так, чем мама снова будет расстраиваться», — рассуждала Габриэлла, ложась спать и по привычке укрываясь одеялом с головой.

Их новая экономка Джанин уходила ровно в пять часов. Когда Элоизы не было вечером дома, она иногда оставляла для Габриэллы что-нибудь на плите или в духовке, однако это случалось не слишком часто. Если Элоиза обнаруживала, что Джанин «балует» девчонку, она устраивала сокрушительный скандал. По этой причине экономка была предельно осмотрительна и осторожна. Она ни во что не вмешивалась и старательно притворялась, будто ей все равно. У девочки были самые печальные глаза, какие Джанин когда-либо видела; каждый раз, когда она ловила на себе этот взгляд, сердце у нее обливалось кровью, но она очень хорошо понимала, что ничем не может помочь.

«Плохая ли, хорошая, а все ж таки — родная мать...» — вздыхала Джанин, тайком оставляя на плите миску с супом или пряча в духовку оставшиеся от обеда котлеты.

Иногда она даже ставила холодный компресс на синяк, который, как утверждала девочка, она получила, играя на школьном дворе или в спортзале. Но Джанин-то знала, что такие синяки в школе получить просто невозможно, если только там не порют детей розгами за малейшую провинность. Порой Джанин даже жалела, что девочка не может убежать из дома. Но даже если Габриэлла решится на это, в конце концов ее найдут и вернут домой. Даже полиция не станет вмешиваться в отношения между матерью и дочерью до тех пор, пока Элоиза не убьет или не искалечит девочку.

Габриэлла тоже это знала, несмотря на то что ей было всего десять лет. Она уже усвоила, что никакой помощи от взрослых ждать не приходится. Они не любят вмешиваться в чужие дела, если это грозит им хоть какими-то осложнениями, и не спешат спасти тебя от боли или опасности. Они просто закрывают глаза, затыкают уши и отворачиваются, если рядом с ними происходит что-то неприятное. Так поступил ее отец, а Габриэлла по-прежнему была уверена, что папа — самый лучший из всех взрослых.

Но вот зима закончилась, наступила весна, и ненависть Элоизы к дочери сменилась почти полным равнодушием. Иногда она все же порола ее, но делала это словно нехотя, без прежнего рвения. Казалось, ей теперь совершенно все равно, что делает и как себя ведет дочь — главное, чтобы она не попадалась ей на глаза. Габриэлла время от времени удостаивалась нескольких пощечин за то, что «не слышит» обращенных к ней слов матери, но это все пустяки. Раньше мать измордовала бы ее до бесчувствия.

Кстати, в данном случае Элоиза была совершенно права — после травмы барабанной перепонки Габриэлла действительно стала хуже слышать. Но она никогда на это не жаловалась, зная, что мать немедленно обвинит ее в том, что она «притворяется» и что ей «хочется снова полежать в больнице». В ее устах последняя фраза звучала как вполне конкретная угроза, поэтому Габриэлла считала за благо помалкивать, хотя частичная потеря слуха иногда мешала ей и в школе. Впрочем, за исключением Элоизы ее глухоты никто больше не замечал.

— Не смей делать вид, будто не слышала, чтó я тебе сказала! — выкрикивала Элоиза и старалась подкрепить свои слова звонкой оплеухой. По счастью, в последнее время Джон Уотерфорд слишком часто оказывался поблизости, а при нем Элоиза старалась не распускать рук. Когда он приезжал в гости, она и вовсе не трогала Габриэллу. В его же отсутствие вспоминала о необходимости «воспитывать» дочь только тогда, когда Джон забывал позвонить или огорчал ее каким-то иным образом. Как и прежде, виновата во всем оказывалась Габриэлла.

— Он терпеть тебя не может, ты, маленькая дрянь! — кричала Элоиза, награждая дочь ударами ремня. — Ему противно на тебя смотреть — вот почему он не приехал сегодня. Из-за тебя я снова останусь одна!

И Габриэлла ни секунды в этом не сомневалась. Она только гадала, что будет, если мистер Уотерфорд вовсе перестанет приезжать к маме. Перспектива эта выглядела довольно мрачно, но девочка утешалась тем, что по всем признакам дядя Джон пока не собирался расставаться с Элоизой, хотя с наступлением весны он все чаще и чаще заговаривал о возвращении в Сан-Франциско. Эти разговоры изрядно нервировали ее мать, а всякая ее неуверенность или волнение неизбежно выходили Габриэлле боком, однако ситуация продолжала оставаться более или менее терпимой.

Весь март Джон Уотерфорд продолжал регулярно приходить в гости к Элоизе. Изредка они отправлялись в ресторан, но чаще просто запирались в библиотеке или поднимались в спальню и сидели там часами. Сколько девочка ни прислушивалась, до нее не доносилось ни звука, и она искренне недоумевала, что они там делают. Каждый раз, когда мистер Уотерфорд проходил мимо ее комнаты, он молча улыбался или подмигивал ей совершенно по-дружески, и девочка чувствовала себя чуточку спокойнее. Он никогда не останавливался, чтобы поговорить с ней, словно она была прокаженной, но Габриэллу это вполне устраивало. Если бы не вечное недоедание, она была бы даже довольна своим существованием.

Но в начале апреля мистер Уотерфорд, как и собирался, уехал к себе в Калифорнию. Габриэлла до смерти испугалась, что все вернется на круги своя. Однако, к ее огромному удивлению, Элоиза совершенно не выглядела расстроенной. Напротив, она была очень оживлена, деловита и казалась почти счастливой. С Габриэллой она не разговаривала, но для девочки это было истинное благословение Господне. Элоиза часто уезжала из дома, занималась какими-то таинственными приготовлениями и подолгу болтала по телефону. Но когда дочь оказывалась поблизости, Элоиза понижала голос. Так что будущее оставалось для Габриэллы тайной.

Однажды ранним утром — примерно через три недели после отъезда Джона Уотерфорда — в их доме раздался звонок. Элоиза взяла трубку, и хотя Габриэлла снова не слышала разговора, она сразу поняла, что это звонит дядя Джон. Все утро Элоиза пребывала в радостном ожидании, а когда девочка уходила в школу, она слышала, как мать велела Джанин перенести из подвала в спальню несколько дорожных чемоданов. Когда Габриэлла вернулась, Элоиза продолжала паковать вещи: казалось, она собрала все свои самые любимые вещи. Габриэлла стала ждать, когда и ей велят укладывать пожитки. Но только на следующий день вечером мать велела ей собрать небольшой облезлый чемодан, который она швырнула ей на кровать.

— А куда мы едем? — робко поинтересовалась Габриэлла. Она непременно удержалась бы от вопросов, поскольку это было небезопасно, но сейчас она просто хотела знать, какие вещи ей следует взять с собой.

— Я еду в Рино, — коротко бросила в ответ Элоиза, однако ситуации это не проясняло. Уточнять что-либо было страшновато. Оставалось надеяться, что она угадает правильно и не очень разозлит мать, если уложит теплый свитер на случай, если Рино находится где-нибудь на Аляске.

И все же, по примеру матери укладывая в чемодан свои лучшие платья (не беда, что из многих она давно выросла — зато они были такие красивенькие!) и туфельки, она продолжала спрашивать себя, что такое это Рино и будет ли там дядя Джон. Габриэлла его почти не знала и не была уверена, что он ей нравится, однако она чувствовала, что если мистер Уотерфорд окажется там, куда они поедут, то мама будет довольна и не станет наказывать ее — во всяком случае, часто. Кроме того, дядя Джон казался ей очень спокойным человеком, потому что он никогда не кричал на маму. Правда, Габриэлла боялась, что разочарует его точно так же, как папу. С некоторых пор это была ее навязчивая идея. Порой ей даже казалось, что любой человек, которого она хоть немножечко полюбит, в конце концов начнет ее ненавидеть. Как это возможно, она представляла себе не очень хорошо; козни злой феи Умиранды были бы здесь самым подходящим объяснением, но Габриэлла уже давно не верила в эту давнишнюю свою выдумку. Но ведь любила же она папу, и чем все это закончилось? Как предотвратить неизбежную катастрофу, Габриэлла не знала. Ей оставалось только надеяться, что дядя Джон придумает что-нибудь замечательное и очень умное. Тогда все они спасутся от злого рока.

Стараясь избавиться от тревожных мыслей, Габриэлла снова начала писать рассказы, только на этот раз главным их героем был дядя Джон. Он представал в образе могучего рыцаря, отдаленно напоминавшего благородного и справедливого короля Артура. Он побеждал злую Умиранду одной левой, расколдовывал Габриэллу и заодно освобождал папу, который томился в сыром подземелье у злодея Барбакрюкса, после чего они вчетвером, включая и маму, начинали жить весело и счастливо в большом светлом замке под названием Рино.

Увы, Элоиза нашла эти истории и, разорвав их на мелкие кусочки, кричала на Габриэллу. «Маленькая шлюха, ты сама положила глаз на Джона Уотерфорда!»

Габриэлла так и не поняла, что мама имела в виду и почему она так рассердилась. Она очень старалась, описывая дядю Джона, однако маме это почему-то не понравилось. Оставив без внимания пару уже привычных оплеух, Габриэлла села писать еще один рассказ, в котором дядя Джон был теперь похож уже на Прекрасного Принца из сказки о Золушке. За это ей тоже здорово попало.

Мать застала ее как раз в тот момент, когда девочка описывала чудесный бархатный камзол с золотыми пуговицами и бархатные штаны до колен — парадный наряд героя. «Что тебе понадобилось в его штанах?!» — вопила Элоиза, награждая дочь звонкими шлепками по мягкому месту, и Габриэлла, глотая слезы, почему-то подумала, что дядя Джон был бы очень недоволен, если бы узнал, как мама с ней обращается.

В новом рассказе, который приснился ей ночью, дядя Джон вместо феи Умиранды боролся с мамой и побеждал ее, но дальше Габриэлла смотреть не захотела и проснулась. К ней снова вернулось ощущение, обретенное однажды, — она ненавидит маму. Ясно, что такую скверную девчонку не в состоянии терпеть возле себя ни один нормальный человек.

Вскоре после Пасхи, когда ранним субботним утром Элоиза и Габриэлла сидели за завтраком, мать неожиданно подняла голову и улыбнулась дочери. За всю жизнь Габриэллы это случилось, без преувеличения, в первый раз. Девочка готова была испугаться, и только недобрые огоньки, плясавшие в глубине глаз матери, подсказали ей, что все в порядке, ничего из ряда вон выходящего не происходит.

— Завтра я уезжаю в Рино, — торжествующе произнесла Элоиза. Габриэлла на всякий случай кивнула. Она просто не знала, как ей следует реагировать. Впрочем, Элоиза выглядела если не счастливой, то, по крайней мере, довольной.

— Ты собрала вещи? — снова спросила она, и Габриэлла кивнула еще раз.

После завтрака Элоиза сама поднялась в детскую, чтобы проверить ее чемодан. Первым делом она собственноручно выкинула оттуда два любимых платья Габриэллы, которые были ей откровенно малы, но, к удивлению девочки, ничего не сказала и даже не отвесила обязательного в таких случаях подзатыльника. Никаких других непростительных ошибок дальнейшая тщательная инспекция не обнаружила, и Габриэлла вздохнула с облегчением, когда мать отодвинула чемодан и выпрямилась. В детской оставались только кровать, тумбочка, письменный стол и стул. Картинок на стенах здесь никогда не было, единственную фотографию отца, которая когда-то стояла на столе, Элоиза своими руками разорвала и выкинула, пол был чисто вымыт, а зимняя одежда в стенном шкафу была убрана в одинаковые пластиковые чехлы серовато-розового цвета.

— Наряды тебе не понадобятся. Не забудь свою школьную форму, — вот и все, что сказала Элоиза, убедившись, что детская находится в образцовом порядке.

— Не забуду, мамочка, — ответила Габриэлла.

На самом деле мать просто не заметила ее школьной юбки и жакета, которые Габриэлла положила на самое дно чемодана. Она не знала, сколько времени они пробудут в Рино, к тому же школьная форма ей нравилась — она была очень удобной и достаточно длинной, чтобы скрывать постоянные синяки на руках и ногах. Впрочем, сейчас от ее синяков остались лишь едва заметные желтые пятна, но кто мог поручиться, что в Рино все не начнется сначала?

«Дядя Джон может поручиться», — с гордостью подумала Габриэлла. Накануне вечером она написала длинный рассказ о том, как дядя Джон и Иисус Христос поплыли из Калифорнии в Антарктиду, чтобы спасти папу, прикованного ледяными цепями к огромному айсбергу, носившемуся в открытом океане по воле ветров и течений. Рассказ был надежно спрятан под матрасом — зная, что мать непременно проверит ее чемодан, Габриэлла рассчитывала достать его лишь перед самым отъездом.

— Кстати, — сообщила Элоиза, не скрывая своего сарказма, — в июне твой папа женится. Я уверена, ты будешь рада об этом узнать.

Она хотела уязвить ее в очередной раз, но Габриэлла почувствовала лишь разочарование. Грустно, что дяде Джону и Иисусу Христу не удалось освободить папу. Теперь он никогда не вернется к ней. И все же она была рада, что папа жив, что он не попал под машину и что его не съел страшный людоед Барбакрюкс. (На эту тему она сочинила сразу несколько рассказов, и в конце концов ей стало казаться, что с папой действительно случилось что-то ужасное. Никак иначе объяснить его упорное молчание она не могла.)

— Ты никогда больше его не увидишь, — добавила Элоиза, внимательно наблюдавшая за выражением лица девочки. — Ты ему совсем не нужна — как и я. Ему всегда было на нас наплевать. Твой отец никогда не любил ни тебя, ни меня, и я хочу, чтобы ты запомнила это на всю жизнь.

И, ожидая ответа, она пристально поглядела на Габриэллу, которая молча стояла перед ней. В глазах Элоизы снова появились опасные искорки.

— Он никогда не любил нас, — с нажимом повторила она. — Ты ведь знаешь об этом, не правда ли?..

Габриэлла кивнула. Иного выхода у нее просто не было. Ей хотелось сказать матери, что она не верит ни одному ее слову, но, видит бог, это могло стоить ей жизни. Наученная собственным горьким опытом, Габриэлла была теперь гораздо мудрее во всем, что касалось матери. Не то чтобы она научилась лицемерить — просто стала гораздо осторожнее. Например, не собиралась нарываться на побои, защищая папу, которого все равно здесь не было. К тому же он, возможно, действительно не очень любил ее.

Но тут она вспомнила, как папа смотрел на нее в их последнюю встречу, и еще больше запуталась. Его взгляд яснее ясного говорил, что он все еще любит ее. Как же тогда мама может говорить, что... Неужели мама лжет?

Это была совершенно новая мысль, и Габриэлла обдумывала ее весь остаток дня. Элоиза ушла куда-то с друзьями, и девочка, сделав себе огромный сандвич, долго сидела на кухне в одиночестве. У нее никак не укладывалось в голове, что мама может обманывать ее. До сих пор каждое ее слово девочка принимала за чистую монету, но теперь... Теперь весь мир, все ее представления о себе, о папе летели вверх тормашками. «Нет, лучше об этом не думать, — решила она наконец. — Лучше я подумаю о Рино».

Но и из этого тоже ничего путного не вышло. Габриэлла знала только одно — ей предстоит далекое путешествие, во время которого она увидит много нового и интересного. Что ждет ее в Рино, зачем они туда едут — этого Габриэлла не могла себе даже вообразить. Ей было ясно, что ответы на все свои вопросы она получит, только когда окажется там, в этом таинственном городе, и от этой неизвестности она чувствовала себя неуютно.

И, как ни странно, при мысли о том, что ей придется покинуть этот дом, Габриэлле стало чуточку печально. Здесь она прожила всю свою жизнь, по этим комнатам ходил ее отец, и ей до сих пор чудился чуть слышный запах его одеколона. Но ведь они уезжают не навсегда. В конце концов она снова вернется сюда — вернется, пережив самое захватывающее приключение в своей жизни. Может быть, и дядя Джон тоже вернется с ними. И, если она покажется ему не такой уж плохой, он снова начнет с ней разговаривать? А вдруг... — при мысли об этом у Габриэллы на мгновение даже сердце замерло, — вдруг, если она будет очень, очень хорошей, он полюбит ее, как папа?..

Когда Элоиза вернулась домой, Габриэлла уже давно спала. Она не слышала, как мать поднялась наверх и прошла по коридору в свою спальню, не видела торжествующей улыбки на ее губах. Элоиза начинала жизнь заново! Перед ней открывались новые, счастливые перспективы, и она не собиралась позволять своему прошлому хоть сколько-нибудь омрачить их. И Элоиза уже знала, как она поступит со своими прошлыми разочарованиями — она оставит их здесь и накрепко запрет за собой двери, чтобы ничто из того, что на протяжении десяти лет отравляло ей жизнь, не прорвалось следом за ней в будущее.

Она буквально считала оставшиеся до отъезда часы. В кармане Элоизы уже лежал билет на поезд, отправлявшийся завтра вечером, но Габриэлла этого не знала. Мать вообще ничего ей не сказала. Боже, зачем лишний раз колебать воздух ради этой маленькой гадины. Не все ли равно, что она там себе думает. Несомненно одно — вина Габриэллы перед ней неисчерпаема.

Габриэлла действительно не знала, во сколько они уезжают. Поэтому на следующий день она проснулась пораньше, поскорее умылась и причесалась. Когда в девять утра заспанная Элоиза сошла вниз, на столе уже дымился кофе, сваренный Габриэллой. Девчонка хорошо усвоила преподанные ей уроки — кофе был отличный, и, наливая его в чашку, Габриэлла ухитрилась не пролить ни капли.

Поскольку Элоиза не сказала ей ни слова, Габриэлла поняла, что ей удалось угодить матери. В другой раз она непременно обрадовалась бы, но сегодня девочка слишком волновалась. Ее так и подмывало спросить, когда же они наконец поедут на вокзал. Лишь огромным напряжением воли ей удавалось сдерживаться, чтобы ненароком не разозлить мать. А сделать это было проще простого — в этом Габриэлла не раз убеждалась на собственной шкуре.

Прошло томительных полчаса, прежде чем Элоиза открыла рот и спросила у Габриэллы, готова ли она. Разумеется, она была готова. Габриэлла уже давно уложила в чемодан последние мелочи (в том числе заветную тетрадь из-под матраса) и надела серую дорожную юбку и белый свитер. На кровати в детской были аккуратно разложены темно-синий блейзер, такой же берет и светлые перчатки — обычный наряд Габриэллы, когда они с матерью выходили вдвоем. Высокие белые гольфы были подтянуты и завернуты именно так, как любила Элоиза, а черные лаковые туфли Габриэлла еще с вечера вычистила и натерла хлебным мякишем, в них можно было смотреться как в зеркало.

Иными словами, Элоизе совершенно не к чему было бы придраться. Вот если бы еще Габриэлла сумела спрятать с глаз долой свои длинные белокурые волосы, тонкую гладкую кожу и огромные голубые глаза на бледном, словно фарфоровом лице, которые смотрели открыто и доверчиво и делали ее совершенно очаровательной. Габриэлла уже не была младенцем, но еще не успела превратиться в долговязого, голенастого подростка. В свои десять лет она еще балансировала между этими двумя состояниями, сочетая в себе обаяние ребенка и красоту взрослой женщины, которой она непременно должна была стать через каких-нибудь шесть-восемь лет. Даже Элоиза не могла этого отрицать, и оттого желание вымазать дочери лицо сажей и облачить ее в грязную, желательно вонючую рвань было в ней сильно́ как никогда.

Элоиза терпеливо ждала, пока Габриэлла сходит в детскую за чемоданом и верхней одеждой. Когда она наконец спустилась в холл, то сразу увидела, что маминых вещей нигде не видно. «Должно быть, — решила Габриэлла, — мама хочет, чтобы я помогла ей снести их вниз». Она повернулась, чтобы сходить за чемоданами Элоизы.

— Куда это тебя понесло?! — остановил ее сердитый окрик. У Элоизы было еще полно дел, и она начинала спешить.

— Я хотела... хотела помочь тебе с вещами, — пробормотала Габриэлла, останавливаясь на нижних ступеньках лестницы и оборачиваясь назад.

— Я сама схожу за ними... потом, — ответила Элоиза и нахмурилась. — А сейчас — поторопись.

И Элоиза властным жестом указала ей на входную дверь.

Габриэлла ничего не понимала. Она заметила, что Элоиза одета в старую серую юбку и черный свитер, в которых обычно ходила только дома или в саду, и что она даже не надела шляпку, а без шляпки Элоиза не выходила даже в аптеку. И все же Габриэлла по обыкновению ни о чем не спросила. Подхватив свой небольшой чемоданчик, девочка послушно вышла на крыльцо.

Стояла чудесная солнечная погода; грушевые деревья в саду за домом пышно цвели и благоухали так, что даже запахи большого города не в силах были заглушить их тонкий аромат; из кустов живой изгороди доносились птичьи трели, но Габриэлла неожиданно почувствовала, как в груди ее шевельнулось какое-то неясное беспокойство. Что-то было не так, но она еще не понимала — что. В отчаянии девочка бросила взгляд назад — на дом, где она узнала столько страха и боли. На мгновение ей захотелось со всех ног броситься назад, чтобы снова забиться в самый дальний угол чулана. Габриэлла уже давно не пряталась от матери, зная, что в этом случае ей попадет сильнее. Но сейчас что-то подсказывало, что ее ожидает нечто худшее, чем самое жестокое наказание.

Но Элоиза уже запирала дверь, и девочка только тихонько вздохнула, покоряясь неведомой судьбе, которая могла оказаться гораздо страшнее, чем все, что она знала до сих пор.

— Побыстрей, пожалуйста, у меня не так много времени, — железным голосом произнесла Элоиза, обгоняя ее и выходя на улицу. Там она взмахом руки остановила такси, и девочка снова подумала: «Почему мама без вещей?»

Но ответ был ей уже ясен. Куда бы ни ехала Элоиза, она ехала туда одна! Но, в таком случае, что же будет с ней, с Габриэллой? И зачем ей чемодан с вещами? И школьная форма? И учебники? Ответов на эти вопросы не было.

В машине Элоиза назвала водителю адрес, который ничего не говорил Габриэлле. Она только сообразила, что это где-то в районе Восточных Сороковых улиц. Куда же они едут? Зачем? Тягостная неизвестность очень быстро переросла в страх, однако расспрашивать мать Габриэлла по-прежнему не смела, зная, что впоследствии ей придется дорого заплатить за свою несдержанность, невоспитанность, настырное любопытство и неумение держать язык за зубами. Элоиза всем своим видом показывала, что не намерена отвечать ни на какие вопросы. Отвернувшись от дочери, она смотрела в окно на проносящиеся мимо дома и, казалось, о чем-то сосредоточенно думала. Раза два она бросила быстрый взгляд на свои наручные часики и, убедившись, что пока все идет точно по расписанию, удовлетворенно кивнула самой себе.

К тому времени, когда они подъехали к большому серому зданию на Сорок восьмой улице, у Габриэллы от страха тряслись руки, а к горлу подступала тошнота. Должно быть, на этот раз она совершила что-то действительно ужасное, и теперь мама везет ее в полицию или в исправительный дом, где наказывают преступников. Это предположение вовсе не казалось Габриэлле невероятным, хотя она была далеко не глупой девочкой. Просто в том кошмарном мире, в котором она жила, возможно было абсолютно все. Габриэлла никогда не могла чувствовать себя в безопасности. Она всегда была виновата и неважно, в чем. Главное — виновата!

Тем временем Элоиза расплатилась и первой вышла из машины.

— Вылезай, — коротко приказала она и недовольно нахмурилась, следя за неловкими движениями дочери, которая никак не могла справиться со своим чемоданом. Наконец Габриэлла тоже выбралась из такси и огляделась. Решительно ничего не указывало на то, куда они приехали. Это могла быть и полиция, и тюрьма для малолетних преступниц, и даже замок людоеда Барбакрюкса, в котором он варил из маленьких непослушных девочек суп с перцем и клецками. Впрочем, в глубине души Габриэлла была уверена, что ни один, даже самый голодный людоед не станет портить свой суп такой скверной девчонкой, как она.

Они долго ждали. Элоиза нетерпеливо позвонила, потом несколько раз стукнула по двери массивным латунным кольцом. Девочка между тем успела в подробностях рассмотреть и дверь, и само здание, которое казалось ей необычайно внушительным и суровым, почти угрюмым. Кольцо было точь-в-точь как в за́мке людоеда, однако прорезанное в двери окошко, закрытое изнутри деревянной заслонкой, напоминало о тюрьме. Габриэлла посмотрела на мать. Но лицо Элоизы не выражало ничего, кроме раздражения, вызванного бесконечным ожиданием, так что в конце концов Габриэлла опустила голову и уставилась в землю, скрывая выступившие у нее на глазах слезы. Глубокий страх постепенно овладевал девочкой, и хотя она изо всех сил старалась ему не поддаваться, это у нее плохо получалось. Коленки у Габриэллы дрожали, слезы готовы были пролиться каждую секунду, нос заложило, но она не смела даже высморкаться, чтобы не разозлить мать.

Наконец за дверью послышалась какая-то возня, лязгнула защелка, и дверь слегка приоткрылась. Из-за нее выглянуло узкое и морщинистое лицо. С того места, где стояла Габриэлла, его было трудно рассмотреть — девочка не могла даже сказать, женщина это или мужчина, ей вдруг показалось, что она видит перед собой саму фею Умиранду.

Напрасно Габриэлла твердила себе, что фей не бывает, что она уже давно большая и совсем-совсем не верит в колдовство и злых волшебниц. Старые детские страхи волной нахлынули на нее, и Габриэлла, жалобно пискнув, закрыла лицо руками.

— Что вам угодно? — спросил скрипучий, слегка надтреснутый голос, не имеющий ни пола, ни возраста.

— Я — миссис Харрисон, — ответила Элоиза, незаметно дернув Габриэллу за волосы. — Меня ждут. И, будьте добры, поторопитесь — я очень спешу, — раздраженно добавила она.

Габриэлла приоткрыла один глаз. Страшное лицо исчезло, дверь захлопнулась, и девочка услышала удаляющиеся, шаркающие шаги.

— Мамочка, что... — шепотом начала Габриэлла, не в силах дольше выносить мучительной неизвестности. — Скажи...

Элоиза резко повернулась к ней.

— Заткнись, — прошипела она. — И постарайся вести себя прилично. У меня просто ангельское терпение, но ты способна вывести из себя самого Господа Бога. Здесь на тебя найдется управа. В этом месте ни с кем не станут цацкаться. Надеюсь, они тебе вправят мозги, — закончила она и отвернулась.

Габриэлла внутренне похолодела. Значит, это правда. Мама привезла ее в тюрьму... или в исправительный дом... Здесь ей предстоит ответить за десять лет непослушания и дурных поступков, из-за которых они обе потеряли папу...

Слезы чуть не брызнули у нее из глаз, но Габриэлла снова сдержалась. Она знала, какое наказание ее ждет. Ну конечно — смерть. Ее посадят на электрический стул или запрут в особой комнате без окон и пустят вонючий зеленый газ, в котором она будет барахтаться, пока не задохнется. Так вот какое это Рино — таинственное и загадочное Рино, о котором она столько думала?..

Габриэлла уже готова была закричать от ужаса и, может быть, даже броситься бежать, хотя, конечно, это совершенно бессмысленно, когда тяжелая дверь снова начала открываться. На этот раз она распахнулась настежь, и девочка увидела длинный темный коридор с высоким сводчатым потолком, конец которого терялся во мраке. На пороге стояла древняя скрюченная старуха в глухом черном платье до земли и наброшенной на голову черной шали. Старуха опиралась на клюку и была удивительно похожа на ведьму. Когда она сделала приглашающий жест рукой, девочка невольно ахнула. Ей очень не хотелось идти внутрь, но Элоиза схватила ее за руку и дернула с такой силой, что Габриэлла влетела в коридор словно на крыльях. Тяжелая дверь закрылась, и девочка громко всхлипнула.

— Матушка Григория сейчас вас примет, — сказала старуха Элоизе, и та кивнула. Потом она со злобой посмотрела на хнычущую Габриэллу и снова дернула ее за руку.

— Прекрати сейчас же! — Девочка машинально втянула голову в плечи, ожидая удара, но его не последовало. Очевидно, здесь даже Элоиза не смела распускать руки.

— Перестань выть! — повторила мать. — Когда я уйду, можешь реветь сколько влезет, но сейчас избавь меня от этого. Я не твой отец и не растаю от идиотских слез. И сестры тоже этого не потерпят. Знаешь, как поступают монашки с детьми, которые плохо себя ведут?

Она так и не сказала, что именно делают монахини с непослушными девочками, но этого и не требовалось. Парализованная ужасом, Габриэлла во все глаза уставилась на огромное распятие над коридорной аркой, с которого свисал окровавленный Христос. Ей было так страшно, что она даже перестала плакать, и только время от времени судорожно вздыхала. Все, чего она хотела, это умереть до того, как ее начнут наказывать за все грехи, которые она совершила в течение своей коротенькой жизни.

Христос, закатив мертвые, желтые глаза, продолжал скалиться на нее с креста, и вскоре Габриэлла снова зарыдала в голос. И никакие угрозы, никакие тычки и щипки матери не могли ее остановить.

Она все еще плакала, когда старая монахиня снова появилась в коридоре и объявила, что они могут пройти к матери-настоятельнице. Элоиза и Габриэлла, следуя за ней, повернули в другой коридор, скудно освещенный небольшими лампами и потрескивающими тонкими свечами в потемневших шандалах. Откуда-то издалека доносилось согласное, но мрачное пение множества голосов, и Габриэлла снова подумала, что попала в такую страшную темницу, откуда нет выхода. Даже музыка, сопровождавшая пение, казалась ей траурной и тоскливой, и девочка почти смирилась с тем, что останется здесь и умрет.

Наконец старая монахиня остановилась у небольшой двери, которая почти сливалась с голой каменной стеной, и, жестом указав на нее, заковыляла прочь, тяжело опираясь на свою изогнутую палку. Глядя ей вслед, Габриэлла снова вздрогнула, как от холода.

Элоиза, коротко стукнув в дверь, отворила ее.

В следующий момент Габриэлла очутилась в небольшой полутемной комнате с узкими стрельчатыми окнами в решетках. Здесь незнакомо и сильно пахло чем-то сладковато-горьким, в огоньках свечей поблескивало еще одно распятие в углу, но на этот раз внимание девочки ненадолго задержалось на нем. Страшнее всего в этой комнате была женщина, которая поднялась им навстречу из-за небольшого, крытого зеленым сукном стола, на котором стоял тройной шандал с одной-единственной толстой свечой.

Эта женщина была высокой и широкой в кости. Как и старуха-привратница, она была вся одета в черное, и только лоб ее пересекала выступающая из-под накидки широкая белая полоска платка. Неподвижное серое лицо казалось высеченным из какого-то твердого камня; это впечатление еще усиливалось благодаря свету, падавшему на него под непривычным углом, отчего тени, протянувшиеся снизу вверх от нижней губы, носа и щек, образовывали как бы второе лицо, состоявшее из темных пятен и полос. Женщина смотрела на Габриэллу и Элоизу сверху вниз, и на одно страшное мгновение девочке показалось, что у монахини вовсе нет рук, но потом она поняла, что они просто скрещены на груди, а кисти спрятаны в широких рукавах монашеского одеяния. С пояса свисали тяжелые деревянные четки, и ничего не указывало на то, что перед ними — сама мать-настоятельница.

Впрочем, в отличие от дочери, Элоиза знала это наверняка. Только в прошлом месяце они дважды встречались и обсуждали, как лучше поступить с Габриэллой. Все было решено, но матушка Григория, по-видимому, не ожидала, что девочка будет так напугана и расстроена. Она полагала, что миссис Харрисон сумеет как-то подготовить свою дочь к предстоящим изменениям в ее жизни.

— Здравствуй, Габриэлла, — величественно произнесла она. — Меня зовут матушка Григория. Твоя мама, наверное, сказала, что тебе придется некоторое время пожить с нами, в нашем монастыре...

На губах настоятельницы не было ни тени улыбки, но глаза ее показались Габриэлле добрыми. И тем не менее она не могла успокоиться так быстро. Поэтому она только отрицательно помотала головой и вновь залилась слезами. Она не хотела здесь оставаться. Ни за что!..

— Ты останешься здесь, пока я буду в Рино, — ровным голосом проговорила Элоиза, и настоятельница с интересом глянула на нее. Ей было совершенно очевидно, что девочка впервые слышит о монастыре и о том, что ей придется прожить здесь сколько-то времени. Кроме того, ей очень не понравилось, как миссис Харрисон обращается с дочерью, но она промолчала.

— Ты... ты надолго уедешь? — Габриэлла подняла глаза на мать и посмотрела на нее со страхом и надеждой. Как бы ни относилась к ней Элоиза, кроме нее, у девочки все равно никого не было. «Быть может, — пронеслось ее в голове, — это такое новое наказание за то, что я не любила маму и не слушалась ее?» Может быть, Элоиза давно догадалась, что по временам дочь просто н е н а в и д и т ее, и привезла Габриэллу в монастырь, чтобы здесь ее наказали за скверные мысли?

— Я пробуду в Рино полтора месяца, — ответила Элоиза, даже не подумав как-то утешить дочь. Она даже отступила от нее на полшага, когда Габриэлла попыталась ухватиться за ее юбку. Настоятельница внимательно наблюдала за обеими.

— А в школу? Как же я буду ходить в школу? — воскликнула Габриэлла, цепляясь за эту идею как за свое единственное спасение.

— Ты будешь учиться у нас, — вступила матушка Григория, но это нисколько не утешило Габриэллу. Ей было страшно как никогда в жизни. Пусть лучше мама бьет ее каждый день. Все лучше, чем оставаться в этом страшном доме, где живут страшные старухи, где все ходят в черном, где вокруг одни глухие толстые стены и на каждом шагу висят большие, страшные распятия. Будь у нее выбор, и она бы с радостью отправилась с мамой домой, пусть даже там ее ждала самая жестокая порка, но никакого выбора у нее не было. Элоиза решила, что Габриэлла должна остаться здесь. Значит, так и будет.

— У нас уже есть две девочки-пансионерки, — объяснила мать-настоятельница. — Правда, одной из них уже четырнадцать, а другой — почти семнадцать, но, я думаю, ты с ними подружишься. Сначала они тоже плакали, но потом им у нас понравилось.

Она не упомянула о том, что девочки были сиротами. Их родители погибли. Девочки приходились двоюродными сестрами одной из послушниц ордена, и по ее ходатайству матушка Григория согласилась приютить обеих в монастыре, пока не будет найден какой-либо выход. Что касалось Габриэллы, то, как считала настоятельница, пребывание в обители было для нее временной мерой. Два, в крайнем случае — три месяца, как сказала ее мать. Потом девочка вернется домой.

Настоятельница ждала, что миссис Харрисон объяснит это дочери хотя бы сейчас, но Элоиза молчала, и матушка Григория вновь подивилась странной напряженности, которая существовала между матерью и дочерью. Она буквально бросалась в глаза, но ее природу настоятельница понять не могла. У нее сложилось впечатление, что девочка смертельно боится матери. Она отбрасывала такое объяснение как невероятное, хотя оно настойчиво возвращалось снова и снова. Возможно, решила наконец настоятельница, все дело в семейных сложностях. Она знала, что полтора года назад отец девочки оставил семью и в ближайшее время собирался жениться во второй раз. Элоиза ехала в Рино, где должен был состояться бракоразводный процесс. Настоятельница, разумеется, этого не одобряла, однако она была далека от того, чтобы читать проповеди миссис Харрисон. В данном случае ее заботила только Габриэлла, которой предстояло прожить в сестричестве до тех пор, пока ее мать не вернется в Нью-Йорк.

Габриэлла продолжала громко всхлипывать, Элоиза бросила нетерпеливый взгляд на часы. Брови ее подскочили чуть не до самой прически.

— Мне пора идти, — поспешно объявила она. — Иначе я опоздаю к поезду.

Но не успела она сдвинуться с места, как маленькая ручка метнулась к ней и вцепилась в ее юбку.

— Мамочка, миленькая, пожалуйста!.. Не бросай меня! Я буду хорошо себя вести, клянусь! Пожалуйста, позволь мне поехать с тобой!..

— Не говори глупости! — сердито отрезала Элоиза и, борясь с отвращением, принялась отрывать от юбки тонкие пальчики дочери. Никогда прежде Габриэлла не позволяла себе хвататься за нее, и Элоиза была вне себя от гнева и презрения.

— Рино — не самое подходящее место для маленьких девочек, — вмешалась матушка Григория и, бросив на Элоизу короткий, неодобрительный взгляд, добавила: — Впрочем, как и для взрослых.

Она не знала, что Джон Уотерфорд уже зарезервировал для Элоизы номер в одном из самых роскошных ранчо-пансионатов[1] в окрестностях Рино. Они собирались прожить там вдвоем все полтора месяца, а может быть, и больше. Джон хотел научить Элоизу ездить верхом по-техасски.

— Твоя мама скоро вернется, Габриэлла, — добавила мать-настоятельница гораздо более мягким голосом. — Вот увидишь — ты и не заметишь, как пролетит время...

---

[1] Ранчо-пансионат — ранчо, превращенное в место отдыха в отпускной период. Одно из главных развлечений — верховая езда, а также вечера у костра и жарение мяса на открытом воздухе. На многих ранчо имеются также открытые плавательные бассейны и теннисные корты.

Но все было бесполезно. Матушка Григория видела, что девочка охвачена паникой и что Элоизе на это ровным счетом наплевать. Она, похоже, даже не замечала состояния дочери.

В этой ситуации настоятельница приняла единственно верное решение. Выйдя из-за стола, она чуть заметно кивнула Элоизе в знак того, что та может идти, а сама шагнула к Габриэлле.

— Веди себя хорошо, слышишь? — сказала Элоиза дочери, подтягивая перчатки и поправляя на плече сумочку. На губах ее появилась легкая улыбка — наконец она избавилась от этой вечной обузы. Выражение глубокого горя на лице дочери нисколько ее не тронуло — Элоиза откровенно радовалась близкой свободе.

— И не вздумай шалить, — добавила она строго. — Если я только узнаю, что ты не слушалась...

Они обе знали, что это значит в устах Элоизы, но Габриэлле было уже все равно. Обхватив Элоизу обеими руками за талию, она зарыдала громко и безутешно, оплакивая и потерянного отца, и мать, которой у нее никогда не было. Одиночество, отчаяние, страх — такие безысходные, что их нельзя было описать словами, — все было в этом протяжном и тоскливом рыдании, способном заставить обливаться кровью даже каменное сердце. Но для Элоизы это по-прежнему ничего не значило, потому что у нее вовсе не было сердца. Во всяком случае, так подумала мать-настоятельница, наклоняясь к девочке и заглядывая в ее бездонные голубые глаза.

Она выждала еще немного, думая, что Элоиза хотя бы поцелует дочь на прощание, но та почти толкнула девочку в объятия настоятельницы.

— До свидания, Габриэлла, — сказала она холодно и... отвернулась, встретившись со взглядом все понимающих глаз дочери. Именно в этот момент Габриэлла поняла, что это такое, когда тебя бросают, и как это больно, когда тебя бросают... Больнее всего на свете.

Неожиданно она замолчала и стояла очень тихо и прямо, хотя рыдания продолжали сжимать ей горло. Элоиза быстренько выскользнула за дверь.

Простучали по коридору каблуки ее туфель, и на несколько секунд воцарилась тишина. Тишина и одиночество окружали Габриэллу со всех сторон. Она медленно начала погружаться в них, как в бездонную пучину, но тут ее взгляд остановился на лице настоятельницы. Глаза мудрой женщины были словно два маяка во мраке, словно два светоча жизни, словно две руки, протянутых утопающему. И тут что-то произошло. Словно не взгляды, а души встретились в этот момент — встретились, разглядели и потянулись друг к другу.

В следующую секунду матушка Григория шагнула к судорожно всхлипывающей девочке и, не говоря ни слова, прижала ее к себе.

После недолгого колебания Габриэлла тоже обхватила ее обеими руками. Она поняла или, вернее, почувствовала желание и способность старой настоятельницы защитить ее от этого жестокого мира, который нанес ей глубокую, почти неисцелимую рану. В этих объятиях были сила, нежность и любовь. Габриэлла знала, что отныне может на них твердо рассчитывать. Девочка уткнулась лицом в грубую черную ткань накидки и снова заплакала. И эти очищающие слезы вымыли из ее души боль, страх, отчаяние и горечь невосполнимых потерь, которыми была полна маленькая жизнь Габриэллы. Здесь она была в безопасности — она твердо знала это и продолжала рыдать, но уже от счастья и чувства невероятного облегчения.

Глава 6

Первая трапеза Габриэллы в монастыре Святого Матфея оставила у нее двойственное впечатление. Все ей здесь было внове, все вызывало удивление и даже беспокойство, порожденное боязнью совершить какой-нибудь непростительный промах, однако, несмотря на это, Габриэлла чувствовала себя очень уютно и не испытывала привычного гнетущего страха.

Перед трапезой все сестры в течение часа молились в монастырской церкви вместе с матушкой Григорией, и

девочка была поражена их суровой сосредоточенностью
и тишиной, в которой они внимали латинским молитвам. Но в трапезной те же самые сестры, которые казались ей совершенно одинаковыми, безликими и молча-
ливыми, почти мрачными, совершенно преобразились.
По случаю воскресенья сестрам разрешалось разговаривать во время еды, и огромная трапезная, в которую
робко вошла Габриэлла, оказалась полна весело щебечу-
щими, улыбающимися, счастливыми женщинами.

В монастыре жили около двухсот монахинь и послушниц, причем большинство из них были не старше
двадцати — двадцати пяти лет. Пожилых — ровесниц матушки Григории, было всего около полутора десятков, а
совсем старых — и того меньше. Монахини преподавали
в ближайшей школе или работали сиделками в одной из
больниц. Разговоры за столом в основном вертелись вокруг медицины и смешных случаев на уроках, однако
многие говорили и о политике или о простых домашних
делах — начиная с того, как лучше приготовить тушеную
морковь с чесноком и соей, и заканчивая кружевоплете-
нием и шитьем.

Появление Габриэллы не осталось незамеченным, но
внимание, проявленное к ней обитательницами монастыря, не было тягостным. К концу трапезы почти каждая
из монахинь обменялась с ней шуткой, парой слов или
просто улыбкой или приветливым взглядом. Даже самая
старая сестра Мария Маргарита — та самая привратница, которую Габриэлла сначала приняла за ведьму, — подошла к ней, чтобы погладить по голове. Вскоре Габриэлла узнала, что, несмотря на устрашающую внешность,
все в монастыре очень любили старую и мудрую тетушку
Марию. В молодости, еще совсем юной девушкой, сестра Мария миссионерствовала в Африке и даже была
ранена туземцами во время какого-то конфликта между
племенами. В монастыре Святого Матфея она жила вот
уже больше сорока лет и была высшим авторитетом в вопросах веры, благо Священное Писание знала назубок.
В этом с ней не могла сравниться даже матушка Григория, на плечах которой лежали в основном хозяйственные и организационные заботы.

Но все это стало известно Габриэлле гораздо позже; сейчас же она только удивлялась — удивлялась всему, что видела вокруг. Она, которая всю жизнь была одинока как перст, вдруг оказалась в настоящей семье, состоящей из двух сотен женщин, каждая из которых относилась к девочке тепло и дружелюбно, как к младшей сестре. Это было так непривычно, что Габриэлла даже растерялась. Она не заметила ни одного злого или, по крайней мере, недовольного лица, и это тоже было неожиданно и странно. «Не могут же они все быть совершенно счастливыми. Так не бывает!» — подумала она и на всякий случай придвинулась поближе к матушке Григории, в которой по-прежнему чувствовала свою главную защитницу. После десяти лет жизни с Элоизой, больше всего напоминавшей хождение вслепую по минному полю, ей трудно было принять хорошее отношение как должное. Все ей казалось чуть ли не сном. И все же, с благодарностью кивая в ответ на добрые слова или называя свое имя, когда кто-то из сестер подходил познакомиться, Габриэлла уже чувствовала, что ей здесь будет хорошо. Одни имена монахинь — сестра Элизабет, сестра Аве Регина, сестра Иоанна, сестра София, сестра Юфимия, сестра Энди, сестра Жозефа — звучали для нее как райская музыка.

— Добро пожаловать к нам, Габи, — сказала ей сестра Лиззи — молодая красивая женщина со светлой гладкой кожей и большими зелеными, смеющимися глазами. — Ты еще слишком молода, чтобы быть монахиней, но Богу может потребоваться и твоя помощь.

А Габриэлла так растерялась, что не сразу нашла, что ответить. Ее еще никто никогда не называл «Габи», никто не смотрел на нее так ласково и весело, как мог смотреть только ангел небесный. Габриэлле ужасно захотелось дружить с Лиззи, разговаривать, выполнять для нее мелкие поручения, лишь бы всегда быть рядом.

А Лиззи — без всяких вопросов со стороны девочки — рассказала ей, что она пока только готовится к первому постригу, и что желание служить Богу возникло у нее давно. В тринадцать лет она заболела корью, и ей было явление Девы Марии. И больше Лиззи уже не сомневалась, какой путь ей предуготован.

— Тебе, быть может, это покажется странным, — закончила она свой рассказ, — но на самом деле подобные вещи случаются чаще, чем принято считать.

Теперь Лиззи было двадцать лет, и она работала сиделкой в детском отделении муниципальной больницы. Должно быть, именно поэтому ее сразу потянуло к бледной, напуганной девочке с большими голубыми глазами. Она сразу почувствовала, что за этой скованностью, за этим не по возрасту печальным взглядом скрывается какая-то трагедия, которой девочка, возможно, так никогда и не решится с ними поделиться.

Поболтать с Лиззи было очень приятно, и все же самым значительным за сегодняшний день — да и во всей своей жизни — событием Габриэлла продолжала считать утреннюю беседу с настоятельницей. Собственно говоря, разговора как такового не было. У Габриэллы просто не было слов, чтобы выразить все, что происходило у нее в душе. Девочка почувствовала, что в лице матушки Григории она нашла настоящую мать, мать, которой у нее никогда не было. И это ощущение было самым прекрасным в мире. Теперь Габриэлла понимала, почему другие обитательницы монастыря выглядят такими веселыми и счастливыми, и у нее не было иного желания, кроме как стать одной из них хотя бы на время.

Мать-настоятельница со своей стороны ненавязчиво, но внимательно наблюдала за девочкой, исподволь помогая и поддерживая ее, когда ей казалось, что Габриэлла может не справиться сама. Девочка казалась ей очень застенчивой, хрупкой, ранимой, но вместе с тем в ней была какая-то непонятная тихая сила. Ее душа, казалось, способна была вместить гораздо больше, чем душа десятилетнего ребенка, но она была глубоко ранена — отсюда смущение, неуверенность, страх, закрытость и крайняя осторожность в общении с незнакомыми людьми. Матушка Григория пока ни о чем не расспрашивала девочку, однако догадывалась, в чем тут дело, — ведь она видела мать Габриэллы. Настоятельница не знала подробностей, но была совершенно уверена: эта девочка прошла через настоящий ад и благодаря неисповедимой милости Господа сумела не сломаться, уцелеть и при этом не ожесточиться.

Да, с Габриэллой все было в порядке, но матушке Григории было пока не ясно, сумеет ли девочка оправиться настолько, чтобы начать делиться сокровищами своей души с другими. В монастыре было несколько монахинь и послушниц, которые поступили сюда в столь же плачевном состоянии, что и Габриэлла. Настоятельница хорошо помнила, как трудно было с ними в первое время. Они формально относились к своим обязанностям по монастырю, а все свободное время посвящали одиноким слезам или молитвам. Но со временем они узнали, что общение — спасительно. Сейчас эти молодые женщины были опорой и гордостью матери-настоятельницы. Трое из них не покладая рук трудились в госпитале при доме престарелых, день и ночь ухаживая за безнадежными больными. Одна, выучившись на врача, уехала с миссией в Юго-Восточную Азию, чтобы нести людям не только свет веры, но и подлинное христианское милосердие.

Станет ли Габриэлла такой? Матушка Григория почти не сомневалась, что станет, хотя через полтора месяца ей предстояло вернуться в семью. Но в ней были сила и целостность натуры, которые — с божьей помощью — могли помочь ей преодолеть себя и в конце концов стать нормальным человеком. Собственно говоря, несмотря на свой возраст, личностью Габриэлла уже была.

После трапезы Габриэлла познакомилась и с двумя монастырскими пансионерками. Это были те самые девочки-сироты, о которых она слышала утром. Младшей — ее звали Натали — было четырнадцать лет. По характеру она была живой, непоседливой, общительной и очень скучала здесь. Строгие монастырские порядки были ей в тягость — Натали мечтала о нарядах, поклонниках и была без ума от какого-то молодого певца, которого звали Элвис.

Ее старшей сестре Джулии недавно исполнилось семнадцать. В отличие от Натали она была тихой, отчаянно застенчивой девушкой и вовсе не стремилась вернуться в мир. Трагические обстоятельства, из-за которых они с сестрой оказались в монастыре, нанесли ей глубокую рану, от которой она никак не могла оправиться, и спокойная и безопасная обстановка обители Святого Матфея пришлась ей весьма по душе. Джулия очень хотела стать монахиней и уже несколько раз просила матушку Григорию разрешить ей постриг.

Знакомясь с Габриэллой, Джулия так смутилась, что сумела сказать всего несколько приветливых слов, после чего, сославшись на дела, поспешила удалиться. Зато Натали обладала поистине неистощимым запасом смешных секретов, страшных тайн, сплетен и шуток. Правда, Габриэлла была еще недостаточно взрослой, чтобы все они были ей интересны, однако она старалась слушать внимательно, чтобы не разочаровать новую знакомую.

К сожалению, ей это не вполне удалось. После разговора с Габриэллой Натали столкнулась в коридоре с сестрой Лиззи и, не удержавшись, шепнула ей, что «эта девочка — еще совсем ребенок». Впрочем, учитывая, что Габриэлле предстояло жить в одной комнате с сестрами, Натали тут же пообещала, что они будут добры к ней. В конце концов, Габриэлла попала в монастырь всего на несколько недель, и все были уверены, что она будет отчаянно тосковать по дому.

Но в первую свою ночь в монастыре Габриэлла думала вовсе не о доме, не о матери и даже не об отце. Она думала о женщине, утешавшей ее сегодня утром. Габриэлла хорошо помнила сильные руки, которые крепко обнимали ее и дарили незабываемое ощущение безопасности и любви. Все беды, страхи и напасти, от которых она страдала на протяжении всей сознательной жизни, разом отступили, испугавшись этих теплых и сильных рук. Габриэлла думала, что еще никогда она не встречала никого, кто хотя бы отдаленно был похож на мать-настоятельницу. С ней Габриэлле было очень легко и спокойно, и на мгновение она даже задумалась о том, чтобы стать монахиней.

Впрочем, Габриэлла отлично понимала, что все это — пустые мечты. «Та мама» никогда бы ей этого не позволила.

Комнатка, в которой она теперь жила вместе с Джулией и Натали, была маленькой и голой, с крошечным решетчатым окошком, выходившим в монастырский сад. Лежа на своей железной кровати, Габриэлла видела в окошке луну, которая медленно плыла над верхушками деревьев. Глядя на нее, девочка спрашивала себя, где сейчас может быть Элоиза. Габриэлла твердо знала, что, пока мать не вернется, она может считать себя в полной безопасности.

Габриэлла пока еще плохо представляла себе монастырский распорядок и правила, которым должны были подчиняться и монахини, и послушницы, однако она была совершенно уверена, что здесь ей нечего бояться. Никто не будет ее бить, никто не будет с криком врываться к ней спальню посреди ночи, никто не будет обвинять ее во множестве промахов и проступков, никто не будет ненавидеть ее только за то, что она появилась на свет...

Наконец она заснула с мыслями о монахинях, которые дружелюбной толпой обступили ее в трапезной, о непоседливой и шумной Натали, о сестре Лиззи, о старенькой привратнице Марии Маргарите с беззубой, но удивительно доброй улыбкой. Но, самое главное, с ней теперь навсегда была высокая и сильная женщина с мудрыми глазами и ласковым лицом, которая, ни слова не говоря, просто распахнула перед ней свое сердце. И Габриэлле — этой птичке с перебитым крылом — оказалось в нем тепло и уютно, словно в родном гнезде.

По привычке свернувшись под одеялом в ногах своей новой кровати с лязгающей панцирной сеткой, Габриэлла почувствовала, как раны в ее собственной душе начинают потихоньку затягиваться.

На следующий день Габриэллу разбудили в четыре утра. Таков был монастырский распорядок, и для нее никто не собирался делать исключения. Вместе с монахинями Габриэлла отправилась в монастырскую церковь и молилась там на протяжении двух часов. Когда взошло солнце, все сестры дружно запели, и Габриэлла подумала, что ничего более прекрасного и возвышенного она в жизни не слышала. Согласный хор множества голосов прославлял Бога Всемогущего — того самого Бога, которому Габриэлла так горячо молилась на протяжении нескольких лет и в существовании которого она уже начинала серьезно сомневаться. Но, услышав торжественное церковное пение, в котором сливались воедино вера и любовь, она сердцем поняла, что такую молитву Господь просто не может не услышать и не принять. Любовь Бога низливалась на них с Небес. Когда утренняя служба закончилась, Габриэлла почувствовала себя окрыленной и успокоенной.

Из церкви все отправились в столовую. За завтраком разговаривать не полагалось: сестра Лиззи успела шепнуть девочке, что по монастырскому уставу за утренней трапезой все должны предаваться размышлениям о том, что хорошего они сделают сегодня во имя Божье. Габриэлла только кивнула в ответ — она уже начинала кое-что понимать. Сестры должны были нести людям утешение, веру и любовь, что требовало от них особой сосредоточенности и отречения от всего мирского.

После завтрака, действительно прошедшего в полном молчании, монахини разошлись по своим комнатам, чтобы прочесть коротенькую благодарственную молитву и отправиться на работы. Габриэлла тоже вернулась к себе. Она уже знала, что будет учиться вместе с Натали и Джулией. Преподавать им разные предметы будут две старые монахини, которые когда-то были школьными учительницами. В монастыре для этого существовала небольшая классная комната с настоящей черной доской и чуланом, в котором хранились карты и самые разные наглядные пособия.

Занятия начались в восемь часов. С восьми и до полудня девочки писали, читали, решали математические задачки, занимались латынью и прослушали лекцию по Священному Писанию. После обеда Габриэлла и Натали снова вернулись в класс, чтобы выполнить «домашнее задание». На это ушло еще два часа. В конце концов старая монахиня, благословив, отпустила их, и Натали повела Габриэллу в сад. Там она вручила ей небольшую тяпку и показала, как правильно рыхлить монастырский огород, засаженный всякой зеленью.

Габриэлла проработала до самого вечера и очень устала, но это была приятная усталость. Правда, ее огорчало, что с самого утра она не видела матушку Григорию. Они встретились только за ужином. У девочки от радости засветились глаза, но сказать она ничего не посмела — за ужином также разговаривать не разрешалось.

Но когда трапеза закончилась, матушка Григория сама подошла к Габриэлле и, ласково улыбнувшись, поинтересовалась, как прошел ее первый день в монастыре.

— Тебе понравилась наша школа? — спросила она, и Габриэлла кивнула. Учиться в монастыре было гораздо труднее, чем в обычной школе, поскольку здесь не было перемен. Находиться один на один сразу с двумя преподавательницами было непривычно, однако ей это даже нравилось. Что касалось работы в огороде, от которой у нее уже начинали ныть все мускулы, то Габриэлла была рада, что живет здесь не нахлебницей и тоже может внести свой маленький вклад в общее дело. В монастыре ей с каждой минутой нравилось все больше и больше. У каждого здесь были свои обязанности, своя цель, и каждый трудился не покладая рук. Кроме того, под защитой монастырских стен было как-то очень спокойно и благостно. Обитательницы монастыря просто жили, а не боролись за существование. Но больше всего Габриэллу поразило то, что все, с кем бы она ни сталкивалась, стремились что-то ей дать, а не отнять. Это казалось тем более странным, что большинство сестер пришли в монастырь не просто так, а имея для этого вескую причину. У многих из них души были опалены жестоким миром. Но здесь им ежедневно приходилось отдавать другим то тепло, которое у них еще оставалось. И это непонятным образом не опустошало их до дна, а наоборот — наполняло их души подлинными сокровищами. Габриэлла — Габи, как ее теперь называли почти все сестры — была почти уверена, что она сможет, непременно сможет стать такой же, как монахини.

Конечно, привыкнуть к подобному образу жизни за один день было трудно — уж очень сильно он отличался от всего, что Габриэлла знала раньше. Однако ей очень нравилась ее новая жизнь. Обитательницы монастыря —

и в особенности сама мать-настоятельница — казались полной противоположностью ее матери. В них не было ни эгоизма, ни жестокости, ни равнодушия, ни гнева. Их жизни были полны любви, гармонии, смирения и стремления служить другим. И этого, похоже, было вполне достаточно, чтобы каждая из них чувствовала себя счастливой.

Впервые в жизни счастливой себя чувствовала и Габриэлла.

Вечером в обитель приехали двое священников, в обязанности которых входило исповедовать сестер и отпускать им грехи. Монашенки и послушницы выстроились в очередь в монастырской церкви. Сестра Лиззи предложила Габриэлле пойти с ней.

Габриэлле уже давно исполнилось десять, и для исповеди не существовало никаких формальных препятствий. Больше того, раз уж она попала в монастырь, значит, она должна была исповедоваться и ходить к причастию. Поэтому Габриэлла тут же согласилась и, пройдя в монастырскую церковь, встала в самый конец очереди.

Очередь шла быстро. Исповедь каждой сестры занимала совсем немного времени, что ничуть не удивило Габриэллу, в глазах которой они были несомненно безгрешны. Зато после исповеди каждая из них долго молилась тому или иному святому, исполняя правило, наложенное духовником в качестве наказания за греховные помышления или поступки.

Наконец настал черед Габриэллы. Ее исповедь тоже была достаточно короткой, но священнику она показалась заслуживающей особого внимания. Габриэлла приблизила лицо к решетке исповедальни и прошептала:

— Я ненавижу свою мать, святой отец. Это и есть мой самый главный грех.

— Почему, дитя мое? — ласково спросил ее священник. Он был старым и добрым человеком, который очень любил детей. От матушки Григории он узнал, что в монастыре появилась новая девочка, и, услышав детский голосок Габриэллы, сразу понял, с кем имеет дело.

— Почему ты ненавидишь свою маму? — повторил свой вопрос отец О'Брайан. Он был рукоположен в сан больше сорока лет назад, но не мог припомнить, чтобы за это время ему приходилось выслушивать подобное признание от десятилетнего ребенка.

Последовала долгая пауза.

— Потому что мама ненавидит меня.

Голосок Габриэллы был совсем тихим и срывался, но в нем звучала такая уверенность, что старый священник невольно вздрогнул.

— Мать не может ненавидеть свое дитя, — промолвил он наконец. — Бог никогда бы этого не допустил.

Но у Габриэллы на этот счет было другое мнение. Она знала, что Бог допустил, чтобы с ней случилось много стыдных и гадких вещей, которые он никогда не насылал на других. Почему — это было другое дело. Быть может, она была такой плохой, что истощила даже его долготерпение, а возможно, Бог тоже ненавидел ее, хотя здесь, в монастыре, верить в это было труднее.

— Я знаю, что мама ненавидит меня. Она сама мне сказала.

Священник еще раз повторил, что этого не может быть, и Габриэлла перешла к другим своим грехам. По окончании исповеди ей было велено десять раз прочитать «Славу Деве Марии», с любовью думая о маме. И Габриэлла не стала спорить. Она только еще больше утвердилась во мнении, что она — страшная грешница, раз даже священник не понял ее. И, главное, ничего с этим поделать Габриэлла не могла. Это было выше ее сил.

Подойдя к статуе Девы Марии, стоявшей тут же в церкви, она десять раз прочла молитву и тихо удалилась к себе в комнату. Там она застала Натали, которая сидела на кровати и читала неведомо как попавший к ней в руки яркий журнал. Журнал был, разумеется, про Элвиса. Джулия, также вернувшаяся с исповеди, сурово обличала сестру и грозилась пожаловаться сестре Тимоти.

Габриэлла не стала прислушиваться к их перепалке. Присев на краешек своей кровати, она снова стала думать о том, что сказал ей священник. Больше всего Габриэлла боялась, что из-за своей ненависти к матери она попадет в ад. Девочке и в голову не пришло, что она десять лет прожила в самом настоящем аду, и что только теперь ей удалось вырваться из него. Больше того, если бы кто-нибудь узнал, как она существовала прежде, место в раю было бы ей обеспечено.

Ночью Габриэлла снова спала в ногах своей кровати. На следующий день, когда она одевалась, чтобы идти на утреннюю молитву, Натали принялась беззлобно поддразнивать ее. Привычка Габриэллы спать, свернувшись клубочком под одеялом, казалась ей очень смешной.

— Я проснулась ночью, чтобы пойти пи-пи, — заявила она, — и очень-очень удивилась, когда увидела, что тебя нет в кровати. Я думала, ты — лунатик.

Она, конечно, не могла знать, откуда у Габриэллы такая привычка, а та, в свою очередь, не решалась рассказать, что так она пряталась от матери. Это ни разу не спасло Габриэллу, и все-таки в этом положении ей было не так страшно спать.

После утренней молитвы снова была школа, обед и работа в саду, и постепенно Габриэлла привыкла к этому распорядку. Он ничуть не был ей в тягость. Она с удовольствием училась, охотно работала, разучивала с послушницами церковные гимны и литании, изучала Священное Писание и устав монастыря и послушно опускалась на колени там, где ее заставал перезвон монастырских колоколов. К середине мая Габриэлла уже знала всех сестер по именам и весело болтала с ними о самых разных вещах, когда представлялась такая возможность.

И все же мать-настоятельница была ей ближе всех. С ней даже не надо ни о чем говорить, достаточно просто сидеть рядом, встречать ее взгляд, ощущать и разумом, и душой ее надежное и успокаивающее присутствие.

Наступил июль, и матушка Григория неожиданно вызвала Габриэллу к себе, туда, где состоялось их первое знакомство. Странно было снова оказаться в аскетичной и чуточку мрачной обстановке этой комнаты, которая будила в памяти Габриэллы самые разные воспоминания. Казалось, прошло целых сто лет с тех пор, как она, полная самых мрачных предчувствий, приехала сюда с матерью.

На самом же деле это случилось всего несколько недель назад. За это время Габриэлла не получила от матери ни одной весточки. Элоиза как в воду канула, но Габриэлла твердо помнила: ее мать всегда исполняла свои обещания. Значит, ровно через полтора месяца Элоиза должна вернуться за ней.

И тогда...

О том, что будет тогда, она старалась не думать. Ей хотелось надеяться на лучшее, но здравый смысл подсказывал, что ничего хорошего ждать не приходится. И Габриэлла самозабвенно училась, работала в саду и молилась, стараясь отогнать от себя дурные предчувствия.

Когда сестра Мария Маргарита пришла за ней в классную комнату и довольно-таки официальным тоном объявила, что сестра Григория велит ей сейчас же прийти, Габриэлла даже испугалась, решив, что она что-нибудь натворила.

Войдя в кабинет матушки Григории, девочка в смущении и нерешительности остановилась на пороге. Она почти всерьез ожидала, что сейчас ее станут бранить, хотя единственный грех, который она за собой помнила, это то, что во время прополки она по ошибке вырвала из земли съедобный корнеплод, перепутав его с сорняком.

— Тебе нравится у нас, дитя мое? — спросила матушка Григория, приветливо улыбаясь девочке и в то же самое время внимательно ее рассматривая. Выражение глаз Габриэллы — Габи — было уже не таким печальным, как прежде, да и держалась она намного свободнее. Но настоятельница чувствовала, девочка по-прежнему продолжала удерживать незаметную, но тем не менее вполне определенную дистанцию между собой и теми, кто, по ее мнению, мог ее обидеть. К тому же матушка Григория заметила, что Габриэлла слишком часто ходит на исповедь. Что такого могло случиться с этой десятилетней крошкой, что она никак не решается поделиться своей тайной?

— Да, матушка Григория, — просто ответила Габриэлла, но глаза выдавали ее беспокойство. — А что? — тотчас же выпалила она, очевидно, не в силах сдержать тревогу. — Я... я сделала что-то не так?

В своем желании поскорее узнать, что она совершила и какое ее ждет наказание, Габриэлла даже подалась вперед. Она готова была на что угодно, лишь бы покончить с неизвестностью.

— Не бойся, Габриэлла, ты ничего плохого не сделала, — поспешила успокоить ее настоятельница. — Почему ты так тревожишься?

Ей хотелось бы задать девочке множество самых разных вопросов, но она знала, что спешить тут нельзя. Девочка жила в монастыре уже больше месяца, но все же еще даже не начала приходить в себя. Задавать ей вопросы о прошлом было пока рано. Честно говоря, матушка Григория боялась, что пройдет еще очень много времени, прежде чем Габриэлла решится на откровенный разговор.

— Я боялась, что вы сердитесь на меня, матушка Григория, — ответила Габриэлла, беспокойно переступая с ноги на ногу.

— Я хотела просто поговорить с тобой о твоей маме, — быстро сказала настоятельница, отметив про себя, что она, пожалуй, действительно совершила промах. С Габриэллой лучше всего было беседовать в неофициальной обстановке.

При этих словах матушки Григории по всему телу Габриэллы пробежала дрожь. Одно упоминание об Элоизе снова разбудило в ней успевшие потускнеть воспоминания, и она похолодела от ужаса. И это несмотря на то, что Габриэлла с самого начала знала, что рано или поздно она снова увидит мать. В каком-то смысле, она даже скучала по ней. Габриэлла горячо и искренне молилась Деве Марии и просила ее помочь справиться с ненавистью, которую она питала к родной матери, но ничего не выходило.

«Неужели, — неожиданно промелькнуло у нее в голове, — кто-то из священников рассказал матушке Григории о том, что я говорю на исповеди?» Это было бы для нее настоящей катастрофой. Правда, Габриэлла слышала про тайну исповеди, но кто знает, может быть, на детей и таких страшных грешниц, как она, это правило не распространяется?

Старая настоятельница заметила, что Габриэлла разом помрачнела, но могла только догадываться о том, какие страшные события вспомнились сейчас девочке.

— Я разговаривала с твоей мамой вчера, — осторожно начала настоятельница. — Она звонила мне из Калифорнии.

— Из Рино?

— Нет. — Матушка Григория улыбнулась. — Придется сказать Джулии, чтобы она немного подтянула тебя по географии. Рино находится в Неваде. Калифорния — это другой штат.

Габриэлла была несколько сбита с толку.

— Разве мама поехала не в Рино?

— Она там была. Твоя мама получила развод и перебралась в Калифорнию. Сейчас она в Сан-Франциско.

— А-а! — воскликнула Габриэлла и пояснила: — Там живет дядя Джон. Она к нему поехала.

Об этом матушка Григория уже знала. Ее разговор с миссис Харрисон был достаточно долгим и обстоятельным, так что она была полностью в курсе ее планов относительно девочки. Настоятельница считала, что Элоиза должна сама поговорить с дочерью, но та, похоже, твердо решила переложить это на ее плечи.

— Видишь ли, Габи... — Матушка Григория глубоко вздохнула, тщательно подбирая слова. Ей очень не хотелось нанести девочке еще одну рану. — Видишь ли, твоя мама и дядя Джон...

Она снова сделала паузу и улыбнулась, в то же время ища в глазах девочки хотя бы намек на беспокойство, но в открытом и ясном взгляде Габриэллы по-прежнему не было заметно ничего, кроме следов не до конца изгладившегося испуга.

— Твоя мама и дядя Джон решили пожениться. Это произойдет завтра, — закончила настоятельница.

— О-о-о... — протянула Габриэлла. Взгляд ее совершенно не изменился, и только спустя несколько мгновений в нем промелькнуло недоумение. Конечно, в своих рассказах она приписывала дяде Джону разные замечательные качества, но на самом-то деле она его почти не знала. Как же они будут жить втроем? Вот если бы папа тоже был рядом...

Матушка Григория, однако, еще не сказала ей всего. То, что миссис Элоиза Харрисон поручила настоятельнице сообщить своей единственной дочери, не сразу бы решился выговорить и самый бесчувственный человек.

— Они собираются жить в Сан-Франциско, — продолжала матушка Григория, и Габриэлла почувствовала острое разочарование. Это означало, что ей тоже придется ехать в какое-то неизвестное место и снова — с самого начала — начинать ежедневную и ежечасную битву за собственное существование. Ей придется пойти в новую школу, а это означало, что она потеряет друзей, которые появились у нее здесь, а обзаведется ли новыми — неизвестно. И, наконец, она просто не хотела жить с матерью, которую боялась и ненавидела. Сейчас она осознавала это особенно остро.

— Когда... когда мама приедет, чтобы отвезти меня в Сан-Франциско? — дрогнувшим голосом спросила она, и матушка Григория увидела, как в глазах девочки что-то потухло. Ее взгляд снова стал безысходным и тоскливым, как и тогда, когда Габриэлла впервые переступила порог монастыря.

Последовала долгая, тяжелая пауза, во время которой настоятельница снова пыталась подобрать самые подходящие с ее точки зрения слова.

— Твоя мама считает, — промолвила она наконец, — что будет гораздо лучше, если ты останешься с нами.

Это была довольно приблизительная интерпретация того, что сказала миссис Харрисон на самом деле, однако матушка Григория не считала нужным посвящать Габриэллу во все подробности. В телефонном разговоре Элоиза заявила настоятельнице, что она не в состоянии и дальше терпеть выходки «этого несносного ребенка», что Габриэлла буквально сводит ее с ума и что она не хочет подвергать опасности свое счастье, навязывая своему новому мужу ребенка, которого она сама «никогда не хотела».

Привести мать-настоятельницу в замешательство было нелегко, но она была по-настоящему шокирована,

когда под конец разговора услышала предложение Элоизы «вносить определенные суммы в качестве пожертво-
ваний и оплачивать содержание девочки до тех пор, пока
она будет оставаться в монастыре».

«До тех пор, пока Габриэлла будет оставаться в монастыре» означало — вечно. Матушка Григория именно
так расшифровала эти слова и не ошиблась. Элоиза вовсе не собиралась брать дочь с собой в Сан-Франциско и
нисколько не раскаивалась в принятом решении. Настоятельница все-таки спросила у нее об отце девочки. Быть
может, Габриэлла могла бы жить с ним. Элоиза уверила
ее, что и ему дочь тоже «совершенно не нужна».

Теперь матушка Григория лучше понимала, что за
печаль жила в глазах Габриэллы. Родители не любили девочку и не нуждались в ней. Больше того — она им откровенно мешала. Впрочем, этого Габриэлла, похоже,
пока не понимала.

— Мама не хочет, чтобы я жила с ней, да? — прямо
спросила Габриэлла. При этом на ее лице отразились
одновременно и боль, и облегчение, и мать-настоятельница поняла, что недооценила девочку.

— Ты должна постараться понять ее, — ответила она
как можно мягче. — Твоей маме сейчас очень трудно.
У нее появился шанс начать все сначала, но она еще не
знает, будет ли она счастлива с этим... с дядей Джоном.
Мне кажется, она прежде хочет убедиться, что все будет
хорошо, чтобы потом взять тебя к себе. С ее стороны это
очень... разумно. Я понимаю, что вам будет тяжело друг
без друга, но... Подумай, твоя мама оставляет тебя не
где-нибудь, а в таком месте, где тебя все любят и забо-
тятся о том, чтобы тебе было хорошо.

Это была свежая мысль, которая просто не пришла
Габриэлле в голову, однако — как ни хотелось ей верить,
что дело действительно обстоит именно так, — она чувствовала, что за всем этим кроется что-то еще. Любые
недоговоренности сразу ее настораживали, а тут подо-
зрительных деталей было более чем достаточно.

— Мои родители ненавидели друг друга, — с недетской жесткостью заявила она. — И мама говорила, что
они никогда не любили меня.

— Я в это не верю. А ты? — спросила матушка Григория, подумав о том, что отец и мать были, пожалуй, чересчур откровенны с дочерью. В телефонном разговоре Элоиза действительно произнесла слова «она мне не нужна», имея в виду, конечно, Габриэллу. Но неужели она говорила такое дочери? Сама матушка Григория скорее откусила бы себе язык, чем передала эти слова девочке.

— Я не знаю... — Габриэлла слегка замялась. — Наверное, папа все-таки любил меня... немножко. Только он... он никогда... Никогда ничего не делал, чтобы...

При воспоминании о том, как отец стоял в дверях и с выражением полной беспомощности на лице смотрел, как мать избивает ее, глаза Габриэллы наполнились слезами. Как же он мог любить ее, если допускал такое? Почему он ее не защитил? И потом, ведь он ушел к другим девочкам и ни разу не позвонил и не написал ей. Нет, она не могла поверить, что папа все еще любит ее или когда-нибудь любил. Он предал ее, а теперь то же самое сделала и мать.

Впрочем, это даже радовало Габриэллу. Отныне ее и Элоизу разделяли сотни и сотни миль, а это значило, что ей не придется больше терпеть упреки и побои, не придется прятаться и умолять о прощении, не придется лежать в больнице и бояться, — каждый день бояться, — что мать в конце концов убьет ее. Все было позади, и Габриэлла могла вздохнуть с облегчением.

Но вместе с тем это означало окончательное прощание с надеждой, что мать когда-нибудь сможет полюбить ее. До этого момента Габриэлла еще могла обманывать себя, но теперь самообольщению больше не было места. Истина, неопровержимая и жестокая истина встала перед ней во всей своей неприглядной наготе: при живых родителях она осталась круглой сиротой. Мать никогда не вернется за ней — Габриэлла твердо это знала. Война кончилась, но вместе с ней окончательно умерла мечта быть любимой и нужной.

— Она... никогда не вернется, правда? — спросила Габриэлла, впиваясь взглядом в лицо матери-настоятельницы. Взгляд девочки был таким прямым и пристальным, что, казалось, доставал до дна ее души, и матушка Григория поняла, что не может солгать этим ясным и чистым глазам.

— Я не знаю, Габриэлла, — ответила она. — Думаю, и твоя мама тоже этого не знает, но... В любом случае мне кажется, что если это случится, то очень не скоро.

Это был максимально честный и прямой ответ, какой она могла себе позволить в разговоре с десятилетней девочкой, однако, что бы ни сказала сейчас матушка Григория, она видела — Габриэлла знает правду. Всю правду.

— Я думаю, она никогда меня не заберет. Она бросила меня, как... как папа. Мама говорила, что он тоже собирается жениться и теперь у него есть две других дочки.

Матушка Григория чуть не поперхнулась.

— Но это не может заставить его разлюбить тебя... — пробормотала она наконец.

«Каким же каменным сердцем надо обладать, чтобы оставить своего ребенка — тем более такого, как Габриэлла, — не калеку, не урода!..» — подумала мать-настоятельница. Однако она знала — такие вещи случались и раньше. Матушка Григория сама не раз была этому свидетельницей и каждый раз утешалась тем, что существует орден, который может хоть чем-то помочь таким детям. Возможно, говорила она себе, таким путем сам Господь являет людям свою волю. Возможно, с самого начала место Габриэллы было здесь, в монастыре, и не исключено, что со временем она сама услышит глас небесный, который объявит ей ее путь и предназначение.

Примерно так настоятельница и сказала Габриэлле:

— Может быть, Габи, когда ты немного подрастешь, ты захочешь остаться с нами. Никто не знает, что записано у Бога в Книге Судеб. Он послал тебе испытание, ты выдержала, и он привел тебя к нам. Может быть, такова была его воля... — И она перекрестилась.

Девочка внимательно посмотрела на настоятельницу.

— Вы хотите сказать, что я как Джулия? — спросила она, удивленная словами матушки Григории. До сих пор Габриэлла даже в самых смелых мечтах не представляла себя монахиней. Сестры были такими хорошими, такими ми добродетельными, а она была такой скверной... Нет, матушка Григория просто не знает, какая она грешница, иначе бы она никогда не сказала такое.

Потом Габриэлла спросила себя, собиралась ли ее мать возвращаться за ней, когда только привезла ее в монастырь. Вспоминая тот, первый день, она решила, что — нет, скорее всего нет. Когда папа приходил к ней в детскую, чтобы попрощаться, она почувствовала его слезы, его печаль и бессилие что-либо изменить. В Элоизе же не было ни раскаяния, ни сожаления. Она оставила ее в монастыре как ненужную вещь, как старые, стоптанные туфли с отломанным каблуком, которые уже никуда не годятся. Она ужасно спешила уйти, но в этой торопливости не было ни капли вины — просто Элоиза боялась опоздать на поезд.

— Рано или поздно, Габи, ты поймешь, в чем твое призвание. Нужно только очень внимательно слушать. Господь говорит с каждым из нас так, чтобы мы услышали и поняли его слова.

— Я, вообще-то, не очень хорошо слышу, — ответила Габриэлла со смущенной улыбкой. — У меня...

— Этот голос ты услышала бы, даже если бы была глухой на оба уха! — сказала мать-настоятельница и негромко рассмеялась, но ее смех быстро затих. Она думала о том, как Габриэлла будет жить с тем, что она только что узнала. Тяжело сознавать, что ты не нужна своей собственной матери. Правда, Габриэлла восприняла новость почти спокойно. Со временем, когда она станет старше, она, увы, начнет понимать, как обошлись с ней родители. И тогда может впасть в отчаяние, озлобиться, вовсе разочароваться в людях... Да мало ли что! «Помоги ей, Господи!..» — мысленно взмолилась матушка Григория, думая о том, как могли мистер и миссис Харрисон — образованные, воспитанные, обеспеченные люди — поступить со своей дочерью так жестоко и цинично.

Настоятельница, конечно, знала, что подобные вещи происходят достаточно часто, однако люди, принадлежавшие к высшему обществу, как правило, избавлялись от своих отпрысков более гуманными способами. Одни нанимали бонн и гувернанток, другие посылали детей в закрытые частные школы, третьи отправляли своих чад учиться в Европу. Все это, надо признать, гарантировало юношам и девушкам из богатых семей неплохое будущее. Габриэллу же мать просто бросила, согласившись нести лишь минимальные расходы по ее содержанию. Она без колебаний лишила свою дочь будущего, а это означало, что Габриэлла была ей не просто безразлична. Элоиза Харрисон явно желала девочке зла, и матушка Григория снова спросила себя, в чем может корениться причина такого отношения к собственному ребенку.

— Ты — сильная девочка, — сказала Габриэлле матушка Григория, и девочка в недоумении подняла на нее глаза. Нет, она не считала себя сильной. Удивительно, почти то же самое, слово в слово, сказал ей, прежде чем уйти, отец. Он тоже считал ее сильной и храброй. На самом деле Габриэлла чувствовала себя бесконечно одинокой, к тому же ее почти постоянно терзал страх. Даже сейчас она боялась. Что, если ей не позволят остаться в монастыре? Куда она тогда пойдет? Кто станет о ней заботиться? Единственное, чего хотелось девочке, это чтобы у нее было место, где она могла бы жить и никто не мог бы обидеть ее. Ей нужно было такое место, где она была бы уверена — ей всегда помогут, ее будут любить и никогда не бросят.

И матушка Григория поняла это. Выйдя из-за стола, она подошла к Габриэлле и — как когда-то, месяц назад, — обняла обеими руками эту маленькую и хрупкую на вид, но сильную и мужественную девочку.

Почувствовав на своих плечах надежное тепло рук старой монахини, Габриэлла задрожала. Она не стала рыдать, не стала ничего просить и пенять на судьбу — она просто крепко прижалась к единственному в мире человеку, который по-настоящему любил ее, и одинокая слеза непрошеной гостьей покатилась по щеке девочки.

Потом она подняла голову, и в ее взгляде было что-то такое, что настоятельница просто окаменела.

— Не прогоняйте меня... — прошептала Габриэлла так тихо, что матушка Григория с трудом расслышала ее. — Пожалуйста...

Из глаз ее выкатилась еще одна слеза, за ней — другая, а потом слезы хлынули свободным, ничем не сдерживаемым потоком, и Габриэлла спрятала лицо в складках черной шерстяной накидки.

— Никто тебя не прогонит, Габи, — тихо ответила матушка Григория. Ей очень хотелось как-то утешить девочку, но, несмотря на весь свой жизненный опыт, она не знала, как. — Можешь оставаться в монастыре сколько захочешь. Теперь это твой дом.

— Я люблю вас, — шепнула Габриэлла, и матушка Григория крепче прижала ее к себе, почувствовав, как ее собственные глаза тоже наполняются слезами.

— И я люблю тебя, Габриэлла. Мы все тебя любим.

Они еще долго сидели в кабинете настоятельницы и негромко разговаривали о матери Габриэллы. Обе хотели понять, почему она решила оставить Габриэллу здесь. В конце концов сошлись на мнении, что это не имеет значения. Элоиза сделала это — и точка. И нечего здесь больше обсуждать. Главное, теперь у Габриэллы был дом, и этот дом был в монастыре Святого Матфея.

Потом матушка Григория отвела девочку в ее комнату и оставила одну. Возвращаться в класс все равно было уже поздно, к тому же настоятельница понимала, что Габриэлле надо побыть наедине с собственными мыслями и воспоминаниями. И девочка действительно вспоминала мать, а в ушах ее звучали злобные выкрики Элоизы и звонкие удары гуляющего по телу ремня.

Тут ею снова овладели ее прежние, детские мысли.

Потом Габриэлла подумала, что будет, если матушка Григория узнает, какова она на самом деле. Что тогда будет? Несомненно, и мать-настоятельница, и сестры тоже отвернутся от нее с отвращением и ужасом. Кому она тогда будет нужна? Может быть, Богу? Но как раз Он-то знает все. Он один знает, какой она была плохой и как сильно она по временам ненавидела свою мать...

И действительно, один только Бог, взиравший на Габриэллу с почерневшего распятия в углу, видел, как сотрясалось от рыданий хрупкое тельце девочки, которая плакала от одиночества, от тоски по маме и папе, которых — Габриэлла знала это твердо — она больше никогда не увидит. «Как, — заливаясь слезами, спрашивала себя девочка, — как они могли любить меня, если я была такой?..»

Габриэлла была почти уверена, что никто, ни один человек никогда не полюбит ее. Это была ее судьба, ее приговор, ее проклятье и наказание, посланное за то, что она была такой гадкой. Никакие молитвы Иисусу и святой Марии не изменят этого. Она обречена до конца жизни оставаться одинокой, никому не нужной, никем не любимой.

Так прошел час или полтора. В конце концов Габриэлла немного успокоилась и, умывшись холодной водой, вышла в сад, где ее ждала обычная работа. Лицо Габриэллы было мрачным.

До самого вечера Габриэлла оставалась задумчивой и молчаливой. Перед сном она особенно горячо и долго молилась в монастырской церкви и вернулась в свою комнату, когда Натали и Джулия уже лежали в постелях. Раздевшись, Габриэлла юркнула под одеяло и, по обыкновению свернувшись калачиком в ногах кровати, продолжила думать о папе и маме. У каждого из них была теперь новая семья и новая жизнь.

Тут девочка снова всхлипнула, но не громко, чтобы не разбудить Натали и Джулию. Причина, по которой родители отказались от нее, не давала Габриэлле покоя, и она подумала, что теперь ей не хватит целой жизни, чтобы искупить этот свой грех. И еще — она должна простить отцу и матери все, что они ей сделали. Об этом ей сказал на исповеди отец О'Брайан. Габриэлла вдруг поняла, что теперь все зависит от нее. Прощение... Именно к этому она должна стремиться всю свою жизнь, чтобы не погубить окончательно свою душу. Прощение, прощение, прощение... Она должна простить им... Она сама была во всем виновата, и ей совершенно не за что ненавидеть мать.

Прощение...

С этой мыслью Габриэлла наконец заснула, а часа через два живших с ней девочек разбудил ее протяжный и громкий крик. Горькие рыдания Габриэллы разносились по гулким коридорам монастыря, и им вторило разбуженное эхо.

Натали и Джулии потребовалось не менее четверти часа, чтобы растолкать Габриэллу, но, даже проснувшись, она никак не могла успокоиться. Как и во сне, она продолжала ощущать боль от бешеных ударов, чувствовать вкус крови на губах, слышать сухой скрежет сломанных костей.

— Я должна простить им... — снова и снова повторяла Габриэлла, судорожно всхлипывая и вздрагивая всем телом. Но она знала: забыть все, что с ней сделала мать, она не сможет никогда.

Габриэлла продолжала рыдать так горько и безутешно, что конце концов встревоженные сестры послали за матушкой Григорией.

Только когда мать-настоятельница, прибежавшая в дортуар в одном белом подряснике, заключила ее в свои надежные и сильные объятия, Габриэлла начала успокаиваться. Рыдания ее стали тише и реже, кулаки разжались, а глаза начали закрываться, но матушка Григория продолжала укачивать и баюкать девочку до тех пор, пока с ее разгладившегося лица не исчезло выражение муки и отчаяния.

— Я должна простить им... — снова прошептала Габриэлла и провалилась в глубокий сон. И, глядя в ее все еще мокрое от слез лицо, настоятельница подумала, что на это ей потребуется очень много времени. Быть может — вся жизнь.

Глава 7

Следующие четыре года прошли для Габриэллы мирно и спокойно. Она продолжала жить в тихой обители Святого Матфея. Монахини учили ее всему, положенному в обычной школе, а сверх того Священному Писанию, латыни и истории ордена. Джулия стала кандидаткой в послушницы и готовилась к новициату; ее сестра Натали получила стипендию в колледже и уехала на север штата, чтобы продолжать учебу. По монастырю она не очень скучала, хотя и писала довольно часто. Из ее писем Габриэлла, в частности, узнала, что Натали охладела к Элвису и была теперь страстно влюблена во всех четверых «Битлов». Судя по тем же письмам, Натали была очень довольна, что может встречаться с парнями, читать любые журналы и делать все — или почти все, — о чем она мечтала в монастыре.

Но Габриэлла недолго оставалась единственной пансионеркой. Вскоре в монастырь поступили две маленькие девочки-сироты из Лаоса. Девочки поселились в комнате Габриэллы. Они почти не понимали по-английски, и Габриэлла с увлечением обучала их самым простым словам и предложениям, рассказывала на ночь библейские истории и сказки собственного сочинения.

Никаких известий ни от отца, ни от матери она так и не дождалась. Правда, чеки, подписанные миссис Элоизой Уотерфорд, поступали в монастырь регулярно, однако на протяжении всех четырех лет мать не прислала дочери ни одного письма, ни одного подарка к Рождеству или ко дню рождения. Но Габриэлла по крайней мере знала, что ее мать жива и здорова, и что она сумела осуществить свой план и выйти замуж за дядю Джона из Сан-Франциско. Куда пропал ее отец, девочка по-прежнему не имела ни малейшего представления. Последнее, что она о нем слышала, это то, что он уехал в Бостон, чтобы там жениться на какой-то женщине с двумя детьми, но это было ужасно давно. Что с ним случилось дальше, ей было неизвестно. Впрочем, она и не старалась это узнать, ибо все ее интересы заключены были теперь здесь, в той неспешной, упорядоченной и спокойной жизни, которую она вела.

Обитель Святого Матфея действительно стала для нее родным домом. Все здесь очень ее любили, и Габриэлла старалась изо всех сил, платя добром за добро. Она с радостью бралась за самую тяжелую и грязную работу, которую остальные делали лишь по обязанности: драила полы в коридорах, прибирала в трапезной и в общем зале, чистила душевые и ванные комнаты, натирала воском спинки скамей и резные перила в монастырской церкви. Кроме того, весной и летом она не покладая рук трудилась, перекапывая землю, подстригая ветви яблоням. Это была большая нагрузка, но Габриэлла успевала и блестяще выполнять все домашние задания, и писать свои собственные стихи и рассказы, которые очень нравились ее учительницам, считавшим, что у девочки — настоящий талант.

Казалось, прошлое осталось далеко позади и никогда не вернется. Но это только казалось. Габриэлла продолжала спать, свернувшись в ногах постели и накрывшись одеялом с головой. Ее продолжали преследовать кошмары, содержание которых она никогда никому не рассказывала. Взгляд ее оставался по большей части грустным, особенно перед Рождеством, когда весь монастырь готовился к празднику. Матушка Григория, исподволь наблюдавшая за девочкой, видела все это и, в свою очередь, печалилась, однако явно ни во что не вмешивалась, считая, что только время способно помочь Габриэлле. Впрочем, положительные изменения были налицо, но настоятельница не знала, радоваться ли им или огорчаться.

Четырнадцатилетняя Габриэлла была очень хороша собой, но она сама об этом не подозревала и нисколько не интересовалась своей внешностью. Зеркал в монастыре, естественно, не водилось, и таким образом мир, в котором она жила, был начисто лишен тщеславия. Платья Габриэлла подбирала себе из старой одежды, которая попадала в монастырь для благотворительной раздачи бедным, и, как правило, брала первое, что подходило ей по размеру. Ей и в голову не приходило выбрать для себя что-нибудь поярче и поновее. То, что она ходит в чужих обносках, нисколько ее не беспокоило — еще несколько лет назад Габриэлла добровольно приняла обет посвятить свою жизнь Искуплению и Служению другим и ни разу не отступила от этой клятвы.

Правда, когда настоятельница заводила разговор о ее планах на будущее, девочка продолжала утверждать, что она еще не услышала глас свыше, который призвал бы ее к монашескому подвигу. Ей казалось, что Джулия, Лиззи и другие послушницы ни капли не сомневаются в своем призвании, и что они уверенно идут к своей цели самым прямым и коротким путем. Когда же Габриэлла начинала сравнивать себя с ними, то видела только свои недостатки, ошибки и промахи. На самом же деле ее смирение было гораздо более глубоким и осознанным, чем у большинства новоначальных послушниц, которые слишком гордились своим призванием и словно знамя поднимали над собой услышанный однажды «призыв свыше». Год за годом матушка Григория прилагала огромные усилия, стараясь заставить девочку увидеть эту разницу, но никаких особенных успехов не достигла. Габриэлла продолжала упорно отрицать наличие у себя каких-либо добродетелей и достоинств, с пристрастием указывая на малейшие свои недостатки, превращавшиеся в ее устах в смертные грехи. Она была совершенно уверена в том, что никогда не сможет стать монахиней, и в то же самое время мысль о том, чтобы покинуть монастырь, даже не приходила ей в голову. Как бы ограниченна и однообразна ни была ее жизнь, здесь Габриэллу защищали и любили.

— Наверное, мне придется просто остаться в монастыре до конца жизни, чтобы мыть полы и убираться в душевых, — пошутила она однажды в разговоре с сестрой Лиззи. — Никто не хочет этим заниматься, а мне это нравится. Когда работаешь щеткой или тряпкой, заняты только руки — голова остается совершенно свободной, и я могу сочинять новые рассказы и даже стихи.

— Вступление в орден вовсе не помешает тебе писать твои рассказы, — возразила Лиззи.

Примерно то же самое говорили Габриэлле и другие сестры, в том числе и сама мать-настоятельница. Все знали, насколько глубоки и сильны чувства Габриэллы, ее желание трудиться с полным самоотречением, и насколько все это достойно настоящей послушницы. Не знала этого одна Габриэлла. Когда она принималась с жаром доказывать, что недостойна принять постриг, сестры только вежливо улыбались, пропуская ее возражения мимо ушей. Они-то знали, что рано или поздно Габриэлла непременно услышит глас небесный, который рассеет все ее сомнения. Иначе просто не могло быть — таково было общее мнение.

Монахиням очень не хотелось отпускать ее в мир, но к шестнадцати годам Габриэлла закончила изучение школьной программы, и они вынуждены были признать, что ее место — в колледже. У нее действительно были блестящие литературные способности. Впрочем, Габриэлла и сама не хотела никуда уходить из монастыря. Но матушка Григория считала, что было бы настоящим преступлением не отправить Габриэллу учиться дальше. От природы развитая фантазия дополнялась у нее удивительным чувством слова, наблюдательностью и настоящей писательской интуицией. Написанные ею на досуге коротенькие рассказы поражали сюжетной стройностью и внутренней гармонией. По содержанию они были, в большинстве своем, печальными и трагичными, однако в них была и какая-то внутренняя сила, которая не могла оставить равнодушным даже искушенного читателя. Стиль Габриэллы был настолько зрелым, а описания настолько реалистичными, что ни один человек не догадался бы, что подобные вещи могла написать шестнадцатилетняя девочка, которая чуть не полжизни провела в монастыре.

И вот, предварительно переговорив с учителями Габриэллы, матушка Григория вызвала ее к себе и спросила:

— Итак, дитя мое, что мы будем делать с твоими дальнейшими занятиями?

— Ничего, — ответила Габриэлла как можно тверже. Учителя не раз говорили ей, что она должна учиться дальше, но даже притча о закопанных в землю талантах не произвела на нее должного впечатления. Габриэлла слишком боялась всего, что находилось вне стен монастыря, и не испытывала никакого желания вновь возвращаться в мир, который когда-то так глубоко ее ранил. Она избегала выходить из монастыря даже по поручениям сестер. Они иногда слегка поддразнивали ее, говоря, что она становится похожа на самых старых монахинь, начинавших ворчать и жаловаться каждый раз, когда им приходилось покидать свои кельи, чтобы сходить, например, к врачу. Молодые монахини и послушницы были не прочь время от времени сходить в кино, в библиотеку или встретиться с родственниками, но к Габриэлле это не относилось. Даже в праздники, когда у нее появлялось немного свободного времени, она уходила в свою комнату и там работала над своими рассказами.

— Но, Габи, мы здесь вовсе не для того, чтобы скрываться от мира, — твердо сказала матушка Григория. — Мы объединились в орден, чтобы служить Богу, отдавая все наши силы и способности тем, кто в них нуждается. И мы не можем лишать мир нашей скромной помощи только потому, что боимся ступить за пределы монастыря. Подумай о сестрах, которые каждый день работают в больнице и в доме престарелых. Что будет, если они предпочтут сидеть в своих кельях и предаваться размышлениям вместо того, чтобы ухаживать за больными и стариками? Мы не боимся мира, Габриэлла, мы служим ему. И через это мы служим Богу.

Мать-настоятельница прочла в глазах Габриэллы безмолвный протест. Девочка ни за что не хотела покидать монастырь. Ее не смогли поколебать даже восторженные письма Натали, которая училась уже на первом курсе университета и была ужасно довольна.

— Я не могу... — проговорила она наконец и впервые за шесть лет пребывания в монастыре посмотрела на матушку Григорию чуть ли не с вызовом.

— Боюсь, что у тебя просто нет выбора, — качая головой, ответила настоятельница. Ей очень не хотелось принуждать Габриэллу к чему-либо, однако было очевидно, что это — единственный способ заставить девочку поступить правильно. Матушка Григория не могла позволить ей похоронить данные Богом способности.

— Пока я здесь настоятельница, и пока ты — член нашей общины, тебе придется делать то, что я тебе скажу, — добавила она сурово. — Ты еще недостаточно взрослая, Габриэлла, чтобы принимать важные решения самостоятельно. Мы все считаем, что ты должна учиться дальше, и ты будешь учиться. А упрямство... упрямство это грех, который наш Господь сурово осуждает.

Сказав так, настоятельница дала понять, что разговор окончен, не слушая возражений. Мать-настоятельница хорошо понимала, что упрямство Габриэллы питается страхом перед миром, однако потакать этой слабости она не собиралась. Габриэлла должна была победить свой страх — или навеки остаться бессловесным, никчемным, запуганным существом, боящимся одновременно и выйти в мир, и ступить на стезю монашеского подвига.

Габриэлла, со своей стороны, тоже не собиралась уступать, хотя и чувствовала, что не права. В обители ей было хорошо и спокойно. Она не хотела возвращаться в мир, который так долго мучил и в конце концов едва не убил ее.

Видя, что Габриэлла не собирается менять свое мнение, матушка Григория велела отправить документы девочки в Школу журналистики Колумбийского университета. Но анкету с просьбой принять ее в качестве студентки Габриэлла должна была заполнять собственноручно. По этому поводу между нею и ее учительницами произошла грандиозная битва. В конце концов, плача и повторяя, что она все равно никуда не поедет, Габриэлла все же заполнила необходимую форму. Вскоре стало известно, что ее приняли и что она получит полную стипендию. В восторге была вся обитель, за исключением самой Габриэллы. Не утешало ее даже то, что Колумбийский университет, считавшийся весьма престижным учебным заведением, находился совсем недалеко от монастыря. Ей не надо было даже переезжать в общежитие.

— Что же мне теперь делать? — жалобно спросила она, когда матушка Григория вызвала ее к себе и сообщила эту радостную новость. — Я не хочу, не хочу!..

Скоро ей должно было исполниться семнадцать, но она — впервые за всю жизнь — вела себя как избалованный, капризный ребенок, и настоятельница укоризненно покачала головой.

— До начала занятий у тебя есть еще два с половиной месяца, — сказала она. — Постарайся за это время смириться с мыслью, что учиться тебе все же придется.

— А если я не смирюсь?! — дерзко спросила Габриэлла, и настоятельница чуть было не всплеснула руками от досады.

— Боюсь, тогда нам придется отшлепать тебя всем монастырем, — сказала она, улыбаясь несколько напряженной улыбкой. — И, можешь мне поверить, это будет вполне заслуженное наказание. Неблагодарность — тяжкий грех. Господь дал тебе способности, которые ты не хочешь развивать, чтобы употребить их на пользу людям. А я уверена, что ты сможешь сделать много хорошего, если станешь писательницей или хотя бы журналисткой.

— Но я могу писать свои рассказы и здесь, — ответила Габриэлла, и в ее глазах снова появились смятение и страх.

— Ты хочешь сказать, — медленно, с расстановкой проговорила настоятельница, — что ты уже все постигла, что ты — достаточно мудра, и что тебе совершенно нечему учиться? Пожалуй, мне придется наложить на тебя епитимью за твою излишнюю самоуверенность и гордыню. Как насчет недели ежедневных дополнительных молитв к Иисусу, чтобы он даровал тебе смирение?

Габриэлла оценила шутку и даже сумела улыбнуться, однако они еще не раз возвращались к этому разговору. Габриэлла продолжала упорствовать. Но победила все же воля двухсот с лишним сестер. В сентябре Габриэлла все-таки пошла учиться, а уже спустя неделю ей стало ясно, что в университете ей нравится. Еще через три месяца она поняла, что настоятельница была совершенно права — права от первого до последнего слова.

На протяжении всех четырех лет учебы Габриэлла не пропустила ни одного занятия. Она с удовольствием ходила на лекции, как губка впитывала каждое слово профессоров и преподавателей, выполняла все самостоятельные работы и даже посещала семинар писательского мастерства. Ее зарисовки отличались ясным и точным стилем; с эссе на заданную тему она справлялась столь же блистательно, а рассказы Габриэллы становились все более изящными и виртуозными.

Но успехи на студенческом поприще не изменили ее отношения к миру. Габриэлла по-прежнему оставалась нелюдимой и замкнутой; она редко заговаривала первой и старалась держаться подальше от остальных студентов. При всем своем доброжелательном отношении к людям она ухитрилась не подружиться ни с кем из однокурсников, одинаково сторонясь и девушек, и юношей. Как только занятия заканчивались, она спешила обратно в монастырь, где подолгу сидела над домашними заданиями и самостоятельными работами, так что в смысле общения учеба в университете ничего ей не дала.

Зато образование, которое она получила, было одним из лучших. Новелла, которую Габриэлла подготовила в качестве дипломного проекта, была даже рекомендована к публикации в университетском сборнике. Университетский курс Габриэлла закончила с отличием, и монахиням пришлось тянуть жребий, чтобы выбрать тех, кто поедет к ней на выпускной вечер. Двадцать сестер во главе с матушкой Григорией прибыли в университетский городок на двух взятых напрокат микроавтобусах и сидели в первых рядах конференц-зала, где происходило чествование выпускников и вручение дипломов.

Университетские преподаватели в один голос предсказывали молодой девушке большое будущее на писательском поприще. Габриэлла по-прежнему в этом сомневалась. Но как бы там ни было, обучение на факультете журналистики стало для нее громадным шагом вперед. Об этом они беседовали с матушкой Григорией вечером того же дня, когда они вдвоем вышли прогуляться в монастырский сад.

— Ты сможешь стать писательницей, — негромко проговорила настоятельница, перебирая пальцами крупные четки вишневого дерева. — У тебя есть талант, есть трудолюбие и упорство... — Тут она улыбнулась, вспоминая историю четырехлетней давности, когда Габриэлла так упрямо не хотела учиться. — Единственное, чего тебе пока недостает, это знания жизни, но это дело наживное...

— Я не ощущаю этого, матушка, — совершенно искренне ответила Габриэлла. Пережитые в детстве унижения и страх не прошли для нее даром. Теперь, в двадцать один год, ей по-прежнему недоставало уверенности в себе и в своих силах. Матушка Григория прекрасно это видела и пыталась помочь Габриэлле, но дело продвигалось медленно.

— Разве, если бы твоя новелла была плоха, ты закончила бы с отличием? — спросила настоятельница.

— Мне поставили высшую оценку из-за вас. Мой руководитель знал, что я воспитывалась в монастыре, и не хотел ставить вас в неловкое положение. — Габриэлла улыбнулась. — Кроме того, декан факультета журналистики — тоже католик...

— Насколько я знаю, — уточнила матушка Григория, — ваш декан — еврей. Но дело ведь не в этом, Габи. Ты сама прекрасно знаешь, за что тебя удостоили диплома с отличием. Это не жалость, не благотворительность — ты заслужила его своим трудом и своим талантом. Вопрос только в том, что ты собираешься делать дальше. Может, для начала ты попробуешь себя в журналистике? Ты могла бы поступить внештатным сотрудником в какой-нибудь католический журнал и написать для него несколько статей, а могла бы сотрудничать и с каким-нибудь светским изданием. На мой взгляд, это дало бы тебе необходимый опыт. Если же все это тебе не подходит, можно преподавать в школе, а в свободное время писать книгу. Теперь перед тобой открыто много дорог, Габриэлла, только выбирай...

Но настоятельница видела, что Габриэлла пока не может обойтись без ее помощи. Ее необходимо было постоянно ободрять и даже подталкивать. Без этого Габриэлла, чего доброго, запрется в монастыре, не желая ничего видеть и знать.

— А можно мне будет жить здесь, если я... если я выберу что-нибудь из этого? — с тревогой спросила Габриэлла, и настоятельница строго посмотрела на нее, видя в ее словах еще одно подтверждение своим мыслям. Да, несмотря на четыре года, проведенных в университете, Габриэлла продолжала бояться всего, что было связано с миром. За пределами монастыря у нее не было ни друзей, ни подруг, она не ходила в кино, не слушала радио, не встречалась с мужчинами. Матушке Григории очень не нравилось, что Габриэлла готова была отринуть от себя мир, не узнав его как следует. Это могло привести к дурным последствиям.

Но она знала и другое. Одна мысль о том, что ей непременно придется покинуть монастырь, способна была убить Габриэллу. Это было так же верно, как и то, что солнце встает на востоке, а садится на западе.

Видя, что настоятельница молчит, Габриэлла задрожала от волнения и страха, и лицо ее пошло красными пятнами.

— Я могла бы платить за комнату и еду из тех денег, которые заработаю, — заторопилась она. — Правда, на это может потребоваться некоторое время, но я... Пожалуйста, матушка, позвольте мне остаться в монастыре!

Габриэлла едва владела собой. Этого разговора она давно ждала и боялась. Она прожила в монастыре одиннадцать лет — больше чем полжизни, и мысль о том, что ей придется покинуть его, казалась невыносимой. Единственное, на что она надеялась, это на то, что ее не выгонят, если она предложит оплачивать монастырю все расходы, связанные с ее пребыванием.

— Разумеется, ты можешь остаться в монастыре, — спокойно ответила настоятельница. — И делать пожертвования в монастырскую кассу, когда начнешь зарабатывать. Что касается платы за стол и квартиру, то полагаю, достаточно того, что ты занимаешься уборкой и ухаживаешь за садом. Формально ты не вступила в орден, но была одной из нас, как только появилась здесь. И останешься одной из нас, пока сама не захочешь уйти.

Чеки от матери Габриэллы перестали приходить, когда девочке исполнилось восемнадцать. Ни записки, ни письма, ни какого-либо объяснения настоятельница так и не дождалась. Очевидно, Элоиза Уотерфорд Харрисон сочла, что до конца выполнила свой материнский долг, и не желала больше ни видеть, ни знать дочери. Отец Габриэллы тоже не объявлялся. Молчание родителей было яснее всяких слов. Годам к четырнадцати девочке стало совершенно ясно, что в жизни отца и матери ей просто не нашлось места. Вот почему во время учебы в Колумбийском университете на вопрос о родителях Габриэлла неизменно отвечала, что она — круглая сирота. И, строго говоря, так оно и было.

Впрочем, спрашивали ее об этом редко. Другие девушки в школе журналистики считали Габриэллу болезненно застенчивой, замкнутой и инфантильной. Юноши же находили ее весьма и весьма привлекательной, однако все их попытки познакомиться поближе Габриэлла встречала в штыки. Отпор, который она давала, бывал порой таким резким, что потенциальный кавалер только в недоумении качал головой. В конце концов Габриэлла осталась в полном одиночестве. Именно так она чувствовала себя лучше всего.

Для молодой девушки подобное поведение было противоестественным. Оно не могло принести ей ничего, кроме вреда. Матушка Григория хорошо это понимала, однако навязывать Габриэлле свое мнение не спешила. Настоятельница знала, что рано или поздно ее воспитанница непременно услышит глас свыше, который скажет ей, что делать.

— Я много думала в последнее время... — смущаясь, сказала Габриэлла. Настоятельница заменила ей мать, и Габриэлла любила ее от всей души, однако некоторых вопросов они — с обоюдного молчаливого согласия — по-прежнему никогда не касались. Например, жизни Габриэллы до поступления в монастырь. Габриэлла говорила только, что родители ее не очень любили и «плохо» с ней обращались. Ни словом она не упомянула ни о побоях, ни о страхе, который преследовал ее ежедневно и ежечасно, однако мудрая старая настоятельница о многом догадывалась. Ночные кошмары Габриэллы, ее глухота, многочисленные шрамы, которые матушка Григория заметила на ее ногах, — все это говорило само за себя. На рентгеновском снимке, который Габриэлле сделали в двенадцатилетнем возрасте, когда она заболела тяжелым бронхитом, были хорошо видны неправильно сросшиеся ребра — немые свидетели жестоких побоев.

Словом, матушка Григория много знала, о многом догадывалась. И сейчас, уловив в голосе Габриэллы какие-то особенные интонации, она почти сразу поняла, о чем пойдет речь.

— О чем ты думала, дитя мое? — спросила она негромко и ласково, подбадривая Габриэллу.

— Мне кажется, матушка, что я все время слышу голос... И вижу сны. Сначала я думала, что все это мне просто чудится, но этот голос... С каждым днем он звучит во мне все громче и громче.

— Что это за голос? — спросила матушка Григория, не скрывая своего интереса.

— Я... я не знаю. Он как будто велит мне сделать что-то, чего я никогда не считала себя достойной. В общем, я не уверена, смогу ли я... — Тут ее глаза наполнились слезами, и она бросила встревоженный взгляд на свою наставницу. — Скажите, как вы думаете, не ошиблась ли я? И смогу ли я?..

Матушка Григория покачала головой и, скрестив руки на животе, спрятала их в широкие рукава своей черной накидки. Она хорошо поняла, о чем спрашивает ее Габриэлла. Девочке уже давно пора было услышать этот голос, но она была слишком робка, слишком сомневалась в себе и в своих добродетелях.

— Ты должна слушать только свое сердце, дочь моя, — ответила настоятельница. — Когда Бог говорит с людьми, он всегда выбирает самые понятные слова. Но для того, чтобы услышать его и не сомневаться, надо верить не только в него, но и в себя. У тебя не должно оставаться ни малейших сомнений в том, что́ ты слышишь. — Она улыбнулась и добавила: — Впрочем, раз ты заговорила об этом со мной, значит, ты уже все решила.

— Да! — воскликнула Габриэлла с горячностью и тут же смутилась своего порыва. — Думаю, что да... — пробормотала она, опуская голову и вздыхая. Мать-настоятельница, как всегда, была права: Габриэлла уже давно слышала голос, звавший ее присоединиться к ордену. Но, как всегда, не была уверена, достойна ли она такой чести. Одно дело — отдавать всю себя монастырю, работать для сестер, и совсем другое — стать одной из невест Христовых. По ее глубокому убеждению, она была слишком несовершенна для этой высокой миссии.

— Я думала об этом еще прошлым летом, матушка. Я тогда чуть было вам не сказала, — произнесла Габриэлла, потупив голову. — И еще перед Рождеством... Но меня что-то остановило. Я... наверное, я еще не готова. Мне показалось, что я просто выдумала этот голос, что он мне чудится, потому что я очень, очень хотела его услышать...

— А теперь? Что ты скажешь теперь? — спросила настоятельница, не вынимая рук из рукавов. В саду сгущались теплые летние сумерки, в воздухе плыл легкий запах листвы, а в просветах между деревьями толклась мошкара. «Этот вечер Габриэлла запомнит на всю жизнь», — пронеслось в голове у настоятельницы.

— Я... я хочу стать послушницей. Я решила... — взволнованно произнесла Габриэлла и устремила на настоятельницу взгляд своих голубых глаз, которые казались почти черными в полумраке. — Вы... вы мне позволите?

Ее взгляд выражал полную покорность, полное самоотречение и готовность посвятить свою жизнь Богу и ордену — сестрам, которые дали ей все: любовь, безопасность, свободу.

— Я не могу разрешить или запретить тебе что-либо, — ответила ей матушка Григория. — Этот вопрос могут решить только двое: ты и Бог. В моих силах только помочь тебе, но не больше. Но скажу тебе правду: я надеялась, что ты придешь к этому решению. Вот уже два года я наблюдаю твои сомнения и колебания. Я всегда верила, что в конце концов ты сможешь это сделать.

— Вы... знали? — удивилась Габриэлла, и настоятельница тепло улыбнулась ей.

— Да, — кивнула она. — Я поняла это гораздо раньше, чем ты.

— Почему же вы ничего мне не сказали?! — воскликнула Габриэлла и тотчас же смутилась. — Простите, матушка. Я... я хотела спросить, что вы об этом думаете теперь?

Она спрашивала ее не как свою наставницу, не как своего самого близкого человека, а как настоятельницу монастыря, в который она хотела поступить уже в качестве послушницы-новициантки.

— Ну что ж. — Матушка Григория сдержанно улыбнулась в темноте. — В августе мы собираем группу кандидаток, которые будут готовиться к новициату. Ты можешь стать одной из них.

Она остановилась и повернулась к Габриэлле. Девушка порывисто обняла ее.

— Спасибо вам... Спасибо за все! — воскликнула она. — Вы даже не представляете себе, от чего вы меня спасли! Если бы не вы, меня бы... Я бы, наверное, умерла!..

Даже сейчас она не решилась открыть истину.

— Я все знаю, милое мое дитя, — проговорила матушка Григория, чувствуя щекой горячие слезы девушки. — Я подозревала это с самого начала. Скажи... — Она немного поколебалась, но чисто человеческое любопытство все же взяло верх. — Скажи, ты все еще скучаешь по ним?..

Это был вопрос заботливой и любящей приемной матери, которая чуточку ревнует к настоящим, биологическим родителям, и Габриэлла прекрасно все поняла. И именно потому, что матушка Григория значила для нее больше, чем родная мать, ей даже в голову не пришло солгать.

— Иногда, — ответила она честно. — Иногда, но, понимаете... Я скучаю не по ним самим, а по тому, чем они могли бы для меня быть, но никогда не были. Порой я задумываюсь о том, где они сейчас, что делают, как сложились их жизни, есть ли у них другие дети... Впрочем, это уже не важно. В августе у меня тоже будет своя семья.

Но это было важно, и они обе это знали. Габриэлла лгала больше себе, чем женщине, которую она про себя называла «мамой» и которую любила больше самой жизни.

— У тебя всегда была семья, Габи, была с того самого дня, как ты приехала к нам, — сказала мать-настоятельница.

— Я знаю, — негромко ответила Габриэлла и взяла матушку Григорию за руку. — Я знаю и... еще раз говорю вам спасибо.

Когда совсем стемнело, они вернулись в главное здание, и, идя по коридору рядом с настоятельницей, Габриэлла чувствовала, как поет ее сердце. Она приняла важное решение, и на душе у нее было легко и свободно. Теперь Габриэлла могла быть уверена, что ей никогда не придется покинуть монастырь, который стал ей домом, и сестер, заменивших ей семью. Она никогда больше не будет одна. И это было все, чего ей хотелось.

— Из тебя выйдет добрая сестра и хорошая монахиня, — сказала настоятельница, улыбаясь Габриэлле.

— Я буду стараться, матушка, — ответила совершенно счастливая Габриэлла. — Ведь я давно об этом мечтала.

Так, улыбаясь друг другу, они дошли до конца коридора и расстались. Матушка Григория пошла к себе, а Габриэлла вернулась в свой маленький дортуар и уснула, чувствуя небывалый покой и гармонию в душе.

Когда на следующий день за ужином матушка Григория объявила остальным монахиням о решении Габриэллы, их радости не было конца. Все они обнимали и поздравляли Габриэллу, говоря, что иначе и быть не могло. Все они знали — рано или поздно она станет одной из них. И Габриэлла, раскрасневшись от смущения и счастья, радостно повторяла себе, что ничто, кроме разве самой смерти, уже не сможет лишить ее этой большой и дружной семьи, которую она неожиданно обрела в тот день, когда Элоиза привезла ее в монастырь.

Но после вечерних молитв Габриэлла легла спать, и ей снова привиделся ее давнишний кошмар. Снова Элоиза гонялась за ней по всем комнатам их старого дома, снова свистел в воздухе желтый кожаный ремешок, снова в дверном проеме виднелось неподвижное и страдающее лицо отца. Габриэлла кричала и плакала, ощущая на языке знакомый солоноватый привкус крови.

Да, все вернулось в один миг, словно и не было одиннадцати лет спокойной и мирной жизни. Все еще в полусне Габриэлла сползла с подушки и попыталась свернуться клубком в изножье своей кровати. Это оказалось нелегко, и она чуть не упала. Лишь в последний момент она схватилась за железную спинку своей койки и, открыв глаза, увидела знакомые голые стены и выходящее в сад зарешеченное оконце, за которым темнело ночное небо.

Сев на кровати, Габриэлла с трудом перевела дух. Она была в безопасности. Каким бы реальным ни казался ей этот навязчивый сон, монастырские стены, от которых тянуло приятной прохладой, были еще реальнее. Габриэлла успокоилась. Единственное, что продолжало ее тревожить, это не разбудила ли она своими воплями полмонастыря.

Дверь спальни тихонько приоткрылась, и внутрь заглянула сестра Иоанна.

— Как дела, Габи? — шепотом спросила она. — Все в порядке? Может, подать тебе воды?

— Все в порядке. — Габриэлла улыбнулась сквозь невысохшие еще слезы и покачала головой. — Нет, спасибо, не нужно воды. Мне только жаль, что я всех разбудила...

— Пустяки... — сказала сестра Иоанна. Она жила в соседней келье и успела привыкнуть к тому, что сон Габриэллы часто бывает беспокойным. Кошмары начали преследовать девочку чуть ли не с первого дня ее пребывания здесь.

Когда сестра Иоанна ушла, Габриэлла легла на спину и стала смотреть в потолок. В монастыре, среди распятий и статуй Девы Марии, среди монахинь, которые так ее любили, демоны памяти не смогут причинить ей настоящий вред. Ободренная этой мыслью, Габриэлла стала думать об отце, о матери. Ну почему, почему они не любили ее, как любят своих детей все нормальные родители?! Была ли она такой плохой, как говорила Элоиза, или все-таки нет? Кто был виноват — она, или мать, или все они? Они ли исковеркали ей жизнь, или это она отравила существование матери и оттолкнула отца?

Но даже сейчас Габриэлла не могла ответить ни на один из этих вопросов.

Глава 8

В августе Габриэлла присоединилась к группе молодых девушек, которые изъявили желание вступить в орден и проходили первый этап подготовки. Послушницами они считались чисто формально. Но их все равно переодели в длинные белые платья с синей полосой на подоле, которые им предстояло носить в течение года — до тех пор, пока они не станут новициантками. Новициат длился два года, после чего послушницы давали временный обет и вступали в период двухлетней монастырской подготовки. В конце ее их ждали вечный обет и окончательное пострижение.

Вся подготовка занимала пять лет — больше, чем учеба в университете, — но Габриэллу это не страшило. Стать монахиней было ее давнишней мечтой, и она была уверена, что ничто не помешает ей добиться своего.

Будущим послушницам часто поручали множество самых разных дел. Часто приходилось выполнять тяжелую, однообразную, а то и просто грязную работу. Габриэлле все это было хорошо знакомо. Ни одно дело не могло вызвать в ней ни отвращения, ни протеста, ни показаться унизительным. Все послушания она исполняла старательно, чуть ли не с радостью. Руководительница группы кандидаток не раз говорила матушке Григории и наставнице новицианток сестре Иммакулате, что гордится Габриэллой.

Впрочем, Габриэлла уже и не была Габриэллой. При вступлении в группу кандидаток ей дали имя Бернадетта. Остальные девушки звали ее просто «сестра Берни».

Всего кандидаток было восемь. И все было бы славно, но одна из них постоянно пререкалась с Габриэллой, спорила и даже пыталась поссорить ее с другими девушками. Она постоянно жаловалась на Габриэллу наставнице группы и говорила, что считает ее излишне самоуверенной и заносчивой. Особенно ее задевало, что Габриэлла была как родная всем монахиням и старшим послушницам. Наставница, вздохнув, объяснила юной скандалистке, что Габриэлла прожила в монастыре бо́льшую часть своей жизни, так что немудрено ей чувствовать себя так свободно. Тогда немедленно последовало обвинение в суетном тщеславии: «своими глазами видела», как, за неимением зеркала, Габриэлла любуется своим отражением в оконном стекле. По мнению молодой неофитки, сие было верхом легкомыслия.

— Быть может, сестра Берни просто о чем-то задумалась, — возразила ей наставница.

— О своей внешности, — мрачно буркнула кандидатка, которую звали сестра Анна. Сама она была не слишком хороша собой, и это не давало ей покоя. Прежде Анна жила в Вермонте и даже была помолвлена. Нашелся-таки молодой человек, обративший внимание на невзрачную, угловатую девушку со слегка угреватым лицом. Решение уйти в монастырь восемнадцатилетняя Анна (словно в насмешку носившая тогда имя Джульетта) приняла, когда за считанные дни до свадьбы жених разорвал помолвку. Наставница молодых послушниц часто задумывалась, выйдет ли из нее настоящая монахиня. На ее памяти было несколько случаев, когда поспешно принятое решение не приносило пользы.

Что касалось Габриэллы, то тут у сестры Эммануэль никаких сомнений не было. Весь монастырь был совершенно уверен, что Габриэлла нашла свое истинное призвание. Сама она была бесконечно счастлива и откровенно гордилась своим новым статусом. Ее рвение порой заставляло подтянуться тех монахинь, которые не всегда относились к своим обязанностям должным образом.

К Рождеству Габриэлла приготовила всем подарок. Еще летом она написала трогательную святочную историю о маленькой девочке, которая целый год собирала в лесу хворост, чтобы Санта-Клаусу было чем отапливать свое холодное лапландское жилище. Габриэлле потребовалось около полугода, чтобы перепечатать ее на стареньком монастырском «Ундервуде» и сделать двести маленьких книжечек в красочных обложках, для которых она использовала рождественские открытки. За завтраком в первый день Рождества каждая из монахинь нашла рядом со своей тарелкой одну такую книжечку.

— Опять она выпендривается!.. — Это восклицание сестры Анны прозвучало достаточно громко, чтобы его услышали все. Непримиримая противница Габриэллы, не прикоснувшись к завтраку, пулей вылетела из трапезной, на бегу швырнув подарок в мусорную корзину. Это был совсем не рождественский поступок. Габриэлла огорчилась, но, не желая портить сестрам праздник, сделала вид, будто все в порядке.

После завтрака Габриэлла все же пошла в комнату сестры Анны и попыталась поговорить с нею. Но сестра Анна была настроена весьма воинственно.

— Ты, должно быть, воображаешь, что раз тебя тут все знают, значит, ты чем-то лучше остальных кандидаток! — резко выкрикнула Анна. — Так вот, заруби себе на носу: ты ничем не лучше нас, и если бы ты так не выпендривалась и не старалась пустить всем пыль в глаза, ты была бы гораздо лучшей послушницей! Тебе не приходило в голову, что Бог не любит тех, кто воображает о себе невесть что?..

Эти слова полетели прямо в лицо Габриэлле. Она неожиданно подумала о том, что Анна поразительно похожа на ее собственную мать. Та тоже стремилась сделать Габриэлле как можно больнее. Правда, Элоиза больше действовала кулаками или ремнем, однако ее ругательства и обвинения били не слабее палки. Слова сестры Анны врезались в сердце Габриэллы как нож.

Сдерживая слезы, она вышла, а вечером отправилась к матушке Григории, чтобы поговорить с ней с глазу на глаз.

— Быть может, сестра Анна права? — спросила она, вкратце рассказав настоятельнице суть дела. — Быть может, я действительно слишком задираю нос и важничаю перед другими? Ведь как легко не заметить собственной гордыни. Наверное...

Но матушка Григория не дала ей договорить. Она сразу поняла, в чем дело, и постаралась убедить Габриэллу, что сестра Анна попросту завидует ей.

Однако и после этого случая отношения между Габриэллой и молодой девушкой из Вермонта нисколько не улучшились. Сестра Анна как будто задалась целью всячески порочить Габриэллу при каждом удобном и неудобном случае. Она постоянно жаловалась на нее, делала ей замечания по каждому поводу, высмеивала ее промахи — как действительные, так и воображаемые, и вообще доставляла ей всевозможные неприятности. В конце концов Габриэлла, не отличавшаяся избытком уверенности в своих силах, решила, что сестра Анна в чем-то должна быть права. Ну кто, в самом деле, станет возводить на нее напраслину? Да и с чего бы это? Габриэлла снова начала сомневаться в том, что она достойна быть монахиней. К весне она была уже твердо уверена в том, что совершила страшную ошибку. Слава богу, сестра Анна вовремя открыла в ней страшные пороки, от которых она обязана избавиться прежде, чем ее примут в орден.

В том, как сестра Анна преследовала и изводила ее, было что-то до боли знакомое, однако Габриэлла уже не способна была рассуждать здраво. Как когда-то давно, все ее помыслы сосредоточились на собственной вине и порочности. Дело дошло до того, что, стоя однажды на исповеди, она призналась священнику, что сомневается в том, в чем еще недавно была совершенно уверена — в правильности выбранного пути.

— Что заставило тебя так подумать, сестра? — донесся из-за исповедальной решетки незнакомый голос, и Габриэлла невольно вздрогнула. Это был не отец О'Брайан, которому она исповедовалась с самого детства, — это был кто-то другой. И, судя по голосу, священник был довольно молод.

Габриэлла, быстро справившись с собой, сказала:

— Сестра Анна постоянно обвиняет меня в тщеславии, гордыне, празднословии и прочих грехах. Боюсь, она права. Как я смогу служить Богу, если не исполняю его заповедей и не имею достаточно смирения и покорности? Мне кажется, святой отец, я начинаю ее ненавидеть!

Священник некоторое время озадаченно молчал, потом спросил на удивление мягким и участливым голосом, приходилось ли ей раньше ненавидеть кого-нибудь.

На этот раз Габриэлла ответила без колебаний.

— Я ненавидела своих родителей.

— И ты исповедовалась в этом своем грехе? — снова спросил священник, на этот раз построже, и Габриэлла невольно задумалась, сколько ему может быть лет.

— Да, много раз, — ответила она и рассказала, что на

протяжении всего своего пребывания в монастыре исповедовалась в своей ненависти к матери отцу О'Брайану.

— Почему ты ненавидела их, сестра? — спросил молодой священник.

— Потому что они меня били, — просто ответила Габриэлла.

Ее искренность и смирение так поразили священника, что он долго молчал. Он сразу почувствовал, что сестра Бернадетта — человек открытый, честный, немного наивный, и ему захотелось увидеть ее лицо. В этом монастыре он исповедовал всего во второй раз и, в отличие от отца О'Брайана и других, не знал истории Габриэллы. Ему было известно только то, что сестра Бернадетта — одна из новоначальных послушниц, которая еще только готовится к новициату.

— Собственно говоря, — поспешила объяснить Габриэлла, удивленная и встревоженная его молчанием, — била меня только мать. Отец... он просто позволял ей проделывать со мной все, что угодно. Когда я выросла, я поняла, что он мог бы меня защитить, но не захотел или... Словом, что-то ему мешало. И тогда я возненавидела и его тоже.

Она сказала это и сама удивилась — еще никогда, ни на одной исповеди она не позволяла себе подобной откровенности. Габриэлла совершенно не понимала, почему она это делает. Быть может, ей просто необходимо было облегчить душу, так долго изнемогавшую под тяжестью этой тайны. Каждый знает, что легче всего это происходит в разговоре с кем-то незнакомым. Да, Габриэлла ненавидела мать, но она еще никогда никому не говорила — за что. Этот груз продолжал отягощать ее; в последнее же время прибавилось раздражение на сестру Анну, поколебавшую с таким трудом обретенное душевное спокойствие Габриэллы.

— А ты никогда не говорила родителям о том, какие чувства ты к ним испытываешь? — неожиданно спросил священник. Этот вопрос прозвучал очень странно. Габриэлла вдруг подумала, что тот, кто исповедовал ее, не только выслушивал признания, но и старался исцелить ее раны.

— Я давно их не видела. Папа ушел из семьи, когда мне было девять, и больше я ничего о нем не знаю. А через год мама привезла меня сюда и бросила. Она тоже вышла замуж. Должно быть, она решила, что в ее новой жизни я буду ей только мешать. Так я и осталась в монастыре. В каком-то смысле, в моей жизни это была едва ли не самая большая удача. Если бы мне пришлось вернуться к маме, я бы, наверное, умерла... Она бы забила меня дó смерти.

— Понимаю... — донесся из-за решетки исповедальни негромкий шепот, и Габриэлла невольно удивилась. Этот молодой священник воспринимал ее историю слишком близко к сердцу. И все же она решила рассказать ему все до конца, так как без этого ее исповедь была бы не полной.

— Сестра Анна напоминает мне мою мать, — сказала она. — И мне кажется, что именно поэтому я начинаю ее ненавидеть. Она все время придирается ко мне, говорит, какая я плохая... Моя мать делала то же самое, и я ей слишком долго верила.

— А сестре Анне ты веришь? — спросил священник.

Габриэлла беспокойно пошевелилась. В исповедальне было темно и душно, к тому же от долгого стояния на коленях у нее заломило спину, однако она заставила себя не думать об этом. Почему-то ей казалось, что в эти минуты решается ее судьба.

— Ты веришь тому, что говорит о тебе сестра Анна? — повторил священник свой вопрос. — Ты веришь, что ты — действительно такая плохая, как она утверждает?

В его голосе звучало сочувствие и неподдельный, искренний интерес. Габриэлла глубоко задумалась.

— Иногда, — ответила она наконец. — Я привыкла верить своей матери, и мне до сих пор иногда кажется, что она была права. Разве родители бросили бы меня, если бы я была нормальной, послушной девочкой? Должно быть, во мне глубоко жил какой-то порок, который они не смогли исправить и в конце концов отчаялись... Так я думала тогда, и так порой я думаю сейчас. Вы понимаете меня, святой отец? — с мольбой произнесла она. — Мне кажется, что во всем, что случилось, была моя вина, мой грех...

— Или их, — мягко возразил священник, и Габриэлла попыталась представить, какое у него лицо. — Я уверен, сестра, что это была их вина. Возможно, то же самое верно и в отношении сестры Анны. Правда, я ее совсем не знаю, и все-таки... Возможно, она просто завидует тому, что тебе здесь так легко все дается, что тебя все любят. Ведь монахини любят тебя, сестра?

— Да, — честно ответила Габриэлла и тотчас же спохватилась: — Я так думаю, — поправилась она и тут же спросила: — Но как же все-таки мне быть с сестрой Анной? Что мне делать, святой отец?

— Лучше всего сказать ей, чтобы она немедленно прекратила свои нападки. А если нет — пусть достает из чемодана свои боксерские перчатки. Когда я учился в семинарии, мне пришлось подобным же образом налаживать отношения с одним из однокурсников. У нас были, гм-гм... кое-какие разногласия принципиального характера. Я до сих пор думаю, что это был единственный выход.

— И что же случилось потом? — шепотом спросила Габриэлла, с трудом сдерживая улыбку. Еще никогда исповедь не проходила так вольно, что ли. Хотя, конечно, вряд ли строгий монастырский устав мог одобрить такую свободу общения. Всему, знаете ли, есть пределы, но священник этот начинал ей нравиться — несмотря на очевидную молодость, он был мудр, имел сострадание к ближнему и, что совсем уж неожиданно, обладал изрядной долей юмора. — Вам помогла эта... дуэль?

— О, да! — подтвердил священник. — Мой соперник поставил мне здоровенный фонарь под глазом и чуть не вышиб из меня дух. Как ни странно, после этого мы с ним подружились. Теперь брат Майкл работает с прокаженными в нашей миссии в Кении, и я получаю от него открытки с поздравлениями на каждое Рождество.

— Может быть, нам удастся отправить в Кению и сестру Анну, — пошутила Габриэлла и сама себе удивилась. Даже учась в колледже, она не позволяла себе разговаривать подобным образом ни с однокурсниками, ни, не дай бог, с профессорами. Сейчас же вся ее замкнутость куда-то исчезла, а от смущения не осталось и следа.

Священник с молодым голосом негромко засмеялся за решеткой.

— Почему бы тебе не предложить это самой сестре Анне? — осведомился он. — А пока она будет думать — прочти три хвалебных канона к Деве Марии и одно «Отче наш». Только от души... — добавил он серьезным тоном, и Габриэлла снова почувствовала себя удивленной. Другие священники обычно налагали куда более серьезные наказания.

— Вы уверены, что этого достаточно, святой отец? — робко спросила она.

— Ты недовольна, сестра моя? — ответил священник вопросом на вопрос, и в его голосе Габриэлле снова почудилась улыбка.

— Я просто удивлена. С того самого дня, как я попала в этот монастырь, я еще ни разу не читала меньше десяти молитв к Деве Марии...

— Я знаю. Именно поэтому мне показалось, что тебе пора сделать небольшую передышку. Не будь так требовательна к себе, сестра, — постарайся на время забыть о своих неприятностях, словно их вовсе не существует, хорошо? Насколько я понял, это скорее ее грех, чем твой, — во всяком случае, так мне подсказывает мой внутренний голос. И еще: не путай сестру Анну со своей матерью — это два совершенно разных человека, да и ты, сестра, давно стала другой. Ты — взрослая, и никто не может мучить и преследовать тебя, кроме... тебя самой. Господь наш Иисус учил: «Люби ближнего своего как самого себя». Подумай об этом. В этой формуле, как и во всем Священном Писании, заключена неисчерпаемая мудрость.

— Спасибо вам, святой отец...

— Ступай с миром, сестра. — Этими словами священник отпустил ей грехи, и Габриэлла, выйдя из исповедальни, уселась на самую дальнюю от алтаря скамью, чтобы в уединении прочесть назначенные молитвы.

Когда, некоторое время спустя, она ненадолго подняла голову, то увидела входившую в исповедальню се-

стру Анну. Она пробыла там довольно долго, а когда
вышла, лицо у нее было красным, а глаза припухли, словно она плакала. При виде ее Габриэлла расстроилась;
она очень надеялась, что священник не будет излишне
суров с сестрой Анной. Напрасно она так много ему рассказала.

И все же после исповеди она чувствовала себя намного спокойнее и увереннее. У нее словно камень с
души свалился, а молитва к Деве Марии, которую — как
ей и было сказано — она произнесла с большим чувством, еще более укрепила Габриэллу в мысли, что все об-
разуется.

Прежде чем выйти из церкви, Габриэлла остановилась, чтобы обменяться несколькими фразами с настав-
ницей группы кандидаток сестрой Эммануэль. Она хотела просто пожелать ей спокойной ночи, однако та неожиданно заговорила с Габриэллой о здоровье одной из
престарелых монахинь, которая в последнее время чувствовала себя все хуже и хуже. Разговор вышел длинный.
Исповедь успела закончиться, и церковь опустела. Потом в исповедальне вспыхнул свет, и Габриэлла невольно повернулась в ту сторону. В следующий момент ни-
зенькая дверца отворилась, и вышел тот, кому она исповедовалась.

Его внешность поразила Габриэллу до глубины души.
Молодой священник — он действительно был молод, не
старше тридцати — был настолько высок ростом, что
Габриэлла не без удивления подумала, как он только по-
местился в низкой и тесной исповедальне. Ей, во всяком
случае, он показался настоящим гигантом. Не сразу она
разобралась, что он не столько высок, сколько на редкость пропорционально сложен, а ширину его плеч не
могла скрыть даже свободная, широкая сутана. Волосы у
него были густыми, светло-желтыми, а глаза — почти такими же голубыми, как у самой Габриэллы.

Подняв голову, священник увидел Габриэллу и наставницу и улыбнулся им открытой, располагающей к
себе улыбкой.

— Добрый вечер, сестры, — сказал он, вежливо кивая

сначала старшей монахине, затем — Габриэлле. — Какая у вас красивая церковь!

Сестра Эммануэль тоже улыбнулась. Все монахини обители Святого Матфея очень гордились своей церковью и следили за тем, чтобы она содержалась в образцовом порядке. Сама Габриэлла провела немало часов, до блеска натирая воском резные деревянные украшения и скамьи. Дважды в месяц мать-настоятельница приходила сюда и тщательно все проверяла. Если обнаруживалась расшатавшаяся планка, трещина в каменной плите на полу, облупившаяся позолота или начавшая осыпаться побелка, то уже на следующий же день в церкви появлялись плотники, каменщики или маляры.

— Мы стараемся, чтобы она навевала одни только светлые мысли. И, с Божьей помощью, нам это удается, — ответила сестра-наставница. Габриэлла опустила глаза, осознав, что неприлично таращится на молодого священника. В нем было что-то настолько притягательное, располагающее, что ей было очень трудно не смотреть на него. Чем-то — она даже сама не поняла, чем — он напоминал ей родного отца, каким Габриэлла его выдумала.

— Вы у нас в первый раз, святой отец? — поинтересовалась сестра Эммануэль.

— Во второй, сестра, — ответил тот. — Я замещаю отца О'Брайана. Он уехал в Рим по поручению архиепископа и будет некоторое время работать в Ватикане. А меня зовут Джо Коннорс, отец Джо Коннорс.

— Как это интересно! — несколько непоследовательно воскликнула наставница, имея в виду, несомненно, ватиканскую командировку старого отца О'Брайана. Габриэлла скромно промолчала.

— А вы, должно быть, одна из новоначальных послушниц? — спросил отец Коннорс, обращаясь непосредственно к ней, и Габриэлла молча кивнула. Она боялась, что священник может узнать ее по голосу. Одновременно она пыталась представить себе этого великана с подбитым глазом. Получилось так смешно, что она чуть не фыркнула, но сдержалась.

— Это наша сестра Бернадетта, — с гордостью представила ее сестра-наставница. Она давно знала и любила Габриэллу, к тому же теперь молодая девушка была лучшей ее ученицей. Когда Габриэлла решила вступить в орден, сестра Эммануэль радовалась этому едва ли не больше всех.

— Сестра Бернадетта живет в монастыре с десяти лет, — добавила мать-наставница. — Сначала она была просто пансионеркой, а теперь решила поступить в орден. Мы очень гордимся ею.

— Вот как? — Отец Коннорс внимательно посмотрел на Габриэллу и протянул ей руку. — Рад познакомиться с вами, сестра.

Он тепло улыбнулся ей, и Габриэлла, совладав со смущением, ответила ему такой же открытой улыбкой.

— Мне тоже очень приятно, святой отец. Боюсь только, сегодня мы слишком задержали вас.

Она сразу подумала, что отец Коннорс узнал ее. Однако он ничем не показал этого. Да и что он мог сказать? «Ах, это вы так ненавидите сестру Анну?..» Это было совершенно невероятно, однако при мысли об этом Габриэлла снова улыбнулась. Право, какое у нее сегодня легкомысленное настроение.

— Я люблю долгие исповеди, — признался отец Коннорс с чарующей улыбкой, которая, не будь он священником, могла бы завоевать ему сотни и сотни поклонниц. — Зато я налагаю короткие епитимьи, — добавил он и неожиданно подмигнул Габриэлле. Она, покраснев до корней волос, поспешно опустила взгляд. Да, он точно знал, кто она такая, и от этого ей хотелось одновременно плакать от стыда и смеяться от радости.

— Я очень рада слышать это, — промолвила она наконец чуть слышно. — Ужасно часами стоять на коленях и класть сотни поклонов! Всем сразу видно, какая ты грешница... Короткие епитимьи нравятся мне гораздо больше.

— Я это учту, — кивнул отец Коннорс, бросая незаметный взгляд на часы. — Теперь я появлюсь у вас только через неделю — еду в Бостон по делам епископства. Следующую исповедь будут принимать отец Джордж и отец Иосиф.

— Счастливого пути, святой отец, — сказала сестра-наставница, и отец Коннорс, попрощавшись с обеими, быстро ушел.

— Какой приятный молодой человек, — заметила сестра Эммануэль, беря Габриэллу под руку и выходя с ней из церкви. — Признаться, я не знала, что отец О'Брайан собирается ехать в Рим. Вообще в последнее время я почти все новости узнаю последней — вы, девочки, доставляете мне слишком много хлопот. Впрочем, к тебе, Габи, это не относится. Если бы все были такими, как ты, то, наверное, должность наставницы была бы вовсе не нужна.

Потом они пожелали друг другу доброй ночи, и Габриэлла отправилась к себе, от души надеясь, что сегодня она больше не увидит сестру Анну. Та частенько следила за ней, выжидая случая выпалить очередную нелепость. Сейчас это было бы слишком тяжело.

К счастью, сестры Анны нигде не было, и Габриэлла без помех добралась до своей комнаты.

Ее соседки по дортуару уже спали. К счастью, это были тихие и дружелюбные девушки. Ложась на постель, Габриэлла мельком подумала о том, какой была бы ее жизнь, если бы ее поселили с сестрой Анной.

Но мысль эта исчезла так же быстро, как и появилась. Габриэлла вспомнила молодого священника, который исповедовал ее сегодня. Такой умный, добрый, внимательный. Мудр не по возрасту. И, если совсем честно, очень хорош собой. Габриэлла тихо ахнула, подумав об этом. В таком месте, в такое время — совершенно возмутительные мысли. Как бы там ни было, отец Джо Коннорс очень помог ей.

«Надо будет поговорить завтра с сестрой Анной, — подумала Габриэлла, борясь со сном. — Не может быть, чтобы после исповеди у Джо Анна не переменилась ко мне. Мы помиримся и, может быть, даже станем друзьями...»

В полудреме Габриэлла и не заметила, что назвала святого отца по имени. Она знала только одно: впервые за много недель к ней вернулись прежнее хорошее настроение и спокойствие. И за это она должна была благодарить только одного человека, у которого были такие внимательные голубые глаза и такой мягкий, приятный баритон. Интересно, как в его устах прозвучали бы нежные признания?.. О Боже!

Путая слова, знакомые чуть не с самого детства, Габриэлла прочла про себя последнюю молитву и уснула крепким, спокойным сном. В эту ночь ни один кошмар не потревожил ее.

Среди ночи Габриэлла, правда, проснулась, но не от того, что ей снова приснилась мать. Ее разбудило ощущение спокойного, безмятежного счастья, о котором она не смела даже мечтать. Сев на кровати, Габриэлла посмотрела на спящих сестру Софию и сестру Летицию, и ее сердце сжалось от сладкой боли. Она поняла, как она любит монастырь, любит настоятельницу, сестер и все, что ее здесь окружает. У всех них были общие дела и общая цель, способные сделать счастливым каждого, кто решил посвятить им свою жизнь. Именно такого служения Габриэлла, сама того не понимая, хотела всю жизнь, и вот теперь Господь открыл ей ее истинное предназначение. До сегодняшней ночи она продолжала сомневаться в правильности своего же решения сделаться монахиней, теперь же это стало единственным, ради чего Габриэлла жила.

Под утро Габриэлла снова заснула, но, перед тем как провалиться в сон, она успела еще раз с благодарностью подумать об отце Коннорсе. Он вернул ее на путь истинный. Габриэлла порадовалась, что через неделю снова услышит и увидит его. Ей даже казалось, что молодой священник понимает ее гораздо лучше, чем престарелый отец О'Брайан. Что ж, быть может, это Господь внял наконец ее молитвам и послал ей Джо...

И с мыслью о том, как удачно все складывается, Габриэлла заснула окончательно и не просыпалась до тех пор, пока звон колоколов не поднял ее на утреннюю молитву благодатному Иисусу.

Глава 9

Остаток недели пролетел незаметно. Молодые кандидатки не покладая рук трудились от зари до зари. Габриэлле этого казалось мало, и она решила дополнительно работать в саду. Она давно мечтала расширить посадки овощей, к тому же этот неспешный и однообразный труд очень способствовал размышлениям и молитвам. Вечером Габриэлла по-прежнему пыталась писать, но, слишком уставая за день, сумела закончить только несколько коротких стихотворений и сказок. Работа над книгой, которую она давно задумала, совсем не шла. Надо сказать, что нападки сестры Анны внесли в жизнь Габриэллы сумятицу и тревогу. Несколько раз неугомонная послушница из Вермонта говорила ей прямо в лицо, что нечего, дескать, кичиться своим писательским мастерством, все равно у нее ничего не получится. Это, разумеется, были просто слова, глупые и завистливые, но странным образом они застряли в памяти и мешали Габриэлле сосредоточиться. Не раз она в отчаянии отодвигала от себя исчерканные, смятые листки. Габриэлла ничего не могла с собой поделать — она верила сестре Анне, которая обладала над ней какой-то гипнотической, почти сверхъестественной властью.

На самом деле, конечно, сестра Анна была здесь ни при чем. Любой человек, ведущий себя подобным образом, мог смутить Габриэллу. Настолько она сама не верила в свои силы и сомневалась в каждом написанном слове. Кому это надо — читать ее рассказы? Нелепо даже называть это работой. Так — приятное времяпрепровождение, отдушина, сквозь которую она могла без страха смотреть на внешний мир.

Ничего удивительного, что злые слова сестры Анны легко нашли путь к сердцу Габриэллы.

В конце недели в монастырь снова приехал отец Коннорс. Он отслужил воскресную мессу и прошел в исповедальню, к которой тотчас же выстроилась очередь из монахинь и послушниц.

Габриэлла встала в эту очередь одной из последних. Она думала, что ей придется напоминать отцу Коннорсу о себе, однако он сразу узнал ее по голосу и поинтересовался, как идут дела. У него была очень свободная манера слушать исповедь. Габриэлла подумала, что в его устах даже освященные веками католические формулы звучат по-человечески тепло. Впрочем, исповедь, кто бы ее ни вел, всегда приносила ей значительное облегчение. Только в исповедальне Габриэлла чувствовала, что ей действительно прощаются все те ужасные грехи, о которых она боялась не только говорить, но и думать. И только после исповеди и святого причастия Габриэлла не чувствовала себя неисправимой, насквозь порочной и безнадежной.

Отвечая на вопрос отца Коннорса, Габриэлла сказала, что много молилась и их отношения с сестрой Анной стали несколько лучше. Потом она призналась еще в нескольких мелких грехах. Слишком многое казалось ей греховным, когда она думала о собственных поступках. Коннорс, велев Габриэлле пять раз прочесть «Отче наш...», отпустил ее с миром.

Габриэлла думала, что на этом все и кончится, однако они неожиданно увиделись еще раз. Когда, прочтя положенные молитвы, она вместе с другими монахинями пришла завтракать в трапезную, то увидела там отца Коннорса, который сидел за столиком матушки Григории и пил кофе. Заметив ее, священник приветливо помахал Габриэлле рукой, и она смущенно улыбнулась в ответ, снова подумав о том, как же он все-таки похож на ее отца. Правда, отец Коннорс был намного выше и шире в плечах, однако в его жестах, в движениях и улыбке Габриэлле чудилось что-то до боли знакомое.

Она долго раздумывала об этом странном сходстве, и поэтому замечание, которое отпустила в ее адрес сестра Анна, застало Габриэллу врасплох.

— Ты еще не рассказала сестре-наставнице об отце Коннорсе? — спросила та, когда после завтрака они с Габриэллой отправились работать в саду.

Габриэлла удивленно вскинула на нее глаза.

— Об отце Коннорсе? — переспросила она. — А что я должна была рассказать о нем сестре Эммануэль?

— О нем и о себе, — ответила сестра Анна со злобным смешком. — Все заметили, как бесстыдно ты пялилась на него в прошлый раз после исповеди. А сегодня так просто в открытую флиртовала с ним в столовой.

В первое мгновение Габриэлла решила, что сестра Анна шутит. Она не допускала и мысли, что все это может быть сказано серьезно. Да нет, сестра Анна, конечно, шутит, правда, несколько странновато. Габриэлла махнула рукой и, рассмеявшись, продолжила пропалывать только что взошедший базилик.

Она уже почти забыла о сестре Анне, задумавшись за работой. Но та пристально смотрела на Габриэллу, так что она наконец почувствовала неприязненный взгляд.

— Но это действительно смешно, Анна! — воскликнула Габриэлла, выпрямляясь.

— Ничего смешного, — сердито отрезала сестра Анна, на щеках которой пылали два алых пятна. — Я говорила совершенно серьезно. И если ты хочешь быть хорошей послушницей, ты должна сама рассказать об этом сестре Эммануэль.

— Не говори глупости, — Габриэлла с трудом сдерживала растущее раздражение. Она уже почувствовала, Анна нашла новый предлог, чтобы изводить и мучить ее. Обычно этой злобной девице удавалось заставить Габриэллу почувствовать себя виноватой, хотя на самом деле та не совершала ничего предосудительного. Но сейчас Габриэлла была абсолютно уверена в своей правоте.

— Я разговаривала с ним только на исповеди, — добавила она, стараясь смягчить прозвучавший в ее голосе гнев.

— Это ложь, и ты это прекрасно знаешь, — торжествующе уличила ее сестра Анна. Боже мой, да она была чуть ли не счастлива! Габриэлла почти пожалела ее. Она знала, что жизнь обошлась с девушкой неласково. В монастырь ее привело горькое разочарование во всех и вся, и, судя по всему, раны были еще свежи.

— Ложь? — переспросила Габриэлла.

— Да! — воскликнула Анна, и в голосе ее слышалось ликование. — Я сама видела, как он смотрел на тебя в трапезной. И если ты не расскажешь об этом сестре Эммануэль, я сделаю это за тебя.

Теперь уже Габриэлла выпрямилась во весь рост и гневно нахмурилась.

— Не забывайся, сестра, — строго сказала она. — Ты говоришь не о ком-нибудь, а о священнике — о человеке, который посвятил себя Богу и который приезжает к нам в монастырь, чтобы отслужить мессу и выслушать наши исповеди. Мысли твои греховны, и душа твоя погружена во мрак. Ты не имеешь права подвергать сомнению добродетель священника!

— Священника? Ха!.. Может быть, он и священник, но все равно мужчина, а не евнух. А все мужчины одинаковы, можешь мне поверить. Они думают только об одном... Я-то знаю это лучше, чем ты, красотка.

Сестра Анна была прекрасно осведомлена о том, что Габриэлла с самого детства жила в монастыре и вела поистине затворническую жизнь. А сестра Анна уже почти вступила в брак, да только жених за несколько дней до свадьбы сбежал с ее лучшей подругой. Иначе ей бы и в голову не пришло поступить в этот дурацкий монастырь. Так что сестра Анна считала себя искушенной в вопросах секса.

— То, что ты говоришь и думаешь, просто... отвратительно! — возразила Габриэлла. — Будь я на твоем месте, я бы скорее откусила себе язык, чем сказала что-то подобное о священнике. По-моему, это не мне, а тебе пора пойти к сестре Эммануэль и честно рассказать ей о том, какие гадости приходят тебе в голову. И я догадываюсь, что тебе скажет наша наставница. Она скажет, что тебе не хватает веры, сестра Анна. Веры, терпимости, целомудрия и... многих других вещей.

С этими словами Габриэлла вернулась к работе. Она все еще была очень сердита и почти до самого полудня, пока обе девушки трудились в саду, не проронила ни слова. Незадолго до обеда сестра Анна ушла в трапезную, чтобы помочь накрывать столы, а Габриэлла осталась в саду, чтобы закончить грядку.

Она очень старалась выбросить из головы слова сестры Анны, и в конце концов ей это удалось. Когда Габриэлла вернулась в свою комнату, чтобы вымыть руки и прочесть полуденные молитвы, она была почти спокойна, и к ней начинало возвращаться хорошее настроение. «Не стоит сердиться на сестру Анну, — думала она. — Бедняжка все никак не может смириться с тем, что с ней случилось, вот и злится, выдумывает всякие глупости. Разве можно говорить такое о Джо? Ведь он служит только Богу и утешает нас от Его имени. Как можно подозревать его в плотских страстях?»

Она не заметила, что снова — пусть только в мыслях — назвала отца Коннорса по имени. Габриэлла была совершенно уверена, что не испытывает к нему ничего, кроме чувства благодарности и восхищения.

Остаток выходного дня прошел спокойно. Габриэлла больше не сталкивалась ни с сестрой Анной, ни с отцом Коннорсом, который вскоре после завтрака уехал к себе в приход. Она не видела его и не думала о нем до следующих выходных, когда он снова приехал в монастырь, чтобы отслужить праздничную мессу по случаю Вербного воскресенья. По обычаю, после службы монахини завтракали в саду, и матушка Григория пригласила отца Коннорса присоединиться к трапезе.

Габриэлла думала, что отец Коннорс сразу же уедет, но, когда после завтрака она гуляла в саду, все еще держа в руках освященную пальмовую ветвь, отец Коннорс неожиданно нагнал ее и пошел рядом.

— Добрый день, сестра Бернадетта, — приветливо поздоровался он. — Матушка Григория сказала мне, что всю эту неделю вы провели в трудах на благо Господне. Как я понял, вы пололи грядки и сажали помидоры, не так ли?

Габриэлла посмотрела на него, но, не уловив в глазах ни тени насмешки, кивнула.

— Да, на благо Господа и сестер. Мне хотелось, чтобы они почаще ели свежие овощи со своего огорода.

— Должно быть, у вас легкая рука, сестра, — сказал отец Коннорс, разглядывая длинные и ровные грядки, на которых зеленела густая помидорная рассада. — В наших широтах в это время года такое можно увидеть только в теплицах. Вы покупали рассаду?

— В основном, — смущенно улыбнулась Габриэлла. Ей не хотелось говорить ему, что она все вырастила сама — в ящиках из-под чая и макарон, которые стояли в монастырской кухне у самого большого и светлого окна.

— Что ж, когда будете снимать урожай — пришлите немного помидоров в наш приют Святого Стефана. Наши ученики тоже будут рады овощам, которые вырастила одна скромная сестра из обители Святого Матфея.

В его голубых глазах запрыгали искорки смеха, и Габриэлла покраснела.

— Кто вам рассказал?.. — прошептала она.

— Сестра Эммануэль. Она утверждает, что вы выращиваете самые лучшие овощи и что вашими стараниями монастырь скоро перейдет на полное самообеспечение по этой части.

Габриэлла улыбнулась.

— Должно быть, за это меня и терпят в монастыре, — пошутила она, все еще испытывая некоторую неловкость.

— Я уверен, что тому есть и множество других причин, — мягко сказал отец Коннорс. Он приезжал в этот монастырь всего в четвертый или в пятый раз, однако — никого особенно не расспрашивая — он почти сразу понял, как сильно любят Габриэллу — или сестру Бернадетту — все монахини и послушницы. Ему было известно и то, что с того самого дня, как Габриэлла попала в монастырь, настоятельница взяла ее под свое крыло, фактически заменив девочке родную мать. Габриэллу просто нельзя было не любить, и дело было не только в ее внешности. Эта девочка (а отец Коннорс легко различал в нынешнем облике Габриэллы ту маленькую и хрупкую девочку, какой она была десять или двенадцать лет назад) излучала какую-то особую благодать, и воздействие ее незримой ауры было неодолимо сильным. То, как она двигалась, как держалась, как говорила — негромко, опустив долу свои большие голубые глаза, — скорее пристало бы небесному ангелу, а не земному существу. Врожденное изящество Габриэллы, ее мягкость и душевная чуткость не могли не тронуть и самое черствое сердце.

И, кроме всего прочего, Габриэлла была очень красивой девушкой. Сама она, впрочем, вряд ли отдавала себе в этом отчет, поскольку собственная внешность никогда ее не заботила, однако даже в простом платье послушницы она выглядела так, как большинство женщин могли только мечтать. Даже будучи священником, отец Коннорс не мог не оценить этого. Смотреть на Габриэллу было все равно что любоваться прекрасной картиной, статуей или любым другим великим произведением искусства, от которого невозможно отвести глаз. Ее внутренний свет невольно притягивал к себе взгляд, да так, что любому, кто один раз увидел ее, хотелось смотреть на нее без конца. Отец Коннорс тоже не был исключением. Он смотрел и смотрел на нее, и сила, которая наполняла Габриэллу изнутри и освещала ее лицо, казалась ему поистине божественной.

Между тем Габриэлла провела его от помидорных грядок в ту часть сада, где росли посаженные ею же кусты клубники, смородины и даже два деревца карликовой вишни, которые только-только начинали цвести.

— Я могла бы посадить еще немного клубники специально для школы Святого Стефана, — смущаясь, сказала она. — Думаю, это еще не поздно сделать. Но даже если она не успеет созреть, мы все равно сможем поделиться с вами. В прошлом году у нас выросло столько ягод, что мы все просто объелись, и еще несколько ящиков отправили в детскую больницу. В июле поспеет смородина. Вот только малину я не успела пересадить к западной стене. В тени она плохо плодоносит.

Габриэлла смущенно потупилась, почувствовав, что снова увлеклась. Этак отец Коннорс может подумать, будто она считает, что здесь все только на ней держится...

Отец Коннорс действительно улыбнулся. Но он просто вспомнил свое детство, прошедшее в Огайо.

— Когда я был мальчиком, я очень любил ежевику — она похожа на малину, только цвет у ягод черный, и гораздо больше колючек. В приют я возвращался исцарапанный с ног до головы, как будто меня кошки драли, и все щеки у меня были в соке. — Он покачал головой. — Однажды я съел столько ежевики, что потом у меня целую неделю болел живот. Воспитатели говорили, это Бог наказал меня за мою жадность. Впрочем, как только меня выпустили из лазарета, я снова начал совершать свои экспедиции в ежевичные дебри... Тогда мне казалось, что эта черная ягода стоит всех страданий.

— Вы воспитывались в приюте, святой отец? — переспросила Габриэлла. Ей так редко удавалось поговорить с новым человеком, что она не сумела сдержать любопытства. Биографии всех сестер она знала почти наизусть. Кроме того, с отцом Коннорсом она чувствовала себя просто на удивление легко и свободно, хотя обычно, сталкиваясь с кем-то, кто не принадлежал к ее миру, она от застенчивости не могла связать и двух слов.

— Да, в приюте Святого Марка, — ответил отец Коннорс. — Мои родители умерли, когда мне было четырнадцать. Других родственников у меня не было, поэтому меня сразу направили в городской сиротский приют, который опекал Орден францисканцев. Все приютские воспитатели и учителя были монахами, но если бы вы знали, сестра, какими они были внимательными и заботливыми!..

И, вспомнив об этом, он снова улыбнулся — тепло и чуточку печально.

— Моя мать бросила меня, когда мне было десять, — негромко сказала Габриэлла и, отвернувшись, стала глядеть в сад. Но отец Коннорс уже знал ее историю.

— Неисповедимы пути Господни, — промолвил он. Из ее исповеди он уже понял, что Элоиза Харрисон была во всех отношениях необычной женщиной. «Редкостный экземпляр», — как сказал бы про нее его любимый учитель отец Пол. В устах старого монаха это было самое страшное ругательство. Как и те немногие, кто знал или догадывался о том, какова была ее прежняя жизнь, — молодой священник считал, что монастырь стал для нее избавлением.

— Почему она бросила тебя? — поинтересовался он сейчас.

— Как раз в это время она развелась с отцом и вышла замуж во второй раз, — тихо ответила Габриэлла. — Я думаю, что в ее новой жизни для меня просто не нашлось места. Мой отец оставил нас за год до того — он тоже женился на другой женщине. Мама считала, что я в этом виновата... Как, впрочем, и во всем остальном.

Отец Коннорс с сочувствием посмотрел на Габриэллу.

— И ты... действительно чувствовала себя виноватой? — спросил он, и Габриэлла только сейчас заметила, что он перешел на «ты». Правда, он говорил ей «ты» во время исповеди, но тогда она была для него просто «сестрой Берни». Сейчас же они разговаривали как два обычных человека, чьи жизни сложились трагично и у которых было друг с другом много общего.

Что касалось отца Коннорса, то он совершенно не думал о том, на «ты» или на «вы» он обращается к Габриэлле. Ему нравилось разговаривать с ней, и он хотел получше разобраться в том, почему она решила стать монахиней.

— Я всегда верила матери... что бы она обо мне ни говорила. Тогда я думала, что если бы мама была не права, отец заступился бы за меня, помог мне. Но, поскольку он никогда этого не делал, я считала, что она сердится и... и наказывает меня не зря. В конце концов, они же были моими родителями.

— Какая печальная повесть, — мягко сказал отец Коннорс, и Габриэлла посмотрела на него с улыбкой. Ее участь действительно была незавидной, но сейчас, после того как она десять лет прожила в атмосфере всеобщей любви и безопасности, прошлое начинало казаться ей бесконечно далеким. Умом она сознавала, что все это было на самом деле, но порой у нее появлялось такое ощущение, что это было не с ней, а с кем-то другим.

— Вам, должно быть, тоже тяжело пришлось, — сказала она. — Ваши родители... они, наверное, погибли в какой-нибудь аварии?

В разговоре с кем-нибудь другим она ни за что бы не осмелилась расспрашивать, но с отцом Коннорсом все было совершенно иначе. Они беседовали уже почти час, но никто из них не замечал течения времени. Разговаривать с ним было очень легко — должно быть, потому, что он умел слушать и даже молчал так, что Габриэлла продолжала ощущать его теплое участие.

— Нет, — ответил он и покачал головой. — Мой отец умер от внезапного сердечного приступа, когда ему было всего сорок два года. А мама... она покончила с собой три дня спустя. Тогда я еще не понимал, что с ней происходит, — наверное, от горя и от неожиданности у нее просто помутился рассудок. Быть может, если бы кто-то был рядом с ней, или, скажем, она побеседовала со священником, ее можно было спасти. Наша семья никогда не была особенно религиозной... — Он немного помолчал. — Вот почему эти вещи имеют для меня такое большое значение. Сочувствие, дружеский совет, простое внимание могут творить настоящие чудеса. Во всяком случае, они помогают людям взглянуть на многое по-иному, и тогда мир сразу перестает быть унылым, безнадежным и враждебным.

Габриэлла только кивнула, гадая, смог бы кто-нибудь помочь ее матери. Отец Коннорс между тем продолжал:

— Прошло много лет, прежде чем я сумел простить мать за то, что она сделала. Сейчас-то я, конечно, понимаю ее гораздо лучше. Каждый день ко мне приходят люди — много людей, — которые чувствуют, что жизнь загнала их в угол, и у многих из них ситуация еще хуже, чем была у моей мамы. Я помогаю им как могу... Они напуганы, сломлены, раздавлены и зачастую не видят выхода. Главная их беда в одиночестве. Часто бывает так, что человеку просто не с кем поговорить о своих проблемах, и от этого трудности начинают казаться ему непреодолимыми. Тогда люди впадают в панику, в уныние и порой решаются на самые отчаянные поступки.

— Когда вы решили стать священником? — спросила Габриэлла, когда они повернули и все так же медленно побрели по садовой дорожке обратно.

— Я поступил в семинарию сразу после окончания школы, но идея пришла ко мне раньше, лет в пятнадцать. И мне до сих пор кажется, что ничего лучшего я не мог бы выбрать. Должно быть, сам Господь помог мне найти мое призвание.

Тут Габриэлла снова посмотрела на него. Она по-прежнему считала, что отец Коннорс слишком высок ростом и слишком атлетично сложен, чтобы по-настоящему быть похожим на священника. Даже его стоячий романский воротничок с белой полоской вместо галстука казался неуместным на человеке с такой мощной шеей и такими широкими плечами. Правда, подбородок у Джо был мягким — округлым по форме и с небольшой уютной ямочкой.

— Думаю, ваши одноклассницы были изрядно разочарованы вашим выбором.

— Вряд ли. — Отец Коннорс слегка повел своими могучими плечами. — Я редко с ними общался. В приюте, как ты понимаешь, были одни мальчишки; с девочками я сталкивался только в школе, в которой я учился до того, как умерли мои родители. Но в детстве я был слишком стеснительным, чтобы встречаться с кем-то из одноклассниц. К тому же мой путь был указан мне Богом, и я никогда не сомневался в том, что поступаю правильно.

— И я тоже не сомневаюсь, — призналась Габриэлла. — Правда, я, быть может, слишком долго колебалась, прежде чем принять решение. Монахини, с которыми я жила, все время говорили о «призвании», о «голосе свыше», но я ничего подобного не слышала и, откровенно говоря, считала себя слишком плохой, чтобы служить Богу. Но сейчас я ни о чем не жалею.

Отец Коннорс кивнул. Он прекрасно понял ее. Путь служения, который они для себя выбрали, казался им единственным. Оба они были рождены для такого пути.

— У тебя есть еще достаточно времени, чтобы утвердиться в своем решении, — сказал он на всякий случай, и Габриэлла поняла, что с ней снова говорит священник, а не просто друг. Наморщив лоб, она отрицательно покачала головой.

— Мне это уже не нужно. Я долго колебалась, но это было до того, как я поступила в группу кандидаток. Вы ведь знаете, я закончила факультет журналистики в Колумбийском университете... Именно там я поняла, что не хочу больше возвращаться в мир. Для меня это было бы слишком тяжело. Я никогда не ходила в кино, никогда не бегала на свидания... Если бы мне пришлось встречаться с мужчиной, я, наверное, просто не знала бы, что ему сказать... — Тут она улыбнулась отцу Коннорсу, забыв, что он тоже мужчина. — И еще, я не хотела бы иметь детей. Никогда, — закончила она решительно.

Это заявление показалось отцу Коннорсу непонятным, а решимость, с которой Габриэлла произнесла эти слова, просто потрясла его.

— Почему? — спросил он удивленно.

— Я очень боюсь, что буду вести себя с ними, как моя мать. Ведь это могло передаться мне по наследству, не так ли? Что, если тот же злой демон сидит и во мне?

— Это просто глупо, сестра! — почти сердито сказал отец Коннорс. — Почему, собственно, проклятье, которое довлело над твоей матерью, непременно будет и твоим проклятьем? Законы наследственности здесь совершенно ни при чем. Я знаю много людей, у которых было очень трудное детство, но сами они оказались превосходными родителями.

— Но что, если это все-таки случится? — тихо спросила Габриэлла, опуская голову, и глаза ее полыхнули упрямым огнем. — Что мне тогда делать? Оставить своих детей в ближайшем монастыре, а самой бежать куда-нибудь на другой конец страны? Я не хотела бы рисковать подобным образом, тем более что рискую-то я не своей собственной жизнью, а чужой! Ведь я знаю, что это такое, святой отец, я сама через это прошла!

— Это, наверное, очень тяжело — знать, что тебя бросила родная мать, — печально согласился отец Коннорс, вспоминая тот далекий день, когда он обнаружил труп своей матери. Он так и не смог забыть этой картины, хотя с тех пор прошло более пятнадцати лет, посвященных молитвам и служению Богу. Мать лежала в ванне, и вода в ней была черной от крови — она перерезала себе вены старой бритвой отца. Но больше всего Джо поразило не это: в первый и последний раз он видел свою мать голой.

— Да, тяжело, — согласилась Габриэлла. — Но для меня это было и огромным облегчением. Когда я убедилась, что останусь в монастыре, что мне ничто не грозит и что весь этот кошмар остался в прошлом, я готова была петь и смеяться от радости. Я до сих пор считаю, что матушка Григория спасла мне жизнь. Она заменила мне и отца, и мать, и родных, которых у меня никогда не было.

— Я разговаривал с ней на днях, — сказал отец Коннорс. — Она очень рада, что ты решила остаться и вступить в орден. Из тебя выйдет добрая монахиня, сестра Берни. Я знаю, что ты — хороший, добрый, совестливый человек, наделенный удивительным терпением и чувством смирения. А для служения Богу это самое главное.

— Спасибо вам за добрые слова, святой отец, — ответила Габриэлла смущенно. — Вы... вы тоже добрый, внимательный и чуткий. И вы мне очень помогли.

Она снова смутилась и покраснела. Врожденная стеснительность вернулась к ней, когда она заметила, что они вернулись в переднюю часть сада, где еще стояли оставшиеся от завтрака столы. До этого ей казалось, что они одни во всем мире, и сейчас она с удивлением заметила нескольких девушек из своей группы, которые снимали со столов скатерти.

— Берегите себя, сестра, — ласково сказал отец Коннорс и, попрощавшись с Габриэллой, вернулся в церковь, чтобы забрать свой черный кожаный портфель. Монастырь Святого Матфея нравился ему все больше и больше; незаметно он сделался важной частью его жизни. Какое послушание изберет для себя сестра Бернадетта, он не знал; легче всего было представить, как она заботится о детях, лечит их, утешает, рассказывая на ночь удивительные сказки о добрых феях и эльфах с крошечными фонариками, которые с наступлением сумерек вылетают в луга и на поляны, чтобы водить свои таинственные хороводы среди цветов и трав. (Тут он, сам того не подозревая, попал в точку — буквально на днях Габриэлла написала волшебную сказку, которая, по ее замыслу, должна была стать первой из целой серии историй для воспитанников школы Святого Стефана.)

Он забрал свои вещи и, попрощавшись с несколькими пожилыми монахинями и настоятельницей, вышел за ворота монастыря. Габриэлла в это время — засучив рукава и подоткнув подол платья — уже драила кухонный пол вместе с двумя другими кандидатками. Она была так занята, что не заметила ни одного из тех злобных взглядов, что бросала на нее сестра Анна, несколько раз заходившая в кухню за какой-то надобностью.

Точно так же часом раньше она не заметила и матушку Григорию, которая, стоя у окна своей кельи, внимательно наблюдала за своей воспитанницей, прогуливавшейся по саду в обществе молодого священника. Правда, Габриэлла и отец Коннорс не делали ничего предосудительного, однако старая настоятельница сразу подумала, что они могли бы быть потрясающей парой. И чем чаще Габриэлла улыбалась отцу Коннорсу, тем мрачнее и сосредоточеннее становилось лицо старой монахини.

Матушка Григория думала об этом до самого вечера, но, когда за ужином она снова увидела Габриэллу, у нее язык не повернулся что-то ей сказать. Молодая девушка казалась такой веселой и была столь очевидно счастлива своей жизнью в монастыре, что беспокойные настроения оставили настоятельницу. «Просто я становлюсь старой и мнительной», — решила матушка Григория, вспоминая внезапный приступ страха, ледяной рукой сжавший ее сердце, когда она подошла к окну и увидела в дальнем конце сада Габриэллу и священника. «И глупой...» — добавила она про себя. В конце концов, она достаточно хорошо знала Габриэллу, чтобы не волноваться на ее счет.

На следующей неделе в монастырь приезжал другой священник. Отцу Коннорсу пришлось снова отправиться в поездку по делам епископства, и он сумел вернуться в Нью-Йорк только накануне Пасхи. Всю Страстную субботу отец Коннорс выслушивал исповеди монахинь и послушниц, которые от души радовались его возвращению. В монастыре Святого Матфея все уже знали, что от других священников его отличало неформальное отношение к таинству исповеди и редкое чувство юмора, приносившее кающимся значительно большее облегчение, чем самые долгие молитвы. Это признавали все, в том числе сестра Эммануэль и наставница новицианток сестра Иммакулата, которые, дождавшись, пока отец Коннорс выйдет из исповедальни, пригласили его на утреннее разговение.

— С удовольствием приду, если мать-настоятельница

не будет иметь ничего против, — ответил отец Коннорс, отдуваясь и вытирая полотенцем блестящее от пота лицо. (Он провел в душной исповедальне несколько часов кряду и совсем запарился.)

— Не думаю, чтобы матушка Григория возражала. Но я обязательно у нее спрошу, — сказала сестра Иммакулата со смущенной улыбкой. Когда-то она была очень красива, но время оставило на ее лице свой след. Сестра Иммакулата была монахиней уже больше сорока лет.

— Договорились, — кивнул отец Коннорс и улыбнулся в ответ. Он очень любил разговаривать со старыми монахинями — ему нравились их ясные, ничем не замутненные глаза, их светлые улыбки, их острый и наблюдательный ум и их уже почти неземная мудрость, которую молодой священник часто был не в состоянии постичь. Особенно он любил смотреть на их лица. Это были не лица, а лики, свободные от суеты мира. Каждая морщинка на них была руслом ручья, который во время молитвы наполняли слезами радости и умиления. Многие из них были по-настоящему стары, но и телом, и душой они были покрепче иных молодых, не познавших счастья монастырского служения.

— В этом году, — вставила сестра Эммануэль, — праздничную трапезу будут готовить для нас послушницы и кандидатки в орден. Скажу вам по секрету, святой отец, они начали еще вчера, и работы осталось еще довольно много...

И она стала с гордостью рассказывать о «своих девочках», которых готовила к новициату, и о том, какие блюда предназначены для празднования светлого Воскресения Христова.

— ...Будет индейка, будет копченый окорок, ветчина с медом, сладкая кукуруза, тушеная фасоль и картофельное пюре, не говоря уже о десерте... — тут сестра Эммануэль почувствовала, что она, пожалуй, слишком увлеклась перечислением, и замолчала, не упомянув ни о сладком рулете с маком, ни о булочках с корицей, ни о фруктовом желе с мятой, которое несколько старых монахинь взялись приготовить по особому рецепту.

— Что ж, звучит очень заманчиво, — согласился отец Коннорс. — Я обязательно приду.

Он давно знал, что завтра в обители ожидают гостей. Кроме двух священников, которые должны были отслужить праздничную мессу, на Пасху в монастырь обычно съезжались родственники и друзья монахинь и послушниц. Иногда их бывало так много, что все не помещались в трапезной, и тогда — если позволяла погода — разговение устраивали прямо в саду. В этом году весна выдалась ранняя и теплая, и молодой священник был уверен, что завтрашняя трапеза тоже пройдет под открытым небом.

— Могу я быть чем-нибудь полезен? — вежливо поинтересовался отец Коннорс. — Между прочим, один из наших прихожан прислал нам несколько ящиков отменного калифорнийского вина. Оно довольно слабое, так что если мать-настоятельница позволит, я мог бы привезти завтра два-три ящика.

— Это было бы чудесно, святой отец! — воскликнула сестра Иммакулата и просияла. Обычно матушка Григория не разрешала монахиням даже прикасаться к вину, но на Пасху она делала из этого правила исключение. Кроме того, гости из числа родственников и друзей тоже, наверное, были бы не прочь пропустить по стаканчику.

— Вы очень хорошо придумали, — согласилась и сестра Эммануэль. — В этом году мы как-то совсем забыли про вино, так что если вам это не трудно...

Ему было не трудно. Когда на следующий день отец Коннорс приехал в монастырь, на заднем сиденье его машины стояло целых шесть ящиков легкого калифорнийского вина, которое он привез, предварительно заручившись согласием матушки Григории. Легко выгрузив их на землю, он по два перенес их на монастырскую кухню и оставил на попечение пожилой монахини, наблюдавшей за подготовкой трапезы.

В кухне раздавалось гудение множества голосов и витали такие аппетитные запахи, что молодой священник поспешил выскочить на свежий воздух. Все-таки у женских монастырей есть, по крайней мере, одно неоспоримое преимущество перед мужскими. Впрочем, положа руку на сердце, он не мог сказать, что в приюте Святого Марка его кормили хуже, хотя все повара там были мужчины. Должно быть, в пище, приготовленной женскими руками, было что-то особенное, неповторимое. А может, подумал он, все дело в тоске по женской ласке, которая особенно сильна у сирот, оставшихся без матери.

Праздничную мессу должны были служить двое других священников, и отец Коннорс поспешил в церковь, чтобы успеть занять место на скамье. Празднично украшенная церковь уже была полна монахинями и их родственниками. Многие приехали с детьми, и огни множества свечей отражались в их изумленных глазенках. С главного распятия за алтарем был снят вышитый золотом покров, и распятый Христос возносился над хорами подобно взлетающей птице. Торжественно звучал орган и раздавались слова католических молитв, которые трогали сердца, хотя не все владели латынью настолько, чтобы понять их содержание.

В конце концов праздничное настроение овладело всеми, и, когда месса кончилась, собравшиеся, оживленно переговариваясь, вышли в сад. Молодые послушницы тотчас начали выносить из кухни подносы с едой и расставлять их на столах, уже накрытых белыми полотняными скатертями, покрытыми искусной ручной вышивкой. Среди них отец Коннорс увидел Габриэллу. Она и сестра София несли огромное фарфоровое блюдо, на котором лежали переложенные зеленью и рубленым яйцом куски копченого окорока, и молодой священник поспешил к ним на помощь. Приняв у них из рук тяжелое блюдо, он легко поднял его и поставил на середину ближайшего стола, где уже красовались тарелки с ветчиной и серебряные супницы с фаршированной индейкой. Из-под крышек супниц выбивался пряный парок. На отдельных столах громоздились рулеты, сладкие булочки с глазурью, бисквиты, ромовые бабы, домашнее мороженое и, конечно, желе, высокие зеленовато-льдистые конусы которого чуть подрагивали на плоских тарелках с золотым ободком.

— Вот это да! — воскликнул отец Коннорс и улыбнулся. — Лукуллов пир... У меня просто глаза разбегаются. Вы, сестры, определенно знаете, как сделать пасхальную трапезу незабываемой.

Габриэлла и София смущенно потупились, а сестра Эммануэль с достоинством кивнула. Она очень гордилась своими воспитанницами, которые блестяще справились с порученным им ответственным делом.

Праздничная трапеза продолжалась почти до полудня. К двенадцати часам все так наелись, что впали в какое-то сонное оцепенение. Многие остались за столами, остальные перешли в сад и расселись на траве под яблонями, неспешно переговариваясь и щурясь на высокое солнце.

Габриэлла как раз доедала последний кусок пирога с дикими яблоками, когда отец Коннорс снова подошел к ней. Всю трапезу он просидел за столом с настоятельницей. Матушка Григория говорила мало, однако у отца Коннорса сложилось впечатление, что она внимательно за ним наблюдает, пытаясь составить о нем свое мнение. Ничего удивительного или странного он в этом не нашел. В приходе Святого Стефана отец Коннорс был человеком новым; до своего назначения сюда он стажировался в Ватикане, а еще раньше — работал в Германии, так что интерес настоятельницы к его персоне был вполне объясним. Впрочем, молодой священник надеялся, что произвел на старую мудрую монахиню благоприятное впечатление.

— На вашем месте, сестра Берни, я непременно положил бы на пирог пару ложек ванильного мороженого, — шутливо посоветовал он. — Мы всегда так делали в приюте. Нас, надо сказать, кормили очень неплохо, и все-таки я еще никогда не ел так вкусно, как сегодня. Вам пора открывать собственный ресторан с монастырской кухней. Вы смогли бы заработать для ордена целое состояние.

Габриэлла подняла голову и рассмеялась шутке.

— Мы могли бы назвать его «У матушки Григории», — сказала она. — Думаю, ей бы понравилось.

— Или, может быть, просто «Веселые монашки». Подобные названия сейчас в моде, — сказал отец Коннорс. — Я слышал, в одной старой церкви в центре Нью-

Йорка недавно открылся бар, который называется «У старины Ииеуса». Вместо стойки они используют алтарь... — он покачал головой. То, что он сейчас говорил, отдавало святотатством, и они оба знали это, тем не менее Габриэлла снова рассмеялась. Все же Джо Коннорс счел за благо переменить тему.

— Когда мне было четырнадцать, я любил танцевать, — признался он, беря со стола чистую тарелку и кладя на нее ломтик ягодного рулета. Рулет оказался с его любимой ежевикой, и, откусив кусок, он зажмурился от удовольствия. — А вы любили танцевать, сестра?

Отец Коннорс снова перешел на «вы», но от этого он не стал казаться более далеким. Габриэлла чувствовала себя с ним как в обществе старого друга, и подобные незначительные формальности не имели никакого значения.

— Нет. — Габриэлла отрицательно покачала головой. — Я в монастыре с десяти лет, — добавила она зачем-то, хотя он это уже знал. — Но мне нравилось смотреть, как танцуют другие. Когда я была маленькой девочкой, мама... В нашем доме часто бывали танцевальные вечеринки, и я пряталась на верхних ступеньках лестницы и подсматривала. — Тут Габриэлла смущенно улыбнулась. — Мне не разрешали выходить к гостям, — пояснила она.

Отец Коннорс только печально вздохнул. Это была маленькая, но впечатляющая деталь, благодаря которой он мог лучше представить себе жизнь, которую Габриэлла вела до того, как попала в монастырь.

— А что за гости приходили к вам? — спросил он, не очень хорошо понимая, в каких кругах вращались родители Габриэллы. Она, правда, упоминала, что ее отец и мать были не из бедных, однако отцу Коннорсу не верилось, что образованные, обеспеченные, воспитанные в духе соблюдения всех светских условностей люди могли так обойтись со своей единственной дочерью.

— О, это были очень богатые и влиятельные люди... — Габриэлла прищурилась, вспоминая. — Банкиры, сенаторы, адвокаты, бывал даже один русский князь. Впрочем, тогда я не очень разбиралась, кто есть кто.

Мне они казались сказочными королями и королевами, и я мечтала, что когда я вырасту, то стану такой же, как они.

«К счастью, этого не произошло», — подумал отец Коннорс, когда Габриэлла неожиданно замолчала.

— О чем вы думаете, сестра Берни? — спросил он.

— О нашем доме, — просто ответила Габриэлла. — Я даже не знаю, что с ним стало. Быть может, мать продала его... Это было так давно.

— А где вы жили? — поинтересовался священник, кладя небольшой шарик мороженого на то, что осталось от ее пирога.

— Спасибо... — рассеянно поблагодарила Габриэлла. — Здесь, в Нью-Йорке, кварталах в двадцати отсюда. Вы знаете Шестьдесят девятую улицу в Ист-Сайде? Там у мамы был собственный дом с садом.

— И с тех пор ты... вы ни разу там не были? — удивился Джо Коннорс. Уж он-то точно бы побывал в своем старом доме. Ему было не совсем понятно, почему Габриэлла этого не сделала.

— Я думала об этом, когда училась в колледже, но... — Габриэлла пожала плечами и посмотрела на него своими большими голубыми глазами, которые были так похожи на его собственные. — У меня связано с ним слишком много тяжелых воспоминаний, и я не уверена, хочется ли мне видеть этот дом снова.

Он понял — теперь у нее была совсем другая, радостная и счастливая жизнь. От тех времен Габриэллу отделяла пропасть, и у нее не было никакого желания преодолевать ее в обратном направлении, двигаясь из настоящего в прошлое.

— Я мог бы заехать туда по дороге и посмотреть, на месте ли дом и кто в нем теперь живет, — предложил священник, и Габриэлла задумчиво кивнула. Это в самом деле была удачная мысль. Так она могла узнать все, что ее интересовало, не подвергаясь опасности, что стерегущие дом демоны воспоминаний снова возьмут ее след.

— Хорошо, — сказала она тихо. — Сделайте это для меня, если вам не трудно.

Она немного помолчала и неожиданно спросила.

— А вы сами?..

— Что? — не понял отец Коннорс.

— Вы сами возвращаетесь туда, где росли?

— Да, время от времени я езжу в приют. Впрочем, не я один — так поступают многие, кто там воспитывался. А дом моих родителей... — он немного помолчал, — его больше не существует. На этом месте теперь автомобильная стоянка. От всего детства у меня остался только Святой Марк.

Габриэлла кивнула, подумав о том, что их с Джо судьбы очень похожи. Правда, у него почти не было детских воспоминаний, в то время как у нее их было слишком много, но она не знала, что хуже. Как бы там ни было, им обоим удалось выжить, и они были благодарны за это судьбе, которая привела их в лоно церкви, где они сумели обрести утешение.

Полуденное солнце перевалило через зенит и заглянуло под куст китайской сирени, где сидели за столом Габриэлла и Джо. Она прищурилась, подставляя лицо ласковому теплу. Потом она перевела взгляд на своего собеседника и снова подумала о том, как он красив. Ей по-прежнему казалось странным, что Джо избрал для себя трудный и тернистый путь служителя Божия. Останься он в миру, он вполне мог бы стать киноартистом, спортсменом, знаменитым телеведущим, наконец.

Джо в этот момент тоже смотрел на нее и думал о том же самом, но ничего не сказал. Некоторое время они сидели молча, глядя на монахинь и гостей, которые расположились поблизости или прогуливались по дорожкам сада, негромко переговариваясь.

— Как это странно — не иметь семьи, — негромко сказал отец Коннорс. — В первое время в приюте я очень скучал по своим родителям, но потом привык. Директор приюта отец Пол фактически заменил мне отца. Каждый раз, когда по выходным я приезжал в приют из семинарии, у меня возникало такое чувство, будто я возвращаюсь домой...

Примерно то же самое испытывала и Габриэлла по отношению к монастырю, и это общее переживание сближало их особенно сильно. Одиночество, которое каждый из них познал и пережил, заставило их почувствовать в другом родственную раненую душу.

— Когда я только попала сюда, — негромко призналась Габриэлла, — у меня не было никаких других чувств, кроме облегчения. Я радовалась, что меня никто больше не будет бить, что я могу забыть о страхе и боли.

Отец Коннорс покачал головой. Это ему было трудно постичь, хотя, работая священником в больнице для детей малоимущих, он видел вещи и похуже. Часто он не мог сдержать слез при виде того, что люди способны сделать со своими собственными детьми. Но он никогда не представлял себя на месте беспомощного маленького существа, которое озверевший отец ежедневно бьет смертным боем. Он сочувствовал этим детям, но как бы со стороны; для того, чтобы, грубо говоря, влезть в их шкуру и немного походить в ней, ему не хватало ни воображения, ни душевных сил.

— Они... сильно тебя били? — спросил он тихо, и Габриэлла ненадолго задумалась. Потом она отвернулась и кивнула.

— Однажды я даже попала в больницу, — сказала она почти шепотом. — Мне там очень понравилось — врачи и сиделки были так добры ко мне... Почти как здесь, в монастыре. Я даже не хотела возвращаться домой, но боялась сказать об этом кому-нибудь. Я вообще никогда никому не говорила, откуда у меня синяки, ссадины, кровоподтеки. И мне все время приходилось врать, будто я упала с велосипеда или запнулась о собаку... хотя никакой собаки у нас, конечно, не было. Я боялась, что, если я проболтаюсь, мать просто меня убьет. Она могла это сделать, сотни раз могла, и я иногда даже удивляюсь, почему этого не случилось. Мать так ненавидела меня, хотя я до сих пор не понимаю — за что.

Габриэлла снова повернулась и посмотрела на молодого священника, который стал для нее не только исповедником, но и другом. Они были связаны друг с другом невидимыми нитями взаимного сочувствия и доверия.

— Должно быть, она ревновала к тебе, — предположил отец Коннорс. К этому времени он уже несколько раз переходил на «ты» и снова на «вы», и в конце концов так запутался, что сам предложил ей называть его просто по имени — Джо. Она тоже открыла ему свое подлинное имя, хотя все монахини и послушницы уже давно называли ее только сестрой Берни.

— Мне это уже говорили, — ответила Габриэлла. — Но я все равно не понимаю... Почему она ревновала к своему собственному ребенку? Почему?!

В ее глазах была боль воспоминаний. Мучительный вопрос этот сопутствовал ей всю жизнь. Но Джо Коннорс не знал ответа.

— Люди иногда ведут себя так, что понять их не может никто, в том числе и они сами. Как будто они сошли с ума. Быть может, и твою мать что-то беспокоило, мучило...

Но они оба знали, что сказать так было все равно, что ничего не сказать.

— А каким был твой отец? — спросил Джо, и Габриэлла ненадолго задумалась, словно подбирая слова.

— Н-не знаю, я не уверена... — промолвила она наконец. — Теперь мне иногда кажется, что я так и не узнала его как следует. Внешне он был очень похож на тебя... — Тут она улыбнулась. — Во всяком случае, таким я его помню. Или думаю — что помню. Он тоже боялся матери и никогда ей не перечил. Отец ни во что не вмешивался, даже когда она избивала меня у него на глазах. Он просто позволял ей делать все, что она хочет, и пил.

— Должно быть, отец чувствовал себя безумно виноватым перед тобой. Потому он и ушел, — предположил Джо. — Люди иногда сами убеждают себя в собственном бессилии.

Эти слова напомнили обоим о самоубийстве его собственной матери, но Габриэлле не хотелось развивать эту болезненную для него тему. Ей казалось, что это еще хуже того, что выпало на ее долю. Гораздо хуже.

— Знаешь, может быть, тебе стоит разыскать отца и поговорить с ним обо всем, — неожиданно предложил Джо, и Габриэлла невольно вздрогнула. Она сама часто думала о том же самом, и то, что Джо сейчас сказал об этом, поразило ее. Да, она отыщет отца и спросит у него прямо, почему он не защитил ее от матери, почему бежал к другой женщине, почему бросил свою единственную дочь на произвол безумного чудовища. Но это только когда она станет монахиней, а заповеди «Прости врага» и «Почитай отца своего» станут для нее законом, через который нельзя переступить ни при каких обстоятельствах. Пока же Габриэлла даже не знала, где ей следует искать мистера Джона Харрисона. От матери она слышала, что ее отец переехал в Бостон, но это было почти двенадцать лет назад.

— Он, наверное, даже не знает, где я, — неуверенно произнесла она. — Вряд ли мать известила его о том, что она бросила меня в этом монастыре. Несколько раз я пыталась поговорить об этом с нашей настоятельницей, но матушка Григория всегда говорила мне, что я должна перестать цепляться за прошлое и начать жить настоящим. Наверное, она права... — Габриэлла вздохнула. — С тех пор как папа ушел от нас, он ни разу не навестил меня, ни разу не позвонил и не написал. Наверное, и ему я тоже не нужна.

Тут ее взгляд сделался печальным. Джо понял, что вспоминать об этом Габриэлле все еще больно.

— Вероятно, твоя мать просто не позволяла ему встречаться с тобой, — сказал Джо, но Габриэллу это уже давно не успокаивало. Быть может, подумала она сейчас, матушка Григория права, и ей действительно пора перестать мучить себя воспоминаниями о прошлом, которое все равно нельзя ни изменить, ни поправить. Теперь у нее была совсем другая жизнь, и призраки страха и боли с каждым днем все больше и больше теряли над ней власть, хотя в отдельных случаях — особенно по ночам — они все еще будоражили ее память и терзали душу.

— А где сейчас твоя мать? — мягко поинтересовался Джо.

— В Сан-Франциско. Там она, во всяком случае, жила, когда мне исполнилось восемнадцать. Именно тогда она перестала посылать деньги за мое содержание. Мать платила монастырю за комнату и еду и даже трижды пожертвовала некоторую сумму на ремонт нашей церкви. Это... — Ее передернуло. — Это было как взятка за то, чтобы меня держали в монастыре до конца моих дней. Насколько я знаю, матушка Григория отправила эти деньги в другую обитель, где никто не знал, откуда они...

У Джо по-прежнему не укладывалось в голове, как могли родители Габриэллы просто взять и бросить ее — вычеркнуть ее из своей жизни, словно она умерла. Нет, хуже: словно ее никогда не существовало на свете.

«Никогда я этого не пойму», — подумал он и неловко пошевелился на скамье.

— Матушка Григория права — лучше об этом забыть, — просто сказал он. — Здесь тебя все любят, здесь ты можешь жить нормальной, спокойной жизнью, здесь, в конце концов, ты нашла свое призвание. Возможно, когда-нибудь ты станешь настоятельницей этого монастыря, и это будет только логично. Похоже, Господь неплохо распорядился нашими жизнями, ты не находишь?

Их взгляды встретились, и Габриэлла несмело улыбнулась. Да, она считала, что нашла свое счастье, но оно досталось ей слишком дорогой ценой. Какая-то часть ее словно застряла в прошлом, и извлечь ее оттуда, спасти не было никакой возможности. Но без этого она не могла чувствовать себя полноценным человеком — ей все время чего-то не хватало. И, судя по всему, что-то подобное ощущал и Джо.

Джо наклонился вперед и ласково потрепал ее по руке. Почувствовав его прикосновение, Габриэлла невольно вздрогнула. Его рука была такой твердой и сильной, и вместе с тем — такой горячей, что она снова подумала об отце. Он был единственным мужчиной в ее жизни, который прикасался к ней так.

Словно прочтя ее мысли, отец Коннорс медленно поднялся.

— Пожалуй, мне пора, — сказал он неловко. — Я должен отвезти обратно моих коллег. Они, я думаю, так наелись, что сами и шагу не смогут ступить. Кроме того, отец Питер весь день прикладывался к стаканчику и, должно быть, совсем осовел. Как бы нам не пришлось его нести.

Габриэлла представила себе пьяного священника, который, шатаясь и распевая церковные гимны, бредет по дорожке монастырского сада под любопытными взглядами послушниц и монахинь, и не сдержала улыбки.

— За кухней стоит тачка, на которой мы возим продукты, — сказала она и тоже поднялась. — В крайнем случае, можно будет ею воспользоваться. Впрочем, это, конечно, шутка. Я уверена, что отец Питер умеет держать себя в руках.

Она осмотрелась и увидела отца Питера, который как ни в чем не бывало беседовал с матушкой-настоятельницей. Второго священника, который служил сегодня мессу, нигде не было видно, однако Габриэлла не сомневалась, что он тоже встретил каких-то старых знакомых.

Потом из кухни появилась сестра Эммануэль. Она оглядывалась по сторонам с таким видом, словно собиралась скомандовать кандидаткам и послушницам начинать убирать со столов, и Габриэлла, привыкшая беспрекословно повиноваться своей наставнице, сделала непроизвольное движение в ее сторону. Но сестра Эммануэль вернулась в кухню, так ничего и не сказав, и Габриэлла с облегчением вздохнула. Ей, как и всем остальным, не хотелось, чтобы праздник кончался так скоро. Для нее это была самая счастливая в жизни Пасха, и не только из-за угощения, которое казалось невероятно вкусным после долгого поста, но и благодаря тому, что ей удалось поговорить с человеком, который понимал ее как никто другой.

Глядя на усталые, но довольные лица гостей и монахинь, Габриэлла тихонечко вздохнула.

— Я никогда никому не рассказывала о том, о чем говорила с тобой, — призналась она. — Все это слишком пугает меня. До сих пор пугает.

— Не позволяй прошлому забирать над собой такую власть, — посоветовал Джо. — Тебя никто больше не посмеет обидеть. Твои мать и отец далеко и никогда не вернутся. А если вернутся, то никто не заставит тебя вернуться к ним. Ты понимаешь?..

Он посмотрел на нее так пристально, словно гипнотизировал.

— Здесь, в монастыре, ты в безопасности. Тебя защищают сестры и сам Господь — так какого заступничества еще ты можешь желать?

Габриэлла только кивнула, чувствуя, что не может произнести ни слова. Чувство облегчения и благодарности нахлынуло на нее с такой силой, что она с огромным трудом сдерживала подступившие к глазам слезы. Джо снова отпустил ей грехи, утешил ее, а его добрые и мудрые слова заставили Габриэллу поверить, что ей действительно ничто не грозит.

— Увидимся в исповедальне. И старайся держаться подальше от сестры Анны, — сказал Джо, улыбаясь несколько принужденно. Разговаривая с Габриэллой, он иногда чувствовал себя невероятно старым. Он знал, что ей уже почти двадцать два года, однако о мире за стенами монастыря она знала лишь немногим больше, чем тогда, когда десятилетней девочкой впервые переступила порог обители Святого Матфея. По сравнению с ней Джо был гораздо более опытным, мудрым, искушенным в путях мира. И все же вопросы и суждения Габриэллы, казавшиеся на первый взгляд простыми и наивными, случалось, ставили его в тупик.

— Я уверена, что после сегодняшнего праздника у сестры Анны будет много новых тем для сплетен и разговоров. Она видела, как мы разговаривали... — сказала Габриэлла и печально вздохнула. По правде говоря, спокойно сносить постоянные придирки и вздорные обвинения сестры Анны ей становилось все тяжелее, и она чувствовала себя усталой.

— Ну и что? — удивился Джо. — Какая ей разница, с кем ты разговариваешь? Почему ее это так занимает?

— Ах, да откуда я знаю. На прошлой неделе она заявила сестре Эммануэль, будто я пишу рассказы вместо того, чтобы читать вечерние молитвы. В общем, дня не проходит без того, чтобы она не наябедничала на меня нашей наставнице, по обыкновению наврав на меня с три короба.

— Продолжай молиться за нее, Габриэлла, — значительно произнес отец Коннорс. — Господь услышит тебя и вразумит сестру Анну. Или же она сама устанет от своей злобы.

Габриэлла, вздохнув, кивнула. Если бы не глупые выдумки сестры Анны, все было бы так славно.

— А теперь мне действительно пора идти, — сказала она, заметив сестру Эммануэль, которая снова появилась из кухни и сигнализировала ей взглядом. — Еще раз с праздником, святой отец.

И она быстро пошла в кухню, где ее ждали груды тарелок, кастрюль, сковородок и еще теплых противней. Послушницы уже начали убирать со столов, и посуды постоянно прибавлялось. То и дело хлопали дверцы холодильников, куда убирались остатки индейки, ветчины и окороков. Знаменитое фруктовое желе съели все, и Габриэлла пожалела, что так и не успела его попробовать.

Потом она вспомнила слова Джо. «Прошлое изменить нельзя, поэтому жалеть о нем не стоит», — сказал он, и сейчас Габриэлла подумала, что это в равной степени относится и к съеденному гостями желе, и к ее прежней жизни. Мысль об этом заставила ее улыбнуться. «Будем думать о будущем», — решила она, засучивая рукава, повязывая рыжий клеенчатый фартук и натягивая толстые резиновые перчатки. Вооружившись мочалкой из мягкой медной проволоки и бутылочкой жидкого мыла, Габриэлла встала у ближайшей металлической мойки, в которой громоздилась настоящая гора грязных тарелок. У соседней мойки трудилась сестра Анна, но она была так занята, что не обратила на Габриэллу никакого внимания, и та вздохнула с облегчением. Что ни говори, а сейчас она могла превосходно обойтись без язвительных замечаний соперницы.

Прошло не менее трех часов, прежде чем последняя тарелка была отмыта до скрипа, вытерта и водружена в гигантский буфет красного дерева. (В монастыре бытовала шутка, что в прошлом веке этот буфет, в котором было не меньше десятка запиравшихся на ключ отделений, служил карцером для проштрафившихся послушниц, но в это не верилось — слишком уж красивой была резьба, и слишком уж сухим и звонким — драгоценное дерево, из которого были сделаны дверцы и стенки.) К этому времени все гости уже разъехались по домам, старые монахини дремали в уютном холле перед камином, а трое священников вернулись в приход Святого Стефана. Все были счастливы и довольны, и лишь мать-настоятельница стояла у окна своей кельи, пристально глядя куда-то вдаль. На лице ее лежала печать озабоченности и глубокого беспокойства.

Глава 10

В течение следующих полутора месяцев Габриэлла была очень занята. Она посещала мессы, исполняла все послушания, работала в саду и чувствовала себя совершенно счастливой. Несмотря на все заботы, Габриэлла ухитрялась работать над рассказом, который никак не могла закончить. Рассказ все время обрастал подробностями, в нем то и дело появлялись новые персонажи, а то и целые сюжетные линии, и матушка Григория, прочтя начало, пошутила, что он на глазах превращается в целую повесть. Это, впрочем, не мешало ей гордиться Габриэллой, которая с каждым днем писала все лучше и лучше. Сестра Анна тоже на время примолкла и перестала жаловаться на Габриэллу по каждому поводу.

Между тем июнь катился к концу, и в Нью-Йорке было жарко и душно. В это время года самые старые из монахинь обычно уезжали в сестричество, расположенное в прохладных Катскиллских горах, и, по выражению самой матушки Григории, «спали там до осени как Рип-ван-Винкль». Послушницы и монахини помоложе, как правило, оставались в городе, ибо не могли бросить работу в доме престарелых, в детской больнице и летней школе. Впрочем, и их — по двое, по трое — время от времени отправляли отдохнуть. Лишь кандидатки в орден продолжали трудиться, готовясь к августовским экзаменам, по результатам которых их либо производили в новициантки, либо... Впрочем, об этом «либо» никому не хотелось даже думать. Девушки занимались от зари до зари, зубря псалмы и молитвы. В этом их вдохновлял пример матери-настоятельницы, которая, казалось, никогда не уставала. Несмотря на то что с отъездом пожилых монахинь на ее плечи легла дополнительная нагрузка, она оставалась такой же спокойной, сдержанной и собранной, как всегда. Глядя на нее, девушки начинали чувствовать себя увереннее.

В начале июля в монастырь вернулись несколько монахинь из зарубежных миссий ордена. Их рассказы об Африке и Южной Америке хотелось слушать, разинув рот. Габриэлла даже позволила себе помечтать о том, что когда-нибудь она тоже поедет в дикий уголок джунглей, чтобы лечить или учить грамоте маленьких черных ребятишек.

Такая работа была ей очень по душе, однако — в силу ряда причин — она не стала делиться этими мыслями даже с матушкой Григорией. Вместо этого она продолжала с напряженным вниманием слушать рассказы сестер-миссионерок, а когда те уехали — написала о них и их труде целую серию коротких, поучительных рассказов. Сестра Эммануэль, прочтя их, заявила, что это непременно нужно опубликовать. Габриэлла наотрез отказалась. Она писала эти истории только для сестер и, конечно, для себя. Во время работы ее посещало чувство небывалой свободы, словно кто-то другой, все понимающий, водил ее рукой. Сама же она на это время как будто растворялась, переставала существовать, хотя дух внутри ее безусловно смотрел на мир ее глазами.

Передать это словами было очень трудно, да она и не пыталась. Только однажды поделилась своими ощущениями с Джо, который застал ее как-то сидящей в саду с тетрадкой на коленях. Габриэлла грызла яблоко и писала. Он, бесшумно подойдя сзади, не удержался и спросил, нельзя ли ему взглянуть. Когда, покраснев от смущения, Габриэлла протянула ему тетрадь и Джо прочел несколько страниц, он был тронут до глубины души.

Это была история о маленькой девочке, которая умерла от того, что родители жестоко с ней обращались. Потом, превратившись в ангела, она вернулась на землю, чтобы

бороться с несправедливостью и утешать других маленьких детей, которых несправедливо наказывали родители.

— Хорошо бы это напечатать, — сказал Джо, возвра-
щая тетрадь Габриэлле.

Его лицо было покрыто ровным бронзовым загаром,
и Габриэлла, искавшая предлога, чтобы переменить тему, поспешила спросить, где он так загорел. Джо Коннорс ответил, что был в отпуске и отдыхал на Лонг-
Айленде, где каждый день играл с друзьями в теннис.

Услышав об этом, Габриэлла сразу вспомнила своих
родителей. Ее отец часто играл в теннис с коллегами по
работе, но мать этого не одобряла. Расплачиваться за от-
цовское увлечение этим видом спорта приходилось, естественно, ей, поэтому Габриэлла с детства недолюбливала теннис. Она все же попыталась расспросить Джо об
этой игре, но он сразу понял, что Габриэлла просто сму-
щена его похвалой.

— Я говорил совершенно серьезно, — произнес он,
улыбаясь. — У тебя настоящий талант. Грешно зарывать
его в землю.

— Да нет, — попыталась возразить Габриэлла. —
Я пишу потому, что мне это нравится. Это очень увлека-
тельно и интересно...

И она рассказала ему о том, что внутри ее что-то вы-
рывается на свободу только во время работы над рассказом или стихотворением.

— Когда я начинаю думать о том, что мне написать, я
ничего не могу... — призналась она. — Но когда я забы-
ваю о своем «таланте», тогда все происходит само собой.

— Католическая церковь не поощряет веры в приви-
дения, домовых и маленьких человечков, которые приходят по ночам, чтобы отбирать рис от пшеницы и ткать
лунную пряжу, — сказал Джо с притворной суровостью,
и Габриэлла улыбнулась.

— Это работает твое подсознание, — продолжал
Джо, — то есть ты сама. А ты принадлежишь монастырю,
сестрам, людям, Богу, наконец. Так что можешь считать
мои слова насчет таланта пастырским наставлением. Ну
а как ты вообще поживала все это время?

Джо был в отпуске не так уж долго, однако ему казалось, что они не виделись целую вечность.

— Спасибо, неплохо. Сейчас мы все очень заняты — готовимся к экзаменам. Да, в праздник Четвертого июля у нас будет пикник, и мы будем жарить мясо на углях. Ты придешь?

День независимости был сугубо светским праздником, однако каждый год в этот день — если только он не был постным — в монастыре устраивался пикник, на который можно было приглашать друзей и родственников. Матушка Григория считала, что подобные мероприятия помогают монахиням поддерживать контакт с близкими, оставшимися в миру. Правда, у Габриэллы не было ни друзей, ни родственников, однако сейчас она подумала, что отец Коннорс стал ей близок как родной брат.

— Это официальное приглашение? — уточнил Джо.

— Можно сказать и так, — ответила Габриэлла. — Просто я случайно знаю, что матушка Григория собиралась пригласить священников из вашего прихода. Ко многим сестрам должны приехать родные, хотя, конечно, их будет не так много, как на Пасху, — все-таки сейчас отпускной сезон.

— Я приду, — пообещал Джо. — Правда, в нашем приходе сейчас тоже сезон отпусков. Я работаю по шесть дней в неделю, поскольку число грешников, нуждающихся в спасении, нисколько не уменьшилось. Но я все улажу.

— Хорошо. Приходи обязательно, — сказала она и улыбнулась. Ей показалось, что Джо очень рад видеть ее, и от этого у нее сразу стало тепло на сердце. Сама-то она, во всяком случае, была рада.

Потом он проводил ее ко входу в главное здание, где Габриэлла должна была оставить дежурной сестре заказ на покупку кое-каких огородных принадлежностей и химикалий. По дороге Джо успел сказать ей, что на днях он приедет служить мессу, и что ему очень хочется, чтобы Четвертое июля поскорее настало.

— Мне вот что пришло в голову, — сказал он. — Если матушка Григория позволит, мы с моими товарищами могли бы помочь приготовить мясо. Что ты на это скажешь?

— О, это было бы замечательно! — воскликнула Габриэлла, искренне радуясь его предложению. Ей уже несколько раз приходилось жарить мясо на мангале, и она сразу поняла, что это, пожалуй, единственная работа, которая не доставляет ей удовольствия. Древесный уголь не желал разгораться, дым разъедал глаза, сажа норовила сесть на лицо, а тяжелый запах горелого жира так пропитывал одежду, что ее приходилось тут же менять. Кроме того, длинные платья и послушнические накидки так сильно сковывали движения, что приготовление барбекю становилось для Габриэллы и ее подруг подлинным мучением. Священникам и даже монахам в этом отношении было гораздо проще, поскольку на пикники они всегда приезжали в обычных джинсах и рубашках.

— Думаю, матушка Григория не будет возражать, — уверенно добавила Габриэлла. — Она знает, что шашлык мы любим только есть, а отнюдь не готовить.

— А бейсбол?

— Что — бейсбол? — От этого вопроса Габриэлла даже растерялась. Она не понимала, шутит ли Джо или просто пытается поддерживать светский разговор ни о чем.

— Любят ли сестры бейсбол? Мы могли бы устроить матч — монастырь Святого Матфея против прихода Святого Стефана. А чтобы вам не казалось, будто вас заранее ставят в проигрышное положение, можно составить смешанные команды. Эта идея пришла мне в голову только сегодня утром. Как ты думаешь, выйдет из этого что-нибудь или нет?

Габриэлла ненадолго задумалась.

— Наверное, — сказала она наконец и чуть заметно покраснела. — Я, конечно, не могу говорить за всех, — добавила она поспешно, — но мне кажется, сестрам понравится. Несколько наших монахинь всерьез увлекаются бейсболом и не пропускают ни одного матча по телевидению. А сестры Люс и Антония, которые долго жили в Англии, даже играли там в какую-то похожую игру.

— В крикет, — подсказал Джо. — Английский крикет — это аристократический дедушка нашего демократического бейсбола.

— Да-да, — обрадовалась Габриэлла. — В крикет. В позапрошлом году они даже устроили здесь в саду матч между командами новицианток и послушниц. Со стороны это, наверное, было ужасно смешно.

— Смешно?! Вы говорите — смешно, сестра Берни? — с напускным негодованием переспросил Джо. — Да в мире нет ничего серьезнее бейсбола! Наша команда, команда прихода Святого Стефана, является самой сильной во всем нью-йоркском епископстве. Ну так что мы решим?

— Почему ты спрашиваешь у меня? — ответила Габриэлла и снова потупилась. — Я не могу отвечать за всех сестер. Поговори лучше с настоятельницей или с сестрой Иммакулатой. Думаю, они обе будут в восторге.

Она перевела дыхание и снова посмотрела на него. В глазах Габриэллы засверкали любопытные искорки.

— А ты тоже играешь? На какой позиции?

— Конечно, подающим, — ответил Джо с таким видом, словно это должно было быть очевидно даже ей. — Вот эта рука... — Он показал ей свою сильную руку с аккуратными ногтями. — Вот эта рука когда-то считалась одной из лучших среди команд второй лиги штата Огайо.

Он слегка подтрунивал над ней и над собой, однако Габриэлла поняла, что Джо все-таки немножко гордится своими достижениями. И что он очень любит бейсбол.

— Вот как? — Габриэлла лукаво посмотрела на него. — Тогда как вышло, что ты не играешь за «Янки»?

— Господь сделал мне лучшее предложение, — ответил Джо. Он был очень рад, что они с Габриэллой разговаривают так свободно и непринужденно, да еще о таком мирском занятии, как бейсбол. Серьезные беседы о Боге, об их прошлой и настоящей жизни, о планах на будущее и прочих важных вещах были, конечно, тоже необходимы, однако именно этот шутливый разговор лучше всего подтверждал, что они стали настоящими друзьями.

— А ты? — спросил Джо, слегка дразня ее. — На какой позиции ты предпочитаешь играть?

— Я? — Габриэлла ненадолго задумалась. — Я предпочитаю играть этим... как его... Ну, мальчиком, который стоит с палкой позади другого мальчика в маске.

Габриэлла засмеялась. Джо тоже улыбнулся, хотя в ее смехе ему послышался оттенок горечи. Какое же у нее было детство, подумал он, если она даже не знает, что «мальчик с палкой» называется «отбивающим». А ведь бейсбол — национальный вид спорта в Америке и пользуется бешеной популярностью. В тонкостях этой игры не разбирались разве что грудные младенцы.

— Понятно. Думаю, для начала мы поставим тебя на третью или четвертую базу, — сказал Джо. — Я сегодня же поговорю с матушкой Григорией. Этот матч обязательно состоится.

Уже на следующий день в монастыре только и разговоров было, что о большой игре на Кубок Вызова, как ее тотчас же окрестили. Идея отца Коннорса пришлась матери-настоятельнице по душе. Она дала свое согласие, о чем тут же было объявлено. Радостное волнение овладело буквально всеми. Монахини направо и налево сыпали спортивными терминами, хотя многие из них в последний раз играли в бейсбол, еще когда учились в школе. Сестра Люс и сестра Антония развили поистине бурную деятельность, формируя основную команду и скамейку запасных. Кандидатки в монастырскую сборную до хрипоты спорили о том, кто на какой позиции будет играть. Даже приземистая и широкая в кости сестра София рвалась в кетчеры, утверждая, что у нее талант, хотя всем было известно, что она вряд ли играла в бейсбол даже в детстве.

Когда настал долгожданный день Четвертого июля, все было готово. Праздничный стол поражал обильным и разнообразным угощением. Священники из прихода Святого Стефана постарались на славу и приготовили на углях вкуснейшую телятину с перцем и помидорами. На десерт было закуплено огромное количество мороженого и испечено так много пирогов с яблоками, что кто-то из гостей даже пошутил, что сестры, должно быть, угорели в кухне и сбились со счета. Такого количества пирогов хватит, чтобы накормить ими весь Нью-Йорк.

Праздник начался с угощения. Потом, когда бо́льшая часть провизии исчезла со столов, а последняя порция мороженого была размазана по румяной рожице последнего, самого прожорливого ребенка, все присели немного отдохнуть перед бейсбольным матчем. Как ни хороша была команда женского монастыря (Джо Коннорс лично установил это), все же решено было играть смешанными составами. В результате отец Джо оказался капитаном команды, представлявшей монастырь Святого Матфея. Габриэллу он, как и собирался, поставил на дальнюю часть поля, и после короткой разминки игра началась.

Матч стал достойным завершением праздника. Казалось, даже сестра Анна забыла о своей ревности в азарте игры. Уже после первых пятнадцати минут стало совершенно очевидно, что решение создать смешанные команды было совершенно правильным: у мужчин, одетых в брюки и рубашки, было явное преимущество перед монахинями, которые остались в своих накидках и камилавках. Единственное, что они себе позволили, это подобрать повыше подолы и потуже перепоясаться. Впрочем, несмотря ни на что, они ухитрялись бегать так же быстро, как мужчины. Некоторые из монахинь даже надели кеды и теннисные туфли, которые давно лежали без дела в их сундучках.

Игра удалась на славу. Когда сестра Люс, не приподняв подола и не показав даже лодыжек, одним прыжком скользнула на третью базу, и игроки, и зрители разразились приветственными криками. Только сестра-хозяйка, отвечавшая за стирку, не без горечи заметила, что «эта накидка уже никогда не будет парадной». Когда же сестра Иммакулата, игравшая за команду Святого Матфея, забежала в «дом», болельщики завопили так громко, что чуть не напугали детей.

Это был запоминающийся день. Команда Святого Стефана, или команда «гостей», выиграла его с перевесом всего в одно очко, однако никто особенно не огорчился. А потом и победителей, и побежденных ждал сюрприз, который приготовила для всех матушка Григория. Из галереи рядом с церковью выкатили тележки с легким пивом и лимонадом, а из кухни вынесли подносы с еще горячими лимонными печеньями, испеченными по рецепту сестры Марии Маргариты.

Казалось, после игры все должны были устать, но напитки и печенье снова привели монахинь и гостей в состояние легкого возбуждения. Гул голосов и смех поплыли между застывшими в неподвижности деревьями сада. Солнце склонялось все ниже и вскоре должно было совсем скрыться за высокой монастырской стеной. Небо было глубоким, безоблачным, словно густо-синий бархат.

— Скоро станет совсем темно, и мы увидим звезды, — сказал Джо, подходя к Габриэлле. В одной руке у него был высокий бокал с лимонадом, а в другой печенье с откусанным краем.

— Да, — кивнула Габриэлла. — Это было замечательно, верно?

Он кивнул.

— А ты прилично сыграла, — сказал он, имея в виду бейсбольный матч.

Габриэлла фыркнула.

— Ты что, шутишь? Я просто стояла на одном месте и молилась, чтобы мяч не полетел в мою сторону. Слава богу, этого не произошло, пока меня не заменили. Что бы я делала, если бы мяч вдруг отскочил ко мне?!

— Наверное, поймала бы его в падении, — ответил Джо и чуть заметно улыбнулся. Им обоим было немного жаль, что такой чудесный день подошел к концу. Родственники с детьми разъехались, а монахи и священники остались, чтобы доесть все угощение.

В саду быстро темнело. Когда небо стало совсем темным и в вышине зажглись первые звезды, из-за монастырской стены, рассыпая во все стороны огненные искры, взлетели ввысь разноцветные фейерверки и петарды. Они то вспыхивали ярко, то угасали, медленно сгорая. Под деревьями сада заметались резкие, черные тени, похожие на брошенную под ноги сеть.

— А что ты делала Четвертого июля, когда была маленькой? — неожиданно спросил Джо.

— Я?.. — Габриэлла даже рассмеялась этому вопросу. У нее было отличное настроение, и она чувствовала себя отдохнувшей, а вовсе не усталой. — Обычно я сидела в чулане или в сарае и молилась, чтобы мать меня не нашла.

— Довольно любопытный способ встречать праздники, — проговорил Джо нарочито легкомысленным тоном. В другое время Джо сам бы не стал расспрашивать ее об этом, но сейчас ему казалось, что праздничное настроение поможет ей справиться с печалью и остаться спокойной.

И действительно, в голосе Габриэллы не чувствовалось ни застарелой боли, ни обычной грусти. Она говорила так спокойно и просто, словно все это происходило не с ней, а с кем-то другим.

— В те времена у меня была только одна задача — остаться в живых, — проговорила она. — Я думала об этом постоянно, и днем, и ночью, и в праздники, и в будни. Что такое настоящий праздник, каким он должен быть, я узнала только здесь, в монастыре. Больше всего я люблю Рождество, Пасху и Четвертое июля — они какие-то особенно светлые...

— Я тоже люблю Четвертое июля, — сказал Джо, глядя на Габриэллу с какой-то тоскливой нежностью. — Когда я был мальчиком, в этот день мы с друзьями всегда отправлялись в поход. Мы ставили палатку, разводили костер, ловили рыбу и пекли картошку в золе. Она вечно у нас подгорала и скрипела на зубах, но я до сих пор помню этот замечательный вкус. А еще мы с братом мечтали запустить «Большого Огненного Змея», но в Огайо до сих пор запрещено продавать фейерверки детям младше четырнадцати лет.

Габриэлла удивленно посмотрела на него.

— Ты не говорил мне, что у тебя есть брат. — Они с Джо были знакомы уже почти четыре месяца, но за это время он ни разу не упомянул о том, что, кроме него, в семье был еще один ребенок.

Джо немного помолчал, потом посмотрел ей прямо в глаза. В его взгляде было столько боли, что Габриэлла невольно поднесла к губам ладонь.

— Что?..

Джо опустил голову и сказал глухо:

— Джимми был всего на два года старше меня. Он утонул, когда мне было семь. Это случилось на моих глазах. Мы пошли купаться, и он попал в водоворот. Нам не разрешали купаться одним, без взрослых, но... — Его глаза неожиданно наполнились слезами, но Джо, похоже, этого даже не заметил. Зато Габриэлла заметила и, поддавшись внезапному порыву, вдруг протянула левую руку и коснулась его пальцев. В следующее мгновение по ее руке словно пробежал электрический ток; он поднялся от запястья вверх и рассеялся только где-то возле сердца, заставив его затрепетать.

— Да... — Джо судорожно, со всхлипом, вздохнул. — Я видел, как Джимми погрузился с головой, раз, другой, третий... Нужно было протянуть ему что-то, но было начало лета, и я никак не мог найти ни палки, ни достаточно крепкой сухой ветки, а живые ветви никак не ломались, хотя я грыз их зубами. Горький вкус молодой коры до сих пор стоит у меня во рту... А Джимми все погружался и погружался, и с каждым разом он все дольше оставался под водой. Я побежал за помощью, но мы отошли слишком далеко от города, и место было совершенно безлюдное. Когда я наконец встретил на шоссе машину и привел помощь...

Джо запнулся и не смог продолжать, и Габриэлле захотелось обнять его за плечи и прижать к себе, но она знала, что не может, не должна этого делать.

Джо снова с трудом сглотнул и закончил.

— ...Я не сумел помочь Джимми. Он утонул. Ты скажешь — что мог сделать семилетний ребенок? Но чувство вины не оставляло меня. И родители тоже так считали. Нет, конечно, они ни разу не сказали мне этого прямо, но я все равно чувствовал...

По его щекам катились слезы, и Габриэлла несильно пожала его пальцы.

— Почему... почему ты так думаешь? — спросила она. — Это просто судьба.

Джо ответил не сразу. Он вздохнул, потом, отняв у нее руку, вытер щеки тыльной стороной ладони.

— Это я подбил Джимми пойти на реку. Нам не позволялось... Я не должен был этого делать.

— Но тебе было семь лет, а ему — девять. Он мог бы сказать «нет»...

— В том-то и дело, что не мог. Джимми обожал меня и никогда мне ни в чем не отказывал. И я... часто этим пользовался. — Джо вздохнул. — Когда он умер, все изменилось. Папа стал очень молчаливым и каким-то задумчивым, да и в маме как будто что-то надломилось... Наверное, она так и не сумела оправиться после смерти Джимми, хотя с тех пор прошло целых семь лет. Когда папа внезапно умер, это была уже последняя соломинка...

Габриэлла кивнула. Она не понимала только одного: почему мать Джо не подумала об оставшемся сыне. Ее решение покончить с собой было жестоким в первую очередь по отношению к нему. Можно сказать, что она своими руками сделала Джо сиротой.

Но Габриэлла не сказала об этом вслух. Она видела, что Джо и так тяжело. Но он как будто подслушал ее мысли.

— Ты спросишь — почему она так поступила, — проговорил он. — Этого я не знаю, да и никто, наверное, не знает. Мне известно только то, что подобные вещи часто случаются без всяких видимых причин. Теперь я понимаю это лучше, чем кто-либо другой. «Благоговею и безмолвствую пред Твоею святою волею и непостижимыми для меня Твоими судьбами» — вот и все, что я могу на это сказать.

Габриэлла понимающе кивнула. Приходилось порой защищать Бога, когда люди спрашивали: «За что? Чем я прогневил Небеса?» Не оставалось ничего, кроме смирения и терпения, особенно если эти вопросы задавались себе.

— Да, — продолжал Джо. — Мои ответы нисколько не помогают ни людям, потерявшим близких, ни мне самому. И у меня уже нет сил, чтобы не спрашивать себя — почему. Меня хватает только на то, чтобы не роптать на Господа. И все равно... Знаешь, я до сих пор скучаю по Джимми.

Да, он все еще скучал по своему старшему брату, хотя со дня его гибели прошло почти двадцать пять лет. Каждый раз, когда он вспоминал или говорил о случившемся, боль становилась такой острой, словно это произошло только вчера.

— Смерть Джимми изменила все мое детство, — глухо сказал Джо. — Я чувствовал свою ответственность, свою вину перед ним и перед родителями. И перед собой. В один день я стал другим, словно я вдруг вырос. А потом...

Он не договорил, но Габриэлла прекрасно поняла, что имел в виду Джо. В семь он потерял брата, а в четырнадцать — обоих родителей. И в этом Джо, наверное, тоже винил себя. Она слишком хорошо знала, что это значит — постоянно чувствовать свою вину.

— Я тоже всегда считала себя виноватой во всем, что происходило в нашей семье, — сказала она. — Ну почему, почему дети так легко принимают на свои плечи эту непосильную тяжесть? Постоянно чувствовать себя виноватым во всем и не иметь ни сил, ни возможности что-либо изменить — это может свести с ума и взрослого человека.

Сама Габриэлла очень хорошо помнила то время, когда она ни капли не сомневалась в том, что родители отказались от нее потому, что она была плохой, непослушной, гадкой. Она начала думать иначе совсем недавно.

— Опять — «почему»!.. — Джо усмехнулся. — На этот раз я, кажется, знаю ответ. Да и ты тоже, сестра Берни... — Слова «сестра Берни» он подчеркнул голосом. — «Будьте чисты, как дети, ибо таковых есть Царство Божие», — процитировал он. — Впрочем, это я не о себе.

— Но ведь ты действительно не был ни в чем виноват! — воскликнула Габриэлла. — Ведь все могло случиться иначе — ты мог утонуть вместо Джимми. Никто не знает, почему умереть суждено было именно ему, а не тебе!

— Я часто желал утонуть вместо него, — ответил Джо печально. — Мы все очень любили Джимми. Он был первенцем, любимцем, утешением и отрадой отца и матери. Он блестяще учился, блестяще рисовал и вообще — все, что бы он ни делал, все было замечательно. Нет, я не ревную, я сам души в нем не чаял. Просто... Нет, это трудно объяснить... — Он сморщился и досадливо пощелкал пальцами от бессилия подобрать нужные слова, потом улыбнулся невесело. — Надеюсь, когда-нибудь мы увидимся с ним на небесах. Но это будет, наверное, не скоро... — Джо немного помолчал. — Я не должен был говорить тебе все это, — добавил он. — Просто чаще всего я вспоминаю Джимми по праздникам и еще когда по телевизору показывают бейсбол. Джимми был превосходным подающим...

Он говорил о девятилетнем мальчике, но Габриэлла поняла, что для Джо его старший брат всегда был кумиром. И остался им навсегда.

— Мне очень жаль, Джо, — сказала она, вкладывая в эти слова все сострадание, все тепло своей души. Габриэлла очень хорошо представляла себе, через что он прошел.

— Спасибо, Габи, — откликнулся Джо и поглядел на нее с благодарностью. Он хотел добавить что-то еще, но ему помешал один из монахов, который приблизился к ним, очевидно, полагая, что они обсуждают недавний матч.

— У тебя отличный удар, сын мой, — сказал монах. — Верный глаз и сильная рука. Я давно не видел, чтобы любитель играл так профессионально.

Джо смущенно поблагодарил за комплимент, но Габриэлле показалось, что в глубине души он был рад переменить тему.

Вскоре священники и монахи засобирались к себе. Перед самым отъездом Джо еще раз подошел к Габриэлле, чтобы попрощаться. Она стояла с сестрой Люс и сестрой Антонией. Отец Коннорс сердечно поблагодарил их за игру и за пикник.

— Спасибо за все, — сказал он, незаметно глянув в сторону Габриэллы, и она догадалась, что он благодарит ее за то, что она его выслушала.

— Да благословит вас Господь, святой отец, — ответила она, и Джо кивнул. Они оба нуждались в благословении небес — в благословении, в прощении и исцелении своих старых ран. Габриэлла совершенно искренне считала, что Джо заслуживает этого — заслуживает даже больше, чем она сама.

— Спасибо, сестра, — промолвил он. — И до свидания. Спокойной ночи, сестры.

Он прощально махнул рукой и пошел к группе своих товарищей, которые, собрав спортивное снаряжение, уже усаживались в желтый школьный автобус с надписью «Школа Святого Стефана» на борту. Потом автобус зафырчал и отъехал. Габриэлла медленно пошла к себе, чтобы переодеться к вечерним молитвам. Поднимаясь в толпе послушниц по узкой монастырской лестнице, она вспоминала весь сегодняшний день: и угощение, и бейсбол, и прохладный шипучий лимонад в тонких стаканах, но сильнее всего ей врезалось в память короткое прикосновение к теплым, чуть дрожащим пальцам Джо.

— ...Не правда ли, сестра Берни?

— Что? — Габриэлла подняла голову и обернулась через плечо. Одна из шедших за ней сестер о чем-то спрашивала ее, но в задумчивости Габриэлла не расслышала вопроса.

— Что ты говоришь, Марта? — повторила она. — Я не расслышала...

Все сестры давно знали, что Габриэлла не очень хорошо слышит, и никогда не сердились, если она просила повторить вопрос. Поэтому сейчас никому из них даже в голову не пришло, что она может думать о молодом священнике и о его брате.

— Я сказала, что у Марии Маргариты просто восхитительное печенье, — сказала сестра Марта. — Надо будет обязательно вызнать у нее рецепт.

— Да, печенье было замечательное, — рассеянно откликнулась Габриэлла, продолжая подниматься по лестнице. Мысли ее были сейчас в тысяче миль от кулинарных способностей старой монахини. Она представляла себе стремительный блеск быстрой реки, опасный водоворот под обрывом, темную голову в самой середине коварной воронки и маленького мальчика, который, заливаясь слезами, бегал по крутому, скользкому берегу. У него было такое несчастное лицо, что Габриэлла вдруг потянулась к нему всем сердцем — потянулась через время и через расстояние. В эти минуты она отдала бы все, что у нее было, чтобы вернуться на двадцать пять лет назад на берег реки в Огайо — протянуть руку утопающему и утешить плачущего мальчугана. Но, увы, это было невозможно.

Даже во время вечерней молитвы она продолжала видеть перед собой глаза взрослого Джо Коннорса и слезы на его щеках. Сегодня она особенно горячо молилась пресвятой Деве Марии и Иисусу, прося их сделать так, чтобы Джо простил себя.

Когда Габриэлла вернулась к себе в дортуар и легла, ей приснилось, что она все-таки попала на берег той реки и протянула утопающему Джимми какую-то ветку. Но когда Габриэлла вытащила мальчугана из воды, она вдруг увидела, что у Джимми — лицо взрослого Джо Коннорса. Он был мертв. Габриэлла проснулась с криком, вся в холодном поту.

Глава 11

После праздника Четвертого июля Габриэлла не видела Джо несколько дней. В монастыре продолжали говорить о пикнике, а бейсбольный матч сразу же вошел в историю обители. Многие сходились на том, что в будущем году нужно будет непременно повторить игру, только уже не смешивая составы. Шутили, что отбивающей нужно поставить матушку Григорию. «Уж она-то промаха не даст!» — веселились послушницы, и Габриэлла смеялась вместе со всеми. Настроение у нее было великолепным, и она с нетерпением ждала, когда Джо снова приедет в монастырь на исповедь.

Однако когда отец Коннорс снова появился в монастыре, он, к огромному удивлению Габриэллы, был с ней холоден, почти враждебен. Казалось, Джо за что-то сердится на нее и едва сдерживается, чтобы не сказать резкость. Габриэлла просто не знала, что думать, и терялась в догадках. Может быть, он заболел или был чем-то сильно обеспокоен. Как бы там ни было, он удерживал ее на расстоянии одним своим видом. Габриэлла даже решила, что Джо жалеет о своей откровенности.

Ей очень хотелось спросить у него, как он себя чувствует, но она не осмелилась. Вокруг было слишком много монахинь и послушниц. В конце концов, Джо был священником и не пристало болтать с ним попусту. Правда, он никогда не подчеркивал этого обстоятельства, и Габриэлла по-прежнему не представляла, что могло так сильно изменить его отношение всего за несколько дней.

После мессы Джо выслушал ее исповедь, но был очень немногословен. Несколько раз Габриэлле даже казалось, что он не слушает. В конце исповеди он велел ей десять раз прочесть «Слава Марии», двадцать раз — «Отче наш» и, немного подумав, прибавил к этому еще сорок поклонов. Иными словами, Джо был не похож сам на себя, и Габриэлла окончательно утвердилась в мысли, что с ним что-то не так.

Темнота исповедальни придала ей смелости.

— С тобой все в порядке, Джо? — шепотом спросила она.

— Да, — раздалось из темноты за деревянной решеткой. Ответ был резким и коротким. Габриэлла примолкла и не осмелилась расспрашивать дальше.

Что-то случилось, поняла она. Внимательный, чуткий, немного лукавый Джо исчез; вместо него появился какой-то незнакомый человек: чопорный, раздраженный, рассеянный.

После исповеди Габриэлла прочла молитвы, назначенные ей в качестве наказания, положила двадцать поклонов перед статуей покровителя монастыря Святого Матфея и, покинув церковь, отправилась выполнять поручение сестры Эммануэль. Еще вчера Габриэлла обещала ей помочь разыскать хозяйственные ведомости за прошлый месяц, которые куда-то запропастились. Габриэлле почему-то казалось, что они находятся в одной из пустующих келий, временно превращенной в архив. Обычно там хранились старые бухгалтерские книги. Но иногда — совершенно мистическим образом — туда попадали и совершенно свежие ведомости и ордера. Как-то Габриэлла нашла там еще не оплаченный счет за поставки муки и сухофруктов, который они целую неделю искали всем монастырем. С тех пор она искренне считала, что все потерянные документы какие-нибудь младшие ангелы сносят именно туда.

Выйдя из церкви, Габриэлла поднялась на крытую галерею, свернула в центральный коридор и, найдя нужную дверь, отперла ее. Сняв со стеллажа большую картонную коробку с документами, она поставила ее на стол и стала перебирать лежащие в коробке бумаги. От бумаг поднималась удушливая пыль, и Габриэлла несколько раз чихнула.

Потом она услышала в коридоре шаги. Шаги миновали дверь кельи, остановились, потом снова вернулись. Габриэлла, краем уха прислушивавшаяся к этим звукам, даже не обернулась. Она очень боялась пропустить искомый документ.

Скрипнула дверная петля. Кто-то вошел в комнату.

Габриэлла знала, что это не может быть никто из сестер. Монахини ходили совершенно бесшумно, их движение сопровождал лишь легкий шорох длинных, достававших до самого пола накидок. Если бы Габриэлла дала себе труд задуматься, то сразу бы поняла, что эти тяжелые шаги принадлежат мужчине, но она была слишком сосредоточена на своих поисках.

Наконец Габриэлла почувствовала, что кто-то стоит прямо у нее за спиной, и, заложив пальцем то место, до которого дошла в своих поисках, досадливо обернулась.

У дверей кельи стоял Джо. Стоял и смотрел прямо на нее. Лицо его было перекошено, словно от боли.

— Привет, — негромко произнесла Габриэлла. Его появление было, конечно, неожиданным, однако она не очень удивилась. Из церкви можно было выйти двумя путями. Отец Джо обычно пользовался самым коротким из них — тропинкой через монастырский сад, которая вела прямо к калитке в воротах. Но существовал и второй путь — по крытой галерее, через административный корпус и парадную дверь. Ту самую дверь, которая когда-то показалась маленькой Габриэлле похожей на дверь тюрьмы или людоедского замка.

— Что-нибудь случилось? — спросила она, когда Джо ничего не ответил.

Он отрицательно покачал головой, но выражение его лица нисколько не смягчилось.

— Ты выглядишь так, как будто у тебя неприятности.

Джо долго не отвечал. Потом, не отрывая от нее своих воспаленных глаз, он шагнул вперед и прикрыл за собой дверь, хотя оба знали, что поблизости никого нет. Выходящими в этот коридор кельями никто не пользовался уже несколько лет.

— Да, у меня неприятности, — тихо сказал Джо, но больше ничего не прибавил. Он просто не знал, с чего ему начинать и какими словами выразить то, что было у него на сердце.

— Что же все-таки произошло, Джо? — спросила Габриэлла таким тоном, каким обычно говорят с ребенком. Лицо и поза Джо напомнили Габриэлле маленького мальчика, которого она недавно видела во сне. «Кто тебя обидел?» — хотелось ей спросить, но она понимала, что Джо ее просто не поймет. Поэтому она просто смотрела на него, ожидая ответа, и Джо неожиданно отвел взгляд. Шагнув к столу, он взял в руки одну из отложенных Габриэллой бухгалтерских книг и начал рассеянно ее листать.

— Что ты здесь делаешь, Габи? — глухим голосом спросил он.

Он назвал ее Габи — именно Габи, а не Габриэлла и не сестра Бернадетта, и ей вдруг стало понятно, что они снова — близкие друзья. Даже больше — Габриэлле Джо казался почти что родным.

— Сестра Эммануэль никак не может найти кое-какие счета, которые необходимо срочно оплатить, — пояснила она. — Я подумала, что их могли отнести сюда.

Ее платье было в пыли, выбившиеся из-под платка волосы растрепались, щеки покрылись легким румянцем. Габриэлла выглядела прелестнее, чем когда-либо, и Джо не мог этого не заметить. Он стоял так близко, что мог бы до нее дотронуться, но не посмел. Он только положил на край стола старую книгу, которую все еще держал в руках, потом беспокойным жестом передвинул ее поближе к центру.

— Я все это время думал о тебе, — сказал он почти печально, но Габриэлла не поняла, что он имел в виду. В его словах не было ни малейшего следа неудовольствия или раздражения, и она почувствовала, как у нее немного отлегло от сердца.

Должно быть, удивление все же отразилось у нее на лице, поскольку Джо поспешно добавил:

— Слишком много.

Он слегка выделил голосом первое слово, и Габриэлла снова задумалась о том, что́ это может означать.

— Ты... ты, быть может, жалеешь, что рассказал мне о Джимми? — спросила она.

В тишине этой прохладной, пустой кельи ее голос прозвучал так тепло и нежно, что Джо ощутил его как физическую ласку. Он слегка вздрогнул, потом закрыл глаза и покачал головой. Его рука медленно поднялась и, прежде чем Габриэлла успела осознать, что происходит, ее пальцы очутились в его теплой, чуть шершавой ладони.

Прошло несколько секунд, прежде чем он снова открыл глаза. Габриэлла все еще подыскивала подходящие слова, которые могли бы успокоить его. Но Джо опередил ее. Когда ей уже казалось, что она вот-вот их найдет, он открыл рот и заговорил:

— Разумеется, я не жалею об этом, Габи. Ведь мы с тобой — друзья. Я думал о других вещах. О тебе, о себе, о том, как мы жили раньше... о людях, которые причинили нам столько боли и зла. О тех, кого мы любили и потеряли... — Тут Габриэлла подумала, что он потерял намного больше. У него были родители и брат, которых Джо любил и которые любили его. Сама же она в последнее время все чаще и чаще сомневалась в том, что родители ее когда-нибудь любили. Поэтому считала, что скорее обрела многое, чем потеряла. Нельзя потерять то, чего у тебя никогда не было.

— Мы посвятили свои жизни служению Богу, — произнес Джо каким-то отчаянным голосом. — И это должно быть для нас главным, ведь так?!

Он как будто искал ответ на какой-то мучивший его вопрос, который не осмеливался задать вслух.

— Конечно, — уверенно ответила Габриэлла. — Ты и сам это знаешь — зачем же спрашивать?

— Да, я знаю, — кивнул он как-то безнадежно. — И еще неделю назад я был совершенно уверен, что никогда не сделаю ничего, что могло бы повредить... моей и твоей жизни, — сказал он, так и не осмелившись произнести слово «вера».

Габриэлла покачала головой. Она все еще ничего не понимала.

— Ты ничем мне не повредил, — сказала она и ласково улыбнулась ему, как мать улыбается заплаканному малышу, спеша его успокоить, но еще не разобравшись, что за беда с ним приключилась. — Ни ты, ни я не сделали ничего такого, за что нас можно было бы осудить.

В ее голосе звучала такая уверенность, что Джо показалось, будто ему вонзили в грудь кинжал. Такой чистоты и невинности он еще не встречал никогда и нигде.

— Я сделал, — сказал он упрямо.

— Да нет же, ты не мог! — воскликнула Габриэлла в полной уверености, что он не мог совершить ничего дурного ни против веры, ни против нее, ни против кого бы то ни было.

— Мои мысли... — проговорил Джо и посмотрел ей прямо в глаза. — Это были опасные мысли, Габриэлла. Ты... п-понимаешь?

Яснее он просто не мог выразиться, не рискуя оскорбить Габриэллу. Священник и монашка были героями слишком большого количества анекдотов и игривых романов, чтобы Джо мог называть вещи своими именами.

— Нет. — Габриэлла широко распахнула свои огромные голубые глаза.

Душа ее была открытой и доверчивой. Сама того не сознавая, она чуть придвинулась к нему, и Джо тоже качнулся ей навстречу. Он просто не мог противиться той силе, которая толкала их друг к другу. Это было неподвластно им.

— Я... не знаю, как тебе сказать... — пробормотал Джо неуверенно. В его глазах снова заблестели слезы, и

Габриэлла легко коснулась его щеки. Она еще никогда и ни к кому не прикасалась так, тем более — к взрослому мужчине, и в этом прикосновении было столько нежности и ласки, что Джо сдался. Он не мог больше скрывать свои чувства ни от нее, ни от себя.

— Я люблю тебя, Габи, — прошептал он севшим от волнения голосом. — Да, люблю... И я не знаю, что мне теперь делать. Я очень боюсь причинить тебе боль, боюсь осложнить тебе жизнь лишними проблемами, но я должен был тебе сказать... И, прежде чем бежать отсюда без оглядки, я должен выслушать твой ответ. Быть может, я обращусь к епископу с просьбой о переводе в другое место, быть может, вовсе откажусь от сана и уеду куда-нибудь далеко, где ничто не будет напоминать мне о тебе...

Он уже два дня боролся с этим искушением, но любовь была сильнее его. Джо понимал, что если он не увидит Габриэллу в последний раз и не признается ей в своих чувствах, то ему не будет покоя нигде, в какой бы отдаленный уголок земли он ни забрался.

— Нет, нет, не делай этого! — испуганно вскричала Габриэлла. Мысль о том, что она может потерять Джо, в одно мгновение вернула ее в наполненное ужасом детство. На его слова о любви она почти не обратила внимания, вернее — не придала им такого большого значения. Габриэлла считала Джо своим другом и не желала его терять. Ни за что.

— Ты не можешь уехать... — тихо добавила она, глядя в пол. — Не уезжай, пожалуйста.

— Я должен, иначе я просто сойду с ума. Видеть тебя, слышать, знать, что ты совсем рядом, в пяти минутах езды, и не иметь возможности... — Он не договорил и решительно тряхнул своими густыми волосами. — Нет, это невозможно. Я не могу... О, Габи!..

В следующее мгновение она очутилась в его объятиях. Джо крепко прижимал ее к себе обеими руками, а Габриэлла уткнулась лицом в его широкую грудь. От Джо исходила надежная и ласковая сила; с ним было покойно и безопасно, и Габриэлла готова была простоять так целую вечность. Даже монастырь никогда не давал ей ощущения такого уюта и ласки.

— Я так люблю тебя... И хочу все время быть с тобой. Я хочу разговаривать с тобой, обнимать, заботиться о тебе... Я хотел бы быть с тобой всегда, но как? Как?! Все эти дни я думал только об этом. Едва с ума не сошел. — В его голосе звучала такая мука, что Габриэлла, слегка отстранившись, внимательно посмотрела на него. Ее глаза тоже были полны слезами, а сердце стискивала какая-то неясная тоска.

— Я тоже люблю тебя, Джо, — прошептала она. — Просто я не понимала этого. Или понимала, но знала, что это неправильно. Все надеялась, что мы можем быть просто друзьями. А теперь...

Она выглядела одновременно и счастливой, и печальной, и Джо покачал головой.

— Может, когда-нибудь мы и сможем быть просто друзьями, но не сейчас... Нет, не сейчас. Мы оба посвятили себя Богу, и я не могу просить тебя уйти из монастыря. Я... просто ума не приложу, какой здесь можно найти выход.

Беспокойство, растерянность, чувство вины явственно проступили на его лице, и Габриэлле вдруг показалось, что она понимает, в чем дело.

— Бедный, бедный Джо! — воскликнула она и, обняв его обеими руками, сама прижалась к нему всем телом.

— Только ничего не говори сейчас... — прошептала она. — Мы будем верить и молиться. Все будет хорошо, Джо, все будет хорошо...

Теперь уже она утешала его, она была сильной; мудрой и доброй, и Джо прильнул к ней, словно ища защиты. Он чувствовал ее силу, тепло и любовь, и, поддавшись внезапному порыву, вдруг наклонился и поцеловал ее.

Это случилось очень быстро; в следующее мгновение Джо уже отнял губы от ее рта, но Габриэлла знала, что ни она, ни он никогда не забудут этих нескольких секунд, навсегда изменивших их жизни.

— О, боже, Габи... Я так тебя люблю! — повторил Джо, от души радуясь тому, что ему хватило смелости объясниться. Он ни о чем не жалел. И еще никогда в жизни он не чувствовал себя таким счастливым. Даже неясное будущее не пугало его.

— И я люблю тебя, Джо, — снова сказала Габриэлла, и Джо поразился происшедшей с ней перемене. За эти несколько секунд она стала совсем взрослой — сильной, уверенной в себе женщиной. Габриэлла прекрасно понимала, как опасно то, что произошло. Отныне им придется жить, ежедневно и ежечасно рискуя всем, что у них было, но даже это не могло ее остановить.

— Что мы теперь будем делать? — спокойно спросила она, слегка отталкивая его, и Джо со вздохом присел на край скрипнувшего стола.

— Не знаю, — честно сказал он. — Нам обоим понадобится время, чтобы что-то придумать.

Но и Джо, и Габриэлле было ясно, что если их отношения зайдут достаточно далеко, то рано или поздно им придется принимать решение. Габриэлла, во всяком случае, и представить себе не могла, как она будет жить в монастыре, на каждом шагу обманывая мать-настоятельницу и сестер. Впрочем, повернуть назад было еще не поздно, нужно было только выбрать между монастырем и любовью, между спокойной и мирной жизнью и неизвестностью. Сейчас они были словно Адам и Ева в раю, и яблоко с древа познания было еще не тронуто, но они уже держали запретный плод в руках, любуясь его блестящей, тонкой кожицей. Искушение уже проросло в них, и Габриэлла знала, что если они поддадутся ему слишком легко, то погубят друг друга. Но Габриэлла не стала противиться, когда Джо снова привлек ее к себе и поцеловал.

— Можем мы встретиться где-нибудь в городе? — спросил он. — Нам нужно поговорить. Выпьем кофе, прогуляемся по парку, просто побудем в настоящем мире среди обычных людей.

— Не знаю. — Габриэлла задумалась. — Ведь я еще не новициантка. Нам не разрешают даже выходить из монастыря.

— Конечно, — кивнул Джо. — Но ведь твое положение — особенное. Ты прожила в монастыре почти всю жизнь. Неужели тебя не могут послать куда-нибудь с поручением? Я бы встретил тебя, где ты скажешь.

— Я подумаю об этом, — ответила Габриэлла, чувствуя, как ее пробирает дрожь. За какие-нибудь полчаса весь ее мир перевернулся и встал с ног на голову, но она не спешила это исправить. Сознание того, что она еще может все прекратить, несколько успокаивало ее, хотя в глубине души Габриэлла уже знала, что вряд ли это сделает. Сейчас ей хотелось только одного — быть рядом с ним, и о последствиях она почти не думала.

Потом ей вдруг пришло в голову, что сестра Анна была совершенно права в своих подозрениях, и она сказала об этом Джо.

— Сестра Анна оказалась умнее нас с тобой, — согласился он. — Вот тебе мое честное слово — еще совсем недавно я и подумать не мог, что со мной... с нами может случиться такое.

Впрочем, в догадливости сестры Анны не было ничего удивительного. В конце концов, она долго жила в миру и едва не вышла замуж, в то время как Джо еще ни разу не увлекался ни одной женщиной. Что касалось Габриэллы, то в вопросах пола она и вовсе была сущим ребенком. Когда Габриэлла вступила в подростковый возраст, монахини сообщили ей кое-что из того, что ей следовало знать об особенностях женской физиологии, однако эти минимальные познания носили довольно отвлеченный характер. Во всяком случае, в сознании своем Габриэлла никогда не связывала эти сведения ни с сексом, ни с рождением детей.

Теперь все переменилось буквально в мгновение ока. Габриэлла осознала себя женщиной, любящей и любимой.

— Ваша настоятельница только что попросила меня приезжать каждый день, чтобы служить мессы и принимать исповеди, — сказал Джо. — Отец Питер слегка приболел, а остальные священники в отпуске. Мне придется работать одному. Мы увидимся завтра утром, и ты скажешь мне свое решение.

— Мне... может потребоваться время, — неуверенно

произнесла Габриэлла и вдруг озорно улыбнулась ему. Ее улыбка была такой лучистой и милой, что Джо с трудом справился с желанием сорвать с головы Габриэллы черный платок-апостольник, скрывавший ее чудесные светлые волосы. Он хотел видеть их, хотел видеть ее всю, а не только то, что оставляла его взору широкая и длинная монастырская одежда. Ему хотелось прижать ее к себе и целовать до тех пор, пока хватит воздуха в легких. Джо понимал, что они не могут вечно сидеть в этой пустой келье и что Габриэлле пора возвращаться. Но теперь он никак не мог решиться расстаться с ней хотя бы на несколько часов.

— Пожалуй, я начну приезжать на исповедь дважды в день, — сказал Джо с задорной мальчишеской улыбкой. — Я хочу видеть тебя как можно чаще...

Габриэлла не ответила. Какая-то сила снова бросила ее в его объятия, и они поцеловались еще раз. Этот поцелуй был таким страстным и таким долгим, что в конце концов Габриэлла задохнулась и с трудом оторвалась от него.

— Я люблю тебя, — шепнула она, пряча от Джо свое раскрасневшееся лицо.

— Я тоже тебя люблю, — он слегка оттолкнул ее. — А сейчас лучше иди. Увидимся завтра утром. — Он вздохнул. — О, если бы ты знала, как мне не хочется отпускать тебя!

— Завтра мы можем снова встретиться здесь, — храбро предложила Габриэлла и еще больше покраснела. — Сюда никто никогда не заглядывает. Я могла бы взять у сестры Эммануэль ключ — я знаю, где он лежит.

— Будь осторожна, — предупредил Джо. — И постарайся не наделать глупостей.

Его голос прозвучал очень решительно и твердо, но Габриэлла только рассмеялась.

— Кто бы говорил! — воскликнула она. — Ты сам совершаешь один безрассудный поступок за другим, а от меня требуешь благоразумия! Твое предложение встретиться в городе — это же настоящее безумие!

Он знал это. Знал, но отказаться от своего плана не мог.

— Ты не сердишься на меня за все, что я тебе наговорил? За то, что признался тебе? — Он выпрямился во весь рост, и его лицо неожиданно стало очень серьезным. Джо хорошо понимал, что, открывшись Габриэлле, он подверг опасности и себя, и ее. Но Габриэлла ни о чем не хотела слышать.

— Как я могу сердиться на тебя, Джо? Ведь я тоже люблю тебя. — Она смущенно улыбнулась и добавила: — Я рада, что ты мне сказал. Я, наверное, еще долго не могла бы разобраться во всем, что происходит. Со мной и с тобой...

Габриэлла действительно была рада. Она понимала, что его положение гораздо сложнее. Она-то еще не приняла вечного обета и была более или менее свободна в своих поступках и решениях. Габриэлла не была даже новицианткой, в то время как Джо уже восемь лет прослужил священником. Если бы об их любви стало известно, последствия для него могли быть самыми тяжелыми. Он терял все, буквально все.

— Я еще правда не знаю, как нам быть, — произнес Джо виновато.

— Не будем спешить. Будем жить как жили, а там будет видно, — попыталась успокоить его Габриэлла, но она сама не верила в свои слова. И в первую очередь потому, что уже не могла жить как раньше. Все изменилось, и надо было начинать сначала. А как, если у нее из-под ног неожиданно ушла та опора, на которую она привыкла надеяться?

Но, несмотря на все это, Габриэлла еще никогда не чувствовала себя такой сильной. Она не знала, откуда у нее такая уверенность в будущем. Но ей очень хотелось поделиться с Джо.

— Мне кажется, загадывать пока рано, — добавила она. — Главное, мы любим друг друга. Этого вполне достаточно. Со временем мы сумеем что-нибудь придумать.

— Я рад, что ты это сказала, — ответил Джо. И действительно, со лба его почти исчезли озабоченные морщины. — Я боялся, что ты больше никогда не будешь со мной разговаривать, если я признаюсь тебе... Я так боялся...

Он не договорил. Габриэлла прижала пальцы к его губам, и он поцеловал их.

— Помни, я люблю тебя! — прошептал Джо и так поспешно вышел, что Габриэлла даже не успела с ним попрощаться. Его шаги еще некоторое время раздавались в коридоре, потом они затихли. Габриэлла все стояла возле стола и улыбалась, вспоминая слова Джо. Не верилось, что это случилось с ней. Как это могло случиться?! Любовь была благословением небес и готовым пожрать их обоих драконом. «Интересно, — задумалась Габриэлла, — как долго нам придется хранить свои чувства в секрете?» Наверное, очень долго. «Пока Джо не примет того или иного решения», — добавила она мысленно. Ведь он терял гораздо больше, чем она.

Потом Габриэлла опомнилась и продолжила свои поиски, но нашла только одну из пропавших ведомостей. Этого, впрочем, было вполне достаточно. Теперь Габриэлла могла оправдать свое длительное отсутствие, а кроме того, у нее появлялся отличный предлог вернуться сюда завтра, чтобы снова встретиться с Джо.

Выйдя из кельи, она заперла за собой дверь и пошла искать сестру Эммануэль. Сердце Габриэллы пело и ликовало. Все окружающее словно заволоклось золотистой дымкой и потеряло черты реальности, зато воспоминания о поцелуях Джо, о его крепких объятиях приобрели выпуклость и яркость. Джо любит ее! Он хочет быть с ней. И она тоже этого хотела. Она полюбила, полюбила впервые в жизни!..

Когда Габриэлла проходила мимо трапезной, где собралось несколько монахинь и послушниц, голова ее все еще слегка кружилась. Губы Габриэллы улыбались, глаза лучились счастьем, но никто из сестер не обратил на это внимания.

Одна только сестра Анна, чье ревнивое сердце не знало покоя, многое поняла и о многом догадалась. Но она промолчала, а больше никто ничего не заметил.

Глава 12

На следующее утро Габриэлла пошла на исповедь одной из первых. Час был ранним, и многие монахини выглядели заспанными и зевали, деликатно прикрывая рты кончиками наголовных платков. Пожалуй, одна только Габриэлла чувствовала себя абсолютно бодрой, хотя этой ночью она почти не сомкнула глаз. Ей так хотелось поскорее увидеть Джо, что она то и дело отрывала голову от подушки и напряженно всматривалась в темноту за узким окном дортуара, стараясь разглядеть признаки приближающегося рассвета. Самые разные мысли тревожили ее. Габриэлла гадала, не приснилось ли ей все, что было вчера. Не устыдится ли Джо своего порыва. Быть может, думала она, он уже раскаивается в своем поступке, и теперь не захочет ни видеть ее, ни говорить с ней. Этот вариант казался бедняжке настолько реальным, что, когда она наконец вошла в темную и тесную исповедальню и опустилась там на колени, лицо ее не выражало ничего, кроме ужаса.

Молитву Габриэлла прочла чисто машинально, поскольку от волнения и страха она почти ничего не соображала. К счастью, Джо сразу узнал ее голос. Стараясь производить поменьше шума, он вытащил из гнезда деревянную решетку исповедальни, и Габриэлла увидела в темноте смутные очертания его головы.

— Я люблю тебя, Габи, — прошептал он так тихо, что Габриэлла скорее угадала, чем расслышала его слова. Она сразу же успокоилась и с облегчением вздохнула.

— Я боялась, что ты можешь передумать, — ответила она так же тихо и впилась в темноту испытующим взглядом.

— И я тоже, — ответил Джо и поцеловал ее сквозь окошко. Потом он спросил, когда они увидятся вне монастыря.

— Быть может, завтра, — неуверенно предположила Габриэлла. — Завтра четверг; по четвергам сестра Жозефина везет письма на почту. Я могу предложить заменить ее, но выйдет из этого что-нибудь или нет, я не знаю. Если сестра Эммануэль разрешит, я узнаю об этом в самый последний момент. Как мне известить тебя?

— Это-то как раз просто, — успокоил ее Джо. — Позвони в наш приход, назовись секретарем моего зубного врача и скажи, что время приема переносится, вот я и узнаю, когда мы встретимся. Какое у вас почтовое отделение?

Габриэлла сказала и забеспокоилась.

— Что, если я тебя не застану?

— Застанешь, — уверенно сказал Джо. — В последнее время я только и делаю, что занимаюсь бумажной работой да встречаюсь с прихожанами. Если надо, я сумею быстро уйти. Ты только позвони.

— Я люблю тебя, — прошептала Габриэлла.

— Я тоже, — ответил Джо хриплым голосом бывалого конспиратора. Габриэлла улыбнулась в темноте. Они и правда теперь заговорщики, но дело не только в этом. Главное — это их решимость во что бы то ни стало быть вместе, хотя оба знали — за это им, возможно, придется дорого заплатить.

Джо тоже почти не спал этой ночью. Он все вспоминал их нечаянное свидание и в конце концов понял, что, несмотря на грозящую обоим опасность, они поступили совершенно правильно. Нельзя было противиться вспыхнувшему между ними чувству — это могло закончиться лишь еще большей бедой.

Примерно так же думала и Габриэлла. Они не сказали друг другу об этом ни слова, но ни один из них не испытывал никаких сомнений в правильности выбранного пути.

— Прочти столько молитв к Деве Марии, сколько тебе захочется, — сказал Джо под конец. — И молись за меня, Габи. А я буду молиться за тебя. Быть может, Господь простит и поможет нам. И позвони мне...

— Неизвестно еще, получится ли, — нерешительно ответила Габриэлла. — Но если нет, мы увидимся завтра утром и придумаем что-нибудь еще, правда?

— Правда.

На этом исповедь закончилась. Из исповедальни

Габриэлла вышла, низко опустив голову, боясь, как бы кто-нибудь не заметил ее блестящих от возбуждения глаз и взволнованного румянца на щеках. Особенно страшно было невзначай столкнуться с матушкой Григорией, которая знала ее слишком хорошо и легко могла догадаться, что Габриэлла что-то скрывает. Да и она сама вряд ли решилась бы обмануть свою названую мать. К счастью, настоятельница в последнее время была слишком занята, и Габриэлла почти ее не видела.

Потом Джо служил утреннюю мессу, а Габриэлла смотрела на него со своего места на скамье возле колоннады. На середине службы она вдруг поймала себя на том, что перестала думать о Джо как о священнике, хотя именно сейчас, стоя на возвышении перед алтарем, он был больше всего похож на недоступного и загадочного служителя Божия. Но теперь Габриэлла знала его с другой стороны. Он был таким живым, ласковым, нежным... просто человеком. Нет, не просто, а самым, самым, самым...

Тут Габриэлла спохватилась. Боже, ведь она думает о Джо, как о мужчине, и почувствовала, как по спине ее пробежал холодок страха. Неужели в своих чувствах к нему она зашла так далеко? Похоже, так оно и было. Единственное, о чем она в состоянии была думать, это о его поцелуях и сильных объятиях, которые сулила ей встреча за пределами монастыря.

Из церкви Габриэлла вышла вместе с другими монахинями и сразу же отправилась в сад, где ее ждала кое-какая работа. Здесь, вдалеке от чужих глаз, она могла спокойно предаваться размышлениям, не опасаясь, что кто-то обратит внимание на ее состояние.

После завтрака Габриэлла набралась храбрости и намекнула сестре Эммануэль, что если сестра Жозефина нуждается в помощи, то она могла бы сходить за почтой вместо нее.

— Это очень любезно с твоей стороны, — ответила ей сестра-наставница. — Но я думаю, сестра Жозефина пока справляется. Быть может, в следующий четверг ей понадобится помощница, а пока...

Габриэлла почти боялась, что сестра Эммануэль скажет «да», но, услышав отрицательный ответ, почувствовала горькое разочарование. Никаких иных предлогов вырваться из монастыря, не возбуждая ничьих подозрений, просто не существовало, следовательно, их свидание с Джо откладывалось минимум на неделю.

И действительно, следующие семь дней стали для влюбленных настоящим испытанием. Всего дважды они встретились в пустующей келье, хотя и это было рискованно. Им даже не удалось как следует поговорить о планах на ближайшее будущее, поскольку каждый шорох заставлял их вздрагивать. Габриэлла, кстати, скоро разыскала недостающие ведомости, но не спешила отдавать их сестре Эммануэль, чтобы иметь предлог снова и снова ходить в келью-архив.

Во время этих коротких свиданий они больше обнимались и целовались, чем обсуждали свое будущее. Никто из них еще не решил окончательно, как они будут жить дальше. Джо время от времени пускался в рассуждения о том, как они будут не таясь гулять вдвоем в парке и разговаривать друг с другом обо всем на свете. Габриэлле было трудно заглядывать так далеко. Она думала только о будущем четверге, о том, как они встретятся вне монастыря и что будут делать. Им следовало быть предельно осторожными, чтобы не попасться на глаза никому из знакомых и прихожан. Да и вообще, нельзя было особенно увлекаться. Слишком долгое отсутствие Габриэллы могло встревожить сестер. Но, несмотря ни на что, она предвкушала эту встречу как высшее счастье. «Только бы мне разрешили помочь сестре Жозефине», — думала Габриэлла, понимая, что лишь в случае крайне удачного стечения обстоятельств ей удастся вырваться из монастыря.

Но ей повезло. В среду в монастыре стало известно, что на адрес ордена поступило сколько-то рулонов шерстяной материи для монашеских накидок. Сестра Иммакулата, разыскав Габриэллу в саду, вручила ей накладные, конверт с деньгами и ключи от старенького доставочного фургона, принадлежавшего монастырю. По словам сестры Иммакулаты, материю нужно было привезти как можно скорее. Несколько монахинь, занимавшихся пошивом накидок, уже давно сидели без работы и горели желанием взяться за дело.

Габриэлла была одной из немногих монахинь, умевших водить машину. Она закончила шоферские курсы еще во время учебы в университете — на этом настояла матушка Григория, считавшая, что водительские права могут пригодиться ей как будущей журналистке. Габриэлле, правда, не хватало практического опыта вождения, но сейчас это ее почти не беспокоило. Главное, она сможет вырваться из монастыря и позвонить Джо!

Взяв ключи от машины, она обошла монахинь, спрашивая, нет ли у них каких-нибудь поручений. Некоторые из сестер действительно попросили ее привезти из города кое-какие мелочи, и Габриэлла тщательно все записала, зная, что список поможет ей оправдаться в случае, если она слишком задержится. Так, просьба сестры Барбарины о редком лекарстве от кашля давала формальный повод проехаться по аптекам и выиграть на этом лишних минут двадцать. Эти минуты она могла посвятить свиданию с Джо.

Вскоре Габриэлла уже выводила из гаража возле кухни недовольно урчащий фургон, верой и правдой служивший ордену уже лет двадцать. Как и всё в монастыре, фургон был в рабочем состоянии и даже кое-где блестел свежей краской, однако механизмы его были настолько изношены, что он ездил буквально с черепашьей скоростью. Это, впрочем, никого не раздражало. Монахиням слишком редко приходилось садиться за руль. Они безусловно чувствовали бы себя неуверенно за рулем быстроходной и мощной машины. Больше того, с полгода назад монастырь приобрел еще один подержанный фургон, но, по всеобщему мнению, он был чересчур новым и потому еще ни разу не покидал обители. Чтобы дойти до нужной кондиции, ему необходимо было простоять в гараже еще лет десять.

У монастырских ворот Габриэлла остановилась, ожидая, пока две послушницы откроют перед ней тяжелые створки. Бросив взгляд за окно, она увидела на садовой скамейке матушку Григорию, которая приветливо помахала ей рукой. Габриэлла улыбнулась в ответ, но на душе у нее кошки скребли. Она понимала, что совершает тяжкий грех, обманывая мать-настоятельницу, но ничего с этим поделать не могла. Пока не могла.

Ей было бы еще тяжелее, если бы она знала, о чем сейчас думает настоятельница. А думала матушка Григория о том, что уже давно она не видела свою воспитанницу такой радостной и счастливой. Глаза ее буквально лучились радостью, но — как и большинство монахинь — мать-настоятельница приписывала это успехам Габриэллы на поприще послушнического служения. Девушка прилежно молилась, не пропускала ни одной исповеди, охотно помогала сестрам. Кроме этого, Габриэлла много работала в саду и добилась поистине ошеломляющих результатов, словно у нее и вправду открылся талант в обращении со всем, что растет на земле. Матушка Григория не знала только, хватает ли у Габриэллы времени и сил на то, чтобы писать, и мысленно завязала себе узелок на память — не забыть при случае спросить у нее об этом.

Между тем Габриэлла медленно выехала из ворот и вскоре скрылась за углом. Убедившись, что из монастыря ее уже не видно, она с такой силой нажала на акселератор, что двигатель фургона протестующе взвыл. Проехав два квартала, Габриэлла остановилась у первого же платного телефона и, с трудом попадая дрожащими от волнения пальцами в прорези диска, набрала номер прихода Святого Стефана.

На третьем звонке трубку взял молоденький монах. Габриэлла, кое-как совладав с волнением, объяснила ему, что звонит мистеру Коннорсу по поручению его зубного врача, ей нужно знать, не сможет ли он прийти на прием сегодня утром.

— Прошу прощения, — сказал монах, — но, боюсь, отца Коннорса сейчас нет. Несколько минут назад я видел, как он одевается. Впрочем, если вы подождете, я пойду проверю...

Он положил трубку рядом с аппаратом и куда-то ушел. Габриэлла прислонилась спиной к стенке телефонной будки и подняла голову вверх, на чем свет стоит кляня себя за то, что не выехала из монастыря хотя бы на четверть часа раньше. Потом она вдруг подумала, что таким способом Господь дает ей последний шанс вернуться на истинный путь, но никакой вины она за собой не чувствовала. Больше того, при мысли о том, что им, вероятно, придется оставить лоно церкви, которая была для них всем, ни Джо, ни Габриэлла не испытывали ничего, кроме нетерпения и волнения. Возможно, это объяснялось тем, что ни один из них не осмеливался пока заглядывать в будущее дальше нескольких свиданий вне монастыря. Как будут развиваться их отношения потом, ни она, ни он просто не представляли. Габриэлла допускала даже, что их любовь скоро погаснет. Вряд ли они оба успеют прийти в себя прежде, чем станет слишком поздно. Но все равно воспоминание об этих волшебных часах, проведенных вместе, остались бы с ними до конца жизни. Габриэлла не желала жертвовать ими, как бы судьба ни распорядилась ею в дальнейшем. В любом случае, у нее оставался еще порядочный кусок жизни, который она могла посвятить раскаянию и служению Богу, если, конечно, на то будет Его воля.

Пока она размышляла подобным образом, монах вернулся к телефону и сообщил ей, что успел перехватить отца Коннорса в самых дверях и что он сейчас подойдет.

Услышав это, Габриэлла чуть не вскрикнула от радости. В следующее мгновение в трубке уже звучал знакомый баритон Джо. Он говорил не очень внятно, задыхаясь, словно от быстрого бега, и Габриэлла подумала, что он, наверное, мчался со всех ног.

Но она ошиблась. Джо сумел справиться с собой и ничем не выдал своего волнения. На второй этаж приходской ректории он поднялся умеренно быстрым шагом, без видимой спешки. Но лишь только он остался один в комнате, губы его сами собой расплылись в широкой улыбке.

Как ни ждал Джо этого дня, он все же не верил, что она позвонит. К тому же сегодня была только среда, а они рассчитывали, что Габриэлле удастся выйти на почту только в четверг, однако никаких лишних вопросов Джо задавать не стал.

— Ты где? — быстро спросил он и оглянулся на дверь, в которую только что вышел послушник.

— Я в паре кварталов от монастыря, — сообщила Габриэлла, понизив голос и прикрывая трубку рукой, хотя здесь ее никто не мог подслушать. — Меня послали в город с несколькими поручениями, так что у меня есть немного времени.

— Можно мне поехать с тобой? — предложил Джо, но тут же спохватился. — Нет, это будет слишком опасно. Давай лучше сделаем вот как: сначала ты закончишь свои дела, а потом мы с тобой встретимся. Куда ты сейчас направляешься?

— Сначала на улицу Делании, потом — в Ист-Сайд. Там есть несколько магазинов, которые отпускают монастырю товары со скидкой.

— Хорошо. Как насчет того, чтобы встретиться в парке на Вашингтон-сквер? Я уверен, что там мы будем в полной безопасности. Или подъезжай к Брайан-парку, что за библиотекой.

Брайан-парк очень нравился Джо, хотя там на скамьях любили располагаться бездомные и пропойцы. Несмотря на это, Брайан-парк слыл одним из самых тихих и безопасных мест в Нью-Йорке.

В конце концов они договорились, что встретятся через час в парке на Вашингтон-сквер. Габриэлла полагала, что этого времени ей хватит, чтобы забрать со склада ткань и выполнить хотя бы часть поручений сестер.

— Хорошо, значит, в десять я буду там, — пообещал Джо. — И еще, Габи... спасибо, что ты делаешь это для меня, милая. Я люблю тебя.

Еще никто никогда не называл ее «милой», никто никогда не разговаривал с ней таким нежным, полным любви голосом.

— Я тоже люблю тебя, Джо, — так же шепотом, словно боясь, что кто-то может ее подслушать, ответила Габриэлла.

На складе Габриэлла управилась на удивление быстро. Рулоны черной материи были большими и тяжелыми, но рабочие сами загрузили их в фургон, пока Габриэлла оформляла бумаги и оплачивала покупку. На каждую монашескую накидку уходило до пяти ярдов ткани, а в монастыре было около двухсот насельниц, так что фургон оказался забит до отказа. На прочие поручения Габриэлла потратила всего полчаса и в пять минут одиннадцатого уже ехала по Шестой авеню в направлении Вашингтон-сквер.

Зеленый, ухоженный парк, над которым поднималась знаменитая арка, чем-то напомнил Габриэлле Париж, хотя она видела этот город только на картинках. Джо был уже здесь — Габриэлла сразу заметила у входа в парк его машину и стала искать место, где можно было бы приткнуть фургон. Наконец она сумела втиснуть его между двумя легковушками и, проворно выскочив из кабины, заперла за собой дверь.

Она уже сделала шаг по направлению ко входу в парк, но вдруг остановилась и, вернувшись к фургону, сняла с головы черный платок-апостольник. Бросив его на сиденье, она быстро провела рукой по волосам и только потом поспешила навстречу Джо, который махал ей рукой от своей машины. Габриэлла искренне надеялась, что длинное белое платье с двумя скромными синими полосками внизу не будет привлекать к себе слишком много внимания. Если бы она успела стать новициант-кой, ей пришлось бы носить широкую черную накидку, которая, конечно, ни при каких условиях не могла бы сойти за цивильное платье.

Как только Габриэлла перебежала через улицу, Джо привлек ее к себе и, не говоря ни слова, поцеловал. Он был в черных брюках и черной рубашке с короткими рукавами, так что угадать в нем священнослужителя мог только тот, кто знал в лицо. К счастью, приход Святого Стефана находился достаточно далеко. По крайней мере эта опасность им не угрожала.

— Я ужасно рад видеть тебя, — сказал Джо, когда они наконец сумели разжать объятия. — У тебя все в порядке?

— Да, — ответила она, и Джо, взяв ее под руку, увлек Габриэллу за собой в густую тень парка.

Некоторое время они медленно шли по дорожке и молчали, потрясенные собственной смелостью. И для него, и для нее это был первый глоток свободы. Они слегка растерялись от шума густой листвы, от вида залитых солнечным светом лужаек, от непривычного многолюдья. Просто вавилонское столпотворение, хотя по нью-йоркским меркам народа в парке было не так уж много. На лужайках резвились и играли в мяч дети, одетые ярко; влюбленные парочки обнимались на зеленых скамейках; грелись на солнышке старики, а откуда-то издалека доносился звон колокольчика на тележке мороженщика. Когда тележка поравнялся с ними, Джо купил Габриэлле порцию сливочного пломбира, и они уселись на свободную скамейку под большим кустом отцветшей сирени.

Джо улыбался, и Габриэлла подумала, что еще ни разу не видела его таким счастливым. Они поцеловались еще раз, потом съели ее мороженое, по очереди кусая от него, пока в руке Габриэллы не осталась одна обертка. Процеженное сквозь листву солнце плясало перед ними тысячью солнечных зайчиков. Габриэлле начало казаться, что она видит удивительный сон. О том, что это тихое волшебство очень скоро может обернуться настоящим кошмаром, никто из них не думал.

— Спасибо, что смогла встретиться со мной, Габи, — снова повторил Джо. Он слишком хорошо знал, чего ей стоило вырваться из монастыря, не возбуждая ничьих подозрений. И это — равно как и нетерпение, с каким Джо ждал этого свидания, — сделало для него драгоценной каждую проведенную с ней минуту.

Между тем первоначальное потрясение постепенно проходило, и, чтобы не тратить времени даром, они торопливо заговорили обо всем, что их волновало и тревожило. И все же ни Джо, ни Габриэлла не решались заглядывать далеко в будущее, подсознательно ограничивая себя настоящим.

Джо, например, особенно интересовало, как скоро Габриэлла сумеет снова встретиться с ним в городе. А кто мог это знать? Сегодня им просто несказанно повезло, и оттого в их свидании было что-то от свершившегося чуда. Габриэлла уже чувствовала, что просто не сможет обойтись без подобных вылазок. Их торопливые встречи в пустой келье были ничем по сравнению с небывалой свободой, которой Габриэлла вкусила сегодня.

— Может, что-то и подвернется, — сказала она наконец, но как-то не очень уверенно. У Джо от огорчения вытянулось лицо.

— Нет, — сказала она, спеша успокоить его, — я совершенно уверена, что сестра Эммануэль или мать-настоятельница еще будут посылать меня в город по каким-то делам, просто сейчас я ничего не могу сказать точно.

Монахини любили ее и часто шли ей навстречу, даже если это было связано с мелкими нарушениями монастырского устава. А Габриэлла, в свою очередь, изо всех сил старалась отплатить добром за добро, выполняя для сестер мелкие поручения и беря на себя самые тяжелые и грязные работы. Она имела все основания полагать, что так будет продолжаться и дальше, пока она будет выполнять все, что полагается кандидатке в послушницы. Единственное, что слегка беспокоило Габриэллу, это то, что за прошедшую неделю она не написала ни строчки.

В этот их первый день вдвоем им пришлось расстаться до обидного скоро. Уже в половине двенадцатого Джо проводил Габриэллу обратно к фургону, и все же минуты, проведенные вместе, казались им часами — такими они были радостными и счастливыми. Это заставило их с жадностью мечтать о новой встрече.

Возле фургона Джо поцеловал Габриэллу в последний раз и при этом так плотно прижался к ней, что она даже слегка смутилась. Но уже в следующею секунду ее тело стало податливым и мягким, и Джо пришлось напрячь всю свою волю, чтобы отпустить ее.

— Будь осторожна, Габи. Никому не рассказывай о нашей встрече, — зачем-то предупредил он, и Габриэлла невольно рассмеялась.

— Даже сестре Анне? — пошутила она, и Джо улыбнулся несколько вымученной улыбкой. Ему хотелось смотреть на нее, слышать ее голос и проделывать все те глупости, которые совершают влюбленные мужчины.

Впрочем, в его жизни этого никогда не было, хотя Джо исполнилось уже тридцать два года. Его одолевали самые сладостные мечты и самые невероятные фантазии, которых он ни за что бы не допустил всего несколько месяцев назад. Любовь ворвалась в его душу словно разбушевавшаяся река; она размыла все дамбы и снесла все плотины и преграды, и теперь остановить этот поток было невозможно.

Стоя возле древнего монастырского фургона, Джо держался за нагретую солнцем водительскую дверцу и с томительной нежностью глядел, как Габриэлла надевает черный платок, пряча под него свои удивительные волосы. Они были у нее светлыми и искрящимися, словно она каждый день мыла их в золотой воде. Джо с грустью подумал, что до сих пор ни разу не видел ее без платка.

— Увидимся завтра, на исповеди. Вернее — услышимся... — сказала Габриэлла с надеждой, и Джо сдержанно кивнул. Ему хотелось чего-то большего, чем перешептывание и быстрый поцелуй через вынутую решетку исповедальни. Вот сейчас она сядет в свой фургон и уедет. Как скверно от этого на душе. Но Джо знал, что должен покориться неизбежному.

— Ключ от той кельи все еще у тебя? — спросил он и нахмурился.

Габриэлла улыбнулась. Сейчас Джо больше всего походил на обиженного мальчишку, которого отправляют спать в самый разгар взрослого праздника.

— Я знаю, где он лежит.

Она подмигнула, но Джо нахмурился еще сильнее. Он хорошо понимал, какой опасности подвергает себя Габриэлла, но встречи в нежилой келье были все-таки лучше, чем перешептывания в исповедальне.

Потом они поцеловались в последний раз, и Габриэлла поехала назад, в монастырь. Движение на улицах стало гораздо более оживленным, однако до Святого Матфея она добралась даже быстрее, чем рассчитывала. Там две послушницы помогли ей разгрузить ткань. Рулоны, которые они укладывали на застланную упаковочной бумагой садовую тележку, были ужасно тяжелыми, но Габриэлла чувствовала в себе такой прилив сил, что работала за десятерых. И это, несомненно, было следствием ее встречи с Джо.

После обеда Габриэлла снова возилась в саду, молилась со всеми в церкви, помогала мыть посуду и полы в трапезной. Вечером, когда матушка Григория зашла навестить Габриэллу, та сидела за столом и писала новый рассказ.

Настоятельницу уже некоторое время грызло какое-то непонятное беспокойство. При всем своем жизненном опыте она не могла понять его причину. Габриэлла выглядела веселой, жизнерадостной, была всем довольна. Похоже, никакие сомнения в правильности выбранного пути ее не преследовали и не мучили. Судя по отзывам остальных монахинь, сестра Бернадетта была вполне счастлива и думала только о вечном обете, который ей предстояло принять через четыре года.

Ушла матушка Григория более или менее успокоенной, зато у Габриэллы — впервые со времени их объяснения с Джо — неожиданно проснулась совесть. Она обманывала ту, что заменила ей мать. Мысль о том, как жестоко будет разочарована матушка Григория, узнав правду, заставляла Габриэллу страдать. Да и как она скажет настоятельнице эту правду. Это было просто невозможно. Но теперь Габриэлла хотела в жизни только одного — быть с Джо Коннорсом.

На следующий день они снова увиделись — сначала в исповедальне, потом — в маленькой келье-архиве в нежилой части монастыря. После вчерашнего свидания в парке она показалась им особенно тесной и жалкой, но Габриэлла знала, что в ближайшее время ей вряд ли удастся вырваться.

И она оказалась права. Прошло полных две недели, прежде чем ее снова послали в город с поручением. Эти четырнадцать дней ожидания едва не свели обоих с ума.

Они встретились в Центральном парке и почти сразу свернули на пустынную аллею, ведущую вглубь. Держась за руки, они медленно пошли по ней. Где-то далеко играл струнный оркестр, и незнакомая мелодия летела между стволами и глохла в листве. Рука Джо лежала в ее руке. Теплый, ласковый ветер овевал раскрасневшиеся от восторга щеки Габриэллы.

Весь день сжался для нее в этот короткий час, который она провела с ним. Как Габриэлла ни старалась, она никак не могла припомнить, что же еще она делала в тот день.

Но эта вспышка счастья все же была слишком короткой. Габриэлла очень быстро почувствовала разочарование от того, что ей нельзя видеть Джо все двадцать четыре часа в сутки. Каждый из них хотел взять друг от друга и от новой открывшейся им жизни как можно больше. Каждая минута, проведенная вместе, была для них самой большой драгоценностью.

Через несколько дней они снова встретились в Центральном парке. На этот раз у Габриэллы было гораздо меньше времени, чем в первый раз, поэтому они не стали заходить далеко, а сели на траву на первой же попавшейся лужайке. Габриэлла положила голову к Джо на колени, а он перебирал ее чудесные золотистые волосы и говорил, говорил, словно спеша высказать как можно больше за те жалкие тридцать минут, что подарила им судьба.

Вскоре Габриэлла уехала, увозя в своем сердце надежду на новую встречу. Правда, теперь они почти каждый день виделись либо в исповедальне, либо в пыльной нежилой комнате архива, но этого было до отчаяния мало. Они до сих пор не решили, как им быть дальше, хотя к этому времени они были уже вполне уверены в чувствах друг друга. Со стороны положение, в которое они попали, выглядело вульгарно и даже пошло: священники не раз сбега́ли с монахинями, здесь Джо был не первым и не последним, однако оба считали свой случай совершенно особенным, не похожим на те скандальные истории, которые время от времени случались в католическом мире. Было совершенно ясно, что огласка неминуема. Рано или поздно им придется объявить о своем решении, однако отважиться на это было невероятно трудно, и вовсе не потому, что они стыдились своих чувств.

Все дело было в том, что, как ни парадоксально, их отношения касались не только их двоих. Слишком много людей почувствовали бы себя обманутыми, преданными, оскорбленными в своих лучших чувствах. Прежде всего, конечно, матушка Григория, которая больше других радовалась решению Габриэллы посвятить себя служению Богу. Что касалось Джо, то он просто боялся рвать свои связи с церковью. В этом он откровенно признался Габриэлле во время одного из свиданий.

— Значит, нам нужно подождать, чтобы как следует все обдумать, — ответила она ему. — Я не хочу, чтобы ты жалел о случившемся. Ведь решение, которое ты примешь, будет окончательным.

О себе она почти не думала, хотя до посвящения в новициантки оставалось совсем мало времени. Ее волновало только одно: если Джо уйдет из церкви сам или будет лишен сана, то вернуться обратно он уже не сможет.

Джо старался побольше думать о том, что им делать дальше, но мысли его то и дело возвращались к их с Габриэллой свиданиям. Жаркие объятья и поцелуи затмевали все. Джо знал, что совершает страшный грех, но сейчас ему было все равно. Он страстно желал только одного — быть с Габриэллой, видеть ее, обнимать и ласкать. Особенно сильной его тоска по ней становилась по ночам, когда он оставался один и часами лежал без сна на узкой койке приходского общежития.

Габриэлла тоже тосковала по Джо. Она даже начала писать что-то вроде посвященного ему дневника, в котором была отражена вся недолгая история их любви, все мечты Габриэллы о будущем и все ее надежды. Габриэлла верила, что когда-нибудь они прочтут его вместе и решат, сбылось ли задуманное или нет. Пока же эта рукопись больше напоминала бесконечное любовное послание, и Габриэлла старательно прятала ее в своем бельевом сундучке. Габриэлла узнала, что орден приобрел один старый дом на озере Джордж. Решено было превратить его в некое подобие пансионата для престарелых монахинь, и матушка Григория собиралась выехать туда в самое ближайшее время, чтобы проследить за ремонтом. «Заодно и отдохну», — сказала настоятельница, когда сестра Иммакулата робко заметила ей, что та уже несколько лет подряд не брала отпуск.

Из этого следовало, во-первых, что настоятельница

будет отсутствовать довольно продолжительное время, и что, во-вторых, экзамены на новициат передвигаются на сентябрь. Будет ли это означать бо́льшую свободу лично для Габриэллы? Все зависело от того, кто будет замещать матушку Григорию на время ее отсутствия.

Но в день отъезда матушки Григории Габриэлла неожиданно получила несколько часов полной свободы. Все кандидатки ушли в город к зубному врачу, что занимало обычно несколько часов. Габриэлла же побывала у дантиста всего два месяца назад, поэтому она осталась в монастыре, не имея никаких планов и никаких обязанностей, которыми ей следовало бы безотлагательно заняться. И как только ее подруги по группе уехали, Габриэлла пошла к дежурной монахине и сказала, что ей необходимо приобрести ручной опрыскиватель и пополнить запас удобрений.

Дежурная монахиня второй день страдала от сильной головной боли, поэтому она не стала задавать Габриэлле никаких вопросов, а просто вручила ей деньги и ключи от машины. Пообещав вернуться как можно скорее, что, строго говоря, ни к чему ее не обязывало, Габриэлла выехала из монастыря и позвонила Джо из ближайшего телефона-автомата.

К счастью, Джо был на месте. В последнее время он старался как можно реже покидать приходскую ректорию, чтобы не прозевать ее звонок и не упустить одну из редких возможностей встретиться с Габриэллой.

— Сколько времени у тебя есть? — спросил он хриплым шепотом. Джо всегда задавал ей этот вопрос и был очень удивлен, когда Габриэлла сказала, что у нее есть два или три часа.

Этого дня Джо ждал давно, но то, что мечта сбылась, его настолько поразило, что на несколько секунд Джо буквально лишился дара речи. Опомнившись, он велел Габриэлле ждать его в конце Пятьдесят третьей улицы, объяснив ей, что это всего в двух кварталах от монастыря. Габриэлла приехала в назначенное место на четверть часа раньше его, и ей пришлось дожидаться Джо в машине. Все это время она очень переживала, что драгоценные минуты пропадают зря. Когда Джо наконец подъехал, радости ее не было предела.

Габриэлла заранее сняла монастырский платок-апостольник, и, как только увидела, что Джо выходит из машины, она радостно бросилась к нему навстречу и обняла прямо посреди тротуара. Джо крепко поцеловал ее, потом обнял за талию, и они медленно пошли вдоль улицы на восток. Сегодня Джо выглядел как-то по особенному молчаливым и задумчивым, но Габриэлла решила не расспрашивать его ни о чем. Только потом ей пришло в голову, что здесь просто негде гулять.

— Разве мы сегодня не пойдем в парк? — удивилась она.

— Мне показалось, что сегодня слишком жарко для прогулок, — ответил Джо и, неожиданно остановившись, положил ей руки на плечи. На этой тихой и безлюдной улице их вряд ли могли увидеть, однако выражение его лица оставалось озабоченным, и Габриэлла снова удивилась этому обстоятельству.

— А... что мы будем делать? — спросила она.

— Что?.. — Джо, казалось, задумался. — Знаешь, здесь неподалеку живет один мой старый знакомый, мы вместе воспитывались в приюте Святого Марка. Я... признался ему, что в последнее время у меня возникли кое-какие сложности, хотя и не объяснил, в чем дело. Словом, Люк дал мне ключи от своей квартиры и сказал, что я могу пользоваться ею в любое время, когда мне захочется побыть одному. Сам он постоянно мотается по всей стране и редко бывает в Нью-Йорке. Сейчас его, например, нет. Насколько я знаю, Люк сейчас в Новом Орлеане... — зачем-то добавил Джо и слегка покраснел.

— Ты хочешь сказать, что мы можем...

— Мы можем подняться в квартиру и просто побыть вдвоем — там нас никто не потревожит. Если бродить по улицам, то рано или поздно мы обязательно столкнемся с кем-то из знакомых. Но если ты боишься...

У Джо не было никакого заранее обдуманного плана, однако, собираясь на это свидание, он все же положил в карман ключи от квартиры своего приятеля. Сейчас Джо сам был несколько смущен, получалось, будто он давит на нее. На самом деле он хотел только одного — чтобы Габриэлле было хорошо.

— В общем, решай, — сказал он, и Габриэлла улыбнулась. Она нисколько не боялась Джо и доверяла ему так, как могут доверять только невинные и чистые души.

— Боюсь, фургон в квартиру все равно не загонишь, — заметила она. — Любая из сестер узнает его за тысячу ярдов. Впрочем, если ты считаешь, что это удобно, я не против подняться в квартиру. На улице действительно ужасно жарко.

Дом, где жил приятель Джо, был совсем недалеко. Меньше чем через пять минут они оказались в квартире. Жилье приятеля Джо производило весьма сильное впечатление. В особенности колоссальных размеров гостиная, заставленная очень дорогой мягкой кожаной мебелью. В углу помещалась небольшая стойка бара с пятью высокими кожаными табуретами и зеркальными полками, на которых выстроились в ряд бутылки с напитками. Имелись две спальни, окна которых выходили в небольшой, но ухоженный сад. Одной явно пользовались, вторая же пустовала. Джо объяснил Габриэлле, что она предназначена для гостей.

Джо включил кондиционер и, полюбовавшись огромным стереокомплексом, занимавшим в гостиной почти полстены, выбрал несколько записей. Он спросил у Габриэллы, что бы ей хотелось послушать. Она почти не разбиралась в современной музыке, и Джо решил начать со скрипичного концерта Вивальди. Затем он налил себе и ей по бокалу легкого вина из бара и подал на небольшом серебряном подносе.

Габриэлла нерешительно взяла в руку тонкий бокал на высокой граненой ножке. Ей еще никогда не доводилось проводить время подобным образом. Она даже несколько струхнула в столь непривычной обстановке. В памяти ее теснились полустершиеся образы и воспоминания о вечеринках, которые много лет назад устраивала ее мать, однако легче от этого не становилось.

Но Джо был так внимателен и нежен, а музыка звучала так светло и так радостно, что понемногу Габриэлла начала успокаиваться. Откинувшись на спинку чудовищных размеров дивана, который, как ей показалось вначале, «был сделан из целого гиппопотама», она позволила себе отпить глоток прохладного, чуточку кислого вина. Вино помогло ей расслабиться, и Габриэлла уже не верила, что в этой чужой квартире с ней может случиться что-то плохое.

А потом Джо пригласил ее потанцевать.

Это предложение рассмешило Габриэллу. Она никогда в жизни ни с кем не танцевала, но врожденная грация и чувство ритма помогли ей быстро освоить несколько простых па. Джо крепко прижимал ее к себе, и Габриэлла чувствовала себя совершенно счастливой. Она как будто растворялась в его объятиях, в тепле его надежных рук и сильного тела, и мелодичная музыка «Битлз» уносила ее куда-то далеко-далеко.

Ни одно их предыдущее свидание не было похоже на это. Габриэлла каждой клеточкой своего тела чувствовала, что только сейчас она получила, что хотела. Наконец-то они были одни, им никто не мешал, и они могли позволить себе быть самими собой. Страсть, которую обоим приходилось сдерживать и скрывать от всех, вскипала в их телах. Сердца влюбленных с каждой минутой бились все сильней, все громче. Джо то и дело наклонялся, чтобы поцеловать ее, и долго не мог отнять губ от ее трепещущего рта. Когда пленка кончилась, оба слегка задыхались, а у Джо лоб блестел от испарины.

— Знаешь, чего мне хотелось бы сейчас больше всего?.. — спросил Джо, вытирая лицо белым носовым платком. Он отчаянно хотел ее. Это ощущение было для него совершенно новым, но он чувствовал, что здесь нет ничего неправильного или стыдного. И, должно быть, потому, что желание было взаимным, Габриэлла сразу поняла, что он имеет в виду.

Она посмотрела на него, и в глазах ее вспыхнула такая любовь, какой Джо еще никогда не видел.

— Знаю, — сказала она совсем тихо. — Я тоже этого хочу.

Джо крепко прижал ее к себе и почувствовал, как бьется ее сердце.

— Не бойся, Габи... Ведь я люблю тебя...

С этими словами Джо легко подхватил Габриэллу на руки и понес в гостевую спальню. Там он бережно опустил ее на кровать и сел рядом. Габриэлла была в широком белом платье с голубой каймой. Джо по неопытности тут же запутался в его складках. Габриэлла сама помогла ему расстегнуть пуговицы и отколоть несколько булавок. С бельем Джо справился сам и невольно ахнул, когда ему открылось ее легкое и стройное тело. Он много раз представлял его себе, но ему даже в голову не приходило, что у Габриэллы может быть такая гладкая и нежная кожа, такие задорные молодые грудки и такие длинные и стройные бедра.

Глядя на нее как загипнотизированный, Джо стал торопливо раздеваться. Чтобы не смущать Габриэллу, свою битву с непослушной одеждой он завершил под одеялом, но она, хоть и лежала на кровати, укрывшись до подбородка, не обнаруживала никаких признаков страха. И Габриэлла действительно нисколько не боялась — ведь это был Джо, и он любил ее!

Наконец Джо расстегнул ремешок часов и, повернувшись к ней, начал медленно и не спеша ласкать ее. Пальцы у него дрожали от еле сдерживаемого желания. И для Джо, и для Габриэллы это было совершенно особое в своей сладостной новизне переживание, когда каждый и доверял другому, и невольно робел, ибо не знал, чего ему следует ожидать. И вместе с тем никто из них ни секунды не сомневался, что они должны быть вместе; больше того — желание быть вместе завладело всеми их помыслами. Этот путь им обязательно нужно было пройти, чтобы вместе двинуться дальше — к новой жизни, к новому, счастливому будущему.

Джо жадно целовал ее тело, и она трепетала от сладости этой незнакомой ласки. Потом Габриэлла расхрабрилась, и ее тонкие, прохладные пальцы сами отправились в путешествие по его плечам, по спине, по груди и по животу. Когда же она нашла то, что искала, глаза ее слегка расширились от удивления — никто и ничто не могло подготовить Габриэллу к ощущению того, что она вдруг нащупала и крепко сжала в руке.

И Джо, и Габриэлла довольно смутно представляли

себе, что им делать дальше, но природа пришла на выручку неопытным любовникам. Габриэлла негромко ахнула, почувствовав его внутри себя, но Джо знал, что в первый раз Габриэлле может быть больно, и был очень осторожен, несмотря на растущее желание. Она действительно почувствовала боль, когда — не в силах больше сдерживаться — он вошел в нее стремительно и глубоко. Но это длилось лишь доли секунды. В следующее мгновение Габриэлла негромко застонала от удовольствия и крепче прижала Джо к себе. Джо хрипло прокричал и начал двигаться мерно и мощно, и Габриэлла раскачивалась вместе с ним словно на волнах прибоя.

Потом он долго ласкал ее, опершись на локоть, и в глазах его стояли слезы счастья. Джо думал о новой жизни, которую им предстояло разделить друг с другом, о горестях и несчастьях, которые, слава богу, остались теперь позади, и о той нерасторжимой связи, которой соединила их любовь. Габриэлла тоже знала, что отныне ни он не сможет бросить ее, ни она не сможет уйти. Они сожгли за собой мосты. И она нисколько об этом не жалела.

Словно подслушав ее мысли, Джо наклонился к Габриэлле и нежно поцеловал в губы, в глаза, в волосы. Потом он вытянулся рядом с ней и крепко обнял. Джо никак не мог поверить, что эта красота, скрывавшаяся под бесформенным платьем, принадлежала теперь ему.

— Ты так прекрасна!.. — прошептал Джо негромко. Он хотел повторения, но боялся сделать Габриэлле больно. Вместо этого он снова принялся ее целовать, но возбудил ее настолько, что она сама потянулась к нему.

Во второй раз все было по-другому. Их страсть нисколько не погасла и не потеряла в силе, но если сначала она напоминала стремительное и яркое горение фейерверка, то теперь это было ровное и мощное пламя, в горниле которого медленно раскалялись и плавились их тела и сливались души. Казалось, прошла целая вечность, в течение которой они обменялись драгоценнейшими дарами, всю сладость которых Габриэлла не могла и вообразить. Это было нечто незабываемое, волшебное, удивительное и новое. Габриэлла невольно подумала, что Джо — точно сказочный принц — разбудил ее, спящую принцессу, своими поцелуями и открыл ей настоящий мир, который был прекраснее любого волшебства. В детстве Габриэлла часто мечтала о том, чтобы переселиться в сказку, пусть даже ей пришлось бы проспать в стеклянном гробу тысячу лет. Но Джо сумел доказать ей, что счастье, превосходящее все ожидания, бывает и в реальной жизни.

Потом они вместе пошли в душ, и, блаженствуя, стояли под упругими струйками прохладной воды, от которых начинало приятно покалывать кожу. Джо любовался ее совершенным телом, и ему было искренне жаль, что еще немного — и оно исчезнет под бесформенной монастырской хламидой.

Только когда они переменили белье на кровати и, пропустив его через стиральную машину, ждали, пока простыни высохнут, Джо сказал:

— Мы открыли для себя реальный мир, и я пока не знаю, к добру или к худу... Но зато теперь нам ясно, что делать. Жребий брошен. И, как бы нам этого ни хотелось, вернуться к прошлому мы уже не сможем.

Он поцеловал ее, и Габриэлла доверчиво прижалась к нему всем телом.

— Но ведь мы не станем жалеть об этом, правда? — спросила она.

— Конечно, — ответил Джо. — Я, во всяком случае. Только...

Он не договорил, но Габриэлла поняла его и без слов. Сегодняшний день окончательно перевернул, изменил их жизни и подарил им надежду на будущее. Однако они еще не освободились от того, что держало их в настоящем. Джо должен найти в себе силы расстаться с церковью. Что касалось Габриэллы, то она просто не представляла, что́ она скажет матушке Григории. Откровенно говоря, ей даже не хотелось об этом думать. Ее целиком и полностью занимала только одна мысль — мысль о Джо и о том, что между ними происходило. Отныне они принадлежали только друг другу, и ничто не могло разлучить их.

— Мы не сможем бесконечно встречаться здесь или в

парке, — сказал Джо. — Рано или поздно наша тайна будет раскрыта.

Они оба вполне отдавали себе отчет, что теперь им будет особенно не хватать воровских поцелуев в исповедальне и кратких свиданий в пустой келье. Но ни он, ни она еще не были готовы к решительным действиям. И в первую очередь это касалось Джо. Габриэлла чувствовала, что его все еще одолевают сомнения.

— Как тебе кажется, ты сможешь жить в бедности? — неожиданно спросил Джо, которого этот вопрос серьезно беспокоил. Он знал, что, несмотря на свое кошмарное детство, Габриэлла росла в очень обеспеченной семье. В монастыре она, правда, не роскошествовала, но, по крайней мере, у нее было все необходимое. Если они поженятся, то в первое время им, возможно, придется чуть ли не голодать. Ему очень не хотелось подвергать Габриэллу такому серьезному испытанию, но иного выхода у них скорее всего просто не было.

— Я могу работать, — ответила Габриэлла спокойно. Имея на руках диплом университета, она всегда могла устроиться преподавателем в школу или корреспондентом в какой-нибудь журнал или газету. В крайнем случае Габриэлла могла попытаться заработать своими рассказами. Она, конечно, никогда особенно не верила в свой талант, хотя все сестры в один голос уверяли, что ей следует начать печататься. Кроме того, Габриэлла просто не знала, сколько денег это могло ей принести.

«Нам, — тут же поправилась она. — Не мне, а нам, нашей семье...»

— Я могу преподавать литературу и английский, — сказала она, но Джо только покачал головой. Он не мог даже этого. Священником он был не только по призванию, но и по профессии. Вне церкви его знания молитв и Священного Писания никому не были нужны.

— Ты непременно найдешь работу, — быстро сказала Габриэлла, которая больше всего боялась, что в конце концов Джо лишат сана и он никогда ей этого не простит. Он должен был отказаться от священства сам, по собственному глубокому убеждению. В противном случае их любовь скорее всего была бы обречена.

— Я хочу быть с тобой больше всего на свете, — сказал Джо, целуя ее. Чувства, пережитые им за последние два часа, снова нахлынули на него, заставив на время позабыть о проблемах. Он был искренне рад тому, что до Габриэллы у него никогда никого не было и что ему удалось сохранить себя для нее. Это значило для Джо невероятно много. Что касалось опыта, которого не хватало обоим, то страсть восполнила для них этот пробел.

— Мне, кажется, пора, — произнесла наконец Габриэлла, с сожалением поглядев на часы на стене. Ей трудно было представить, как она теперь вернется в монастырь, но иного выхода пока не было. Джо еще предстояло о многом подумать, хотя главное решение они для себя уже приняли. Они будут вместе — в этом не могло быть никаких сомнений. Вопрос был только в том — как скоро? Придется снова скрывать свою любовь и прятаться ото всех. Именно это Габриэлле и не нравилось. Она не хотела начинать новую жизнь со лжи. Если бы все зависело только от нее, она сразу призналась бы во всем матушке Григории и начала строить новую жизнь вместе с Джо.

Но ради него она готова была потерпеть еще немного.

Когда Габриэлла оделась, Джо в последний раз заключил ее в объятия и поцеловал.

— Мне будет ужасно не хватать тебя, — шепнул он, когда они выходили из квартиры Люка. — А сегодняшний день я запомню на всю жизнь.

— Я тоже, — ответила Габриэлла голосом, в котором смешались любовь и ощущение вины перед всеми, кого она предала, когда отдала Джо душу и тело. В сердце своем она уже считала себя его женой, но от этого ей было нисколько не легче.

Внизу Джо помог ей сесть в фургон. В кабине Габриэлла сразу надела апостольник и — во всяком случае, в глазах непосвященных — снова превратилась в скучную монахиню, но Джо, смотревший на нее во все глаза, слишком хорошо помнил ее красоту, которая едва не ослепила его. Он знал, что под этим широким платьем из грубого белого полотна скрывается прекрасное и нежное тело. И за каждый дюйм этого совершенного тела он готов был отдать жизнь.

— Будь осторожна, — напутствовал он ее. — Увидимся завтра...

В последнее время Джо служил мессы и принимал исповедь каждый день, и Габриэлла со страхом думала о том, что все это кончится, когда вернутся из отпусков другие священники. Она не представляла себе, как она будет жить без их коротких встреч.

— Я люблю тебя, — сказала Габриэлла и сама поцеловала его. Всю дорогу до монастыря разлука камнем лежала у нее на сердце, но, когда она въехала в ворота обители, ей стало еще тяжелее. Здесь Габриэллу повсюду окружали монахини, самый вид которых напоминал ей о том, что́ она совершила. Габриэлла готова была отдать все на свете, лишь бы вернуться к Джо, быть с ним, но она понимала, что должна пока оставаться здесь. Джо должен был быть совершенно уверен в том, что, отказываясь от сана, он поступает правильно, а для этого ему необходимо было дать время на самые тщательные размышления. Но Габриэлла знала, что, если Джо по каким-то причинам бросит ее, это ее просто убьет.

Ночью она долго лежала без сна. Весь вечер она почти ни с кем не разговаривала, и кое-кто из монахинь это заметил. Одна из старших монахинь даже испугалась, не заболевает ли сестра Бернадетта — уж больно молчалива и задумчива. Габриэлла действительно казалась бледной и усталой, однако когда монахиня предложила ей сходить к врачу, она отказалась и вместе со всеми отправилась на утреннюю службу.

Когда после мессы она вошла в исповедальню, Джо уже ждал ее. Он заранее вынул решетку, чтобы поцеловать ее, но Габриэлла по-прежнему была погружена в задумчивость, и он сразу это почувствовал.

— Что с тобой? — спросил он, не скрывая своей тревоги. Всю ночь Джо думал только о ней и чуть не довел себя до полного исступления. Их близость разбудила в нем такое сильное желание, что временами он начинал бояться накала своих страстей.

— Ты ни о чем не жалеешь? — шепнул он, когда Габриэлла промедлила с ответом на его первый вопрос.

— Нет, что ты!.. — негромко воскликнула она. — Просто я очень скучала по тебе. Очень грустно, что мы не можем быть вместе.

Джо тоже скучал. Вчера вечером он вернулся в квартиру Люка, чтобы привести все в порядок. Без Габриэллы роскошная квартира показалась ему заброшенной и пустой, в то время как ее присутствие превращало в королевские хоромы даже крошечную келью, где они изредка встречались.

— Я тоже все время думал о тебе. Мне тебя не хватало...

После обеда Габриэлла, как всегда, отправилась в огород, но сегодня привычная и любимая работа не принесла ей ни покоя, ни удовольствия. Она делала ее чисто машинально, а сама думала о Джо и тосковала по нему. Улучив минуту, она тайком пробралась в пустующий кабинет настоятельницы, где стоял телефонный аппарат, и позвонила ему оттуда. Им удалось перекинуться несколькими нежными фразами, однако оба чувствовали себя скованно, понимая, что это ничего не решает. С каждым днем росла опасность того, что они попадутся, а Джо по-прежнему не знал, когда он будет готов пойти на решительные действия.

До возвращения матушки Григории им удалось встретиться в квартире Люка еще один раз, но Габриэлла спешила. Время, которое они провели в постели, было слишком коротким, чтобы утолить сжигавшую обоих жажду.

Когда матушка Григория приехала с озера Джордж, в монастыре все было по-прежнему. Никто ничего не подозревал, никто ничего не заметил, однако настоятельница сразу обратила внимание на то, что Габриэлла выглядит как-то необычно. Она была как-то по-особенному тиха, а в глазах ее появилось неуловимое нечто, которое очень беспокоило матушку Григорию.

Настоятельница достаточно хорошо изучила Габриэллу, чтобы понять — ее подопечную что-то тревожит. В первый же вечер после своего возвращения матушка

Григория попыталась осторожно расспросить Габриэллу, однако та заверила ее, что все это пустяки. На следующий день утром она действительно выглядела несколько бодрее, однако тоска по Джо взяла свое, и к вечеру Габриэлла снова ходила как в воду опущенная. Даже дневник, к которому она прибегала каждый раз, когда ей хотелось поговорить с Джо хотя бы на расстоянии, ей не помог. Габриэлла чувствовала, что монастырь перестал быть для нее родным домом, и от этого ей было особенно тоскливо и одиноко.

На следующий день ее послали на почту вместо сестры Жозефины, и она воспользовалась этой возможностью, чтобы немного посидеть с Джо в парке.

— Мне кажется, настоятельница что-то подозревает, — сказала Габриэлла, когда они остановились, чтобы послушать небольшой бродячий оркестрик. — Матушка Григория видит людей насквозь, а меня она к тому же давно знает. Я просто не в силах скрыть от нее что-либо, даже если бы хотела... — Лицо ее внезапно посерело от страха. — Как ты думаешь, вдруг кто-то заметил нас на улице и рассказал ей?

— Вряд ли, — ответил Джо. Их тайные встречи вне стен обители были, конечно, делом весьма рискованным, однако Джо считал маловероятным, чтобы кто-то из прихожан не просто заметил его в обществе Габриэллы, но и, распознав в ней будущую послушницу, донес в монастырь.

Что касалось его самого, то здесь все обстояло проще. Католические священники, не принявшие вечных обетов, пользовались значительно большей свободой, чем монахи и монахини. Им разрешалось посещать такие места и заведения, пойти в которые для Габриэллы было просто немыслимо, к тому же за ними специально никто не следил. Джо был на хорошем счету: его уважали прихожане, ему доверяло руководство. Он был уверен, что безупречная репутация защитит его от подозрений, даже если кто-то заметит его в парке с молодой женщиной. В конце концов, Джо имел право жениться, и его не отлучили бы от церкви, как священника-монаха. Но, конечно, пришлось бы сложить с себя сан.

— Я думаю, ты преувеличиваешь, — добавил он. — Матушка Григория заботится о тебе как обычно, а тебе уже кажется, будто она все знает.

— На воре шапка горит... — задумчиво проговорила Габриэлла и покачала головой. Джо не удалось полностью рассеять ее тревоги.

Между тем август подходил к концу. Все старые монахини, отдыхавшие в пансионате в горах Катскилл, вернулись в Нью-Йорк, и в монастыре закипела подготовка к празднованию Дня труда[1]. На носу были экзамены, после которых Габриэллу в числе остальных кандидаток должны были официально объявить новоначальной послушницей. Эта первая ступень посвящения означала, что отныне она должна была жить только по монастырскому уставу, отринув от себя все мирское. Габриэлла же с каждым днем все больше и больше думала о Джо; стать в этих условиях новицианткой было равносильно святотатству, но как этого избежать, не открыв настоятельнице своей тайны? А Джо все не принимал никакого решения. Ее метания, разумеется, не укрылись от внимательного взгляда матушки Григории, которая продолжала исподволь наблюдать за своей воспитанницей. Сначала она думала, что Габриэлла просто заболевает, и вскоре та действительно слегла с гриппом. Однако к этому времени настоятельнице стало совершенно ясно, что телесные немощи совершенно ни при чем. Габриэллу терзали жестокие сомнения, но чем они были вызваны, мать-настоятельница не догадывалась.

Заболела Габриэлла в самый День труда. В монастыре был устроен пикник, на который, как обычно, приехали священники и монахи из прихода Святого Стефана. Джо тоже был с ними, но с Габриэллой он почти не разговаривал — они заранее договорились, что он не должен даже подходить к ней, чтобы настоятельница или кто-нибудь из старых монахинь не заметил, как свободно они держатся друг с другом.

К полудню Габриэлле стало настолько плохо, что она

---

[1] День труда отмечается в первый понедельник сентября. После него во многих штатах начинается учебный год.

даже ушла в свою комнату и легла. Все утро она чувствовала себя совершенно разбитой и была так молчалива и
мрачна, что настоятельница сразу это заметила. Она даже спросила у сестры Эммануэль, что такое с сестрой
Бернадеттой, но наставница Габриэллы сама была в растерянности. Она уже давно не видела свою лучшую уче-
ницу такой подавленной.

После обеда матушка Григория сама пришла в дортуар к Габриэлле, чтобы поговорить с ней по душам. Габриэлла к этому времени несколько оправилась и, сидя на
кровати, что-то быстро писала в своем дневнике. Увидев
настоятельницу, она покраснела и неловко прикрыла
тетрадь рукой.

— Ты начала какую-нибудь новую вещь? — приветливо спросила матушка Григория, опускаясь на единственный стул в углу дортуара. Послушницы никогда им
не пользовались — в дортуаре они только спали и молились. Стул стоял здесь на тот случай, если в дортуар зайдет настоятельница, наставница или кто-нибудь из старых монахинь.

— Когда можно будет ее почитать?

— Не знаю, я только начала... — Габриэлла торопливо сунула тетрадь под подушку. — В последний месяц у
меня было слишком мало свободного времени...

Голос у нее был извиняющимся. Она словно просила
у настоятельницы прощения... Но за что? Казалось, на
душе у Габриэллы лежит какая-то тяжесть, от которой
она не решается или не может избавиться.

— Извините, что мне пришлось уйти с пикника... —
проговорила между тем Габриэлла, и губы у нее жалко
задрожали. — Я что-то плохо себя почувствовала. Должно быть, это все от жары.

День и вправду выдался не по-осеннему жарким, и в
беспощадных лучах солнца Габриэлла выглядела неестественно бледной, почти прозрачной. Даже сейчас ее
кожа казалась настоятельнице какой-то зеленоватой, и
она решила не ходить вокруг да около и не мучить девочку намеками.

— Мне надо поговорить с тобой откровенно, Габи, —

сказала настоятельница. — Я очень беспокоюсь за тебя. Скажи мне, что тебя мучит?

Габриэлла нервно облизнула сухие губы.

— Н-ничего, матушка, — ответила она нерешительно. — Должно быть, я просто заболеваю. Это наверняка грипп. Пока вас не было, многие сестры переболели.

Но матушка Григория знала, что это неправда. За прошедший месяц только у двух сестер болели зубы, да сестра Мария Маргарита едва не попала в больницу из-за камней в желчном пузыре.

— Быть может, ты сомневаешься, дитя мое? — спросила настоятельница, слегка наклоняясь вперед. — Но в этом нет ничего страшного, поверь мне. Каждая из нас время от времени начинает испытывать сомнения в правильности выбранного пути. Что и говорить, монашество — это очень нелегкий труд. Но, Габи, если сомнение появилось, ты не должна прятаться от него. Обманывать себя — это самое последнее дело. Ты должна честно и окончательно решить для себя, готова ли ты служить Господу, или для тебя лучше будет вернуться в мир. Ты не будешь знать покоя, пока не ответишь себе на этот вопрос. Не бойся открыться мне, Габи. Я обещаю, что буду уважать твое решение, что бы ты ни выбрала.

— Нет, матушка, у меня нет никаких сомнений. Просто я плохо себя чувствую, — быстро сказала Габриэлла и поспешно отвела взгляд. Впервые она в глаза солгала женщине, которая заменила ей родную мать, и немедленно возненавидела себя за это. Больше всего на свете Габриэлле хотелось рассказать настоятельнице о своей любви к Джо и о том, что она решила оставить монастырь. Это было бы, конечно, совершенно ужасно, но Габриэлла всегда предпочитала бесстыдной лжи самую горькую правду. Но пока Джо не сказал ей ни «да», ни «нет», она не могла никому открыться. Положение ее становилось абсолютно невыносимым.

Матушка Григория сокрушенно покачала головой. Габриэлле она не поверила, но обличать ее в чем-либо не спешила.

— Быть может, прежде чем ты станешь новицианткой, тебе стоит в последний раз взглянуть на мир, познакомиться с ним поближе, узнать, что он собой представляет. Экзамены скорее всего будут перенесены на начало октября; этот месяц ты можешь использовать по своему усмотрению. Я бы советовала тебе найти временную работу — это поможет тебе лучше и быстрее познакомиться с тем, что происходит за стенами нашего монастыря. — Настоятельница грустно улыбнулась. — Все это время ты можешь жить здесь, с нами.

Габриэлла невольно вздрогнула. О такой возможности она не смела и мечтать. Предложение настоятельницы давало ей невероятную свободу — она могла продолжать встречаться с Джо на квартире его друга и одновременно получала почти месячную отсрочку от новициата. За это время они наверняка успели бы что-нибудь придумать. И все же воспользоваться этим предложением значило продолжать обманывать матушку Григорию. Нет, раз уж она решила уходить из монастыря, она должна вести себя честно и открыто.

— Я не хочу, — твердо сказала она. — Не хочу узнавать мир. Мне нравится жить в монастыре, с вами, с сестрами.

Это была правда, но, увы, далеко не вся. Габриэлла действительно любила и сестер, и монастырь, но Джо она любила больше. Но он никак не мог решиться добровольно расстаться со своим священством. Джо продолжал колебаться, и Габриэлла не осмеливалась его торопить.

Первые недели сентября дались ей невероятно трудно. Габриэлла рвалась к Джо, но матушка Григория не давала ей никаких поручений, которые были бы связаны с выходом в город. «Ты еще больна» или «Ты еще не совсем оправилась после болезни», — говорила она ей, но Габриэлла чувствовала: ей не доверяют. Они с Джо продолжали встречаться в исповедальне да изредка — в пустой келье. Все время уходило у них теперь на разговоры о том, как они будут жить, когда сумеют вырваться на свободу. О том, когда это произойдет, речь не шла. Габриэлла вскоре поняла, что отказаться от священства было выше его сил.

Габриэлла понимала его и не торопила. Она не хотела, чтобы Джо когда-нибудь упрекнул ее, что она заставила его бросить то, что было ему дороже всего. О себе Габриэлла почти не думала. Габриэллу послали к врачу, и она решила использовать этот случай, чтобы встретиться с Джо на квартире его приятеля.

Они наслаждались друг другом целый час, но это свидание оставило в душе Габриэллы горький осадок. Она не сомневалась, что ее обман очень скоро будет раскрыт, и тогда... О том, что будет тогда, она запретила себе даже думать. Габриэлла знала, что балансирует над пропастью, что рискует потерять то немногое, что у нее было, но она шла на это ради Джо.

В конце сентября Габриэлла стала новицианткой и получила новое имя сестры Мирабеллы. Еще две недели назад она сочла бы это настоящей катастрофой, но сейчас это не произвело на Габриэллу почти никакого впечатления. В последнее время ее стали преследовать внезапные и необъяснимые приступы дурноты: у нее темнело в глазах, к горлу подкатывала тошнота, а земля под ногами начинала раскачиваться с такой силой, что Габриэлле приходилось хвататься за что попало, чтобы не упасть. Она пыталась скрыть свое состояние от сестер, но ее нездоровая бледность, неуверенность в движениях и полное отсутствие аппетита настолько бросались в глаза, что не заметить их было просто невозможно. В один прекрасный день Габриэлла упала в обморок прямо во время службы, чем вызвала среди монахинь настоящий переполох. Джо, служивший утреннюю мессу, заметил какое-то движение в рядах молящихся и сам чуть было не потерял сознание, когда увидел, кого торопливо несут к выходу. Беспокойству его не было предела, но он не мог ничего предпринять, чтобы не выдать их тайну. Вечером Габриэлла не пришла в церковь, и только на следующий день ему удалось поговорить с ней в исповедальне и спросить, что случилось.

— Я упала в обморок, — просто ответила ему Габриэлла. — Должно быть, вчера в церкви было слишком жарко.

Конец сентября действительно выдался по-летнему жаркий и душный, но, как справедливо заметил Джо, в обморок упала одна только Габриэлла, в то время как даже самые старые монахини спокойно дождались конца службы.

— Что с тобой, Габи?! — с тревогой воскликнул Джо, но она ничего не ответила. Она просто не знала, что ему сказать.

Через две недели не осталось никаких сомнений. Она была беременна. Признаки были столь очевидны, что отрицать их не мог даже такой наивный и неопытный человек, как она. В отчаянии Габриэлла придумала какой-то смехотворный предлог для поездки в город и, едва выйдя за порог, позвонила Джо.

Джо сразу понял — что-то случилось. Они встретились на квартире Люка. Когда Габриэлла объявила о своей беременности, он сначала побледнел от ужаса, потом привлек ее к себе и заплакал. Для него это была поистине убийственная новость. Джо не хотел, чтобы их совместная жизнь, их брак начинались с этого. Да и положение Габриэллы обязывало его принять решение как можно скорее, пока не разразился скандал, грозивший обоим крупными неприятностями. По их подсчетам, Габриэлла была на втором месяце, и времени оставалось совсем мало. Хуже того: теперь Габриэлла вынуждена была уйти из монастыря в любом случае, а Джо все еще не был готов к конкретным решениям. Об аборте ни Джо, ни Габриэлла даже не заговаривали — они оба были слишком религиозны, чтобы взять на душу такой грех.

— Все хорошо, Джо, — негромко произнесла Габриэлла, почувствовав его страх и отчаяние. — Быть может, именно этого мне не хватало, чтобы решиться...

— О, Габи, мне так жаль!.. — простонал Джо. — Это все моя вина. Я не подумал о тебе, хотя должен был...

Но Габриэлла знала, что Джо ни в чем не виноват. Оба они ничего не понимали. Мысль о том, чтобы использовать презервативы, вряд ли могла прийти в голову священнику, не говоря уже о том, что покупка их могла превратиться в целый шпионский роман с переодеванием и поездкой на другой конец города. У Габриэллы тоже не было никакой возможности достать соответствующие таблетки. Им оставалось только полагаться на удачу, но удача изменила им.

На самом деле роковое известие потрясло Джо гораздо сильнее, чем думала Габриэлла. Он не рассчитывал, что все случится так быстро, и теперь был совершенно уничтожен свалившейся на него ответственностью. Джо понимал, что если они поженятся, то ему придется заботиться не только о Габриэлле, но и о ребенке, но он не знал — как заботиться. В миру его богословские познания и практический опыт приходского священника никому не были нужны. Мысль о том, чтобы устроиться таксистом или чернорабочим, просто не пришла ему в голову. Даже на пособие по безработице бывший священник вряд ли мог рассчитывать.

— Я уйду из монастыря через месяц, — сказала Габриэлла негромко, но твердо. — В конце октября я признаюсь во всем матушке Григории и уйду.

Она ничего больше не добавила, но Джо понял, что Габриэлла дает ему две недели, чтобы все окончательно решить. И он нисколько ее не винил. Джо знал, что очень скоро (когда — он не очень хорошо себе представлял) у Габи вырастет животик, и тогда скрыть ее положение будет уже невозможно. Разоблачить их мог первый же медицинский осмотр, и тогда... Тогда скандал, изгнание, позор.

Позор!!!

В этот день они не занимались любовью, поскольку Джо боялся причинить ребеночку вред, да и Габи чувствовала себя не лучшим образом. Вместо этого они сели на мягкий кожаный диван, и Джо заплакал, прижав Габриэллу к себе.

— Я боюсь, Габи, — шептал он ей. — Я боюсь, что подведу тебя. Я совсем не знаю мира, в котором нам придется жить. Что, если мы оба не справимся и пойдем ко дну?

Это пугало его, и что было делать Габриэлле?

— Ты справишься, Джо, — сказала она наконец, постаравшись вложить в свои слова максимум уверенности. — Мы оба справимся, стоит только захотеть. Ты и сам это отлично знаешь.

— Я знаю только то, что я очень люблю тебя, — ответил Джо. Он действительно хотел быть с нею, любить ее, заботиться о ней и о ребенке, но мысль о том, что ему придется отказаться от служения Богу, по-прежнему приводила его в ужас.

— Ты такая сильная, Габи! — проговорил он и судорожно вдохнул воздух. — Ты сама не знаешь, какая ты сильная. Ты все сможешь, все сумеешь, а я... Я только и умею, что служить мессы, да выслушивать исповеди, да молиться. Кроме этого, у меня никогда ничего не было.

Но и у Габриэллы в жизни не было ничего, кроме монастыря да жестоких побоев, от которых она едва не погибла. Почему же, недоумевала она, все считают ее сильной? Сначала отец, потом матушка Григория, и вот теперь — Джо... Почему? Но она не успела ответить себе на этот вопрос. Воспоминание об отце заставило ее вздрогнуть от страха. Он ушел, бросил ее. Что, если то же самое сделает и Джо? Что, если он бросит ее и ребенка?

Тут Габриэлла почувствовала, как ею овладевает паника. Она крепче прижалась к Джо и спрятала лицо у него на груди.

Скоро они расстались. Джо в последний раз поцеловал ее, и Габриэлла поехала обратно в монастырь. Она так глубоко задумалась, что не заметила ни напряженного лица матушки Григории, внимательно следившей за ее возвращением из окна, ни злорадной улыбки сестры Анны, которая как бы невзначай столкнулась с нею у ворот. Загнав фургон в гараж, Габриэлла сразу пошла в церковь и там долго молилась перед статуей Мадонны. Потом она немного поработала в саду и ушла к себе. Никто из сестер не сказал ей ни слова, и Габриэлла была искренне благодарна им за то, что никто не стал ни о чем ее расспрашивать. Правду она сказать все равно не могла, а лгать и изворачиваться было невыносимо.

Габриэлла еще не знала, что в ее отсутствие настоятельница получила анонимное письмо. Дождавшись возвращения Габриэллы, матушка Григория позвонила в приход Святого Стефана и, договорившись с епископом о срочной встрече, сразу же уехала. Вернулась она еще более озабоченной и встревоженной. В приходе Святого

Стефана никто ничего не знал наверняка, однако ходили странные слухи. Говорили, что в последние два месяца отцу Коннорсу несколько раз звонила одна и та же молодая женщина, которая, однако, каждый раз называлась разными именами. Сразу после ее звонков отец Коннорс куда-то исчезал. До звонка матушки Григории никто не придавал этому значения, поскольку отец Коннорс всегда был в приходе на хорошем счету, однако сейчас епископ был вынужден принять определенные меры.

Габриэлла, разумеется, ничего об этом не знала. На следующий день, в исповедальне, когда она, по своему обыкновению, сказала: «С добрым утром, любимый», ей неожиданно ответил совершенно незнакомый голос. Последовала долгая пауза, во время которой Габриэлле каким-то чудом удалось собраться и начать исповедь.

Она так волновалась, что произносила слова совершенно механически и даже не запомнила наложенную священником епитимью. Где Джо? Что с ним? Может, он заболел? Может, он наконец решился и сказал, что уходит? Или, наоборот, их кто-то выдал, и сейчас в приходе Святого Стефана идет епископское дознание? Эти вопросы не давали ей покоя.

Она все еще раздумывала об этом, когда после мессы, которую служил какой-то новый священник, ей передали, что матушка Григория требует ее к себе.

В кабинет настоятельницы Габриэлла вошла со страхом. Дурные предчувствия переполняли ее. Матушка Григория сидела за столом. Некоторое время она смотрела на лежащую перед ней Библию и молчала, потом подняла на Габриэллу глаза.

— Ты ничего не хочешь мне сказать, Габи?

Ее голос был усталым и печальным, а от обращения «Габи» сердце Габриэллы болезненно сжалось. Она побледнела и, слегка приоткрыв рот, посмотрела на женщину, которую уже больше двенадцати лет звала «матушкой» и любила больше родной матери. Потом ее глаза наполнились слезами, и она отвернулась.

— О чем? — глухо спросила она.

— Ты знаешь, о чем, — мягко, но настойчиво продолжала матушка Григория. — Об отце Коннорсе. Ты звонила ему, Габи? Зачем? — она сделала небольшую паузу. — Я хочу, чтобы ты была честна со мной. Один из священников прихода Святого Стефана видел вас вместе в Центральном парке. Он, правда, не уверен, что это была именно ты, но насчет отца Коннорса он не сомневается. Все это чревато серьезными неприятностями, Габи, но если ты сейчас скажешь мне правду, скандала можно будет избежать.

— Я... — Габриэлле очень не хотелось лгать, но и правды она сказать тоже не могла. Пока не могла. Сначала она должна была поговорить с Джо, выяснить, что случилось, узнать, что он сказал своему начальству, чтобы нечаянно не подвести его. — ...Я не знаю, что сказать вам, матушка.

— Правду, дитя мое. Только правду, — ответила матушка Григория мрачно. Габриэллу она любила как родную дочь, и сейчас от беспокойства за эту наивную и чистую душу у нее сердце обливалось кровью, однако настоятельница не могла ничего поделать. Обстоятельства были сильнее ее. Если бы только Габриэлла сказала правду, тогда настоятельница могла бы бороться за нее, но если к своим многочисленным грехам она прибавит ложь...

— Да, я звонила ему. И мы были в парке... один раз. — Габриэлла бросила на настоятельницу молящий взгляд, но тут же снова опустила глаза. Это было все, что она могла открыть. Все остальное принадлежало только им — ей и Джо. Это было их частное дело, которое никого больше не касалось.

— Могу я спросить тебя, зачем? Зачем вы встречались в парке? Или это — глупый вопрос?

— Почему глупый? — слабо удивилась Габриэлла.

— Потому что ответ на него известен всем, — отрезала настоятельница неожиданно жестким тоном. — Ты забыла Бога, Габриэлла! Конечно, я понимаю, что отец Коннорс — привлекательный молодой мужчина, а ты — молодая и красивая женщина. Наверное, ты именно так и думаешь, поэтому тебе кажется, что в вашем увлечении друг другом нет ничего особенного. Но ты забыла об одной вещи, Габриэлла. Отец Коннорс — не мужчина, а священник, да и ты — не обычная легкомысленная девчонка, а новициантка, послушница, невеста Христова. И никто из вас не имеет права вести себя подобным образом! Правда, ты еще не принимала вечного обета, но ведь ты уверяла меня, что не сомневаешься в своем призвании. И я верила тебе, Габриэлла! А теперь я боюсь, что ошиблась.

Габриэлла не желала ни плакать, ни молить о снисхождении.

Настоятельница встала из-за стола и несколько раз прошлась из угла в угол. Потом она остановилась и повернулась к ней.

— Я хочу знать, Габриэлла, есть ли продолжение у этой безобразной истории. Ты должна рассказать мне все.

Но эти слова настоятельницы неожиданно вызвали в душе Габриэллы протест. Она вовсе не считала историю своей любви безобразной. Наоборот, сейчас ей казалось, что ничего более прекрасного с ней еще никогда не происходило. Но ни грубить, ни лгать матушке Григории Габриэлла не могла, поэтому она только отрицательно покачала головой.

— Значит, не хочешь... — это была не угроза, а простая констатация факта. — Хорошо, Габриэлла, тогда послушай меня. Об этой некрасивой истории уже доложено архиепископу. По его указанию глава прихода Святого Стефана назначил епископское дознание. До его окончания отцу Коннорсу запрещается служить мессы и принимать исповеди. Разумеется, в нашем монастыре он больше не появится, даже если его невиновность будет доказана... — матушка Григория ненадолго замолчала, чтобы перевести дух. Одновременно она пристально вглядывалась в глаза своей любимицы, стараясь найти в них ответ. Габриэлла продолжала отводить взгляд, и это был дурной знак.

— Так вот, сестра Мирабелла, — жестко сказала настоятельница, намеренно использовав новое имя Габриэллы. — Я считаю, что вам необходимо самым серьезным образом подумать обо всем, что случилось, и решить наконец, правильно ли вы выбрали дорогу в жизни.

Монашество — это подвиг, на который способен не каждый человек, и если вы ошиблись... Вы должны посоветоваться с Богом и со своей совестью, а чтобы вас ничто от этого не отвлекало, вы поедете в наше сестричество в Оклахоме и проведете там столько времени, сколько будет нужно.

Настоятельница хотела только одного — убрать Габриэллу с глаз долой, подальше от скандала, который — как она подозревала — способен был нанести молодой послушнице глубокую душевную травму. Для Габриэллы эти слова прозвучали как смертный приговор.

— Я не поеду в Оклахому! — выкрикнула она каким-то чужим, незнакомым голосом. В нем прозвучали и гнев, и отчаяние, и открытый вызов, но сейчас Габриэлла об этом не думала. Мать-настоятельница осталась непреклонна, в глубине души начиная сердиться на Габриэллу. И на Габриэллу, и на священника, который едва не совратил эту неопытную девушку. С точки зрения матушки Григории, это был тяжкий грех. Она знала, что ей придется долго молиться, прежде чем она сумеет простить отца Коннорса. Он не имел никакого права так поступать с невинной, чистой душой, которая и так слишком много страдала в своей жизни.

— Тебя никто не спрашивает, — резко сказала она Габриэлле. — Для тебя уже взяли билет. Ты отправишься в Оклахому завтра. Пока же ступай к себе в комнату и оставайся там. И помни — сестры будут следить за тобой, так что можешь даже не пытаться связаться с ним. Подумай лучше о себе и о своем будущем. Если ты решишь остаться с нами — я буду только рада этому. Если решишь уйти, насильно никто тебя удерживать не будет. Господь дал каждому человеку свободу воли, так что каждый сам мостит себе дорогу к погибели или к спасению. Я не понимаю только одного, Габи... — Тут голос настоятельницы дрогнул. — Незадолго до твоего перехода в новициат я предлагала тебе пожить в мире. Ты отказалась. Но уже тогда тайно встречалась с этим... Коннорсом. Ты можешь мне объяснить — почему? Неужели ты мне не доверяешь?

— Я... я не встречалась с ним, — ответила Габриэлла,

все больше ненавидя себя за ложь. Ради Джо она должна была продолжать лгать, пусть даже за это ей суждено было вечно гореть в адском огне.

— Свежо предание... — вздохнула матушка Григория и знаком дала понять, что разговор окончен. Габриэлла повернулась, чтобы уйти, но на пороге кабинета ее остановил суровый голос настоятельницы:

— Ступай к себе. До самого отъезда я запрещаю тебе с кем-либо разговаривать. Твои соседки по комнате будут ночевать сегодня в другом месте. Ни в столовую, ни в церковь не выходить! Сестра Регина принесет тебе еду, но и с ней ты тоже не должна заговаривать. Все ясно?

Габриэлла только кивнула. Это был полный домашний арест, к каковому, насколько она знала, в монастыре прибегали только в самых крайних случаях. За каких-нибудь несколько часов она стала прокаженной.

Все так же молча она поднялась к себе в комнату и села на кровать. Ей очень хотелось позвонить Джо, услышать его голос; больше того — она отчаянно нуждалась в этом, но сейчас это было невозможно. Единственное, что немного успокаивало ее, это сознание того, что ни в какую Оклахому она не поедет. Она будет сражаться до последнего и не оставит Джо, чего бы ей это ни стоило.

До самого вечера ее никто не потревожил, и Габриэлла продолжала думать о Джо. Она то вскакивала с кровати и начинала быстро ходить из стороны в сторону по пустому дортуару, то падала на колени перед распятием и принималась горячо молиться, то опять срывалась с места и, достав из сундучка с бельем заветную тетрадь, принималась быстро-быстро писать свое бесконечное письмо к любимому, выплескивая на бумагу все, о чем она думала и что чувствовала. К десяти часам вечера Габриэлла в полном изнеможении рухнула на кровать, но тревожные мысли о Джо не оставляли ее. «Что они там с ним делают, — спрашивала себя Габриэлла. — Что такого он рассказал им, если в дело вмешался сам епископ? Чем это все закончится?»

Быть может, какая-нибудь другая женщина на ее месте уже давно бы хлопнула дверью и уехала к Джо на первом же попавшемся такси, но Габриэлла так поступить не могла. Она не хотела больше бросать вызов старой монахине, которая сделала ей столько добра. Ей оставалось только одно: терпеть и надеяться. Ведь они с Джо с самого начала знали, что им придется тяжело, и теперь обоим надо было сжать зубы и терпеливо сносить унижения, чтобы в конце концов быть вместе.

Так она лежала до тех пор, пока часы в кабинете настоятельницы не пробили полночь. Со вторым ударом Габриэлла почувствовала острую боль в животе. Это было странно, поскольку к ужину, принесенному ей в комнату молчаливой старой монахиней, она даже не притронулась, к тому же пища в монастыре всегда была свежей, хотя и не слишком изысканной. «Должно быть, я перенервничала», — решила Габриэлла, когда приступ прекратился так же внезапно, как и начался. Но уже через пятнадцать минут острая боль, пронзившая ее насквозь, заставила Габриэллу согнуться пополам. Третий приступ, начавшийся через двадцать минут, едва не убил ее, но Габриэлла каким-то чудом сумела не закричать.

Приступы продолжались до самого утра. Заснуть, а вернее — забыться Габриэлла сумела, только когда колокола прозвонили к утренней молитве. Но стоило только Габриэлле смежить глаза, как ей начали мерещиться всякие ужасы времен испанской инквизиции. То перед ее мысленным взором вставал висящий на дыбе Джо, и к нему подкрадывались какие-то темные тени с раскаленными до багрового свечения щипцами, то ее саму волокли куда-то одетые в черное монахи, и какая-то женщина с лицом Элоизы протыкала ей живот острыми швейными ножницами, которые она доставала из серебряного ведерка с мелко наколотым льдом.

Проснулась Габриэлла от страшной боли. Внутри ее что-то словно рвалось пополам и никак не могло разорваться — тянулось, скручивалось и дергалось. Габриэлла была близка к тому, чтобы позвать на помощь, но в последнюю минуту сдержалась. Что она скажет сестрам? Что она заболела? Или что она беременна и боится потерять ребенка? Нет, кричать бессмысленно — все равно она не сможет никому ничего объяснить. Да и вряд ли кто-то поспешит на ее крик — ведь все ушли на молитву, и в спальном корпусе не осталось ни единой живой души.

Многолетняя привычка заставила ее встать, а вернее — скатиться с кровати. Чуть не на четвереньках Габриэлла добралась до ванной комнаты и ополоснула лицо холодной водой. Ей сразу стало легче, но когда она вернулась в дортуар, чтобы застелить постель, то увидела на простыне пятна крови. В крови было и нижнее белье, и Габриэлла поняла, что с ней происходит что-то ужасное.

Обратиться за помощью она не могла даже к матушке Григории. После вчерашней лжи ей трудно было бы даже смотреть настоятельнице в глаза, не говоря уже о том, чтобы признаться во всем, что она так упорно отрицала. С Джо Габриэлла тоже не могла связаться, да его скорее всего и не позвали бы к телефону. Быть может, его уже увезли (тут Габриэлла вспомнила свой страшный сон). Нет, все это глупости. Она просто дура! Джо обязательно приедет за ней и спасет. Если он скажет, что добровольно снимает с себя сан ради нее, то его тотчас выпустят (слава богу, сейчас не средние века!), и он примчится в монастырь, чтобы забрать ее. И тогда она наконец облегчит свою душу и попросит у матушки Григории прощения. Она не должна уходить, оставив по себе недобрую память. Простит или не простит ее настоятельница — дело другое, но так, по крайней мере, она избавится от греха лжи.

Но время шло, Джо не появлялся, и Габриэлла была вне себя от страха и боли. Она боялась, что ее отправят в Оклахому сразу после утренней молитвы, и тогда Джо потребуется время, чтобы ее отыскать. «Ну уж дудки! — хорохорилась Габриэлла и скрипела зубами от боли. — Никуда я не поеду. Я просто скажу им, что не хочу никуда ехать, и они не посмеют меня тронуть».

На всякий случай она решила не одеваться, наивно полагая, что никто не решится вытащить ее из монастыря и посадить в поезд в одной ночной рубашке.

Потом Габриэлла снова легла. Еще час прошел в тревожных размышлениях и в борьбе с приступами боли, которые изредка перемежались минутами блаженного полузабытья. В эти минуты Габриэлла даже слышала доносящееся из церкви согласное пение многих голосов, а может, ей это только казалось. Глаза ее оставались сухи, но сердце Габриэллы плакало от горя и бессилия. Она чувствовала, что снова теряет родной дом. Она сама сделала этот выбор и предпочла Джо и монастырю, и дружной семье послушниц, и матери-настоятельнице, и все равно ей было горько сознавать, что она уже никогда не сможет вернуться сюда.

Она как раз задремала, когда дверь отворилась и в дортуар вошла сестра Эммануэль. Лицо ее было печальным, а глаза покраснели, словно она тоже плакала.

— Мать-настоятельница хочет видеть тебя, Габи, — сказала сестра Эммануэль. — Сейчас.

— Я не поеду в Оклахому, — хрипло откликнулась Габриэлла и приподнялась на локте. Из-за боли она не могла даже встать, но сестра Эммануэль решила, что Габриэлла просто в смятении от ужаса своего положения.

— Матушка Григория ждет тебя, — повторила она. — Ты должна спуститься к ней в кабинет как можно скорее, чтобы поговорить о... обо всем этом.

Габриэлла не посмела сказать, что она не может даже подняться. Когда сестра Эммануэль вышла, она сползла с кровати и, то и дело останавливаясь и пережидая приступ, кое-как оделась. Габриэлла больше не чувствовала себя послушницей и не была уверена, что ей можно носить черно-коричневое платье и накидку, которые полагались новицианткам, однако ничего другого у нее все равно не было.

К счастью, платье было достаточно широким, однако Габриэлле все же понадобилось довольно много времени, чтобы надеть его. Каждое движение причиняло такую боль, что перед глазами начинала плыть багрово-красная муть, из которой все явственнее проступало лицо Элоизы Харрисон. «При чем здесь мама?» — удивилась Габриэлла. Ах да. Когда мать избивала ее, маленькой Габриэлле было так же трудно одеться утром, чтобы как ни в чем не бывало пойти в школу.

Как она вышла из комнаты и спустилась по лестнице — Габриэлла не помнила. В памяти остались только боль, вонзившаяся ей в низ живота подобно раскаленному куску железа, как только она сделала первый шаг к двери. Когда туман перед глазами несколько рассеялся, Габриэлла обнаружила, что стоит перед дверью кабинета матери-настоятельницы и, упершись лбом в почерневший дуб, держится за живот. Она все же заставила себя выпрямиться, однако это стоило ей такого напряжения сил, что, входя в кабинет, Габриэлла чуть не потеряла сознание снова.

Не сразу она заметила, что рядом со столом настоятельницы сидят на стульях два священника. Одного из них Габриэлла узнала — это был престарелый отец О'Брайан, который исповедовал ее еще девочкой. Второй — высокий, с хмурым, аскетичным лицом, был ей не знаком. Габриэлла не знала, что это — специальный уполномоченный архиепископа, который прибыл в приход Святого Стефана в связи с чрезвычайными обстоятельствами.

Увидев Габриэллу, матушка Григория сразу подумала, что с ней что-то не так. Еще никогда в жизни Габриэлла не выглядела хуже. Настоятельнице потребовалась вся ее выдержка, чтобы не вскочить с кресла и не броситься к своей воспитаннице.

— Это — святые отцы О'Брайан и Димеола, — представила она священников. — Они приехали, чтобы поговорить с вами, сестра Мирабелла.

Матушка Григория намеренно использовала новое послушническое имя Габриэллы, чтобы та не принимала все происходящее на свой личный счет. «Дела церковные — это дела церковные» — вот что хотела она сказать Габриэлле этим обращением. Впрочем, настоятельница не знала, поможет ли это. То, что она только что узнала от отца Димеолы, было столь ужасно, что старая настоятельница впервые в жизни растерялась. Ей очень хотелось чем-то помочь Габриэлле, но она не представляла, что здесь можно сделать. Похоже, бедняжке оставалось уповать только на милость Господню.

— Ну-с, как с вами быть, сестра, матушка Григория решит позже, — сказал отец О'Брайан, и его лицо как-то затуманилось, но Габриэлла ничего не заметила. Она отчаянно сражалась с болью, комната перед глазами медленно кружилась, и слова старого священника доходили до нее как сквозь толстый слой ваты. Зато тиканье висевших на стене старинных часов с бронзовым маятником казалось невероятно громким. Тик-так. Тик-так. Не-так, не-так... Как будто кто-то забивал ей в голову гвозди.

— Мы пришли поговорить с вами насчет отца Коннорса, — добавил старик О'Брайан и беспокойно оглянулся на настоятельницу. Его тоже тревожила странная бледность Габриэллы.

«Значит, он все им рассказал, — с облегчением подумала Габриэлла. — Значит, я свободна... Мы свободны».

— Он оставил для вас письмо, сестра Мирабелла, — вступил отец Димеола, хранивший до этого мрачное молчание. — В нем он подробно и весьма недвусмысленно излагает свое мнение по поводу ситуации, в которой оказался по вашей вине.

— Что? Что вы такое говорите?! Он сам это сказал?.. — Габриэлла почувствовала, как пол у нее под ногами закачался, и принуждена была схватиться за высокую спинку подвернувшегося ей под руки кресла. Она не сомневалась, что мрачный священник намеренно переврал слова Джо. Но спорить с ним Габриэлла не собиралась. Часы тикали совершенно оглушительно, внутри у нее все рвалось и скручивалось от нечеловеческой боли, и единственное, чего она хотела, это поскорее покончить с разговором и вернуться к себе.

— Отец Коннорс не сказал этого прямо, но это вытекает из того, что он написал.

— Могу я взглянуть на письмо? — Габриэлла с трудом оторвала одну руку от спинки кресла и протянула вперед. Пальцы ее дрожали, однако, несмотря на это, в этом жесте было столько достоинства и мужества, что священники переглянулись между собой чуть ли не с восхищением.

— Сначала мы должны вам кое-что сказать, — ответил чопорный отец Димеола. — Кое-что важное — такое, с чем вам отныне придется жить. Вы обрекли отца Коннорса на вечные адские муки, сестра Мирабелла. Его душа никогда не обретет спасения. После того, что он совершил... после того, что вы вынудили его совершить, ему не будет прощения на небесах. И ваше главное наказание будет заключаться в сознании того, что отец Коннорс погубил свою бессмертную душу по вашей и только вашей вине.

Габриэлла покачнулась. Смысл слов отца Димеолы еще не совсем дошел до нее, но она уже ненавидела его за неспособность прощать, за его бесчеловечность и замшелый средневековый фанатизм. Да, возможно, они с Джо были виноваты, но милостивый Христос непременно простит их.

«Боже мой! — подумала она, и на мгновение перед ней снова возникли дыба, раскаленные щипцы и острые шипы на закопченной железной решетке. — Что они с ним сделали? Что такого они могли с ним сделать, что Джо не выдержал и наговорил им всякой чуши?»

И при мысли о тех страданиях, которые выпали на долю Джо, она почувствовала, что ненавидит отца Димеолу еще сильнее. И заодно отца О'Брайана, отца Питера и всех, всех, всех, кто вынудил их скрывать свою любовь от множества любопытных глаз. Никто не давал им права преследовать и мучить Джо, ее Джо!..

— Я хочу его видеть, — сказала Габриэлла таким решительным и твердым голосом, что сама удивилась. — Я хочу видеть Джо немедленно.

Она была намерена прекратить это издевательство и спасти Джо. Отныне никто не мог встать между ними и помешать им быть вместе. Никто и ничто, думала она.

— Вы никогда больше его не увидите, — скрипучим голосом произнес отец Димеола, и Габриэлла содрогнулась, но тотчас же снова взяла себя в руки.

— Вы не можете решать это за нас, — храбро ответила она. — Это наше с Джо... с отцом Коннорсом дело. Если он действительно не хочет меня видеть, он должен сказать мне об этом сам.

— Отец Коннорс уже ничего никому не может сказать, дочь моя, — печально промолвил отец О'Брайан, и по спине Габриэллы пробежал холодок. Она замерла от ужаса, она почти догадалась...

— Он покончил с собой сегодня рано утром. Повесился, — жестко закончил отец Димеола. — И оставил вам это письмо...

Он достал из кожаного бювара какой-то конверт и помахал им в воздухе.

— Он... Я... — Габриэлла никак не могла собраться с мыслями. Известие, которое сообщил ей отец Димеола, чуть не уничтожило ее мир и ее веру. Комната кружилась то быстро, то медленно, и Габриэлле никак не удавалось поймать письмо хотя бы кончиками пальцев. Она все ловила и ловила его в воздухе, и ей было невдомек, что на самом деле она крепко держится обеими руками за спинку кресла.

Каким-то чудом ей удалось на мгновение остановить вращение комнаты, и тогда она подняла глаза на стоявшего перед ней священника. Габриэлла отчетливо расслышала его слова, но не поняла их до конца. Пока не поняла. В ее взгляде были и мольба, и мука; Габриэлла словно просила отца Димеолу сказать ей, что он пошутил, или ошибся, или солгал, но по его лицу было видно, что — в отличие от нее — он никогда не лжет.

— Отец Коннорс не мог жить дальше, зная, что он совершил, — сказал отец Димеола. — Мысль о том, что ему придется из-за вас оставить служение... и жить так, как вы, очевидно, рассчитывали, приводила его в ужас. Он предпочел совершить смертный грех и покончить с собой, лишь бы не идти на поводу у вашего беспутства. За это отец Коннорс будет вечно гореть в аду. Он знал это, и все же предпочел умереть, лишь бы не расставаться с Богом, которого любил больше, чем вас, сестра Мирабелла... И пусть его грех остается на вашей совести до конца дней...

Габриэлла резко выпрямилась и поглядела на них пронзительным и ясным взглядом. Она все еще не верила, что это случилось. Джо ушел, оставил ее одну?.. Нет, это было невероятно, немыслимо!.. Он не мог...

«Вы лжете!» — хотелось крикнуть ей прямо в лицо отцу Димеоле, но вместо этого она не то вздохнула, не то всхлипнула. Стук часов превратился в оглушительный рев. Этот рев нарастал, надвигался на нее со скоростью курьерского поезда. Начищенная бронза маятника со свистом проносилась над самой ее головой, опускаясь все ниже, грозя ударить, смять, раздавить...

Этого Габриэлла уже не выдержала. В глазах у нее потемнело, и она без чувств повалилась на пол.

Только когда мать-настоятельница и отец О'Брайан подбежали к упавшей послушнице, чтобы помочь ей, они заметили, что на полу возле ног Габриэллы натекла огромная лужа крови.

Глава 13

Откуда-то издалека доносился протяжный высокий вой, похожий на вопли ирландского духа-баньши. Габриэлла как будто плавала в море холодного и сырого тумана, который с каждой минутой все глубже засасывал ее неподвижное тело. В тумане что-то двигалось, но рассмотреть это ей никак не удавалось. Серый туман то светлел, то становился совсем черным, и тогда тоскливый пульсирующий вой замолкал.

— Где я? — спросила Габриэлла и не услышала собственного голоса. Лишь вдалеке снова кто-то завыл и завизжал, и она подумала, что это, наверное, последние вопли ее гибнущей души. Значит, она умерла. Ну что ж, теперь она, по крайней мере, сможет встретиться с Джо...

Габриэлла не понимала, что мучающий ее звук был сиреной «Скорой помощи», которая, отчаянно мигая синими и красными огнями, неслась по улицам Нью-Йорка к ближайшей больнице. В тумане, в котором куда-то плыла Габриэлла, ей чудились таинственные голоса, но что они говорят, она разобрать не могла. Одно только имя... Кто-то звал ее по имени, умолял, грозил, запрещал, заклинал ее вернуться из молчаливой, черной бездны, в которую Габриэлла неумолимо соскальзывала.

— Габриэлла! Габриэлла!! Габриэлла!!! Ну давай же!.. Открой глаза, Габриэлла!

Но она не желала понимать и подчиняться. Голоса (или то был один голос?) звали ее обратно к жизни, которая была ей больше не нужна. «Оставьте меня!» — хотелось сказать ей, но кто-то заорал страшным голосом, и из тумана высунулись оранжевые резиновые руки с ножом, который, как показалось Габриэлле, вонзился ей прямо в сердце. Она ждала боли, но боль не пришла. Вернее, пришла, но не оттуда, откуда Габриэлла ожидала. Кто-то как будто схватил ее за ноги и силился разорвать напополам. Так погибла одна злая фея... Кстати, как ее звали? Мария? Миранда? Мирабелла? Забыла... А кто привязал ее к двум согнутым соснам? Джо? Джон? Микки Маус?.. Тоже забыла. Ну и пусть, не важно. Габриэлле действительно было все равно, да и боль была не такая уж сильная. Чего она не хотела, это открывать глаза и возвращаться в мир, где боль, стыд и горечь снова станут непереносимыми.

Она совершенно не помнила, что с ней случилось. Габриэлла знала только, что это было что-то очень плохое, и что, когда она умрет совсем, ей станет лучше. И она готова была сама призвать смерть, но вместо этого вдруг открыла глаза.

В лицо ей сразу же ударил такой яркий свет, что она зажмурилась снова, но блаженное забытье и невесомость не возвращались. Теперь она ясно ощущала, что с ней что-то делают: переворачивают, колют невидимыми иглами, отрезают от нее куски и снова пришивают, протягивая прямо сквозь мясо толстую, грубую нитку. Кто-то ковырялся у нее во чреве сразу обеими руками и, кажется, каким-то железным инструментом наподобие щипцов. Этот кто-то буквально вырывал у нее все внутренности, подбираясь к самому сердцу. Габриэлла ждала, когда же холодные скользкие пальцы разорвут последние артерии и вены, которые все еще связывали ее с жизнью и с этой ослепляющей болью.

— Габриэлла, Габриэлла, Габриэлла!.. — кто-то продолжал звать ее. Как будто чайки галдели над морем или работала какая-то машина... Какая — Габриэлла додумать не успела. Боль, такая резкая, что по сравнению с ней все предыдущие мучения казались детской забавой, пронзила ее насквозь, и она сразу поняла, кто она. Она маленькая девочка, которую снова избила родная мать.

Она Меридит, фарфоровая кукла, которую Элоиза в ярости разбила, растоптала и выбросила. Она...

— Габриэлла!!! — на этот раз голос показался ей сердитым. Она по-прежнему не видела ни лиц, ни рук людей, которые продолжали что-то с ней делать. Она вообще ничего не видела, кроме сменявших друг друга света и тьмы, ничего не слышала, кроме этого монотонного крика, ничего не чувствовала, кроме боли. Потом явь снова стала путаться с бредом, и Габриэлла увидела отца, который смотрел на ее муки с выражением тоскливой беспомощности на лице.

Внезапно вместо отца появился Джо. Он улыбался ей, протягивал к ней руки и манил за собой. Джо что-то говорил, но Габриэлла никак не могла слышать — что. «Где ты?» — хотела спросить Габриэлла, но, подняв глаза, увидела, что он смеется.

— Я не слышу тебя. Что?.. Говори громче! — эти слова она повторяла снова и снова, но он ничего не отвечал и все смеялся. Потом Джо стал удаляться, и Габриэлла крикнула, чтобы он подождал, она хочет идти с ним, но ноги отказывались ей повиноваться. Они были слишком тяжелыми. Габриэлла никак не могла сдвинуться с места, а Джо уже почти совсем исчез в туманной дымке. Лишь на мгновение он задержался на границе света и мрака и, поднеся палец к губам, отрицательно покачал головой. В следующий миг он исчез, и Габриэлла неожиданно почувствовала себя свободной. Сорвавшись с места, она бросилась за ним вдогонку, но он исчез, просто перешел в другой мир и закрыл за собой дверь, которую она никак не могла разыскать в туманной мгле.

Сердитые голоса за спиной Габриэллы сразу сделались громче. Они гнались за ней, не хотели, чтобы она уходила от них, и, обернувшись назад, Габриэлла поняла, почему она не может последовать за Джо. Она была накрепко привязана к креслу: руки ее у запястий стягивали широкие резиновые бинты, широко разведенные в стороны ноги были непристойно задраны вверх и тоже привязаны. Ослепительно яркий, но холодный свет заливал все вокруг.

— Нет, я должна идти за ним, — беззвучно крикнула Габриэлла. — Он ждет меня. Я нужна ему...

Но тут все снова заволокло туманом, и из него выступил Джо. Он выглядел таким счастливым, что Габриэлла даже испугалась. Но невидимые люди, столпившиеся вокруг нее, закричали громче, и Габриэлла поняла, что они делают с ней что-то ужасное. Что? Они старались украсть ее душу, чтобы она не могла последовать за Джо.

— Нет, нет, нет! — кричала им Габриэлла, но они не слушали ее. Или не слышали.

— Все хорошо, Габриэлла, держись, Габриэлла, еще немножечко, Габриэлла... — бубнил ей на ухо какой-то голос. Она попыталась отодвинуться, но у нее ничего не вышло. Тогда Габриэлла попробовала приподняться и, открыв глаза, с удивлением обнаружила, что начинает кое-что различать. Над ней склонялись мужчины и женщины, одетые в бледно-голубые бесформенные одежды. У них не было лиц — были только руки в резиновых перчатках, и все они были вооружены острыми ножами, которые они по очереди вонзали в ее беззащитное, истерзанное тело.

— Черт побери, Дик, давление опять падает, — прозвучало где-то у нее над головой, и Габриэлла поняла, что попала в ад. Но ее это почему-то не пугало. Жизнь была много, много страшнее.

— Сделай же что-нибудь, — сказал другой очень сердитый голос. — Мы теряем ее.

Габриэлла подумала, должно быть, это главный черт, он тоже сердится на нее. Значит, такая уж у нее судьба, что никто — даже черти в аду — не могут относиться к ней нормально. Значит, она действительно непослушная, мерзкая девчонка — настоящее чудовище, от которого с ужасом и отвращением отворачиваются даже служители преисподней. Несомненно, она совершила что-то очень страшное.

Она закрыла глаза и снова услышала знакомый вой. На этот раз Габриэлла вспомнила, что так стонет и свистит сирена санитарной машины. Значит, решила она, произошел несчастный случай, и кого-то сильно поранило. Какую-то женщину, поняла Габриэлла, когда в скрежещущий вой сирен вплелся отчаянный, исполненный муки женский вопль. Сразу появились новые фигуры в белом и голубом; они были повсюду, и Габриэлла подумала, что, может быть, они хотят ей помочь. Руки и ноги были невероятно тяжелыми, она не могла даже прогнать демонов боли, которые, рассевшись у нее на животе, продолжали свой пир, по одной вытягивая из нее жилы.

«Они собрались, чтобы убить меня! — догадалась Габриэлла. — Самым долгим и болезненным способом. Что ж, наверное, я это заслужила...»

— Вот незадача, — выплыл из темноты густой мужской голос. — Привезите еще два литра плазмы.

Врачи продолжали вливать ей в вены донорскую кровь, но им было уже ясно, что Габриэлла не выживет. Спасти ее могло только чудо. Артериальное давление все время стремилось упасть до опасно низкого предела, а сердце работало слабо, с перебоями, и каждую секунду могло остановиться.

Неожиданно вокруг стало очень тихо, и Габриэлла блаженно вытянулась. Наконец-то ее оставили в покое! Прохладный туман снова начал обволакивать тело. Он заглушал чужие гневные голоса, холодил разгоряченную кожу и исцелял раны. Даже боль в ее чреве, казалось, затаилась и перестала жевать внутренности своими тяжелыми, как жернова, челюстями.

Снова пришел Джо. Он возник из тумана совершенно бесшумно и, остановившись возле Габриэллы, опустил руку на ее потемневшие от пота золотые волосы.

Губы его шевельнулись. Он произнес несколько слов, и на этот раз Габриэлла отчетливо расслышала их. Она в мольбе протянула к нему руки, но он оттолкнул их.

— Я не хочу, чтобы ты уходила со мной во тьму, — повторил он, и его голос не показался Габриэлле ни сердитым, ни даже печальным. Джо выглядел очень спокойным и умиротворенным — таким она давно его не видела.

— Но почему, Джо?! Ведь я не могу без тебя. Ты обязательно должен взять меня с собой.

— Ты сильный человек, Габи.

Она попыталась возразить ему, но Джо закрыл ей рот ладонью.

— Ты должна жить, — закончил он.

— Никакая я не сильная... И не могу... не могу жить без тебя!

Но Джо снова покачал головой и исчез в тумане. Сразу вслед за этим на Габриэллу снова обрушилась давящая тяжесть, распарывающая внутренности боль захлестнула ее словно поток раскаленной лавы. Конечно, она тонет, тонет, как Джимми, брат Джо. Водоворот боли затягивал ее во мрак, на самое дно, и она почти не сопротивлялась, лишь судорожно открывала рот, стараясь в последний раз глотнуть воздуха. Ей казалось, что Джо где-то рядом. Сейчас он возьмет ее за руку своими прохладными сильными пальцами. Она судорожно пыталась отыскать его в клокочущей, бешено вращающейся мгле, и вдруг поняла, что его давно здесь нет. Он ушел! Он бросил ее! Она совершенно одна в этих бурных волнах.

И тогда случилась удивительная вещь. Какая-то сила, неумолимая, как закон природы, внезапно выбросила Габриэллу на поверхность бурлящего черного озера, она глотнула воздуха, закричала, заплакала.

— О'кей, — сказал голос. — Сработало. Теперь мы ее вытащим.

— Нет, нет, не надо! — беззвучно молила Габриэлла. Она снова чувствовала боль, уколы, прикосновения чужих рук, ремни на запястьях и лодыжках, которые снова приковали ее к пыточному креслу. Страшный огонь сжигал ее тело изнутри, и Габриэлле казалось, что его не остудит даже целый океан ледяной воды.

— Перестаньте! — хотела крикнуть Габриэлла, но не смогла. Из нее что-то рвали и тащили страшными железными щипцами. А это — ее сердце! Они отняли у нее сердце, потому что хотели отнять Джо. Габриэлла не сомневалась, что теперь ее медленно, кусочек за кусочком, разрежут на части, чтобы лишить последнего... и самого дорогого, что у нее было.

Она не знала, кто придумал для нее эту изощренную пытку, но почему-то не сомневалась, что то была ее мать. Это Элоиза все подстроила, Элоиза выследила ее и выдала настоятельнице. Элоиза предала ее в руки палачей. И за это Габриэлла ненавидела ее сильнее, чем когда-либо в своей жизни.

— Габриэлла! Габриэлла! Ответь нам, Габриэлла! — голоса зазвучали неожиданно мягко, почти ласково, но Габриэлла могла только кричать от невыносимой боли, которую они ей причинили и от которой не было спасения. Кто-то продолжал звать ее по имени, и на мгновение ей показалось, что матушка Григория подошла к ней и ласково провела рукой по волосам.

Не сразу она поняла, что демона, который пожирал ее изнутри, уже нет. Пока она кричала, кто-то изгнал его.

— Господи Иисусе, слава тебе! — произнес голос совсем рядом. — Мы чуть не потеряли ее. Еще бы немного, и...

Это многозначительное «и...» означало, что Габриэлла чуть не отправилась вслед за Джо. Она была жива, хотя сама хотела умереть. Она выжила, и в этом был виноват Джо, который не захотел взять ее с собой. Он бросил Габриэллу и ушел, чтобы никогда больше не возвращаться, как не вернулся ее отец. Все, кого она когда-то любила и от кого зависела, оставляли ее совершенно одну. И она выживала, хотя могла погибнуть уже много раз. И именно это казалось Габриэлле самой большой несправедливостью.

— Как ты себя чувствуешь, Габриэлла?

Услышав этот тихий вопрос, Габриэлла открыла глаза и увидела над собой лицо женщины средних лет. Вернее, только глаза, поскольку остальное было закрыто беой хирургической маской. Все, кто ее окружал, были в таких масках. Голоса, которые сначала так пугали ее, звучали теперь гораздо мягче.

Габриэлла хотела ответить, но не сумела произнести ни слова. Дело было не только в слабости — ее сердце умерло, а душа была пуста. Габриэлла просто не хотела говорить, даже если бы могла.

— Она меня не слышит, — сказала женщина, и Габриэлла едва заметно вздрогнула. В голосе врача ей послышалось разочарование, какое часто звучало в голосе

Элоизы. «Ты подвела меня!» — кричала она в таких случаях и набрасывалась на Габриэллу с кулаками. «Интересно, станут они бить меня сейчас?» — равнодушно подумала Габриэлла. Ее это нисколько не трогало. Хотелось только избежать возвращения демонов с заостренными хвостами, которыми они словно пиками язвили и мучили ее тело и душу.

На некоторое время ее оставили одну, и Габриэлла снова унеслась куда-то далеко — в какое-то незнакомое место, где она еще ни разу не бывала, но и там было тоскливо, жутко и одиноко.

Когда она очнулась, на лице у нее была прозрачная кислородная маска, от которой сильно пахло какой-то кислятиной, и Габриэллу едва не стошнило. Каталку, на которой она лежала, куда-то везли. Габриэлла видела проплывающие над ней лампы, потолки и верхние части белых дверей с черными номерами. «Сейчас мы отвезем тебя в твою комнату», — сказал кто-то, и Габриэлла подумала, что она, наверное, в тюрьме. Здесь ей предстоит отбывать пожизненный срок за все те ужасные вещи, которые она совершила.

Она всерьез ждала, что кто-нибудь скажет ей: ты виновна в том-то и в том-то, но не дождалась. Каталку ввезли в какую-то комнату, и Габриэлла почувствовала, как ее поднимают и перекладывают на кровать. Крахмальные простыни обожгли тело ледяным океанским холодом, но после перенесенных страданий это было даже приятно. «Закована в холод и лед; весна, жди — не жди, не придет», — вспомнила она. Кажется, это стихи Шелли. Но, насколько она знала, Шелли никогда не был на Северном полюсе. А она, по всей видимости, находилась именно там, на самой макушке Земли, чтобы Богу было виднее, кому он выносит свой окончательный приговор.

— Продолжайте вливать физиологический раствор, — раздался в отдалении приятный мужской голос. — Каждые три часа — переливание крови. И кислород, обязательно кислород...

Потом Габриэлла заснула и проспала почти сутки. Дважды или трижды, потревоженная шорохом близкого движения, она приоткрывала глаза. Теплые сильные руки поправляли на ней простыню, оттягивали кожу на плече и на сгибе локтя, и тогда она ощущала легкий укол. К этому времени Габриэлла уже поняла, что находится не в тюрьме, а в больнице. Потом она вспомнила, что с ней делали, вспомнила донесшийся из тумана жалобный крик какой-то женщины и поняла, в чем дело. Она потеряла ребенка Джо.

От этой мысли Габриэлле захотелось плакать, но у нее не было сил. Она только несколько раз глухо всхлипнула. Но когда часа через два к ней в палату пришел врач, она не сдержалась и зарыдала в голос.

— Ну-ну, не надо, успокойтесь, — сказал врач и потрепал ее по руке. — Я очень вам сочувствую, но медицина, к сожалению, не всесильна. Не расстраивайтесь так, девочка моя. Вы скоро поправитесь и сами увидите, что все не так страшно.

Врач был пожилым и очень опытным, но откуда он мог знать, что́ значил для Габриэллы этот ребенок. Габриэлла поступила в больницу из монастыря, но врачу даже в голову не пришло, что она может быть послушницей. Он полагал, что Габриэлла скорее всего одинокая мать или дочь чрезмерно строгих родителей, которую упрятали от позора.

— Вы обязательно поправитесь, — повторил он, — и у вас будут другие детки, крепкие, здоровенькие, умненькие. Конечно, потерять первенца — трудно, но не смертельно. Считайте, что вам просто немного не повезло.

Но от этих слов Габриэлла зарыдала еще горше. Она вообще не хотела иметь детей, боясь превратиться в такое же исчадие ада, какой была ее мать. Пока у нее был Джо, она могла надеяться, что сумеет начать новую жизнь с любимым человеком и с ребенком, рожденным от их искренней и чистой любви. Эту мечту она лелеяла все те два месяца, что продолжались их с Джо тайные встречи, но теперь все полетело в тартарары. Должно быть, она просто не заслуживала счастья.

— В первое время, конечно, придется поберечься, — продолжал между тем врач. — Вы потеряли слишком много крови, и мы едва смогли вас вытащить. К счастью, бригада «Скорой» сразу начала переливание. Опоздай они хоть немного, и все было бы кончено.

Врач умолчал о том, что у Габриэллы трижды останавливалось сердце — один раз в санитарной машине и дважды — в приемном покое. За всю его долгую практику это был самый тяжелый случай выкидыша.

— Вам придется несколько дней полежать у нас, — сказал он. — Потом, я думаю, мы отпустим вас домой, но только если вы обещаете избегать всяческих волнений и тяжелой работы. — Врач предостерегающе поднял палец. — И, разумеется, никаких танцев, вечеринок или свиданий! Все это вам совершенно противопоказано по крайней мере в ближайший месяц. Вам ясно?

Врач старался казаться суровым, но при мысли о том, как эта ослепительно красивая девочка кружится в танце или смеется, запрокинув назад голову и сияя своими небесно-голубыми глазами, он не сдержал улыбки. Он был совершенно уверен, что как только Габриэлла выпишется, ей сразу захочется встретиться с друзьями или, быть может, даже с тем молодым человеком, который сделал ей ребенка.

Старый врач, конечно, не догадывался, что возникшая в его воображении картина не имеет ничего общего с жизнью, которую вела Габриэлла. Поэтому он был по-настоящему потрясен, когда увидел в ее взгляде бесконечный ужас и горе.

— Мой муж умер вчера, — сказала Габриэлла хриплым шепотом. Она действительно считала Джо своим мужем. Формальности не имели для нее никакого значения — ни тогда, ни тем более сейчас.

Врач посмотрел на нее с сочувствием.

— Мне очень жаль, — проговорил он, качая головой. Теперь ему многое стало понятно. На протяжении всего времени, пока шла борьба за жизнь Габриэллы, его не оставляло ощущение, что пациентка не хочет жить и отчаянно сопротивляется любым усилиям врачей. Она хотела умереть, чтобы быть вместе с любимым — с человеком, которого она только что назвала своим мужем, хотя врач сомневался, что они были женаты официально.

В противном случае Габриэлле вряд ли позволили бы жить в монастыре.

— Постарайтесь заснуть, — сказал врач. — Вам нужно как следует отдохнуть. Ну а потом уже можно будет думать, как жить дальше.

Он не сомневался, что впереди Габриэллу ждет долгая и счастливая жизнь. В конце концов, она была еще очень молода, а врач знал, что молодость — лучшее лекарство и от болезней, и от всех жизненных невзгод. Когда-нибудь эта беда, это двойное несчастье, которое заставило ее так страдать, забудется, сотрется из памяти, заслоненное новой счастливой встречей. А в том, что такая встреча в ее жизни состоится, он не сомневался. Габриэлла была так хороша собой, что врач почти жалел, что не может скинуть годков этак двадцать пять и снова стать молодым и гибким юношей, каким он был, когда заканчивал медицинский колледж.

Но пока девочка выглядела так, словно мир вокруг нее перестал существовать, и, с точки зрения самой Габриэллы, так оно и было. Без Джо жизнь теряла всякий смысл. Каждый час, каждую минуту она вспоминала их тайные встречи и свой дневник, в котором она обращалась к нему. Вся короткая история их любви развертывалась перед ней день за днем, и Габриэлла тихо плакала, когда в ее ушах начинали звучать те нежные слова, которые когда-то сказал ей Джо. Тело тотчас же начинало отогреваться и слегка подрагивать, словно откликаясь на ласковые прикосновения его осторожных и сильных рук.

День, когда она узнала, что Джо покончил с собой, вставал перед ней как в тумане. Она плохо представляла себе лица и слова двух священников, принесших ей страшное известие, но зато хорошо помнила отчаяние, охватившее ее при мысли, что Джо ушел навсегда и бросил ее одну. И в этом Габриэлла обвиняла именно себя. Ведь не зря же Джо не захотел взять ее с собой тем страшным утром, когда бригада врачей, выбиваясь из сил, старалась вернуть ее к жизни. Она чуть не умерла — Габриэлла знала это совершенно точно, но Джо оттолкнул ее, не позволил следовать за собой, и от отчаяния она сдалась, позволив врачам вытащить себя из бездны.

Теперь Габриэлла ненавидела себя за это. Впадая время от времени в дрему, она снова пыталась вызвать Джо из небытия, но он не приходил. Он оставил ее навсегда. Габриэлла старалась представить, что́ он чувствовал и о чем думал перед смертью. Она до сих пор не знала, какая му́ка заставила его принять это страшное решение. Почему он поступил так, как много лет назад поступила его собственная мать, оставившая сиротой единственного сына.

Теперь Джо оставил сиротой ее. Габриэлла была совершенно одна. Даже ребенка — их ребенка — она потеряла. У нее не было ничего. Абсолютно ничего, кроме горя и сожаления.

Вечером следующего дня к Габриэлле неожиданно приехала матушка Григория. Предварительно она поговорила с врачом и узнала, как близко Габриэлла была к тому, чтобы «отправиться в лучший мир», как деликатно выразился дежурный врач из уважения к черному монашескому облачению настоятельницы.

Состояние Габриэллы было по-прежнему тяжелым, и вид ее смертельно бледного, измученного лица неприятно поразил настоятельницу. Это лицо нагляднее любых слов свидетельствовало о том, как близка была Габриэлла к смерти. Щеки ее ввалились, губы казались почти прозрачными и приобрели синеватый оттенок, голубые глаза потеряли блеск, выцвели и сделались грязно-серыми. Постоянные переливания крови пока не возымели никакого действия, и врач сказал настоятельнице, что Габриэлле потребуется несколько месяцев, чтобы оправиться. «В физическом смысле...» — добавил он многозначительно и посмотрел на матушку Григорию.

У постели Габриэллы матушка Григория просидела почти час, но говорили они очень мало. Габи была еще слишком слаба, к тому же все, что она пыталась сказать, заставляло ее плакать.

— Молчи, дитя мое, ничего не говори, — произнесла наконец мать-настоятельница и взяла ее за руку. Минут через десять Габриэлла уснула, и матушка Григория была почти благодарна ей за это. Но когда ее взгляд случайно упал на лицо Габриэллы, она не сдержала дрожи.

Такие лица — бледные, неподвижные, вытянутые — она видела только у мертвых.

Слухи о том, что случилось с отцом Коннорсом, достигли монастыря только через три дня после того, как молодой священник покончил с собой. Монахини тревожно перешептывались по углам, и матушка Григория, видя, что сохранить это дело в тайне не удастся, сделала за завтраком краткое объявление. Она сообщила сестрам, что отец Коннорс неожиданно скончался, и что его тело будет кремировано, а прах отправлен для захоронения в Огайо — туда, где покоились останки его родителей и старшего брата. Все поминальные и заупокойные мессы также пройдут в Огайо.

Таково было решение архиепископа Флэнегана, и матушка Григория понимала, что старик делает все, чтобы замять скандал. Хоронить отца Коннорса на нью-йоркском католическом кладбище было нельзя, поскольку, покончив с собой, он совершил смертный грех. По той же самой причине никто не должен был служить по нему заупокойные мессы, но архиепископ решил, что пусть лучше этому обстоятельству удивляются на родине отца Коннорса, а не в Нью-Йорке, где подобный запрет мог смутить души обитательниц монастыря Святого Матфея.

Самым подозрительным выглядел, разумеется, пункт о кремации. Католическая церковь не признавала «огненного погребения», и умерший католик, а тем более — священник, мог быть кремирован только в самом исключительном случае. Матушка Григория полагала, что, хотя и с очень большой натяжкой, этот факт можно будет объяснить трудностями транспортировки тела. И все же, когда настоятельница попросила сестер келейно помолиться об упокоении души отца Коннорса, она поймала на себе несколько недоуменных взглядов, а сестра Анна — ныне сестра Генриетта — неожиданно расплакалась.

Через несколько часов после того как матушка Григория вернулась из больницы, сестра Анна сама пришла к ней в кабинет. Она опять плакала, и настоятельница, усадив ее на стул, спросила, что случилось. Но молодая послушница только рыдала, повторяя одни и те же слова: «Mea culpa!»[1], и ничего не могла толком объяснить.

— Что же все-таки случилось, дитя мое? — спросила матушка Григория после того, как сестра Анна залпом выпила два стакана воды и немного успокоилась. — В чем ты виновата? Я понимаю, что смерть отца Коннорса сильно подействовала на нас всех, но не до такой же степени! Возьми себя в руки. Ведь ты не имеешь к его смерти никакого отношения, правда?

— Нет, имею! — всхлипнула сестра Анна, которая уже догадалась, что с Габриэллой и отцом Джо Коннорсом случилось что-то страшное, и теперь ее мучила совесть.

Матушка Григория взяла новициантку за подбородок и заставила поднять голову. Глядя ей прямо в глаза, она проговорила спокойно, но твердо:

— Ты ни в чем не виновата. Отец Коннорс, очевидно, был серьезно болен, но скрывал это ото всех. Обстоятельства его смерти, конечно, весьма трагичны, но это еще не причина, чтобы так расстраиваться.

— Служка из Святого Стефана сказал продавцу из бакалейной лавки, что отец Коннорс повесился, — всхлипнула сестра Анна. Она была по-настоящему потрясена. Эта кошмарная история дошла до нее через десятые руки: бакалейщик рассказал новость почтальону, который по пути в монастырь зашел к нему в лавку выпить содовой. В монастыре почтальон поделился слухами с сестрой Жозефиной, а от нее новость стала известна половине обители.

Услышав об этом, мать-настоятельница сердито насупилась. Она была очень недовольна, но старалась не подавать вида.

— Уверяю тебя, сестра Генриетта, это полная чушь.

— А где тогда Габриэлла? — спросила сестра Анна. — Сестра Евгения говорила, что ее увезли на «Скорой», но никто не знает почему. Где она, матушка?

— У сестры Мирабеллы был приступ гнойного перитонита. Сначала она не знала, что это такое, и боялась,

---

[1] Mea culpa *(лат).* — моя вина.

что могла заболеть какой-нибудь заразной болезнью. Поэтому она просила меня временно отселить от нее сестер, которые жили с ней в комнате. Ей было очень больно, но она терпела, как подобает истинной послушнице. Лишь на следующий день я решила вызвать к ней врача, и ее забрали в больницу.

«Прости меня, Господи! — мысленно взмолилась мать-настоятельница. — Боже, как я лгу! Как будто всю жизнь этим занималась!» Впрочем, это была официальная версия, которой сестрам отныне следовало придерживаться как в разговорах между собой, так и с посторонними. Монастырь был слишком мал, чтобы в нем можно было что-то утаить. И сестра Анна и остальные не могли не видеть сурового отца Димеолу, посланника архиепископа, который приезжал в монастырь вместе с отцом О'Брайаном. Одного этого было более чем достаточно, чтобы тихая обитель невест Христовых наполнилась самыми невероятными догадками и слухами. Любовь к сплетням была неизлечимой болезнью любого замкнутого сообщества. Матушка Григория, как женщина в высшей степени разумная, даже не пыталась что-либо с этим делать.

В данной ситуации ее задача сводилась к одному: довести до сведения всех послушниц официальную версию случившегося, и сейчас она пыталась втолковать это сестре Анне.

— Ты поняла меня, дитя мое? — спросила она, и сестра Анна, судорожно сглотнув, кивнула.

— Да, я все поняла, матушка.

— Тогда скажи, в чем ты считаешь себя виноватой.

— Это я написала то письмо, — призналась сестра Анна и снова зарыдала. — Я нашла дневник Габриэллы. В нем она описала все... как встречалась с отцом Коннорсом в нашей пустой келье, где сейчас архив. О, матушка, как я ей завидовала! Я не хотела, чтобы у нее было то, что я когда-то имела, но не смогла удержать.

Да, матушка Григория хорошо помнила это письмо. Оно, конечно, озаботило и даже напугало ее, но началось все не с него. Настоятельница уже давно чувствовала, что между ее любимицей и молодым священником возникла опасная симпатия. Письмо сестры Анны только ускорило события.

— Ты поступила нехорошо, сестра Генриетта, — сказала она молодой послушнице. — Ревность и зависть — это грех, который тебе предстоит искупить молитвами и богоугодными делами. Твое письмо ни на что не повлияло. Я не придала ему значения, поскольку оно было без подписи. Я только огорчилась, что одна из моих сестер запятнала себя таким пороком, как трусость. Что касается твоих подозрений, то они, конечно, не имеют под собой никаких оснований. Тебя ослепила ревность. Сестра Мирабелла и отец Коннорс были просто хорошими друзьями. Их связывала не любовь друг к другу, а любовь к Господу нашему Иисусу Христу и преданность однажды выбранному пути. И если Габриэлла порой позволяла себе кое-какие фантазии, то лишь по молодости и по неопытности. Ты не должна была придавать этому значения, как не должны мы, служители Божьи, обращать внимание на соблазны мира. Мы свободны от них, свободны по собственному выбору, если, конечно, мы хотим быть настоящими монахинями. Ты понимаешь?..

Она немного помолчала, пристально глядя на послушницу.

— Я рада, что ты все поняла, — сказала матушка Григория, дождавшись утвердительного кивка сестры Анны. — А сейчас забудь обо всем и ступай. Все будет хорошо.

Сестра Анна послушно пошла к двери, но на пороге настоятельница остановила ее.

— Кстати, где сейчас дневник сестры Мирабеллы? — спросила она.

— У нее в комнате, в сундучке, — ответила сестра Анна.

— Хорошо, ступай.

И, перекрестив новициантку, мать-настоятельница отпустила ее.

Как только сестра Анна ушла, матушка Григория немедленно отправилась в комнату Габриэллы. Там она достала из сундучка тонкую тетрадь в клеенчатой обложке и отнесла к себе в кабинет. Не читая, она спрятала ее в сейф и снова вышла. До вечерней молитвы настоятельница успела встретиться с сестрами Эммануэль и Иммакулатой и с десятком самых старых монахинь. Все они должны были собраться в ее кабинете после того, как послушницы и молодые монахини лягут спать.

В половине одиннадцатого вечера двенадцать монахинь уже сидели в кабинете настоятельницы. Все они выжидательно смотрели на матушку Григорию, видимо, ожидая, что она расскажет им правду о том, что случилось с Габриэллой и отцом Коннорсом, но настоятельница сразу заявила о том, что в монастыре циркулируют самые нежелательные слухи, и что их задача — пресекать в корне всякие разговоры на известную тему.

— Священники и монахи прихода Святого Стефана скорбят о трагической кончине отца Коннорса, — сказала она, — однако подробности этого дела таковы, что молодым сестрам и послушницам вовсе не обязательно их знать. Наш долг, — добавила настоятельница, — защитить сестер от возможного скандала и не позволить им сплетничать между собой, ибо известно, что празднословие льет воду на мельницу врага рода человеческого.

В своей речи матушка Григория была столь решительна и сурова, что никто из монахинь не осмелился задать ей ни одного вопроса о характере отношений между Габриэллой и отцом Коннорсом. Они только поинтересовались, где сейчас сестра Габриэлла, и мать-настоятельница сообщила им то же самое, что она несколько часов назад рассказывала сестре Анне: острый аппендицит, операция, больница.

— Сестра Мирабелла вернется, когда будет чувствовать себя лучше, — закончила она, думая о том, что после удаления аппендицита у Габриэллы непременно должен остаться шрам, и что его отсутствие рано или поздно будет замечено сестрами. Впрочем, она уже почти не верила в то, что Габриэлле будет позволено остаться в монастыре.

— Так что же, значит, слухи верны? — переспросила сестра Мария Маргарита, которая сидела, опираясь руками на свою поставленную вертикально клюку. В монастыре она была самой старой, и потому ей дозволялись некоторые вольности. — Говорят, эти двое любили друг друга и встречались в каком-то парке? И из-за этого молодой Коннорс убил себя? Послушницы болтали об этом все утро...

Прежде чем ответить, матушка Григория мысленно поблагодарила Бога за то, что о беременности Габриэллы не было сказано ни слова.

— А мы не будем болтать об этом, сестра Мария, — с нажимом сказала она. — Я не знаю всех обстоятельств смерти отца Коннорса и не стремлюсь узнать. Когда я встречалась с архиепископом, он совершенно ясно и недвусмысленно дал понять, что нас это не касается. Давайте же будем добрыми сестрами и перестанем думать о том, что не должно нас занимать. Душа отца Коннорса находится в руках Божиих. Мы можем только молить Всевышнего о милосердии и снисхождении.

Она ненадолго замолчала, пристально глядя на собравшихся.

— Иными словами, сестры, я не желаю больше ничего об этом слышать. А для того, чтобы ни у кого не возникало соблазна почесать язык, на всех сестер налагается семидневный обет молчания. Начиная с завтрашнего утра ни одна из нас, за исключением меня и сестры Иммакулаты, не должна произносить ни слова. Вслух разрешается только молиться и исповедоваться. Аминь.

— Аминь, матушка, — хором отозвались монахини, пораженные этой чрезвычайной мерой. Ни одна из них не усомнилась, что настоятельница действует по прямому указанию архиепископа, и это было действительно так. Святой отец Флэнеган дал матушке Григории, что называется, полный карт-бланш в пределах ее полномочий, а эти полномочия были достаточно широки.

Отпустив монахинь, матушка Григория отправилась в монастырскую церковь. Там она упала на колени перед статуей Девы Марии и долго молилась, прося ее помочь Габриэлле. Матушка Григория полюбила Габриэллу как родную дочь, и мысль о том, что ей придется расстаться с ней, была невыносимой. С другой стороны, она боялась даже думать о том, что будет с ее воспитанницей, выброшенной в жестокий мир.

В том, что Габриэлла совершенно не готова к жизни вне стен монастыря, настоятельница не сомневалась. История с Джо Коннорсом была тому самым наглядным подтверждением. Они оба были слишком наивными и чистыми, чтобы прислушаться к голосу разума и остановиться до того, как стало слишком поздно. Они были слишком молоды, у них не было опыта, они могли опираться только друг на друга... Что ж, жизнь преподнесла Габриэлле жестокий урок, за который она заплатила жизнью любимого человека и едва не заплатила своей.

Тут старая настоятельница поняла, что плачет. Крупные слезы градом катились по ее морщинистому лицу и никак не желали останавливаться. Она несколько раз промокнула их краешком наголовного платка, но он скоро промок насквозь.

Эти слезы матушка Григория сдерживала с самого утра, когда за завтраком ей пришлось сделать объявление о смерти отца Коннорса. Во второй раз она чуть не заплакала, когда навещала Габриэллу в больнице. И вот теперь, оставшись наедине с Девой Марией, она наконец дала себе волю. Старая настоятельница оплакивала маленькую десятилетнюю девочку, какой Габриэлла попала в монастырь, скорбела о погибшей душе Джо Коннорса и жалела Габриэллу нынешнюю — измученную, с выжженной душой и израненным сердцем. И впервые в жизни в ее голову закралась святотатственная мысль, что, как бы она ни молилась за них обоих, худшего ада, чем тот, через который они прошли, не может быть даже в преисподней.

Глава 14

Матушка Григория больше не ездила в больницу к Габриэлле, но она часто звонила и осведомлялась, как та себя чувствует. Сиделки уже узнавали ее по голосу и старались подбодрить старую настоятельницу. Габриэлле уже закончили делать переливания крови, и теперь все надежды врачи возлагали на ее молодой организм, который должен был сам справиться с последствиями массивной кровопотери. Матушка Григория слушала и соглашалась, но про себя думала, что телесные раны затянутся, конечно, скорее, чем душевные.

Она была очень рада, что «Скорая помощь» доставила Габриэллу в городскую больницу, а не в госпиталь, где работали сиделками монахини из монастыря. Попади она туда, и помешать распространению слухов было бы невозможно.

К счастью, большинство сестер поверили в то, что у Габриэллы случился острый приступ аппендицита. Сомневающиеся, а такие, несомненно, тоже были, не имели возможности поделиться своими подозрениями с окружающими из-за наложенного на них обета молчания, и мать-настоятельница начинала надеяться, что в конце концов все затихнет и забудется.

Но вот как быть с Габриэллой? Похоже, сбывались самые скверные предчувствия. За три дня матушка Григория трижды разговаривала по телефону с архиепископом и один раз побывала в его резиденции. Архиепископ настаивал на том, что Габриэлла не может вернуться в монастырь, так как, по его выражению, это было бы все равно, что «своими руками посеять семя греха в райском саду». Поначалу матушка Григория пыталась возражать отцу Флэнегану. Она умоляла его проявить снисхождение если не к нынешней Габриэлле, то хотя бы к ее трудному детству, но в глубине души она понимала, что будь на месте Габриэллы какая-то другая послушница, она была бы полностью солидарна с решением архиепископа.

Как бы там ни было, он остался непоколебим, и теперь настоятельнице предстояла нелегкая задача объявить вердикт Габриэлле.

Утром того дня, на который была назначена выписка, она послала в больницу одну из сестер, предварительно напомнив ей об обете молчания. Сразу по возвращении сестра должна была провести Габриэллу в кабинет настоятельницы.

Матушка Григория понимала, что семь дней — слишком маленький срок для того, чтобы Габриэлла успела оправиться и прийти в себя. Однако то, что она увидела, когда Габриэлла появилась на пороге ее кабинета, просто повергло настоятельницу в шок. Габриэлла была бледна, до прозрачности худа и напоминала бы призрак, если бы не застывший в ее глазах ужас. Движения ее были неуверенным, шаг — нетвердым. Настоятельница поспешила усадить девушку в то же самое кресло, за спинку которого она как за последнюю надежду цеплялась в день, когда ей объявили о смерти отца Коннорса. Настоятельница видела, что бедняжка все еще жалеет, что не отправилась вслед за любимым. Ничего иного ее взгляд не выражал, и на мгновение матушка Григория испугалась, уж не сломалась ли ее Габи.

— Как ты себя чувствуешь, дитя мое? — спросила она и сразу же поняла, что сморозила глупость. По Габриэлле было сразу видно — как. Внутри она была мертва — точно так же, как Джо и их ребенок.

— Все хорошо, матушка, — ответила Габриэлла слабым голосом. — Мне очень жаль, что я причинила вам столько хлопот.

Ее черное платье и апостольник делали ее бледность еще более заметной, и матушка Григория на мгновение задумалась, что она будет делать, если Габриэлла снова потеряет сознание.

Настоятельница вздохнула. Пожалуй, Габриэлла нашла не самое подходящее слово, чтобы описать все, что случилось. Две жизни были погублены, а одна — окончательно испорчена. Впрочем, настоятельница догадывалась, что Габриэлла все еще пребывает в некотором подобии психологического ступора и не до конца осознаёт, что именно с ней произошло.

— Я понимаю, — сказала она как можно мягче, зная, что сейчас Габриэлле никто не сможет помочь. Она сама должна была вернуть себе душевное равновесие. Это было трудно, почти невозможно, а, зная Габриэллу, настоятельница подумала, что она, быть может, не сможет простить себя никогда.

Габриэлла как будто подслушала ее мысли.

— Я виновата в... смерти отца Коннорса, матушка, — сказала она, продолжая глядеть прямо перед собой. Голос ее звучал ровно, почти равнодушно, но настоятельница видела, как у Габриэллы дрожат губы и подбородок. — Я это хорошо понимаю, — добавила она. — И этот грех останется со мной до конца жизни.

Матушка Григория отступила на шаг назад и смерила Габриэллу внимательным взглядом.

— Ты должна запомнить одну вещь, дитя мое. Его мать покончила с собой, когда Джо было четырнадцать. Как ты знаешь, это — самый страшный грех, поскольку даже убийца, если он раскается, может рассчитывать на прощение и милосердие Господне. Душа самоубийцы обречена вечно гореть в аду, и мы обе знаем — почему. Тот, кто уходит из жизни добровольно, виноват не только перед Господом, но и перед своими близкими — перед теми, кого он бросает, когда уходит в никуда. Так может поступить только слабый, неуверенный в себе человек. Должно быть, у отца Коннорса был какой-то скрытый изъян, который позволил ему поступить подобным образом. Основная вина лежит на нем.

И матушка Григория в упор посмотрела на Габриэллу. Эта маленькая речь, которую она произнесла, была своего рода отпущением грехов. Формально настоятельница не имела права этого делать, но ей очень хотелось помочь Габриэлле, сняв с нее хотя бы часть бремени. С ее точки зрения, тот, кто боялся жизни больше, чем смерти, не заслуживал ни прощения, ни снисхождения, но она не решилась сказать об этом Габриэлле.

— Ты очень сильный человек, Габи, — проговорила она вместо этого. — И я уверена: какие бы испытания ни выпали тебе в будущем, у тебя хватит стойкости и мужества, чтобы все это преодолеть. Ты должна накрепко запомнить — Господь не посылает человеку непосильных испытаний. Каждый раз, когда тебе будет казаться, что ты больше не можешь, вспоминай об этом. И с Божьей помощью ты преодолеешь любые трудности.

Габриэлла понимала, что это сказано от всей души, от всего сердца, однако сейчас эти слова причинили ей почти физическую боль. Все постоянно твердили ей, какая она сильная и мужественная, потом делали ей больно и уходили. И теперь Габриэлла до ужаса боялась подобных разговоров.

— Никакая я не сильная, — прошептала она, тщетно стараясь справиться с нахлынувшим на нее отчаянием. — И не мужественная! Почему мне постоянно твердят об этом?..

Горло ее сжало внезапной судорогой, и она не смогла продолжать.

Настоятельница положила руку на плечо Габриэллы.

— Ты гораздо сильнее, чем тебе кажется, — сказала она мягко, но убедительно. — Когда-нибудь ты сама это поймешь. Все те, кто обижал тебя, — просто слабаки... — Тут настоятельница запнулась, почувствовав, что с ее уст сорвалось не совсем подходящее слово, однако, поразмыслив, она решила, что лучше, пожалуй не скажешь.

— Да, слабаки!.. — повторила она с нажимом. — Ничтожные, слабые людишки. Они боятся смотреть в лицо трудностям, пытаются самоутверждаться за счет окружающих. И в конце концов, дезертируют с корабля жизни... — «Как Джо, как твой отец и твоя мать», — подумала матушка Григория, но вслух сказала: — Тебе по силам многое из того, что не могут они.

От этих слов Габриэлла снова вздрогнула. Она не могла, не хотела ничего слышать, но, увы, настоятельница сказала еще не все. Самое трудное, самое тяжелое было впереди.

— У меня есть для тебя печальная новость, — сказала матушка Григория и ненадолго замолчала. Она не смела сомневаться в правильности решения архиепископа, хотя его милосердие оставалось для нее все еще под вопросом. Впрочем, выбора у нее не было. Даже ради Габриэллы настоятельница не могла нарушить свой обет.

— Ты должна оставить нашу обитель, Габриэлла. Так решил наш архиепископ. Вне зависимости от того, что произошло между тобой и отцом Коннорсом... — Тут матушка Григория снова ненадолго остановилась. Ей отчего-то перестало хватать воздуха под взглядом Габриэллы, наполнившимся ужасом. — Что бы между вами ни произошло, — продолжила матушка Григория, — в стенах, которые мы пытались возвести вокруг тебя, образовалась изрядная трещина, которая с каждым днем будет расти и шириться. Мне даже иногда кажется, что мы получили указание свыше. Господь дал нам понять, что твоя судьба — не здесь, не в монастыре. Твое место в миру, Габриэлла. Так решил Господь, и мы должны склониться перед Его святою волей.

— Нет, матушка, нет! — вырвалось у Габриэллы. — Мне всегда нравилось в монастыре, и я хочу остаться здесь! Пожалуйста! Прошу вас!..

В ее голосе прозвучали истерические нотки. Габриэлла теряла контроль над собой. Вся ее жизнь и судьба зависели от того, что скажет настоятельница.

Матушка Григория прекрасно это понимала, и ей стоило огромных усилий, чтобы взять себя в руки и по крайней мере выглядеть спокойной.

— Ты не можешь остаться в обители, дитя мое, — сказала она тихо, но твердо. — Двери нашего монастыря закрыты для тебя навсегда, но это не значит, что мы забудем тебя. Ты навсегда останешься в наших сердцах, Габи. Я обещаю молиться за тебя до самой смерти, но сейчас ты должна уйти. В гардеробной тебе подберут туфли и два платья из тех, что поступили к нам для благотворительных целей. Кроме того, архиепископ разрешил выдать тебе из монастырской кассы пятьсот долларов...

Глаза Габриэллы помертвели, и матушка Григория невольно вспомнила тот день, когда мать девочки впервые привезла десятилетнюю Габи в монастырь. Тогда она выглядела так, словно в монастыре с ней должны были сделать что-то страшное. Сейчас Габриэлле предстояло выйти из монастыря в большой мир, и страх в ее глазах был во много раз бо́льшим.

— ...Пятьсот долларов, — повторила мать-настоятельница, с усилием взяв себя в руки. Архиепископ разрешил взять из кассы всего сто долларов, и остальные четыре сотни она сняла со своего собственного маленького счета в банке. Габриэлле об этом знать было не обязательно. — На эти деньги ты сможешь снять комнату. Как только устроишься — сразу начинай искать работу. Я уверена, что ты быстро найдешь себе место: Бог дал тебе разум и доброе сердце, и Он защитит тебя. Кроме того, не забывай про свой писательский дар. Ты не должна бросать это дело, Габи. Трудись, и когда-нибудь твои старания будут вознаграждены сторицей — ты подаришь миру прекрасные рассказы и стихи. А пока... Будь осторожна и береги себя. И помни: куда бы тебя ни занесло, наши молитвы всегда пребудут с тобой. Ты поступила нехорошо, но ты дорого за это заплатила. Прости сама себя, и Бог тебя простит.

И с этими словами настоятельница снова подняла руку, чтобы в последний раз коснуться плеча той, которую она любила как родную дочь.

— Ты должна простить себя, Габи... — повторила она. — А я тебя прощаю.

Тут Габриэлла уронила голову на грудь и залилась слезами. Рука настоятельницы все лежала у нее на плече, и Габриэлле не верилось, что это — в последний раз, что она должна уйти, и никогда больше не увидит ни матушку Григорию, ни сестер. Монастырь так долго был ей домом — единственным домом, который у нее когда-либо был, а настоятельница и сестры — ее единственной семьей. Но она обманула их ожидания и предала их. Лукавый змий победил. Габриэлла доела до конца яблоко с древа познания и должна была навсегда покинуть Эдем.

— Я... не могу уйти... — всхлипнула она. Это была мольба о милосердии, но настоятельница только покачала головой.

— Ты должна, Габи. После того, что случилось, ты не можешь остаться и жить с остальными послушницами и монахинями. Твой уход будет для них благом.

— Я клянусь... Клянусь, что никому не скажу ни словечка!

— Они знают, Габи. В глубине души все они знают, что произошло. Ты должна понять, что даже если ты останешься, ничто уже не будет по-прежнему ни для них, ни для тебя. Ты будешь постоянно чувствовать, что предала их, и в один прекрасный день ты возненавидишь за это и сестер, и себя.

— Я уже ненавижу себя, — призналась Габриэлла, подавив очередное рыдание. Она убила единственного мужчину, которого любила, потеряла его ребенка, и теперь ей предстояло лишиться всего остального. По сути, ее изгоняли из монастыря, и сознание этого наполняло Габриэллу таким страхом, что она пожалела, что не может упасть мертвой прямо здесь, в кабинете настоятельницы. Но самое ужасное заключалось в том, что Габриэлла понимала — этого не произойдет.

— Габи... — тихо сказала матушка Григория, поднимаясь из-за стола, как в день их первой встречи. Ей было так же тяжело, как и ее любимой воспитаннице, но она старалась не подавать вида. — Тебе пора идти, Габи.

Габриэлла была так потрясена, что перестала даже плакать. Настоятельница вручила ей конверт с деньгами, удостоверением личности и ее водительской лицензией. Потом она достала из ящика стола тонкую тетрадь. Это был дневник, который Габриэлла вела на протяжении всего знакомства с Джо. О его существовании, кроме самой настоятельницы, знала только сестра Анна, но матушка Григория была уверена, что та будет молчать.

Габриэлла сразу узнала свой дневник, и руки ее затряслись.

— Я... Вы... — Она с трудом встала с кресла, и матушка Григория крепко обняла ее.

— Я всегда буду любить тебя, Габи... — эти слова были обращены и к десятилетней девочке, которой Габриэлла когда-то была, и к взрослой женщине, которой она станет, когда труднопреодолимый перевал останется позади. Габриэлле предстоял еще долгий путь, и настоятельница знала, что он будет опасен и тернист.

— Я тоже люблю вас, матушка. И я... не могу уйти от вас. Не гоните меня, пожалуйста... — Она прижималась рукой к грубой черной шерсти монашеской накидки и снова чувствовала себя маленькой девочкой, у которой никого не осталось на свете.

— Я всегда буду с тобой, Габриэлла. Я буду молиться за тебя.

И, не сказав больше ни слова, настоятельница подвела Габриэллу к двери кабинета и, отворив ее, сделала знак ожидавшей в коридоре сестре Марии Маргарите.

Габриэлла шагнула в коридор и обернулась, чтобы в

последний раз посмотреть на матушку Григорию. Слезы ручьями сбегали по ее щекам.

— Прощайте, — шепнула она. — Я всегда буду любить вас.

— Да поможет тебе Господь, — ответила настоятельница и, перекрестив Габриэллу, повернулась к ней спиной. Дверь бесшумно закрылась. Габриэлла некоторое время стояла перед ней неподвижно, все еще не веря в то, что с ней произошло. Для нее как будто затворилась дверь к сердцу матери, которой настоятельница была для нее все эти годы. Габриэлла не знала, что по ту сторону дверей старая монахиня тихо плачет, уронив голову на стол.

Сестра Мария Маргарита отвела всхлипывающую Габриэллу на склад, где ей выдали комплект нижнего белья и старые, но добротные и крепкие туфли. С платьями неожиданно возникло затруднение. За последние полторы недели Габриэлла сильно похудела, поэтому одежда висела на ней как на вешалке. В конце концов она остановилась на мешковатом сарафане из темно-синего полиэстера с желтым набивным рисунком, который был номера на два больше, чем надо, и на еще более уродливом черном с блестками платье. Оно сидело несколько лучше, чем сарафан, да и черный цвет гораздо больше соответствовал душевному настрою Габриэллы. Она быстро обменяла одно черное платье на другое и сложила в побитый фибровый чемодан свои немногочисленные пожитки.

В последнюю очередь Габриэлла сняла свой черный головной платок. Она вспоминала, как много раз снимала его для Джо, когда они тайком встречались. Теперь она расставалась с апостольником навсегда — и вместе с ним и с сестрами, с монастырем и со всем, что он для нее значил. Это была цена, которую ей пришлось заплатить за несколько часов блаженства.

Бережно уложив апостольник на стол, застланный светлой клеенкой, Габриэлла выпрямилась и повернулась к сестре Марии. Их взгляды встретились, и они некоторое время молча смотрели друг на друга. Сестра Мария Маргарита была первой, кто встретил Габриэллу на пороге монастыря много лет назад. С тех пор она почти не изменилась и по-прежнему напоминала колдунью, но теперь Габриэлла твердо знала, что эта колдунья была доброй. Все обитательницы монастыря желали ей только добра, но она сама все испортила...

— Прощайте... — одними губами произнесла Габриэлла, и старая монахиня крепко обняла ее. Обет молчания все еще запрещал ей говорить, но не запрещал плакать, и несколько мгновений обе они проливали слезы над неизбежностью расставания и над неизвестностью, которая ждала Габриэллу за порогом монастыря. Ее судьба должна была стать жестоким уроком для остающихся, но старая привратница знала, что никогда и ни за что не расскажет никому о том, какое бесконечное горе она увидела в глазах этой молодой женщины в последние минуты ее пребывания в монастыре.

Наконец они разжали объятия. Габриэлла вышла к воротам монастыря вслед за той, что на протяжении двенадцати лет была ее сестрой, а теперь должна была остаться на берегу широкого и бурного моря, в плавание по которому уходила маленькая лодочка Габриэллы. Сестра-привратница медленно отворила маленькую калитку. Секунду Габриэлла колебалась, потом шагнула за порог и остановилась, не в силах совладать с дрожью в коленях. Это был шаг в пустоту, во мрак неизвестности. Габриэлла обернулась в отчаянии, бросив на старую монахиню последний взгляд, исполненный мольбы. Но Мария Маргарита только покачала головой и медленно затворила калитку. Полуденное солнце ярко блеснуло на латунном кольце, и Габриэлла услышала лязг задвигаемого засова.

Отныне монастырь перестал для нее существовать. Габриэлла осталась одна.

Глава 15

Габриэлла долго стояла за воротами монастыря. Она просто не знала, куда теперь идти, что делать, с чего начать. Единственное, о чем она была в состоянии думать, это о том, что всего за несколько дней она потеряла любимого, ребенка, семью, дом. Всю жизнь. Только сейчас к ней пришло осознание огромности этой потери. Габриэлла даже пошатнулась, но устояла. Стучаться в дверь, которая закрылась для нее навсегда, скрестись в неподатливое дерево и умолять, чтобы ее впустили обратно, было бесполезно — она понимала это слишком хорошо. Этим она только еще больше огорчила бы тех, кого она любила и кто любил ее. Поэтому, переложив чемоданчик в другую руку, Габриэлла медленно побрела прочь.

Она знала, что должна найти где-то комнату и работу. Посоветоваться было не с кем. У нее не было в Нью-Йорке ни одного знакомого. Даже адресов своих бывших однокурсниц по университету Габриэлла не могла припомнить. Да и знала ли она их? Все свои надежды на будущее она связывала с монастырем. Ей было незачем заводить мирские знакомства.

В конце концов Габриэлла села на первый попавшийся автобус, идущий к центру города, решив для себя сойти на десятой остановке, но вскоре сбилась со счета. В итоге она сошла на перекрестке Восемьдесят шестой улицы и Третьей авеню. Зачем она сюда приехала? Пока она тряслась в автобусе, у нее появилась безумная идея попробовать разыскать отца. Она вошла в ближайшую телефонную будку и позвонила в адресный стол Бостона. Ей ответили, что в этом городе нет ни одного Джона Харрисона, который родился бы в указанном ею году.

В конце концов, так ничего и не добившись, Габриэлла повесила трубку. Недавно ей исполнилось двадцать три, но она вынуждена была начинать жизнь сначала, чувствуя себя как малый ребенок — ничего не знающий и почти не ориентирующийся в окружающей действительности. Даже просто переходить улицы, если на них не было светофора, она отвыкла.

Выходя из будки, Габриэлла почувствовала легкое головокружение и поняла, что ей следует поесть. В последний раз она завтракала еще в больнице, а сейчас было уже за полдень. Голода она, правда, не чувствовала.

Она еще немного постояла возле будки. Мимо нее в обоих направлениях бежали, спешили люди. У каждого, казалось, была какая-то цель, и только она одна никуда не торопилась, застыв на месте словно увесистый камень посреди бурной реки. В конце концов ей стало даже немного не по себе. Габриэлла заставила себя зайти в небольшое кафе, которое находилось совсем рядом. Там она заказала чашку чая и булку и долго сидела, глядя прямо перед собой. Машинально отщипывая от булки крошечные кусочки, она отправляла их в рот и вспоминала последние слова матушки Григории. Настоятельница назвала ее сильной. Габриэлла вновь и вновь удивлялась тому, почему все считают ее какой-то особенной, не такой, как все. Эта фраза стала для нее уже чем-то вроде дурной приметы, несомненного признака того, что те, кого она любит, вот-вот оставят ее одну. Этими словами они словно подготавливали Габриэллу к неизбежному, зная, что без их помощи и поддержки сила и мужество ей действительно понадобятся.

Допив свой остывший чай, Габриэлла подобрала со стойки брошенную кем-то газету и нашла в ней раздел о сдаче жилья. В газете перечислялись адреса небольших отелей и пансионов, и Габриэлла с удивлением обнаружила, что один из них находится совсем недалеко, на Восемьдесят восьмой улице, рядом с Ист-Ривер. Что ж, для начала это годилось. Впрочем, это еще вопрос, сможет ли она позволить себе снять там комнату. У нее пока не было работы. Кто знает, сколько это может стоить. Пятисот долларов матушки Григории (а Габриэлле почему-то казалось, что вовсе не архиепископ снабдил ее этой скромной суммой) могло хватить ей не больше, чем на месяц.

Но Габриэлла чувствовала себя еще слишком усталой и слабой, чтобы разыскивать что-то совсем дешевое, поэтому она все же решила попытать счастья в пансионе на Восемьдесят восьмой улице. Расплатившись за чай и булку, она взяла свой чемодан и медленно вышла на улицу.

Несмотря на то что осень выдалась теплая и день стоял солнечный, Габриэлла постоянно мерзла. Кроме того, все тело у нее болело, словно избитое, и последние кварталы на спуске к Ист-Ривер она преодолела словно в тумане. Единственный вопрос, который сверлил ее мозг, был о цене комнаты. Габриэлле еще никогда не приходилось самой о себе заботиться, и она просто не знала, сколько стоят самые обычные вещи. Ясно только, что на пятьсот долларов она долго не протянет. Доллар с четвертью, который она отдала за чашку чая и булку, показался ей огромной суммой. Ведь надо еще купить себе что-то из теплых вещей, поскольку не за горами была холодная нью-йоркская зима. И все же она была благодарна настоятельнице за деньги: без них ее положение было бы просто отчаянным.

Пансион, о котором говорилось в газете, Габриэлла нашла не сразу. В первый раз она прошла мимо, не обратив внимания на скромную вывеску в запыленном окне. Только когда впереди блеснула серебристо-стальная река, она спохватилась и, ориентируясь по номерам домов, вернулась назад.

Пансион представлял собой довольно угрюмое четырехэтажное здание из темно-красного кирпича. Местами кирпич повыкрошился, отчего фасад казался каким-то щербатым, но в вестибюле оказалось неожиданно чисто. Правда, на всем здесь лежала печать некоторого запустения и ветхости. Пахло пригорелым жиром с кухни и почему-то кошками. Габриэлла снова почувствовала себя одинокой — столь разительным был контраст с безупречным монастырским порядком, где каждый день мылись полы, а краска на стенах и штукатурка постоянно подновлялись.

Пока Габриэлла осматривалась, из боковой двери выглянула пожилая женщина в очках с толстыми линзами, одетая в домашний байковый халат и тапочки. Ее седые волосы были собраны на затылке в тугой пучок.

— Что вам угодно? — спросила она с сильным акцентом, который Габриэлла сразу же определила как чешский или польский.

— Я... Скажите, у вас сдаются комнаты? Я прочла в газете объявление и пришла...

— Может, и сдаются. — Женщина смерила Габриэллу подозрительным взглядом. У нее действительно была свободная комната, которую она уже давно не могла сдать, однако к выбору постояльцев мадам Босличкова подходила весьма и весьма строго. Проститутки, наркоманы, пьяницы и прочая шантрапа были ей совершенно не нужны. Правда, эта девица не была похожа на проститутку или скандалистку, но уж больно молодо она выглядела, да и одета бедновато. «Быть может, она просто сбежала от родителей?» — подумала мадам Босличкова. Если девчонка окажется несовершеннолетней, значит, рано или поздно в пансионе появится полиция. Кому же это понравится? Мадам Босличкова считала свой пансион достаточно респектабельным и старалась сдавать комнаты людям пожилым, которые аккуратно вносили плату, не водили женщин, не напивались, не буянили, не курили и не готовили в комнатах, не включали музыку на всю катушку в любое время дня и ночи. Проблемы с ними начинались, только когда кто-то из пожилых постояльцев заболевал или умирал, но это случалось не так уж часто. Разумеется, мадам Босличкова допускала, что среди молодежи тоже попадаются приличные люди, но предпочитала не рисковать.

— У вас есть работа, мисс? — осведомилась хозяйка.

— Нет... Пока нет. — Габриэлла смущенно потупилась. — Я как раз ищу место, и мне надо где-то остановиться.

— Вот найдешь работу, тогда и приходи, — несколько грубовато отрезала мадам Босличкова. Девчонка вовсе не была похожа на дочку богатых родителей, которые стали бы вносить за нее плату. Мадам Босличкова, что вполне естественно, очень не любила тех, кто задерживал плату за комнату.

— Кстати, откуда ты? — спросила мадам Босличкова, несколько смягчаясь.

Габриэлла видела, что хозяйка ей не доверяет, и, откровенно говоря, не могла ее винить. Она не знала, как объяснить ей то, что у нее нет ни дома, ни работы, словно ее только что выпустили из тюрьмы. Ужасное черное платье тоже не могло внушить хозяйке доверия.

— Я из Бостона, — сказала она первое, что пришло в голову. — И только сегодня приехала в Нью-Йорк.

Мадам Босличкова кивнула. С каждой минутой она

почему-то все больше и больше верила этой странной худой девушке с пронзительными голубыми глазами.

— И какую работу ты хотела бы?

— Какую-нибудь, — честно ответила Габриэлла. — Что-нибудь не слишком сложное...

— Здесь, на Второй авеню, много небольших ресторанчиков. А на Восемьдесят шестой улице полным-полно немецких закусочных. Думаю, там ты обязательно на что-нибудь наткнешься... на первое время, — посоветовала мадам Босличкова, которой стало очень жаль Габриэллу. Она нисколько не походила на наркоманку, хотя и выглядела изможденной и бледной, словно после тяжелой болезни. В том, как она держалась и как разговаривала, было что-то настолько подкупающее и располагающее к себе, что мадам Босличкова сдалась.

— У меня есть маленькая комнатка на верхнем этаже. Можешь на нее взглянуть... Впрочем, ничего особенного. Ванная одна на три комнаты; ею придется пользоваться по очереди с другими постояльцами.

— Сколько?.. — с тревогой спросила Габриэлла, подумав о своих более чем скромных средствах.

— Триста долларов в месяц, без питания. Готовить в комнате не разрешается — никаких кипятильников, электрокастрюль и прочего! Обедать и ужинать можно в городе, я разрешаю приносить домой только гамбургеры, пиццу и тому подобное.

Впрочем, мадам Босличкова понимала, что с Габриэллой этих проблем не будет. Она выглядела так, словно питалась одним Святым Духом.

— Так будешь смотреть комнату?

— Да, пожалуйста, если вам не трудно, — ответила Габриэлла, и мадам Босличкова снова отметила про себя, как вежлива и как хорошо воспитана эта странная девушка. Современная молодежь, как успела заметить хозяйка, редко бывала почтительна, и к тому же молодые люди то и дело вставляли в речь всякие жаргонные словечки... За все двадцать лет, что мадам Босличкова сдавала комнаты, у нее в пансионе не было ни одного хиппи, и она искренне этим гордилась.

По пути на верхний, четвертый этаж, хозяйка спросила у Габриэллы, любит ли она кошек. Мадам держала их целых девять штук, чем и объяснялся сильный запах в вестибюле. Габриэлла ответила, что не имеет ничего против этих грациозных и милых животных. У нее самой была знакомая кошка — белая в рыжих пятнах плутовка, которую она подкармливала объедками с монастырской кухни, а та в благодарность ловила в кладовке мышей или сидела неподалеку, пока Габриэлла работала в огороде.

Но к тому времени, когда они поднялись на четвертый этаж, Габриэлла напрочь забыла про кошек. Полноватая мадам Босличкова лишь слегка запыхалась, а у Габриэллы подкашивались ноги, в глазах темнело, а кровь оглушительно стучала в висках. Она еле одолела восемь лестничных пролетов и была принуждена остановиться на верхней площадке, чтобы отдышаться. Перед выпиской врач предупредил ее, что она должна была избегать физических нагрузок, в особенности — лестниц и поднятия тяжестей. Это грозило Габриэлле новым кровотечением, а в ее положении каждая потерянная капля крови могла стоить ей жизни.

— Эй, с вами все в порядке, мисс? — спросила мадам Босличкова, слегка встряхивая ее за плечо. Если внизу Габриэлла была просто бледной, то сейчас ее кожа приобрела нездоровый зеленоватый оттенок.

— Да, благодарю вас... — Габриэлла слабо улыбнулась и открыла глаза. — Дело в том, что я недавно болела и еще не оправилась окончательно.

— Да, в наше время приходится быть осторожным, один гонконгский грипп чего стоит! Достаточно только запустить болезнь, и — готово воспаление легких, бронхит и прочее... Кстати, у тебя не было кашля? — озабоченно спросила мадам Босличкова, неожиданно подумав о том, что Габриэлла, не дай бог, больна туберкулезом.

— Нет, я не кашляла. У меня был острый аппендицит, — успокоила Габриэлла хозяйку, вспомнив выдуманную матушкой Григорией легенду. Хозяйка была чем-то неуловимо похожа на настоятельницу, хотя внешне они были совершенно разными. Должно быть, все дело в ощущении тепла и уюта, которыми так и веяло от старенького халата и меховых шлепанцев мадам Босличковой.

Между тем хозяйка достала из кармана ключи и отворила перед Габриэллой дверь комнаты, которую обещала показать. До Габриэллы здесь жила одинокая старушка из Варшавы; она умерла прошлой зимой, и с тех пор комната стояла свободной. В ней действительно не было ничего примечательного, если не считать того, что из окна был виден кусочек Ист-Ривер. Комната была маленькой, в ней едва уместились письменный стол с парой пустых книжных полок над ним, стул с прямой спинкой, узкая односпальная кровать и старинный деревянный шифоньер с зеркальной дверью. Пол был застелен протертым чуть не до основы ковром, жалюзи на окнах облезли и разболтались, занавески были трачены молью, а с потолка свешивалась тусклая лампочка в пыльном абажуре из кокетливой розовой пластмассы.

При виде этого убожества даже у Габриэллы, привыкшей к спартанской обстановке монастырских дортуаров, изменилось лицо, и мадам Босличкова забеспокоилась.

— Я, пожалуй, уступлю долларов пятьдесят, — сказала она, гордясь своей щедростью. Ей очень хотелось поскорее сдать эту комнату, которая приносила одни убытки.

— Хорошо, я согласна, — без колебаний ответила Габриэлла. Комната ей не понравилась — она была слишком унылой, да и запах здесь стоял нежилой, однако сил больше не было. Подъем на четвертый этаж так утомил ее, что Габриэлле захотелось поскорее прилечь. Перед завтрашними поисками работы ей необходимо было набраться сил. И все же сама мысль о том, что отныне эта грязная и пыльная комната будет ее домом, едва не заставила Габриэллу разрыдаться.

Тем не менее она отсчитала мадам Босличковой половину полученных от матушки Григории денег, и та, деловито кивнув, сказала:

— Что ж, устраивайся. Через некоторое время я зайду — принесу постельное белье и полотенца. Дальше по улице есть прачечная самообслуживания и кафе, в котором обедает большинство наших пансионеров. Там вполне прилично, надеюсь, тебе понравится. Впрочем, большинство моих постояльцев — люди пожилые, они привыкли довольствоваться малым. А тебе, милочка, нужно что-нибудь более калорийное, чем овсянка...

Габриэлла кивнула. Она вполне была согласна с хозяйкой, но у нее уже давно не было никакого аппетита. Кроме того, она серьезно опасалась, что питаться в кафе ей окажется не по карману.

После того как знакомство с комнатой состоялось, мадам Босличкова показала Габриэлле ванную комнату, которая находилась в конце коридора. Там оказалась старинная ванна на выгнутых бронзовых ножках, душ, рукомойник с пятнистым от влаги зеркалом над ним и отдельная кабинка с унитазом. Все это выглядело не слишком уютным, но зато чистым, к тому же Габриэлла не привыкла роскошествовать.

— Я мою здесь каждое воскресенье, — гордо сообщила мадам Босличкова. — Тебе придется убираться здесь в остальные дни, по очереди с другими жильцами. Гостиная находится на первом этаже — там есть телевизор и пианино... — Тут она с гордостью улыбнулась. — Ты случайно не играешь?

— Нет, — покачала головой Габриэлла, отчего-то чувствуя себя виноватой. Ее мать любила при гостях сесть за большой белый рояль, стоявший в главной гостиной их дома на Шестьдесят девятой улице, но Габриэллу никто никогда не учил музыке. В монастыре же она занималась совсем другими делами. Музыкального слуха у Габриэллы не было начисто. Правда, петь она любила, однако сестры частенько поддразнивали ее за то, что она поет слишком громко и не в той тональности.

— Если найдешь себе место, можешь оставаться у меня сколько захочешь, — сказала напоследок мадам Босличкова, и в ее голосе Габриэлле почудился намек на доброжелательность. Очевидно, подозрительная хозяйка в конце концов все же прониклась к ней симпатией или просто пожалела. Впрочем, Габриэлла никогда не была похожа на человека, способного доставить людям неприятности, что бы ни утверждала ее мать.

Потом хозяйка ушла, пообещав вернуться с полотенцами и постельными принадлежностями. Габриэлла без сил опустилась на матрас, застеленный пыльным шерстяным одеялом. Она не хотела заставлять мадам лишний раз подниматься по лестнице и собиралась сказать ей, что сама зайдет за бельем и полотенцами попозже, но у нее просто не повернулся язык. Еще один спуск и подъем на четвертый этаж могли просто убить ее.

Когда хозяйка ушла, Габриэлла принялась оглядывать свое невзрачное жилище, прикидывая, как бы придать ему сносный вид. Новые занавески сразу заставили бы комнату выглядеть по-другому, но на это, как и на множество других мелочей, у нее не было денег. Значит, с новым покрывалом для кровати, салфеточками, вазочками, картинами и живыми цветами придется повременить. Для начала же можно было просто вытереть пыль с абажура, стола и шифоньера, но она слишком устала и отложила это до завтра.

Слегка отдышавшись, Габриэлла открыла чемодан и разобрала вещи.

Потом, не утерпев, достала свою заветную тетрадь. В задумчивости она перелистывала страницы, наполненные восторгом пробуждающегося чувства, волнением тайных свиданий и ароматом страсти, которую она испытала в объятиях Джо. В эти короткие, отрывочные записи вместилась вся история их любви, их разговоры и мечты о будущем, их надежды, которым так и не суждено было осуществиться. Когда же Габриэлла дошла до последних страниц дневника, из тетради неожиданно выпорхнул плотный конверт. На нем было написано крупно: «Сестре Мирабелле», и Габриэлла не сразу догадалась, что это — почерк Джо.

Только потом она поняла, что перед ней — предсмертное письмо Джо, которое ей так и не успел вручить посланник архиепископа отец Димеола. Должно быть, он оставил конверт матушке Григории, а та вложила его в тетрадь, прежде чем вернуть Габриэлле. Она ни о чем не предупредила ее. Габриэлла развернула лист, чувствуя, как на глаза навернулись слезы. Ей было странно думать о том, что всего несколько дней назад Джо был жив и держал эту бумагу в руках, и что это — единственное, что у нее осталось от него. Ни фотографии, ни одного памятного подарка — только этот листок бумаги, заполненный с обеих сторон аккуратными, ровными строчками.

«Габи!» — начиналось письмо, и Габриэлла догадалась, что обращение «Сестре Мирабелле» на конверте Джо использовал для того, чтобы письмо попало к ней. При этом, вольно или невольно, он раскрыл перед епископским дознанием все их секреты. Если бы не это, никто, быть может, ни о чем бы не догадался и она осталась бы в монастыре. Но над разлитым молоком не плачут, и Габриэлла стала читать дальше.

«...Я не знаю, что тебе сказать и с чего начать, — писал Джо дальше. — Ты — удивительный человек, и ты намного лучше и сильнее меня. Сознание собственной слабости преследовало меня всю жизнь. Все эти годы я помнил, скольких людей я подвел, кого и как разочаровал. И в первую очередь я не сумел спасти Джимми, и навсегда испорил жизнь своим отцу и матери, которые молча винили меня в этом».

Тут Габриэлла на мгновение опустила письмо на колени. Что ж, она не исключала, что родители действительно винили Джо в гибели брата, но если так, тогда она их ненавидела!

«Я не оправдал надежд людей, которые знали меня, любили меня и имели право рассчитывать на меня в критических обстоятельствах, — писал дальше Джо. — Именно это, в конце концов, понудило меня стать священником. Ах, если бы я только смог оправдать надежды, которые они на меня возлагали!»

Если бы только Джо мог слышать ее сейчас. Если бы он хотя бы намекнул, что он задумал... И если бы она могла быть с ним той ночью!..

О, сколько этих «если бы», этих упущенных возможностей было и в его, и в ее жизни! Как часто и ей, и ему приходилось жалеть о том, что они *не* сделали, не успели, не смогли. Эти бесплодные сожаления отравляли им жизнь и лишали уверенности в себе. Не будь их, судьбы Габриэллы и Джо наверняка сложились бы иначе.

И, подумав так, Габриэлла снова поднесла к глазам письмо.

«Моя мать сама загоняла себя в гроб, и я это видел, но ничего не сделал. Я должен был заменить ей отца, но не захотел. Когда она перерезала себе вены старой отцовской бритвой, это был лишь заключительный акт трагедии, которая разворачивалась у меня на глазах, но я был слеп и ничего не замечал. Мама и хотела бы опереться на меня, но не могла. Наверное, она решила, что лучше умереть, чем жить одной, без мужа и без сына.

Когда я поступил в приют Святого Марка, монахи взяли на себя всю заботу обо мне. Они дали мне то, чего у меня никогда не было — любовь, понимание, возможность искупить свою вину и стать кем-то в этой жизни. Они так верили в меня, что прощали мне многое, и любили меня почти так же сильно, как я люблю тебя и как ты любишь меня. Мои наставники и воспитатели были единственными людьми, которые безоговорочно поддержали меня. Даже сейчас, в этот страшный час, я слышу их голоса, их проповеди и наставления, из которых я черпал понятия о чести и справедливости.

Ради них, ради братии монастыря Святого Марка, я и стал священником, потому что знал — это доставит им величайшую радость. Только так я мог отплатить им за все добро, которое они для меня сделали. Мне казалось, что я наконец-то совершил правильный поступок. Принятие мною сана в какой-то мере искупает вину перед мамой и Джимми, и, быть может, Бог смилостивится надо мной.

И я действительно нашел себя и был счастлив. Меня тешила мысль о том, что, отказавшись от мирских радостей, я приношу себя в жертву Богу. Я как будто отдавал ему свою жизнь в обмен на жизни мамы и Джимми. Некоторое время я даже подумывал о том, чтобы принять вечные обеты и сделаться священником-монахом, но тут я встретил тебя... И очень скоро мне стало ясно, что я не знал, от чего отказывался!

Да, я прожил на свете тридцать два года, но не знал ни счастья, ни истинной любви. Все это переменилось в тот день, когда я впервые увидел тебя и заговорил с тобой.

Я хотел быть твоим мужем, твоим любовником. Я хотел всегда быть рядом с тобой, чтобы отдавать тебе все, что у меня было — свое тело, свое сердце и душу. Но моя жизнь и моя душа уже давно мне не принадлежали. Я не мог даже обещать их тебе.

Я много думал о нас и старался представить, как мы будем жить вдвоем, как мы поженимся и, быть может, заведем детей. Я надеялся, что смогу дать тебе все, чего ты заслуживаешь, но в конце концов я понял. Я не знаю, как дать тебе это. Я не могу взять назад клятву, которую я принес Богу. Моя жизнь принадлежит Ему. И в конце концов я бы разочаровал тебя и всех, кому я уже обещал свою жизнь и свою душу.

Мое сердце всегда будет с тобой, Габи. Но я не могу снова обнаружить свою полную беспомощность, ненужность и никчемность перед теми, кто верил в меня. Ты никогда бы не была счастлива со мной, моя Габи, и поэтому я говорю тебе — прощай. У меня не было никакого права обещать тебе то, что я обещал. Надеюсь, ты простишь меня, потому что без тебя я не могу жить. Я не вынесу и одного дня, зная, что ты — совсем рядом, и что мне отказано в праве видеть тебя, слышать тебя, прикасаться к тебе...

Я не могу жить без тебя, Габи!!!

И поэтому я ухожу к Джимми и к маме, и да помилует меня Господь. Надеюсь, что в этом мире я успел сделать что-то полезное. Как священник, я утешал, ободрял и отпускал грехи. Теперь я сам — страшный грешник. Как я буду смотреть в глаза моих прихожан? В последнее время они стали мне совершенно безразличны — я способен думать только о моей любви к тебе, которая вытеснила из моей души любовь к ближнему и к Богу. Я могу быть только с тобой — или нигде. Я не в силах исполнить ни одного из тех обещаний, которые я дал тебе, Богу, людям. Я не способен ни оставить церковь, ни отречься от тебя. И за это мне предстоит вечно гореть в аду, если Иисус не помилует меня.

Ты — очень сильный человек, Габи... — Тут Габриэлла невольно поморщилась — настолько ненавистными успели ей стать эти слова. — Ты — намного сильнее меня. Я знаю, ты будешь чудесной матерью нашему малютке. Я все равно не смог бы быть ему хорошим отцом, и за это я тоже прошу у тебя прощения. И еще: никогда не рассказывай нашему сыну или дочери о том, каким я был. Лучше расскажи ему о том, как сильно я любил его или ее, и как сильно я любил тебя. Расскажи нашему ребенку... Нет, лучше не рассказывай ему ничего. Я прошу тебя только об одном: помни, как я любил тебя, и прости меня за то, что я сделал и что собираюсь сделать. Пусть Всесильный Господь защитит вас обоих. Молись о моей душе, Габи, и тогда, быть может, Бог простит меня...»

Он подписался просто «Джо». Эти три буквы едва уместились в конце исписанного с двух сторон листа. Габриэлла долго смотрела на них, не сдерживая катящихся по щекам слез. Теперь ей все стало понятно — у нее в руках была полная исповедь Джо. Увы, теперь все слишком поздно. Джо все время боялся подвести, разочаровать ее, Бога, коллег, монахов, своих умерших родителей и брата. Он считал ее сильной потому, что сам был непредставимо слаб. Джо боялся мира гораздо больше, чем сама Габриэлла. Если бы только у него хватило мужества сложить с себя сан и уйти, они могли бы, по крайней мере, попробовать начать жить сначала. Тогда Габриэлла попыталась бы показать ему, на что он способен. Но Джо совершил свою первую большую ошибку, которая оказалась для него последней. Для него и для их ребенка. Джо предпочел уйти. И этим он действительно подвел Габриэллу, которая не была и вполовину такой сильной, какой он ее себе представлял. В этом смысле поступок Джо очень напоминал Габриэлле бегство отца, который оставил ее совершенно одну в руках садистки-матери просто потому, что счел ее «сильной».

Габриэлла не осмелилась произнести слово «предательство» даже про себя. Память о Джо была все еще слишком дорога ей, поэтому вместо того, чтобы закричать от ярости, Габриэлла вдруг разрыдалась. Письмо Джо все еще было у нее в руках, и она несколько раз перечитала его от начала и до конца, хотя из-за слез почти ничего не видела. Впрочем, ей и не надо было ничего видеть. В этих расплывающихся перед глазами строчках было все ее горе, отчаяние и безысходность, и все отчаяние, слабость и вина Джо. Он считал себя ответственным за смерть матери и брата, и Габриэлла задумалась, кто же тогда виноват в том, что случилось с ней и с ее ребенком.

Кто?!

Ответ на этот вопрос Габриэлла искала недолго. Кто, как не она сама, вынудил Джо оставить привычное окружение и шагнуть навстречу гибели? Кто, как не она, заставил его пройти этот страшный путь до конца? Кто толкнул его в объятия последней, решающей жизненной неудаче? Она любила Джо, но именно ее любовь погубила его. Именно Габриэлла подвела его к краю обрыва, и он, не зная, как избегнуть падения, сам прыгнул в бездну и увлек ее за собой. Но она каким-то чудом выжила. Своей смертью Джо обрек ее на неизвестность, на нищенское существование в этом древнем пансионе, где каждая половица, каждая трещинка на штукатурке казалась ей чужой и враждебной. Джо не оставил ей ничего, кроме воспоминаний и этого письма, полного уверений в том, какая она сильная, мужественная и храбрая.

И, в десятый раз перечитав письмо, Габриэлла неожиданно разозлилась на Джо за все, что он не решился, не посмел, не захотел или не сумел сделать. Он просто сбежал к своей мамочке и к своему возлюбленному брату. Джо предпочел смерть жизни, потому что жить — означало терпеть и сражаться. Он своими руками погубил их единственную надежду на счастье. Может быть, вместе им удалось бы справиться. Никто, конечно, не мог за это поручиться, но попробовать все равно стоило. Так нет же, Джо решил все за нее и ушел навсегда, покинув это мир и предоставив Габриэлле выкарабкиваться самой.

И снова Габриэлла подумала о том, что, знай она, что задумал Джо, она не остановилась бы ни перед чем. Она бы спорила, кричала, а может быть — даже ударила бы его. Больше того, сейчас Габриэлле даже казалось, она сумела бы найти в себе силы расстаться с ним, будь у нее уверенность, что так он останется в живых. Но Джо не счел нужным поделиться с ней своими мыслями. Их любви, их жизни вдвоем он предпочел кусок веревки в темном чулане.

Это, пожалуй, уже обыкновенная трусость, и Габриэлла неожиданно поймала себя на том, что начинает ненавидеть Джо за это. И одновременно она знала, что какая-то часть ее будет продолжать любить его всегда, сколько бы ни прошло времени.

За окном давно стемнело, но Габриэлла продолжала сидеть на незастеленной кровати и, глядя в пустоту перед собой, вспоминала, что сказала о Джо матушка Григория. Настоятельница напомнила ей, что его мать тоже покончила с собой, и теперь Габриэлле казалось, что эти два события как-то связаны между собой. Должно быть, в характере Джо и вправду был какой-то изъян, к которому она не имела никакого отношения. Была ли то наследственность или воспитание — этого Габриэлла не знала, да и не хотела знать. Ей было ясно только одно: как бы оно там ни было в действительности, она всегда будет чувствовать себя виноватой перед Джо.

Глава 16

Габриэлла искала работу на протяжении целой недели после того, как поселилась в пансионе мадам Босличковой. Она методично прочесывала ближайшие кварталы, заходя во все магазины, рестораны и кафе подряд, однако, несмотря на диплом Колумбийского университета, писательский талант и умение выращивать помидоры, ей так и не удалось найти места. В универмагах, где требовались кассиры и продавщицы, ей говорили, что у нее нет соответствующей квалификации. В закусочных и кафе требовались подавальщицы, но, когда Габриэлла признавалась, что у нее нет соответствующего опыта, ей также отказывали.

Каждый день Габриэлле приходилось делать изрядные концы пешком. К вечеру она уставала так, что буквально валилась с ног. Она очень боялась, что от нагрузок у нее может снова открыться кровотечение, но этого, к счастью, не произошло, и ей не пришлось тратить свои последние деньги на врачей. Но и без того от ее двухсот пятидесяти долларов оставалось катастрофически мало. Габриэлла начинала всерьез тревожиться, что скоро ей нечем будет заплатить за чашку бульона, кусок хлеба и чай со сдобой, которые составляли ее ежедневный рацион. Лишь изредка она позволяла себе немного фруктов, да и то только потому, что стояла осень и яблоки, груши и сливы были очень дешевы.

В начале второй недели своих поисков Габриэлла зашла в небольшую кондитерскую на Восемьдесят шестой улице. Дело близилось к вечеру, а она ничего не ела с самого утра, поэтому, после непродолжительного колебания, Габриэлла решилась потратить денег чуть больше, чем обычно. Сев за столик у окна, она заказала эклер, чашку кофе, взбитые сливки с сахаром и погрузилась в свои невеселые думы.

Она как раз допивала кофе, когда вышедший из задней комнаты пожилой немец — владелец кондитерской — установил в окне объявление «Требуется официантка».

Габриэлла заранее знала, что из этого снова ничего не выйдет, однако все же решила попытать счастья. Расплачиваясь за свой скромный ужин, она сказала вернувшемуся за кассу хозяину, что ищет работу. Она вполне смогла бы обслуживать клиентов, хотя у нее и нет почти никакого опыта. Лицо хозяина осталось абсолютно бесстрастным. Габриэлла в отчаянии добавила, что долгое время жила в монастыре и что там ей часто приходилось накрывать на стол.

Пожилой немец был первым человеком, которому она призналась в этом. Габриэлла предвидела множество щекотливых вопросов, на которые ей не хотелось отвечать, однако положение ее было настолько безвыходным, что она решила оставить ложный стыд. Сейчас Габриэлла была готова на все, лишь бы получить место.

— Вы были монахиней? — спросил хозяин, явно заинтригованный. У него были густые седые усы и большая розовая лысина, придававшие ему сходство со сто-

ляром Джеппетто, отцом деревянного человечка Пинок-
кио.

— Нет, я была послушницей, — ответила Габриэлла,
и глаза ее наполнились такой печалью, что хозяин не решился расспрашивать дальше. Ее меловая бледность, нездоровая худоба и платье явно с чужого плеча говорили
сами за себя и довольно красноречиво. С другой стороны, хозяин не мог не заметить ее красоты и скромного
достоинства, с которым она держалась. Даже в своем
кошмарном черном платье Габриэлла выглядела почти
аристократично.

— Как скоро вы могли бы начать? — спросил хозяин,
продолжая незаметно наблюдать за Габриэллой.

— В любое время, — ответила она. — Я живу неподалеку и... в данный момент я свободна.

— Это я заметил, — проворчал хозяин и улыбнулся.
Он сразу понял, что Габриэлла переживает трудные времена. — В таком случае мне хотелось бы, чтобы вы вышли на работу уже завтра. Работать придется шесть дней
в неделю, с полудня до полуночи. Выходной у нас понедельник. Вас это устраивает?

Габриэлла поняла, что ей предстоят нелегкие двенадцатичасовые смены, а она еще недостаточно оправилась,
чтобы проводить столько времени на ногах. Но что же
делать? Габриэлла была так рада, что ей наконец-то удалось найти место. Лучше мыть посуду, драить полы и делать все, что потребует хозяин, только бы не катиться в
нищету.

Она кивнула, и хозяин сообщил ей, что его зовут
мистер Баум, что он приехал в Америку из Мюнхена, и
что кондитерской они управляют вместе с женой. Блюда
здесь были простыми, но по-немецки обильными и сыт-
ными. Все готовили повариха-немка и сама миссис Баум.
Кроме них, в кондитерской работали еще две женщины,
намного старше Габриэллы. Днем они тоже обслуживали
столики, а вечером по очереди торговали за отдельным
прилавком свежей выпечкой, которой, главным образом,
и славилось заведение Баумов.

В пансион Габриэлла вернулась, сияя от счастья, и
мадам Босличкова сразу это заметила.

— Боже мой, Габи! — воскликнула она. — Что случилось? В тебя влюбился молодой миллионер с Уолл-стрит?

Пожилая хозяйка пансиона, разумеется, шутила. Она искренне беспокоилась за Габриэллу. Целыми днями бедняжка только и делала, что обивала пороги разных учреждений, а по вечерам возвращалась такая усталая, что на нее страшно было смотреть. Она никуда не выходила, ни с кем не встречалась, что для девушки ее возраста было довольно-таки странно. Мадам Босличкова хорошо помнила себя двадцатилетнюю — в ее жизни это было самое счастливое время. Именно тогда она встретила молодого красавца Яна Босличкова, который перед самой войной увез ее из Европы в Штаты.

— Лучше, мадам Босличкова, гораздо лучше! — ликовала Габриэлла. — Я нашла работу в немецкой кондитерской, у Баума на Восемьдесят шестой улице. Мне будут платить два доллара в час. Вы представляете, что это значит?!

Мадам Босличкова важно кивнула в ответ. Она знала заведение Баумов и считала его довольно приличным, хотя, с ее точки зрения, хозяева могли бы платить Габриэлле и побольше. Впрочем, немцев мадам всегда недолюбливала, считая их скуповатыми и излишне педантичными.

— Поздравляю, Габи! — сказала она, и Габриэлла снова улыбнулась. Наконец-то у нее появилась хоть какая-то уверенность в будущем. Теперь она могла платить за комнату и понемногу откладывать на теплое пальто или куртку. Единственное беспокойство — это двенадцатичасовые смены. Это могло кончиться новым кровотечением — ведь прошло чуть больше недели с тех пор, как Габриэлла выписалась из больницы, однако она надеялась, что все как-нибудь обойдется. Череда преследовавших ее несчастий просто обязана была когда-нибудь кончиться!

— Да, Габи, — неожиданно добавила мадам Босличкова, — может быть, теперь ты выберешь время и познакомишься с остальными пансионерами? А то все думают, что я сдала комнату капитану дальнего плавания. Да и тебе полезно будет немного развеяться — посмотреть телевизор или послушать музыку.

— Боюсь, теперь времени у меня будет еще меньше, — ответила Габриэлла. — Ведь я буду работать с полудня и до полуночи во все дни, кроме понедельника. Но сегодня я обязательно загляну в гостиную, обещаю.

— Только после того как ты сходишь куда-нибудь и поешь как следует! — с напускной строгостью сказала мадам Босличкова. — Прости меня ради бога, но ты стала похожа на палку от метлы! А молодым людям нравятся пухленькие девушки!

С этими словами она погрозила ей пальцем, и Габриэлла рассмеялась. В эти минуты хозяйка пансиона была очень похожа на старых монахинь из монастыря Святого Матфея. Правда, ни одна из них никогда не шутила с Габриэллой на подобные темы и не поощряла ее к поискам мужа или поклонника, и все же сходство было разительным.

В конце концов, Габриэлла все же последовала совету мадам Босличковой и отправилась в кафе, находившееся прямо напротив пансиона. Там она заказала горячее молоко, мясной пирог и немного засахаренных орехов. Ужин был простым, но сытным, и впервые за много времени Габриэлла почувствовала, что согрелась. Это полузабытое ощущение сразу напомнило ей монастырь, и она подумала о том, что отдала бы все на свете за то, чтобы увидеть матушку Григорию. Словно наяву она представляла себе, как настоятельница стремительно идет по коридору, как шуршит, развеваясь, ее черная накидка и негромко постукивают висящие на поясе четки из вишневого дерева, и сердце ее сжималось от тоски. Впрочем, Габриэлла была бы рада хоть одним глазком увидеть любую из сестер.

Должно быть, отчасти ощущение одиночества, отчасти — боязнь показаться невежливой или неблагодарной заставили Габриэллу преодолеть свою природную застенчивость и заглянуть в гостиную, куда так настойчиво приглашала ее мадам Босличкова.

Когда Габриэлла, все еще слегка робея, отворила дверь гостиной, она была удивлена, как много людей

жило с ней под одной крышей. Не считая самой Габриэллы, в гостиной собралось семь или восемь пансионеров. Кто-то смотрел телевизор, остальные оживленно беседовали и играли в какую-то сложную карточную игру,
а за фортепьяно в углу сидел седой представительный
мужчина, чем-то похожий на Эйнштейна. Открыв крышку, он осторожно перебирал, пробовал клавиши худыми
пальцами и убеждал стоявшую рядом мадам Босличкову,
что инструмент нуждается в настройке. Та горячо возражала, говоря, что настройщика она вызывала всего год
назад, и что с ее точки зрения инструмент никогда не
звучал лучше.

При виде Габриэллы все постояльцы разом поверну-
лись к ней, и девушка почувствовала, что краснеет. Среди обитателей пансиона не было никого, кто хотя бы
приближался к ее возрасту. Мужчина за фортепьяно выглядел лет на восемьдесят; остальные, судя по всему,
были ровесниками хозяйки, а Габриэлла уже знала, что
мадам Босличковой — за шестьдесят.

В глазах всех — и мужчин, и женщин — читалось не-
поддельное восхищение красотой Габриэллы и легкая
зависть к ее молодости и свежести. Даже ее старое платье
и поношенные туфли не смутили их ни на мгновение.
Скорее всего они просто не обратили на это внимания,
зачарованные сиянием ее светлых прямых волос, просту-
пившим на щеках румянцем и блеском ярко-голубых
глаз. Никто из пансионеров не был настолько проница-
телен, чтобы заметить притаившуюся в них печаль, а
может, все дело было просто в том, что Габриэлла показалась собравшимся слишком юной. Она выглядела моложе своих двадцати трех лет. Никому из стариков не
могло даже в голову прийти, что в этом возрасте человек
может многое повидать и многое выстрадать. Смотреть
на Габриэллу им было радостно; многие вспоминали
свою юность и чувствовали себя счастливыми.

Потом мадам Босличкова опомнилась и представила
Габриэлле всех обитателей пансиона. Многие из них
оказались иммигрантами из Европы, а юркая старушка
миссис Розенштейн с гордостью сообщила Габриэлле,
что была узницей нацистского лагеря Аушвиц. В пансио-

не мадам Босличковой она жила уже больше двадцати лет.

Седого мужчину за роялем мадам Босличкова представила как профессора Томаса. Сначала Габриэлла смутилась, не зная, имя это или фамилия, но профессор сам разъяснил ситуацию, сказав, что его зовут Теодор, и что никакой он не профессор, так как уже давно вышел на пенсию. До своей отставки он преподавал в Гарварде английскую литературу, специализируясь на британском романтическом романе XVIII века.

— А что закончили вы, Габриэлла? — спросил профессор, решительно закрывая крышку фортепьяно и поворачиваясь к Габриэлле всем телом. Ему даже не пришло в голову, что молодая девушка могла вовсе не учиться в колледже.

— Я закончила школу журналистики при Колумбийском университете, — негромко ответила Габриэлла и улыбнулась. Старик-профессор сразу ей понравился.

— Что ж, это солидное заведение, — одобрительно кивнул профессор. — Очень солидное. А позвольте узнать, что вы намерены делать с дипломом? Повесить на стенку?

Он чуть-чуть наклонил голову, встряхнув своими длинными седыми волосами, и строго посмотрел на Габриэллу. Брюки у него вытянулись в коленях, пиджак на локтях лоснился, и Габриэлла невольно подумала, что мистер Томас очень похож на ученого-чудака из какой-нибудь старомодной пьески. Она помнила, что ему уже исполнилось восемьдесят, однако взгляд профессора был не по-стариковски ясным и острым, изобличавшим проницательный и живой ум.

— Я только что получила место официантки в немецком кафе на Восемьдесят шестой улице, — ответила она и улыбнулась. Для нее это была большая победа, которой Габриэлла очень гордилась. — Я начинаю завтра, так что диплом мне пока не понадобится. Ну а там будет видно.

Профессор хотел что-то сказать, но его перебила миссис Розенштейн. Как и мадам Босличкова, она тоже недолюбливала немцев, но Габриэлла ей очень понравилась, и она захотела сказать этой очаровательной девушке что-нибудь приятное.

— О, я знаю это милое кафе! — воскликнула она. — Там, кажется, еще продают неплохую выпечку. Мы с мистером Томасом как-нибудь зайдем вас проведать. Правда, профессор?

Профессор кивнул в ответ. Эта маленькая, сухая, но еще очень живая женщина очень нравилась ему как собеседник и друг. В пансионе мадам Босличковой профессор прожил восемнадцать лет, то есть почти столько же, сколько и миссис Розенштейн, однако ему до сих пор не наскучили истории, которые она рассказывала о своей молодости. Миссис Розенштейн была прирожденной рассказчицей, и профессор часто говорил ей, что ее истории надо бы записывать и издавать. «Может быть, вы займетесь этим, профессор?» — отвечала в таких случаях миссис Розенштейн, но он только смеялся в ответ на эти прозрачные намеки.

Теодор Томас до сих пор любил свою жену Шарлотту, которая умерла почти двадцать лет назад. С тех пор он жил один. Кроме нее, у него не было никаких родственников, поэтому, выйдя в отставку, он оставил квартиру в университетском городке и переехал в пансион. Пенсия у него была более чем скромная, однако никто никогда не слышал от него ни слова жалобы, ибо профессор неизменно пребывал в мире с собой и с окружающими. Он прекрасно ладил со всеми постоянными обитателями пансиона мадам Босличковой. Последнее добавление к их коллективу, явившееся в облике зардевшейся от смущения Габриэллы, привело его в настоящий восторг. Как только Габриэлла, сославшись на усталость, удалилась к себе, он тут же объявил, что «этого юного ангела» послало к ним само провидение, и что им, «замшелым старикам», годами не видящим молодых лиц, давно пора было встряхнуться и вспомнить, что на свете существуют молодость, счастье и красота. Он так расходился, что миссис Розенштейн лукаво спросила, уж не влюбился ли он, и профессор тут же ответил, что нужно быть совершенно бездушным маразматиком, чтобы не обратить внимание на это «милую, интеллигентную, прекрасно воспитанную девушку».

Но пока Габриэлла еще не ушла, он принялся чуть не с пристрастием расспрашивать ее о том, чем именно она занималась в Колумбийском университете и какие книги ей приходилось читать. Ему удалось вытянуть из нее даже то, что в университете Габриэлла изучала писательское мастерство, и что она любит писать стихи и короткие рассказы. Этот факт весьма заинтриговал профессора, и он принялся расспрашивать Габриэллу с еще большим рвением, но больше ничего не добился. По поводу своих рассказов она сказала только, что в них нет ничего особенного, и что они вряд ли будут кому-либо интересны.

В глубине души Габриэлла была совершенно в этом уверена, хотя все сестры, которые читали ее рассказы, не скупились на похвалы. Даже Джо, которому она как-то дала почитать тетрадку со своими рассказами, сказал, что они «просто замечательные». Но кто из них мог быть объективным?

— Мне бы хотелось как-нибудь посмотреть ваши работы, — сказал ей профессор таким серьезным тоном, что Габриэлла покраснела еще больше. Ее «работы» безусловно не заслуживают внимания такого серьезного человека и знатока, как мистер Томас. Однако как убедить его в этом?

— Дело в том, — нашлась она наконец, — что сейчас их у меня нет. Я... не взяла их с собой.

— Откуда же вы прибыли в наш славный городок? — удивился профессор, поскольку выговор у Габриэллы был типично нью-йоркский.

— Мисс Харрисон из Бостона, — ответила за нее мадам Босличкова, и профессор сразу заметил, как занервничала и напряглась Габриэлла. В том, что он правильно разгадал ее непроизвольное движение, профессор не сомневался — за годы преподавания в Гарварде через его руки прошло не одно поколение студентов, и он успел неплохо узнать и полюбить это молодое, беспокойное, пытливое племя.

Габриэлла же, боясь, что профессор начнет расспрашивать ее о Бостоне, который он, несомненно, хорошо знал[1], поспешила перевести разговор на другое.

— Мой отец живет в Бостоне, — сказала она. — А мать — в Калифорнии.

Сама же Габриэлла не жила нигде. Она только что поселилась в пансионе, да и то не знала, надолго ли.

— А где в Калифорнии? — спросила одна из женщин, у которой жила во Фресно дочь.

— В Сан-Франциско, — ответила Габриэлла с таким видом, словно она только недавно виделась с матерью или разговаривала с ней по телефону. Рассказывать этим славным людям о своих бедах она не хотела.

— Да, Бостон и Сан-Франциско — прекрасные города, — неожиданно поддержал Габриэллу профессор. — Мне приходилось бывать в Калифорнии, и мне там очень понравилось. Что меня удивило, это то, что в Сан-Франциско совсем не так жарко, как обычно считают. Климат Северной Калифорнии поразительно похож на наш, хотя, конечно, снег там бывает достаточно редко.

Так он непринужденно болтал, исподволь наблюдая за Габриэллой. Только сейчас он заметил в ее глазах какие-то печальные тени, которые мадам Босличкова приписывала одиночеству и тоске по отчему дому. Но профессор сразу догадался, что это нечто совсем другое — гораздо более глубокое и сильное.

«Должно быть, — подумал он, — бедняжка пережила какую-то трагедию. Надо ее подбодрить».

Но он пока не знал, что можно сделать.

Между тем вежливость и кротость Габриэллы пришлась по душе многим. Каждый из обитателей пансиона желал поболтать с ней или, по крайней мере, сказать что-нибудь приятное. Это окончательно смутило Габриэллу и вместе с тем — согрело ей душу, так что, когда она наконец поднялась в свою каморку на четвертом этаже, она чувствовала себя намного бодрее и увереннее.

А пансионеры еще долго говорили о Габриэлле. «Она очаровательна», — таково было общее мнение, а одна из

---

[1] Гарвардский университет находится в Кембридже, пригороде Бостона.

женщин даже сказала, что Габриэлла напоминает ей внучку.

— Да, — кивнула миссис Розенштейн. — Конечно, в данном случае мистер Томас несомненно пристрастен, однако я склонна с ним согласиться. Габриэлла очень мила и прекрасно воспитана. Хотела бы я познакомиться с ее родителями. Должно быть, это замечательные люди.

— Вовсе не обязательно, — возразил ей профессор. — Когда я еще преподавал, мои самые хорошо воспитанные и порядочные студенты происходили как раз из семей, где родители вели себя ненамного лучше царя гуннов Аттилы. А самые сообразительные и одаренные порой имели отцов и матерей, которые по своему интеллектуальному уровню недалеко ушли от клинических идиотов... Так что, уважаемая миссис Розенштейн, наследственность — это вам не уголовное уложение штата Алабама, где два плюс два — неизменно четыре. Прошу простить за сравнение, но когда складываешь репейник с белладонной, в результате может вырасти что-то наподобие той японской хризантемы, которая только что нас покинула.

Присказка про уголовное уложение Алабамы была у профессора самой любимой. Он вообще слегка смущался своей образованности и крайне редко цитировал классику или своих любимых писателей. А иногда у него с языка срывались такие идиомы, что чопорная миссис Розенштейн на полном серьезе делала ему выговор за словечки из «низкопробных детективов».

К сожалению, Габриэлла не слышала слов профессора, а до сих пор никто так и не догадался сказать ей именно это. Всю жизнь Габриэлла ужасно боялась стать второй Элоизой Харрисон и с тревогой ожидала, когда неистовый и злобный нрав матери даст о себе знать.

— ...Она действительно очень приятная и обходительная девушка, — закончил профессор свою мысль. — И я надеюсь, что она поживет с нами подольше.

— Я не думаю, что теперь, когда у Габриэллы есть работа, она может куда-то уехать, — успокоила всех мадам Босличкова. Габриэлла ей тоже нравилась, как нравилось и присутствие в доме *молодой* пансионерки. Правда, для своего возраста Габриэлла была на редкость тиха и застенчива, но и эта ее черта была хозяйке очень по душе.

— Но бедняжка очень одинока здесь, и, как мне кажется, мы могли бы попытаться хотя бы отчасти заменить ей семью, — добавила она нерешительно. — За всю неделю ей никто не звонил — ни молодые люди, ни подруги, ни даже родители. Я не знаю, чем это объяснить, но... Она даже ни разу не предупредила меня, что ей могут звонить!

Остальные согласно переглянулись. В пансионе не было никаких особенных занятий, кроме как наблюдать, подмечать, сопоставлять. Новые постояльцы — в особенности из молодых — появлялись в пансионе редко. Скопив сколько-то денег, они уезжали, на их место приезжали другие, и это было единственным, что скрашивало однообразное существование одиноких стариков, большинство из которых давно были на пенсии.

— Хотелось бы расспросить ее обо всем поподробнее, — задумчиво сказал профессор, которому Габриэлла очень понравилась. — Быть может, в разговоре один на один она будет более откровенна. Как это она очутилась в Нью-Йорке совершенно одна.

Миссис Розенштейн шутливо погрозила ему пальцем.

— Будь ты лет на пятьдесят моложе, я могла бы приревновать, — сказала она. — Но, учитывая вашу разницу в возрасте, я не беспокоюсь.

Миссис Розенштейн была давно и безнадежно влюблена в профессора, однако их отношения оставались чисто платоническими, и оба часто подшучивали над этим «большим чувством».

— На мой взгляд, это довольно сомнительный комплимент. В следующий раз, юная леди, я попросил бы вас воздержаться от подобных высказываний, — парировал профессор с нарочитой суровостью. — Что касается моей мысли, то я ее повторю: есть какая-то тайна в том, что девушка с дипломом Колумбийского университета и с такими умственными способностями, как у нашей Габи, работает официанткой. И я вовсе не уверен в том, что мы должны непременно эту тайну узнать.

— В наше время не так-то просто найти работу, даже работу официантки, — практично заметила мадам Босличкова, но даже она чувствовала, что Габриэллу окутывает какая-то тайна.

На следующий день профессор застал Габриэллу в вестибюле. Она шла на работу, но время у нее было, и они остановились поговорить. Габриэлла была одета в темно-синее платье с желтыми цветами, которое выглядело по-настоящему уродливым. Профессор Томас невольно подумал, что даже если нарядить Габриэллу в мешок из-под угля, она все равно будет выглядеть прелестно.

— Вы на работу? — спросил он ее с отеческой заботой в голосе. Несмотря на то что день начался относительно недавно, Габриэлла выглядела такой бледной и усталой, словно шла не на работу, а возвращалась после трудной ночной смены.

— Да, в кафе Баума, — ответила Габриэлла, улыбаясь ему. Профессор возвращался с прогулки, и ветер растрепал его длинные седые волосы, сделав его еще больше похожим на Эйнштейна.

— Я загляну к вам попозже, если позволите, — сказал профессор. — Оставьте мне место за одним из ваших столиков, договорились?

— Конечно, буду очень рада, — ответила Габриэлла, до глубины души тронутая его искренним участием. Впрочем, и остальные обитатели пансиона ей тоже понравились, и даже само здание больше не казалось ей таким мрачным. Выйдя из подъезда и перейдя через улицу, она обернулась и увидела, что на большинстве окон висят белые тюлевые занавески и стоят цветы, и что с единственного балкона машет ей рукой мадам Босличкова, поливавшая свои канны. У ног ее, мелко дрожа вопросительно изогнутым хвостом, вилась худая рыжая кошка — одна из любимиц хозяйки. (Мадам Босличкова уже несколько раз жаловалась Габриэлле, что ее Рыжуля ест вдвое больше остальных, но не толстеет, и что она собирается показать ее ветеринару.)

«Какие милые эти старики, — подумала Габриэлла, махнув рукой в ответ. — Странные, но милые».

В кафе Баума Габриэлла пришла минут за двадцать до начала смены. Тщательно вымыв руки, она получила от хозяйки накрахмаленный белый фартук, который почти полностью скрывал ее страшноватое платье. Потом мистер Баум (вчера профессор предложил ей в шутку называть его «герр хозяин», но Габриэлла на это не отважилась) вкратце разъяснил Габриэлле ее обязанности. Внешний вид новой работницы ему весьма понравился. Он даже одобрительно хмыкнул, заметив, что старенькие туфли Габриэллы старательно начищены, а свежевымытые волосы перевязаны белой шелковой лентой.

Уже к вечеру мистеру и миссис Баум стало ясно, что в лице Габриэллы они приобрели настоящее сокровище. Несмотря на то что она работала первый день, Габриэлла не допустила ни одной ошибки, ни одного промаха. Она на удивление быстро считала в уме, никогда не путала заказы, была вежлива и обходительна с клиентами и даже в часы наибольшего наплыва публики без труда обслуживала несколько столиков сразу.

А Габриэлла и вправду на удивление быстро освоилась с новой для себя профессией официантки. Выручало ее то, что в монастыре ей часто приходилось накрывать на стол сразу для двухсот сестер. Правда, с монахинь она не получала денег и не отсчитывала им сдачу, но и это далось ей на удивление легко, так что когда ближе к вечеру в кафе появились профессор Томас под руку с худенькой миссис Розенштейн, Габриэлла уже чувствовала себя так, словно проработала здесь всю свою жизнь.

Профессор и его спутница заказали яблочный струдель, пирожные, кофе и взбитые сливки с шоколадом. Расплачиваясь, они оставили Габриэлле щедрые чаевые, изрядно смутив ее, а сами подошли к стойке, чтобы поговорить о чем-то с мистером Баумом.

С тех пор профессор и миссис Розенштейн начали приходить в кафе каждый день, всегда в одно и то же время. Это превратилось в своего рода ритуал, однако Габриэлла никогда больше не брала у них чаевые. Когда профессор попытался во второй раз вручить ей деньги, она сказала, что это совершенно ни к чему, что ей вполне достаточно того внимания, которое они к ней проявляют. Она ни за что не возьмет с них ничего сверх положенного.

В понедельник, который был ее выходным днем, Габриэлла ходила в прачечную самообслуживания. Возвращаясь, она встретилась у дверей пансиона с миссис Розенштейн, и та пригласила ее посидеть в гостиной. Как она потом сказала в разговоре с мадам Босличковой, Габриэлла выглядела гораздо лучше, чем прежде. Когда вечером Габриэлла спустилась в общую гостиную, профессор пришел к тем же выводам. Молодая девушка определенно выглядела не такой убитой горем, как несколько дней назад, да и на щеках ее появился нежный, едва заметный румянец.

Вскоре, воспользовавшись тем, что за большим столом завязалась карточная партия, профессор отвел Габриэллу в сторонку, чтобы поговорить поподробнее.

— Герр Баум сказал мне, что ты была монахиней, — промолвил он негромко (по праву старшего, профессор начал называть Габриэллу на «ты», предварительно испросив ее разрешения). — Он ничего не перепутал?

Услышав эти слова, Габриэлла слегка вздрогнула. Она не ожидала такой болтливости от мистера Баума. Впрочем, вряд ли профессор расспрашивает ее из любопытства. У него было доброе сердце, и он, вероятно, хотел знать, что за беда с ней стряслась. Но хотя Габриэлла была благодарна ему за внимание, рассказать ему всю свою историю она пока не решалась.

— Нет, сэр, не совсем, — ответила она и виновато потупилась, но тотчас снова подняла голову. — Я была новоначальной послушницей, новицианткой. Это не совсем одно и то же.

— Да, — улыбнулся профессор, и Габриэлла покраснела. Уж конечно, такой человек должен был разбираться в подобных вещах. — Уже головастик, но еще не лягушка.

Габриэлла не удержалась и фыркнула.

— Не думаю, чтобы сестрам понравилось ваше сравнение, — заметила она.

— Я не имел в виду ничего обидного, — поспешил

извиниться профессор. — Когда я преподавал в Гарварде, среди моих студентов попадались священники, правда, в основном иезуиты. У меня осталось о них самое приятное впечатление. Хорошо воспитанные, любознательные и удивительно открытые молодые люди. Насколько я помню, они никогда не проявляли религиозной нетерпимости. Кстати, как долго ты пробыла в монастыре?

Этот вопрос, заданный без всякой паузы, застал Габриэллу врасплох. Несколько мгновений она колебалась. Слишком многое пришлось бы объяснять. А ей до сих пор было больно и неприятно вспоминать о том, как она попала в монастырь, а тем более почему ей пришлось оттуда уйти. С другой стороны, профессор ей очень нравился. Лгать ему не хотелось.

— Двенадцать лет, — сказала она, и взор ее затуманился печалью. — Я фактически там выросла.

— Значит, на самом деле ты — сирота? — ласково спросил профессор, и Габриэлле опять показалось, что он спрашивает не просто так. Ему не все равно, что с ней было и как она жила.

— Нет, мои родители живы, — ответила она. — Просто они отдали меня в монастырь, когда мне было десять. И это единственное место на свете, которое я считаю своим домом, — добавила Габриэлла твердо.

Должно быть, профессор почувствовал в ее словах затаенную горечь и не стал расспрашивать дальше. Вместо того, чтобы поинтересоваться, почему родители отдали ее в монастырь, он сказал:

— Наверное, это очень трудно — быть монахиней. У меня, я думаю, ничего бы не вышло. Во-первых, я люблю поспать. Кроме того, обет безбрачия никогда меня особенно не привлекал... — тут он лукаво покосился на миссис Розенштейн и добавил: — Во всяком случае, до недавнего времени. Теперь я готов признать, что в целибате есть свое рациональное зерно.

Эти слова профессора заставили Габриэллу негромко рассмеяться. Она уже знала, что профессор Томас уже больше двадцати лет хранит верность своей покойной жене, и за все это время у него ни разу не появилось желания жениться вторично.

— Между прочим, — продолжал он, — я несколько раз дискутировал на эти темы с моими учениками-иезуитами, и им так и не удалось убедить меня в том, что эта догма обоснованна и имеет право на существование...

Тут Габриэлла вспомнила о Джо, и профессор, увидев выражение ее глаз, поспешно прервал сам себя.

— Прости, я сказал что-нибудь не то? — участливо спросил он.

— Н-нет... Разумеется, нет, просто... Просто мне очень недостает монастыря и всего, что было с ним связано, — ответила она, грустно глядя на него. — Мне было нелегко покидать моих сестер.

По тому, как она это сказала, профессор понял, что Габриэллу вынудили уйти, и он почел за благо переменить тему.

— Расскажи мне лучше, что ты пишешь, — попросил он.

— Рассказывать-то особенно нечего... — улыбнулась Габриэлла. — Просто время от времени, когда мне этого хотелось, я садилась за стол и писала стихи, короткие рассказики и даже сказки для детей. У нас в монастыре были две маленькие девочки-сироты из Лаоса. Я обучала их английскому и рассказывала сказки собственного сочинения. Наверное, это совсем не то, к чему вы привыкли у себя в Гарварде.

— Лучшие наши писатели говорили мне то же самое о своих лучших произведениях. А плохие, знаешь ли, всегда спешат уверить, что их новая вещь — настоящий шедевр, который непременно понравится публике, — возразил профессор. — С тех пор я остерегаюсь тех, кто на все лады хвалит свою работу. Их «шедевры» — это длиннейшие и скучнейшие романы. После первых же страниц нормального человека начинает клонить в сон.

И, как бы в подтверждение своих слов, профессор Томас покачал перед лицом Габриэллы своим худым и тонким пальцем, который миссис Розенштейн называла «знаменитым». Этим жестом профессор когда-то приводил в чувство нерадивых или зарвавшихся учеников.

— Так когда же, учитывая все вышесказанное, я смогу познакомиться с вашими работами, мисс Харрисон? — ласково, но настойчиво спросил он. Габриэлла снова подумала о том, что профессор придает слишком большое значение вещам, которые, с ее точки зрения, того не стоили.

— Но у меня правда с собой ничего нет, — ответила она.

— Так напиши что-нибудь! — сказал профессор. — Профессия писателя тем и хороша, что для работы ему нужны только стопка бумаги, карандаш и немного вдохновения.

«...А также талант, фантазия, вера в свои силы, свободное время, усидчивость и душа, которую надо вложить в каждого героя, чтобы даже на бумаге он смог жить по-настоящему», — мысленно продолжила список Габриэлла. С тех пор как умер Джо, ей часто казалось, что у нее вынули душу, а без этого все остальное было просто бесполезно.

— Завтра же купи себе тетрадь! — не сказал, а приказал ей профессор.

— Хорошо, — кивнула Габриэлла и тут же вздрогнула как от боли, когда ее собеседник — непреднамеренно, но очень чувствительно — задел еще одну ее рану:

— Ты никогда не пробовала вести дневник, Габи?..

С точки зрения самого профессора, это был совершенно невинный вопрос, но, увидев изменившееся лицо Габриэллы, он сразу подумал: «Разговаривать с ней — все равно что бродить впотьмах по минному полю».

— Н-нет... То есть вела раньше, но... Сейчас я больше ничего не записываю.

Спросить, почему, профессор не осмелился. Он уже увидел, что для Габриэллы это тоже болезненная тема, и был поражен тем, как много в ее молодой душе незаживших шрамов и кровоточащих ран.

— А что тебе нравится больше — поэзия или короткие рассказы? — вернулся он к вроде бы безопасной теме, надеясь, что тут не будет никаких сюрпризов. Впрочем, в глубине души старику нравилось разговаривать с

Габриэллой, и он надеялся, что сможет как-то помочь ей успокоиться и прийти в себя.

И еще ему нравилось просто сидеть рядом с ней — такой молодой и прелестной. Габриэлла чем-то напоминала профессору его покойную жену Шарлотту, с которой он познакомился, еще когда сам учился в Вашингтонском университете. Они поженились через неделю после выпуска и прожили душа в душу без малого сорок лет. Единственное, о чем жалел профессор, это о том, что они с Шарлоттой не могли иметь детей. Со временем их заменили студенты и ученики. Шарлотта тоже преподавала — правда, не литературу, а теорию музыки и основы композиции. В их квартире в университетском городке всегда было весело и шумно. Даже в свободное от занятий время Шарлотта постоянно музицировала или сочиняла стихи, которые тут же перекладывала на музыку и исполняла, аккомпанируя себе на чем попало — на рояле, на гитаре, иногда даже на простой расческе.

Обо всем этом профессор рассказал Габриэлле, и она печально улыбнулась, не в силах скрыть своей зависти.

— Должно быть, ваша жена была удивительным человеком, — сказала она, и профессор кивнул.

— Да, — подтвердил он. — Как-нибудь я покажу тебе наши старые фотографии. В молодости Шарлотта была очень красива; когда мы поженились, все молодые люди завидовали мне просто до чертиков. Нам тогда было по двадцать с небольшим, мы были молоды и счастливы. Вся жизнь лежала перед нами, и сейчас я жалею лишь об одном — о том, что Шарлотта ушла так рано...

Потом он спросил, сколько лет Габриэлле, и, когда она ответила, с улыбкой потрепал ее по плечу своей невесомой, будто пергаментной ладонью.

— Ты даже не понимаешь, какая ты счастливая, — сказал он. — Молодость — это самая прекрасная пора в жизни человека, и не стоит попусту расходовать ее на сожаления по поводу и без повода. У тебя впереди еще много счастливых лет — много радости, много удач, много прекрасных и удивительных встреч. В двадцать три года надо спешить вперед, а не оглядываться назад.

Но Габриэлла не могла не оглядываться назад. Прошлое тяжким грузом лежало у нее на плечах, сдавливало грудь и путалось в ногах, не позволяя не то что идти дальше, а даже ползти на четвереньках.

— Иногда это бывает очень трудно, — произнесла она задумчиво. — Хотя бы ради тех, кто остался в прошлом.

— Все мы порой возвращаемся к воспоминаниям. Секрет в том, чтобы делать это не слишком часто. Надо уметь выбирать — все дурное пусть остается в прошлом, а все хорошее надо брать с собой в будущее, — возразил профессор, и Габриэлла подумала о том, что плохого в ее жизни было, пожалуй, чересчур много, а хорошего — мало. Да, она узнала счастье, но оно кончилось слишком быстро, и теперь даже воспоминание о нем было ужасным.

Но каков профессор! Вся жизнь была у него уже позади, однако он отнюдь не впал в уныние, а напротив, продолжал смотреть в будущее с оптимизмом. Он не утратил ни своего искрометного юмора, ни юношеской энергии, ни жадного любопытства, являя собой пример, достойный всяческого подражания.

Все обитатели пансиона были хорошими, добрыми, внимательными людьми, но слишком любили поговорить о своем пошатнувшемся здоровье, о пенсионных пособиях, которых вечно не хватало, о недавно умерших друзьях, о погоде, состоянии нью-йоркских тротуаров и обилии на них собачьих куч. Профессор подобных тем избегал почти демонстративно, зато его очень интересовала Габриэлла, ее будущее и ее дела, за которые он переживал едва ли не больше, чем за свои.

В тот день они засиделись в гостиной допоздна. Профессор терпеть не мог карты и никогда не садился играть в бридж с миссис Розенштейн и остальными, зато он обожал домино и с удовольствием обучил Габриэллу этой игре. Они сыграли несколько партий подряд. Габриэлла все их проиграла, но это не испортило ей удовольствия. Поднимаясь к себе наверх, она думала о том, как неожиданно изменилась ее жизнь. Профессор оказался удивительным человеком. С ним ей было очень интересно. Возраст профессора Габриэллу ничуть не смущал — она не променяла бы его ни на кого другого. Этот чуткий, деликатный и оптимистичный старик мог дать сто очков вперед любому юнцу вчетверо моложе себя. Следующей встречи с ним Габриэлла ждала с нетерпением и, уже ложась спать, пообещала себе, что завтра же купит тетрадь и попробует написать что-нибудь для профессора.

Об этом своем намерении она и сообщила профессору утром следующего дня, когда шла на работу в кафе. Вечером профессор Томас заглянул к Бауму и первым делом спросил Габриэллу, осуществила ли она свое намерение.

Сначала Габриэлла даже не поняла его! День выдался хлопотливый, и с самого утра она даже ни разу не присела.

— Какое? — рассеянно уточнила она, занося в блокнотик заказ: яблочный струдель, кофе и сливки с сахаром и лимоном.

— Ты купила тетрадь? — сурово спросил профессор, и Габриэлла лукаво улыбнулась ему.

— Да, сэр, — ответила она. — Я купила тетрадь и шариковую ручку. Скажу вам больше — у меня, кажется, появилось вдохновение.

— Я горжусь тобой, — сказал старик. — Надеюсь, оно не пропадет к тому времени, когда ты вернешься домой и сядешь за письменный стол.

— Когда я прихожу к себе, у меня уже совсем не остается сил, — пожаловалась Габриэлла. — Ведь я заканчиваю в двенадцать, а иногда и позже.

Вдобавок она еще не оправилась от потери крови. В больнице ее предупредили, что может понадобиться несколько месяцев, однако Габриэлла не хотела, чтобы об этом кто-нибудь знал. Профессор Томас совершенно не был расположен выслушивать ее отговорки.

— Тогда пиши по утрам, — заявил он не терпящим возражений тоном. — Если ты действительно хочешь стать писательницей, то должна научиться работать каждый день. Это очень полезно. Развивает необходимую усидчивость, неплохо тренирует воображение. Как птица не может не летать, так и настоящий писатель не может обойтись без привычки постоянно работать. Пиши ежедневно — только так можно добиться чего-нибудь путного, — повторил он и посмотрел на нее с притворной строгостью. — А теперь, мисс, ступайте и принесите мне мой струдель и кофе.

— Да, сэр, — улыбнулась Габриэлла. Профессор Томас был похож на сурового и нравного, но любящего деда, которого у нее никогда не было. За все свои двадцать три года Габриэлла даже ни разу не задумалась о том, для чего нужны бабушки и дедушки, какой, например, могла быть ее жизнь, расти она в большой семье с кучей родственников разных возрастов. Ее представления о семейных отношениях ограничивались очень узким кругом: отец и мать. Да и вряд ли их отношения можно было назвать семейными. Появление в ее жизни такого человека, как старый профессор, было настоящим чудом, и Габриэлла была благодарна судьбе за этот неожиданный дар.

Профессор приходил в кафе Баума каждый день, но Габриэлла слишком часто была занята, и по большей части им удавалось лишь перекинуться двумя-тремя словами. Зато по понедельникам, когда у Габриэллы был выходной, профессор сам приглашал ее в какой-нибудь недорогой ресторан, и они подолгу беседовали друг с другом. Говорил в основном профессор: он рассказывал Габриэлле о своей молодости, о том, как жил в Вашингтоне и преподавал в Гарварде, и даже о своем детстве, пришедшемся на последнее десятилетие прошлого века. Он прекрасно помнил то далекое время, но никогда не вздыхал о безвозвратно ушедших годах, как делали это многие другие старики. Напротив, настоящее интересовало его гораздо больше. Профессор был полностью в курсе всего, что происходило вокруг, и иногда просто поражал Габриэллу своими острыми и глубокими суждениями.

Но в основном их разговоры были о литературе и о работе писателя. В конце концов Габриэлла написала для профессора коротенький рассказ, и он понял, что способности у нее незаурядные.

— Конечно, здесь есть еще над чем поработать, —

сказал профессор. — Например, я отметил два или три места, к которым, с моей точки зрения, стоило бы отнестись повнимательнее — их можно изменить так, что сюжет сразу станет значительно более динамичным. Но в целом сделано неплохо, очень неплохо. У тебя настоящий талант, Габриэлла, поздравляю!

Смущенная его похвалой, она пыталась возражать, но профессор не дал ей договорить. Помахав у нее перед носом своим «знаменитым» пальцем, который всегда был для его студентов признаком надвигающейся грозы, профессор сказал:

— Меня, юная леди, пригласили в Гарвард не для того, чтобы свиней выращивать! Если я говорю, что у тебя — талант, значит, так оно и есть. Конечно, в рассказе есть некоторые шероховатости, но если ты будешь упорно работать над собой, они исчезнут. Главное, ты умеешь выбирать правильный тон и верно строишь сюжет... Мастерство писателя в том и заключается, чтобы ставить нужные слова именно на то место, где они прозвучат убедительнее всего. И у тебя это получается, Габриэлла. Неужели ты сама этого не чувствуешь? Или ты просто боишься писать? Ничего не выйдет. Ты обречена на это. У тебя свой совершенно особенный голос, и молчать ты уже не сможешь. Ты должна быть сильной, Габриэлла!

Услышав эти слова, Габриэлла невесело улыбнулась.

— Люди часто говорили мне, что я не должна бояться, что я — сильная и могу справиться с чем угодно, — сказала она, решившись открыть старому профессору один из множества своих секретов. — Они говорили мне это и уходили. И я никогда больше их не встречала.

Профессор Томас кивнул, ожидая, что Габриэлла скажет что-нибудь еще, но она молчала, и он решился сказать ей то, о чем она сама, возможно, уже догадывалась.

— Ты действительно сильная девочка, Габриэлла. Уж ты мне поверь. А те, кто оставлял тебя, просто трусы! Слабые всегда стараются прилепиться к кому-то посильнее, потому что рядом с ними им не нужно быть ни смелыми, ни мужественными. И часто бывает так: делая тебе больно, люди используют твою силу как предлог, который якобы совершенно их извиняет. «Ты сильная, — говорят они, — ты сможешь с этим справиться, сумеешь преодолеть и это, и многое, многое другое, а со слабых какой спрос?» В этом мире, Габи, чем ты сильнее, тем больше с тебя спрашивается, и это — очень нелегкое бремя... — Он немного помолчал и добавил: — Ты сильная, Габи. И однажды ты встретишь такого же сильного и мужественного человека, как ты сама. Ты этого заслуживаешь.

— Мне кажется, я уже встретила такого человека, — сказала Габриэлла и, улыбнувшись профессору, ласково прикоснулась кончиками пальцев к его нервной, худой кисти.

— Тебе просто повезло, что мне уже восемьдесят, а не тридцать и не сорок, — рассмеялся в ответ профессор. — А если бы я был твоим ровесником, то и совсем беда. Непременно принялся бы учить тебя жизни; теперь же ты учишь жизни меня или, по крайней мере, напоминаешь мне о том, какой она должна быть.

Эти встречи в маленьких ресторанах Вест-Сайда и Ист-Вилледж, куда они иногда ездили на подземке, повторялись каждый понедельник. Габриэлла полюбила их и с нетерпением ожидала своего выходного, чтобы отправиться куда-нибудь с профессором. Единственное, против чего она решительно восставала, это против того, чтобы он сам оплачивал все счета. Его пенсия вряд ли была достаточно большой, чтобы он мог позволить себе подобное расточительство. Но профессор Томас не только не слушал ее возражений, но даже, помня, как миссис Розенштейн сказала, что Габриэлле следует побольше есть, заставлял ее заказывать (и съедать!) как можно больше всего. Изредка он делал ей шутливые выговоры за то, что она не встречается с молодыми людьми, однако его словам недоставало убедительности. Конечно, профессору нравилось проводить время с Габриэллой, и в глубине души он был рад тому, что у его юной собеседницы нет никаких поклонников.

— Тебе следует играть с детьми своего возраста, — ворчал он иногда, но Габриэлла только смеялась в ответ.

— Их игры — слишком грубы и жестоки, — возражала она. — К тому же я все равно не знаю правил. Разговаривать с вами мне гораздо интереснее и приятнее.

— Тогда докажи мне это, — немедленно говорил в таких случаях профессор. — Напиши что-нибудь.

Он постоянно подталкивал и подбадривал ее, и ко Дню благодарения[1] у Габриэллы было уже две тетрадки коротких рассказов и стихов. Некоторые из них нравились даже самой Габриэлле, хотя она не осмелилась признаться в этом профессору. Он же, читая их, хмыкал и говорил, что благодаря ее усидчивости и трудолюбию ее стиль на глазах становится все лучше и лучше. Несколько раз профессор заговаривал о том, что Габриэлла должна отправить свои рассказы в какой-нибудь журнал или литературный альманах, но эти предложения все еще пугали ее. Она по-прежнему верила в себя и в свои силы гораздо меньше, чем он.

— Я еще не готова, — возражала она, прижимая свои тетрадки к груди с таким видом, словно боялась, что профессор может силой отнять их у нее и отправить в один из нью-йоркских журналов.

— Ты говоришь как какой-нибудь Пикассо! — рассердился в конце концов профессор. — Что значит «готова — не готова»? Были ли готовы Стейнбек, Хемингуэй, Диккенс, Шекспир, Джейн Остин? Они просто работали, делали свое дело, и в конце концов добились успеха. Последнее дело — писа́ть в стол, мечтая когда-нибудь создать один-единственный шедевр, который поразит мир. Писатель, который публикует свои произведения, ведет разговор с читателем — совсем как мы с тобой сейчас. Кстати, дорогая, ты собираешься съездить к родителям на День благодарения? — как всегда, неожиданно закончил он, в очередной раз застав Габриэллу врасплох.

— Я?.. Н-нет... — Габриэлле не хотелось объяснять ему, что у нее нет никаких родителей и дома тоже нет. Профессор уже знал, что она выросла в монастыре, но

---

[1] День благодарения — национальный праздник, ежегодно отмечаемый в четвертый четверг ноября.

Габриэлла еще никогда не говорила ему — да и никому другому, что вот уже тринадцать лет не общается ни с кем из родителей. На данный момент единственным ее близким человеком был он — профессор Томас.

— Нет? — профессор проницательно взглянул на нее. — Что ж, я рад это слышать. Мне хотелось бы, чтобы ты встретила этот праздник с нами. Мадам Босличкова каждый год готовит замечательную индейку.

Он действительно был рад. Почему-то ему заранее казалось, что Габриэлле некуда ехать.

— Мне бы тоже этого хотелось, — улыбнулась Габриэлла и снова заговорила о своем последнем рассказе, который еще не был готов. У нее почему-то не выходила концовка, и профессор очень быстро обнаружил в сюжете небольшой изъян, из-за которого рассказ казался затянутым, а сама последовательность событий — неестественной и надуманной. Услышав, что Габриэлла никак не может решить, чем закончить рассказ, профессор не сдержал улыбки.

— Не стоит особенно стремиться драматизировать. В жизни довольно редко все заканчивается какими-нибудь ужасами.

— Да, но великие образцы говорят нам о другом. Вспомните «Анну Каренину» Толстого! — с горячностью возразила Габриэлла, и профессор кивнул.

— Я рад, что ты сама до этого додумалась, — произнес он с очень довольным видом. — И здесь ты права: в жизни — а значит, и в литературе — любовь и смерть часто идут рука об руку...

Эти его слова сразу напомнили Габриэлле о Джо, и ее взгляд затуманился, а глаза потемнели от какой-то неизбытой печали. Профессор сделал вид, будто ничего не замечает. На самом деле он давно обратил внимание, что, разговаривая с ним, Габриэлла часто становится задумчивой, даже грустной. Каждый раз он спрашивал себя, расскажет ли она ему когда-нибудь о том, какие несчастья ей пришлось испытать в жизни. Кое о чем профессор начинал догадываться, но расспрашивать Габриэллу не спешил. Ему казалось, она сама должна сделать первый шаг к откровенному разговору.

— Скажу больше, — продолжал он, — настоящая любовь часто бывает жестокой. Она забирает все твои силы, выматывает всю душу и под конец — убивает. Хуже этого ничего и не может быть. Но и прекраснее — тоже!..

Профессор ненадолго замолчал, словно задумавшись.

— Иными словами, — закончил он немного погодя, — я считаю себя противником крайностей, но еще больше я не люблю их отсутствия.

Эти романтические слова в устах старого профессора были столь неожиданны, что Габриэлла внимательно посмотрела на него и вдруг увидела его таким, каким он был шестьдесят лет тому назад — пылким, влюбленным, романтичным юношей, для которого красота жизни значила гораздо больше, чем сама жизнь.

— Что касается тебя, Габриэлла, — спокойно добавил профессор, — то, как мне кажется, твоя любовная история оказалась трагичной. Я вижу это по твоим глазам каждый раз, когда мы заговариваем на эту тему.

Эти слова он произнес с отеческой нежностью, а его прикосновение к руке Габриэллы было одновременно и ласковым, и дружеским.

— Когда-нибудь, Габи, ты сможешь написать об этом, и тогда прошлое перестанет казаться тебе мучительным и горьким. Оно не будет больше вызывать ни скорби, ни уныния, — с уверенностью сказал он. — Доверив бумаге свои давние беды, ты избавишься от их власти над собой и переживешь своего рода очищение, катарсис, но путь к этому будет долгим и трудным. Не пробуй браться за перо, пока не будешь готова, Габи. Иначе ты сделаешь себе еще больнее.

— Я... — Габриэлла начала что-то говорить, но вдруг замолчала. Она хотела тут же рассказать ему все, но боялась снова пережить все случившееся так недавно.

— Некоторое время назад я очень любила одного человека... — все же сказала она, и лицо ее сделалось таким испуганным, словно она доверила профессору свой самый главный секрет. Собственно говоря, так оно и было. Габриэлла была не прочь на этом остановиться, но профессор сразу догадался, что за несколькими словами стоит большая и очень личная история.

— В твоем возрасте, Габриэлла, это не только естественно, но и прекрасно, — сказал он, пытаясь ободрить ее. — И я думаю, что впереди тебя ожидает еще много новых встреч, которые принесут тебе счастье.

Сам профессор никогда не любил никого, кроме Шарлотты, однако он никогда не считал свою жизнь эталоном или образцом для подражания. Скорее наоборот — его судьба была исключением из общего правила. Им с Шарлоттой просто повезло. Однажды встретившись, они поженились, прожили вместе сорок лет и даже ни разу не поссорились, в то время как большинству людей приходилось идти путем проб и ошибок. Но, по его глубокому убеждению, это не должно было мешать человеку быть счастливым.

— Как я понимаю, у вас что-то не заладилось, — сказал он спокойно, и Габриэлла, судорожно стискивая зубы, утвердительно мотнула головой.

— Джо умер в начале октября, — чуть слышным шепотом произнесла она.

Она не собиралась пускаться в подробности, но профессор от нее этого и не требовал. Он только кивнул ей с искренним сочувствием, и Габриэлла, слегка приободрившись, продолжила:

— Я думала, что тоже умру... И это чуть было не случилось. Меня спасли, но еще долго... Откровенно говоря, я до сих пор не пришла в себя. Это было ужасно, мистер Томас, просто ужасно!

— Я очень сочувствую тебе, Габи, — он осторожно гладил ее по голове. — К сожалению, любовь иногда кончается и таким образом, и это очень жаль, потому что тогда прекрасного на свете становится меньше, чем прежде. Когда теряешь любимого человека, начинает казаться, что ты не сказал ему самого главного, и уже никогда не скажешь. Мы с Шарлоттой прожили вместе почти сорок лет, но меня до сих пор не оставляет ощущение, будто мы с ней не поговорили о чем-то очень важном. Но, даже если любовь кончается, остается жизнь. У тебя впереди еще много лет, Габриэлла, и от тебя зависит, будут эти годы счастливыми или нет.

Габриэлла кивнула. Она поняла, что хотел сказать профессор, но обсуждать это у нее пока не было ни сил, ни желания. Даже с ним... Она вообще едва могла говорить, и профессор, поняв это, еще некоторое время рассказывал ей о своей жене. Одновременно он гадал, как умер человек, которого любила Габриэлла, однако спрашивать у нее об этом он бы не стал никогда. Главное, что ее возлюбленный погиб, и Габриэлла осталась одна на всем белом свете — одна, с разбитым сердцем и израненной душой.

И все же, несмотря на всю свою проницательность и воображение, профессор Томас даже близко не подошел к истине. Он был человеком добрым и глубоко порядочным. Ему трудно было представить во всех подробностях тот ад, который и был до сих пор жизнью Габриэллы.

В этот раз они вернулись в пансион на такси. Профессор настоял на этом, поскольку вечер был достаточно холодным, а он как раз получил пенсионный чек и чувствовал себя богачом. Кроме того, ему хотелось доставить Габриэлле эту небольшую радость.

Выйдя из машины возле пансиона, они оба вдруг подняли головы, чтобы посмотреть на небо. Небо было затянуто низкими темными облаками, из которых сыпались на землю первые снежинки, и Габриэлла неожиданно вспомнила, как волшебно преображался монастырский сад, когда наступала зима и выпадал первый снег, ковром укрывавший землю и тяжело повисавший на ветвях фруктовых деревьев. Девочкой Габриэлла любила выбегать в сад и играть там, воображая себя юной феей среди алмазных деревьев выдуманной ею Страны Света. Стоило ей тронуть ветку, как на нее обрушивался каскад настоящих драгоценностей, превращавших ее грубое шерстяное платье в королевский наряд.

Она улыбнулась этому воспоминанию, и профессор, которому Габриэлла в двух словах объяснила, в чем дело, порадовался за нее. Он знал, что этой молодой женщине просто необходимо что-то светлое, к чему можно было возвращаться мыслями в тяжелые минуты жизни. Впрочем, то же самое относилось и к абсолютному большинству людей.

— Спасибо вам за сегодняшний вечер, профессор, — сказала Габриэлла, когда они остановились у дверей его крошечной квартирки на втором этаже пансиона. — Я прекрасно провела время.

— О чем ты, Габи? Это мне следует благодарить тебя за удовольствие, которое я получаю от каждой нашей встречи, — произнес он с легким поклоном, и Габриэлла улыбнулась. Она не догадывалась, сколь сильно успел привязаться к ней старый профессор. Габриэлла стала для него совсем как дочь, которую ему хотелось успокаивать, опекать, защищать. В особенности сильным это чувство стало после того, как девушка поделилась с ним своей сокровенной тайной. С ее стороны это был знак величайшего доверия, и профессор не мог его не оценить.

— Жду не дождусь Дня благодарения, — сказал он негромко.

— Я тоже, — тихо ответила Габриэлла. Раньше она боялась приближающегося праздника, и теперь вздохнула почти с облегчением. Да, она многое потеряла, но кое-что и приобрела. Среди сегодняшних первых снежинок ей в руки действительно слетела не имеющая цены драгоценность.

И, поднимаясь к себе, Габриэлла продолжала думать о старом профессоре и о том, какая это удача встретить такого человека.

Глава 17

◆

День благодарения стал для всех настоящим праздником. В Нью-Йорке выпал снег — такой глубокий, что казалось, будто жизнь в городе замерла. Лишь Центральный парк с приходом зимы оживился еще больше: между заснеженными его деревьями мелькали фигурки лыжников, а воздух звенел от восторженных воплей множества детей, которые играли в снежки и лепили из снега забавных человечков.

Индейка мадам Босличковой оказалась настоящим шедевром кулинарного искусства. Она была такой большой, что едва поместилась в духовке; когда же ее достали и положили на блюдо в гостиной, по всему дому распространился такой соблазнительный аромат, что все постояльцы, не дожидаясь приглашения, сами собрались внизу. Профессор Томас собственноручно разрезал индейку на куски, миссис Розенштейн открыла клюквенное варенье, мадам Босличкова подала чай и кофе по-венски и позвала всех к столу. За ужином все рассказывали какие-нибудь интересные случаи, вспоминали прошлые Дни благодарения и милые шалости своих детей и внуков. Кафе Баума по случаю праздника закрылось до понедельника, и Габриэлла искренне радовалась этому обстоятельству. Среди обитателей пансиона ей было почти так же хорошо и спокойно, как и среди сестер монастыря; сегодня же она и вовсе чувствовала себя их общей любимой внучкой или племянницей.

После праздника и до конца недели в пансионе только и разговоров было, что о подготовке к Рождеству. Уже в пятницу мадам Босличкова и миссис Розенштейн отправились в центр города, чтобы сделать кое-какие покупки, но, если верить их собственным словам, «едва не повернули обратно», увидев, сколько народа приехало за подарками в центральный универмаг «Мэйси».

Что касалось Габриэллы, то все выходные она провела у себя в комнате, работая над очередным рассказом. Только в воскресенье вечером она спустилась в гостиную и с весьма гордым видом вручила профессору тоненькую тетрадь.

— Вот вам! — сказала она с торжествующей улыбкой. — Я специально постаралась, чтобы вы перестали жаловаться.

— Так-так, посмотрим, что там у нас, — пробормотал профессор, открывая тетрадь и водружая на нос очки.

Рассказ, несмотря на свой святочный сюжет, был написан с изяществом и мастерством зрелого мастера. Порой старику даже трудно было сдержать подступающие к глазам слезы, но он все же дочитал его до конца. Нет, подумалось ему, похоже, он не ошибся в этой девочке. Ее ждет блестящее будущее.

Габриэлла, волнуясь, сидела в старом кресле в углу гостиной и, сложив руки на коленях, наблюдала за ним краешком глаза.

— Ну как, вам понравилось? — спросила она, когда профессор закрыл тетрадь.

Впрочем, она и так видела, что старик в полном восторге. Он тут же принялся настаивать на том, что Габриэлла непременно должна напечатать свой рассказ, чем привел ее в еще большее смущение.

— Мне надо еще немного над ним поработать, — сказала Габриэлла, нервно облизывая верхнюю губу. Но когда она протянула руку за тетрадкой, профессор быстро убрал ее в карман пиджака.

— С твоего позволения, Габи, я посмотрю его повнимательнее, — и Габриэлла поняла, что на сей раз профессор будет твердо настаивать на скорейшей публикации. Она все же попыталась поспорить, но профессор не поддавался. Он заявил, что не позволит ей совершить преступление, и тут же предложил сыграть в домино, чтобы немного отвлечь ее от этой темы.

С некоторой неохотой Габриэлла села к столу, куда профессор уже высыпал черные костяшки домино. В глубине души она тоже понимала, что рассказ удался. Возможно, это одно из лучших ее произведений. Она работала над ним не очень долго, но результат превзошел даже ее ожидания. Правда, чтобы закончить к сегодняшнему вечеру, ей пришлось встать в четыре утра, однако Габриэлла ничуть об этом не жалела. Сегодня к ней впервые пришло настоящее вдохновение: работа шла легко, без малейшего напряжения; слова сами выстраивались именно так, как надо, а сознание того, что она полностью владеет материалом, кружило голову как молодое вино.

Приподнятое настроение не покинуло Габриэллу и на следующий день, когда она вышла на работу после долгого праздничного уик-энда. Баумы заранее решили открыть свое кафе-кондитерскую в понедельник и известили Габриэллу об этом еще накануне Дня благодарения, однако ее это не огорчило. Она так сияла, явившись на работу, что даже хозяин, который обычно никогда не интересовался личными делами Габриэллы, вежливо спросил, как она провела праздники.

Поздно вечером, когда, вернувшись в пансион, Габриэлла собиралась подняться к себе, на звук ее шагов выглянула мадам Босличкова. Она молча поманила девушку пальцем, и в первое мгновение Габриэлла даже испугалась: не случилось ли что с профессором. Сегодня он, как обычно, побывал у нее в кафе и просидел за столиком больше часа. За это время испортилась погода, стало подмораживать, и мокрые тротуары покрылись ледяной коркой. Кое-где тающий снег застывал опасными и скользкими буграми. Габриэлла даже хотела ненадолго отпроситься у Баумов, чтобы проводить профессора, но у него был для этого слишком независимый характер. Язвительно заметив ей, что он пока еще не полный инвалид и в состоянии сам о себе позаботиться, профессор оделся и ушел. Она беспокоилась за него до конца смены.

Но, судя по улыбке мадам Босличковой, новости у нее были скорее хорошими, чем плохими.

— У нас новый постоялец! — с гордостью сообщила она.

Для хозяйки пансиона действительно было большой удачей заполучить нового жильца всего через пару недель после отъезда прежнего — разведенного коммерсанта, который к тому же крайне неаккуратно платил за комнату.

— Поздравляю вас, — ответила Габриэлла, успокоившись по поводу профессора. За короткое время он стал ей самым близким человеком. Габриэлла так много о нем думала и так беспокоилась за его здоровье, что раза два ей снились кошмары, в которых профессору Томасу грозила какая-то опасность.

— Он молод и очень хорош собой, — добавила мадам Босличкова, имея в виду нового жильца, но на Габриэллу это известие не произвело никакого впечатления. Она даже не сразу поняла, почему это так занимает мадам Босличкову. В самом деле, хозяйка сияла так, словно была влюблена в нового пансионера, а он отвечал ей взаимностью.

— Ему двадцать семь лет, и он — очень образованный и прекрасно воспитанный молодой человек, — радостно сообщила мадам. — Тоже учился в колледже.

На этот раз ответная улыбка Габриэллы была несколько напряженной. Молодые люди — вне зависимости от их воспитания, образования и внешних данных — ее нисколько не интересовали.

— Извините, но я очень устала. Доброй ночи, мадам Босличкова, — твердо прервала ее Габриэлла. После нескольких дней отдыха сегодняшняя двенадцатичасовая смена показалась ей чуть не вдвое длиннее обычного. Зато она получила хорошие чаевые, что было немаловажно. Габриэлла была по-прежнему стеснена в средствах. Все, что она зарабатывала, уходило на еду и плату за квартиру. Урезая себя буквально во всем, ей удалось приобрести себе кое-что из одежды. Теплую зимнюю куртку — это давно требовалось при нынешней погоде. Добротную серую юбку и пару свитеров вместо своих до неприличия ветхих платьев. Теперь она одевалась куда лучше, к немалому удовольствию Баумов. После этого денег осталось совсем мало, но Габриэлла, не утерпев, купила себе ожерелье из искусственного жемчуга, которое просто приворожило ее на одной из витрин. Но когда Габриэлла пришла домой и примерила его перед зеркалом, ей вдруг показалось, что она стала до безумия похожа на свою мать. В ужасе Габриэлла хотела выкинуть украшение, но профессор, с которым она поделилась своим страхом, сумел успокоить ее. Внимательно посмотрев на Габриэллу, он со знанием дела заявил, что если она на кого и похожа, то скорее на саму Грейс Келли.

Поднимаясь к себе, Габриэлла думала только о том, что комната, которую теперь занял новый жилец, находится на третьем этаже. Слава богу, ей не придется делить с ним ванную комнату. Пока ванной на четвертом этаже пользовались только Габриэлла и еще три женщины, и она искренне надеялась, что это продлится достаточно долго.

Уже на следующий день, уходя на работу, Габриэлла столкнулась с новым жильцом в нижнем вестибюле. Стоя в дверях, он придерживал дверь для мадам Босличковой, которая входила с улицы с корзинкой зелени и несколькими пакетами. Заметив Габриэллу, он поднял голову и улыбнулся ей.

— Привет, — сказал он. — Меня зовут Стив Портер. Я ваш новый сосед по пансиону.

— Рада познакомиться, Стив, — машинально ответила Габриэлла, с некоторым облегчением подумав о том, что новый жилец не выглядит ни красивым, ни даже особенно привлекательным. У Стива были густые черные волосы и темные глаза на смуглом гладком лице. Благодаря высокому росту он казался худым, но Габриэлла сразу заметила, какие сильные у него плечи и шея. Одежда его была новой, опрятной, даже несколько щеголеватой, однако в его манере держаться было что-то такое, что Габриэлле сразу не понравилось.

В чем, собственно, дело, Габриэлла не поняла. Поразмыслив по дороге в кафе, она решила, что наглость или чрезмерная уверенность в себе, которая так резко отличала Стива от Джо, скорее всего и являлись главной причиной ее неожиданной антипатии к новому жильцу.

Примерно так она и объяснила ситуацию профессору Томасу, когда они в следующий раз сели играть в домино.

— Ну, ну, не надо быть такой занудой, — проворчал он. — По-моему, Стив — вполне приличный парень. Да, он неплохо выглядит, и, по-видимому, это ему известно. Так что с того, Габи? Это вовсе не значит, что он — непременно негодяй.

— И все равно он мне не нравится, — упрямо повторила Габриэлла, и профессор покачал головой.

— Просто ты боишься, — сказал он. — Представь себе, что далеко не все молодые люди умирают или исчезают в неизвестном направлении в самый неподходящий момент. И вовсе не каждый из них — злодей, мечтающий как-то уязвить тебя. Дело не в Стиве Портере, а в твоих страхах.

В его словах, безусловно, был свой резон, но Габриэлла покачала головой и перевела разговор на другое. Но, сколько бы она ни притворялась перед профессором и перед собой, что ее занимает только игра, обоим было ясно, что это не так. Что-то подсказывало профессору, Габриэлла серьезно напугана. Но как тут быть, он не знал. Само присутствие в пансионе Стива Портера вызывало у Габриэллы беспричинный страх. Это было вполне объяснимо, учитывая, что бóльшую часть взрослой жизни она провела в монастыре, но профессор отказывался считать это естественным.

— Пусть Стив тебя не тревожит, — сказал он, стараясь, чтобы его голос звучал как можно мягче и убедительнее. — Что волноваться зря? Возможно, ты сама нисколько его не интересуешь.

Услышав эти слова, Габриэлла вздохнула с явным облегчением, и профессор порадовался про себя, что сумел найти верный ход. В глубине души он все равно рассчитывал, что в конце концов Стив Портер непременно обратит внимание на Габриэллу. Профессору он казался вполне порядочным молодым человеком, а Габриэлле было бы очень полезно, если бы она кем-нибудь серьезно увлеклась. До сих пор она не обнаруживала никакого желания встречаться ни с одним мужчиной, кроме самого профессора Томаса. Это, конечно, льстило его тщеславию, однако вряд ли могло считаться нормальным для молодой женщины. Впрочем, профессор мудро полагал, что самое лучшее в данной ситуации положиться на естественный ход вещей и предоставить молодым людям возможность самим найти друг друга.

Но в последующие недели Габриэлла, казалось, делала все возможное, чтобы избегать встреч со Стивом Портером. Когда же такие встречи все-таки случались, она держала себя с ним вызывающе-холодно, почти оскорбительно, что было для нее совершенно не характерно. Казалось, Габриэлла приберегла для него самые надменные улыбки и самые ледяные взгляды. Впрочем, это замечали все, кроме самого Стива. Он постоянно пребывал в отличнейшем расположении духа, часто шутил, смеялся и оказывал множество мелких услуг всем обитателям пансиона. Так, в преддверии Рождества он на свои деньги купил настоящую живую елку и собственноручно установил ее в гостиной в ведре с сырым песком. Украшения — гирлянды, бусы, серебряные шары и игрушки — приобрел тоже сам он, поскольку мадам Босличкова никогда не тратилась на елки отчасти из соображений экономии, отчасти из боязни задеть религиозные чувства своих постояльцев-евреев.

Но против елки, установленной Стивом, никто не возражал. За исключением одной Габриэллы, остальные жильцы пансиона считали его милым молодым человеком и сочувствовали поискам работы, которым он посвящал все свое свободное время. Как сообщила Габриэлле мадам Босличкова, Стив был высококвалифицированным специалистом по компьютерам. Каждое утро он отправлялся на собеседования в различные компании, к обеду возвращался и, переменив сорочку, снова уходил. Одевался он безупречно и выглядел одинаково элегантно что в костюме, что в спортивной куртке, и все обитатели пансиона втайне надеялись, что рано или поздно Стив понравится Габриэлле. Им казалось, что было бы очень неплохо, если молодые люди подружатся. Но у Габриэллы имелось на этот счет другое мнение. И хотя Стив неизменно был с ней любезен и вежлив, она всем своим видом давала понять, что у нее нет никакого желания общаться с ним даже просто по-соседски.

На самом деле открытость и дружелюбие Стива даже раздражали ее. Что бы он ни сделал, она рассматривала каждый его шаг как попытку к сближению и молча злилась. Но Стив не совершал никаких явных бестактностей, и у Габриэллы не было ни малейшего повода дать ему достойную отповедь.

Незадолго до Рождества Стив купил несколько праздничных веночков, сплетенных из веточек остролиста и перевитых белыми и розовыми лентами, и развесил их на дверях постояльцев. Габриэлла обнаружила этот сувенир, уходя на работу, и чуть не вскрикнула от раздражения и бессильной ярости. Она не хотела быть ничем ему обязанной, она хотела только одного — чтобы Стив оставил ее в покое. Первым ее побуждением было сорвать венок и выбросить его в мусорную корзину, но она понимала, что этот ее поступок будет выглядеть бестактным и грубым. Габриэлла была вынуждена сохранить венок, однако это отнюдь не увеличило ее симпатии к новому постояльцу.

Всю дорогу до кафе она никак не могла успокоиться, так что даже мистер Баум заметил ее состояние. Габриэлла так редко бывала в плохом настроении, что он не осмелился спросить, что случилось, и лишь шутливо заметил, что сегодня она, дескать, выглядит не то чтобы очень счастливой.

Впрочем, особого внимания он на это не обратил. До Рождества оставалась всего неделя, и близость праздников начинала влиять на людей не лучшим образом. Сам мистер Баум любил Рождество, однако ему было хорошо известно, что большинством американцев овладевает своего рода рождественский психоз. Самые приличные и сдержанные люди, задерганные множеством забот и беготней по магазинам, становились агрессивными или, наоборот, подавленными, многие переставали держать себя в руках.

Работы в кафе в эти предпраздничные дни было предостаточно. Количество посетителей заметно возросло, но это были не те завсегдатаи, которые в обычные дни чинно сидели за столиками и степенно переговаривались за чашкой чая с пирожными. Сейчас большинство посетителей были незнакомцы. Они забегали в кафе, торопливо проглатывали заказанное и стремительно исчезали. Многие приходили сюда покупать пряничные домики, которые миссис Баум пекла каждый год перед Рождеством. Домики у нее получались очень красивыми; несколько штук было выставлено в витрине, и одно это увеличивало число посетителей кафе чуть ли не вдвое.

Сегодняшний день тоже не был исключением. У прилавка постоянно толклось человек пять покупателей с детьми, которые выбирали себе самый красивый домик, и воздух в кафе то и дело оглашался их радостно-восхищенными голосами. В самом деле, пряничные домики выглядели чудесно. Их крыши были облиты глазурью или посыпаны, как снегом, сахарной пудрой, а сами домики были разукрашены цукатами, сухофруктами и шоколадом. В свободные минуты Габриэлла тоже любила их рассматривать, размышляя о том, что в детстве у нее никогда не было ничего подобного. Рождество всегда означало для нее только дополнительные придирки и безжалостные побои, на которые Элоиза была особенно щедра в предпраздничные дни.

Габриэлла как раз вспоминала одно такое Рождество, когда ее мать была особенно на взводе из-за того, что сломала ноготь, как вдруг заметила вошедшую в кафе женщину с маленькой девочкой, одетой в короткую беличью шубку. Девочка возбужденно подскакивала то на одной, то на другой ноге и, указывая на один из испеченных миссис Баум пряничных домиков, громко выкрикивала:

— Вот этот, мама! Я хочу вот этот!..

На вид девочке было лет пять. Мать держала ее за руку и время от времени наклонялась к ней и что-то раздраженно шипела, но девочка не успокаивалась.

Когда подошла их очередь, девочка запрыгала с удвоенной энергией и захлопала руками в красных митенках. На голове у нее красовалась остроконечная красная шапочка с серебряным бубенчиком. Кафе тут же наполнилось веселым звоном, в котором, как показалось Габриэлле, было заключено все волшебство рождественских праздников. Но не успела Габриэлла порадоваться тому, что хотя бы эта крошка получит сегодня свой рождественский пряник, как девочка оступилась и неловко шлепнулась на пол.

В следующее мгновение женщина наклонилась и, схватив дочь за руку, резким рывком поставила ее на ноги. Колокольчик жалобно звякнул, и девочка, вскрикнув от боли, схватилась за локоть.

— Сколько раз я тебе говорила, чтобы ты прекратила безобразничать! — закричала женщина. — Теперь ты получила по заслугам. А если будешь хныкать, Элисон, я тебе еще всыплю!

Услышав эти слова, Габриэлла как вкопанная замерла на месте. Забыв о клиентах и заказах, она стояла и смотрела на женщину и девочку, которая плакала, вытирая слезы красной варежкой. Интонация, выражение лица женщины, слова «я тебе еще всыплю» были слишком хорошо знакомы Габриэлле, чтобы она могла пропустить их мимо ушей. В голосе женщины не было обычного раздражения матери, задерганного капризами избалованного ребенка, — в нем было что-то по-змеиному опасное, злобное — такое, отчего в душе Габриэллы шевельнулся уже почти забытый холодок страха.

Между тем Элисон продолжала плакать, и Габриэлла, посмотрев на нее повнимательнее, обратила внимание на то, как девочка осторожно придерживает руку, за которую мать подняла ее с пола. Похоже, рука была вывихнута в локте; Габриэлла хорошо знала, как это бывает. Так больно! Однажды Элоиза точно так же вывихнула ей руку, но, к счастью, отец был дома. Он быстро вправил вывих, потом пошел к Элоизе и, обругав ее последними словами, исчез на всю ночь. После этого мать взялась за Габриэллу всерьез и даже подбила ей глаз, что во обще-то было редкостью. Элоиза старалась на оставлять столь явных синяков, которые каждый мог увидеть.

Элисон всхлипывала все громче и громче, и красивое лицо ее матери стало багрово-красным от гнева. Она как раз собиралась шлепнуть девочку пониже спины, когда Габриэлла, отставив в сторону поднос, решительным шагом подошла к ним.

— Прошу прощения, мисс, — негромко сказала она, — но мне кажется, у вашей дочери вывихнута рука.

— Не говорите глупости! — отрезала женщина. — С ней все в порядке, она просто капризничает. Нужен тебе пряничный домик или нет? — обратилась она уже к Элисон, но та только жалобно скулила, и мать с такой силой дернула ее за воротник беличьей шубки, что у девочки громко лязгнули зубы.

— Прекрати немедленно, Элисон! — заорала ее мать. — Иначе я прямо здесь спущу тебе штанишки и отшлепаю по голой заднице!

— Вы не сделаете этого! — сказала вдруг Габриэлла с уверенностью, какой она сама от себя не ожидала. Кровь бросилась ей в голову, и она шагнула вперед, заслонив собой Элисон. Габриэлла чувствовала, что эта женщина вполне способна привести свою угрозу в исполнение, и готова была помешать ей во что бы то ни стало.

— Это еще что такое?! — раздраженно спросила женщина. — Вас совершенно не касается, как я воспитываю свою дочь. Кто вы вообще такая?

Слово «воспитываю» подействовало на Габриэллу как удар хлыста. Оно словно открыло в ней какие-то шлюзы, и воспоминания, нахлынувшие на нее, заставили Габриэллу забыть, что она всего-навсего официантка в третьеразрядном заведении, а перед ней стоит дама в дорогой норковой шубке, скорее всего заглянувшая в кафе случайно по пути с Мэдисон-сквер на Парк-авеню[1].

— Вы не воспитываете ее, — ответила Габриэлла голосом, который ей самой показался незнакомым. — Вы мучаете и унижаете дочь при всех. Это с вас надо снять штанишки и выпороть за то, что вы так обращаетесь с ребенком. Вы кричите на девочку вместо того, чтобы извиниться перед ней и вправить ей ручку. Ведь вы вывихнули ей локоть — снимите с девочки шубку, и вы сами в этом убедитесь!

Услышав подобное обвинение, богатая мамаша величественно повернулась к мистеру Бауму.

— Кто эта девчонка? — спросила она презрительно. — Как она смеет разговаривать со мной в подобном тоне?

С этими словами она попыталась схватить дочь за вывихнутую руку, но как только ее пальцы коснулись девочки, бедная Элисон закричала так громко и жалобно, что у Габриэллы едва не разорвалось сердце.

Не думая о последствиях, она оттолкнула женщину в сторону и присела перед Элисон на корточки. Расстегнув крючки, Габриэлла ловко сняла шубку и сразу увидела, что она была права — поврежденная рука девочки бессильно повисла, а кисть была повернута к телу под прямым углом.

— Не смейте прикасаться к моему ребенку! — взвизг-

---

[1] Мэдисон-сквер и Парк-авеню — улицы в Нью-Йорке, где расположены самые фешенебельные и дорогие магазины.

нула дама. — Эй, кто-нибудь! Вызовите-ка полицию — пусть они приедут и арестуют эту нахалку!..

Габриэлла посмотрела на нее через плечо. Еще никогда в жизни она не испытывала такой ярости.

— Да-да, позвоните в полицию, — прошипела она. — Пусть они приедут, и я расскажу им, что вы сделали со своей дочерью. Быть может, если вас упрячут на пару месяцев за жестокое обращение с ребенком, впредь вы будете поосторожнее. А сейчас — заткнитесь, пока я сама вас не отшлепала!

У дамы от неожиданности отвисла челюсть. Воспользовавшись ее замешательством, Габриэлла повернулась к девочке и, бережно взяв за руку, проделала то же самое, что когда-то делал ее отец. Резко повернув предплечье вокруг своей оси, она сильно дернула руку девочки вниз. Раздался отчетливый хруст, и Габриэлла на мгновение испугалась, что по неопытности могла сломать Элисон руку, но все обошлось. Сустав встал на место, и уже через пару секунд девочка перестала плакать и улыбнулась сквозь слезы своей спасительнице.

В следующее мгновение мать Элисон тоже пришла в себя. Выхватив из рук Габриэллы шубку девочки, она накинула ее на плечи дочери и ринулась к дверям, волоча Элисон за собой. На полдороге она остановилась и крикнула, обернувшись к Габриэлле:

— Если вы еще раз хоть пальцем прикоснетесь к моей девочке, я вызову полицию и добьюсь, чтобы вас арестовали!

Габриэлла почувствовала, как ее пальцы невольно сжались в кулаки.

— А если вы еще раз хоть пальцем прикоснетесь к своей дочери, и я это увижу, — ответила она, — я сама подам на вас в суд, и тогда посмотрим, кого из нас арестуют!

Никакой благодарности она, разумеется, не ожидала. Габриэлла была рада лишь тому, что ей удалось помочь маленькой девочке и помешать матери избить и унизить ее на глазах множества посторонних людей. Но Элисон снова плакала — на этот раз потому, что ей так и не купили обещанного пряничного домика.

— Но мамочка, — всхлипывала она. — Ты же обещала!..

— Не будет тебе никакого домика, Элисон! — взорвалась дама. — Ты безобразно себя вела и должна быть наказана. Сейчас мы пойдем прямо домой, и я расскажу папе, что ты тут устроила. Пусть он тебя отшлепает за то, что ты опозорила свою семью перед столькими людьми. Из-за тебя я чуть со стыда не сгорела!

Она смотрела только на дочь и не видела вытянувшихся лиц покупателей, которых ее поведение по-настоящему потрясло. Красивая, богато и изысканно одетая женщина обращалась со своей маленькой дочерью как со злейшим врагом. Это заставило многих растеряться. Во всем кафе Габриэлла была, наверное, единственным человеком, которому подобное отношение матери к собственному ребенку не было в новинку.

— Но мне было больно! — горестно воскликнула Элисон, оглядываясь на Габриэллу в поисках поддержки и защиты. По ее глазам было видно, что эта незнакомая тетя была первым в ее жизни человеком, который заступился за нее столь решительно. Габриэлла невольно вспомнила Марианну Маркс. Когда-то она дала примерить свою алмазную диадему маленькой Габриэлле, которая так мечтала быть ее дочерью. Теперь вот Габриэлла сама очутилась в роли Марианны, но, в отличие от нее и от многих других людей, которые почти не замечают чувств, разбуженных ими в израненных душах забитых и запуганных детей, Габриэлла слишком хорошо понимала, что ощущает сейчас маленькая Элисон.

Видя, как дама в мехах, таща за собой дочь, вылетает за дверь кафе, Габриэлла прекрасно представляла себе дальнейшее. Дама будет всю дорогу шипеть сквозь стиснутые зубы, что девочка не получила пряничный домик только из-за своего омерзительного поведения. Конечно, она отвратительная, гадкая, непослушная девчонка и заслужила любое наказание. Вот если бы она вела себя хоть капельку приличнее.

От этих мыслей Габриэллу буквально затошнило. Она поспешно отвернулась от закрывшейся за матерью и дочерью двери кафе. И вдруг столкнулась со взглядом побелевших от ярости глаз мистера Баума. Хозяин кафе, к которому присоединилась и миссис Баум, был до предела возмущен дерзостью своей работницы. Им еще никогда не случалось присутствовать при сцене, подобной той, что только что разыгралась на их глазах. О, как они негодовали на Габриэллу. Мало того, что она поставила их в неловкое положение, так еще и испортила безупречную репутацию заведения. Кроме того, один из пряничных домиков миссис Баум остался непроданным. Сам мистер Баум, наблюдавший за столкновением, пришел к выводу, что у Габриэллы, несомненно, что-то не в порядке с психикой. Была такая минута, когда он почти не сомневался, что Габриэлла вот-вот бросится на женщину в норковом манто с кулаками.

И действительно лишь огромным усилием воли Габриэлле удалось взять себя в руки и не ударить женщину по лицу хотя бы просто для того, чтобы она на своей шкуре почувствовала, каково это. Сама она всей кожей помнила удары, которыми осыпала ее мать, ту почти невыносимую боль и страшную ватную тишину, которая внезапно навалилась на нее, когда мать повредила ей барабанную перепонку.

— Снимите ваш фартук, мисс Харрисон, — прошипел мистер Баум, протягивая вперед руку, — вы уволены.

Его жена кивнула в знак того, что поддерживает решение мужа. Габриэлла, развязав тесемки, медленно сняла фартук и протянула хозяину. Остальные официантки и клиенты в молчании наблюдали за этой сценой.

— Мне очень жаль, мистер Баум, — негромко проговорила Габриэлла. Она вовсе не собиралась ни объясняться, ни спорить с ним. О своем поступке она не жалела, хотя это и стоило ей места. Она должна был вступиться за маленькую, беззащитную девочку, у которой в целом свете не было никого, кто любил бы и баловал ее — только мать и отец, которые «воспитывали» ее, учили «дисциплине» и «правилам приличного поведения».

— Вы не имели никакого права вмешиваться, — сердито сказал Баум и отвел глаза. — Это ее дочь, и она может воспитывать ее, как считает нужным. Вас это не касается. Никто не должен вставать между родителями и их детьми, потому что...

Дальше Габриэлла не слушала. Мистер Баум лишь повторял то, что считал непреложной истиной весь мир — тот самый мир, который позволял родителям безнаказанно избивать и калечить своих детей. Эти люди выходили из своей спячки лишь тогда, когда какой-нибудь несчастный ребенок оказывался убит или жестоко изуродован. Тогда они начинали возмущаться и требовать самого сурового приговора родителям-садистам. Но вскоре общественность успокаивалась. Матери и отцы снова получали полную, ничем не ограниченную свободу истязать и мучить своих чад. И опять никто не мог защитить несчастных детей, которые со страхом ложились и со страхом вставали. Лишь немногие — те, кто испытал это на себе, кто не сломался и был достаточно смел — могли позволить себе открыто вмешиваться в отношения между родителями и детьми, действуя на свой страх и риск, вопреки мнению трусливого большинства, которое — как супруги Баумы — считало, что «это никого не касается».

— Вы сами видели, что эта женщина сделала со своей дочерью, — твердо возразила Габриэлла хозяину. — А что, если бы она убила Элисон здесь, прямо на ваших глазах, в вашем замечательном кафе? Может быть, она убьет свою девочку, когда вернется домой? Что вы будете делать, если прочтете об этом в завтрашних газетах? Будете продолжать принимать эту женщину и продавать ей пряничные домики? Вы скажете, что вы не знали?.. Вы все знали, мистер Баум! И вы, и все! Мы видим это каждый день, но проходим мимо, потому что это не наше дело. Мы просто не хотим этого замечать. Такие вещи пугают нас, смущают наши нежные души, и мы не вмешиваемся, потому что боимся последствий. Но что будет с ребенком, мистер Баум? Этой девочке было больно. Это ей, а не вам, не мне и не миссис Баум вывихнула руку хорошо одетая, состоятельная женщина, которую даже матерью не назовешь. Неужели вы на ее стороне?!!

— Уходите из моего кафе, Габриэлла, — сказал мистер Баум, продолжая смотреть куда-то мимо нее. — Уходите и не возвращайтесь. Вы сумасшедшая, и вы... вы безответственный и опасный человек.

Он повернулся к клиентам, которые тоже хотели поскорее забыть все, что только что произошло на их глазах.

— Надеюсь, я действительно могу быть опасна для тех, кто бьет и унижает своих детей, — спокойно произнесла Габриэлла. — И для тех, кто способен равнодушно на это смотреть — тоже. Именно те, кто закрывает глаза и отворачивается, представляют настоящую опасность, — добавила она, глядя на сидевших за столиками посетителей, которые, как и мистер Баум, старательно глядели в сторону.

Никто ничего ей не ответил. Габриэлла, круто повернувшись на каблуках, направилась к дверям кафе, где висела на вешалке ее куртка. Только сейчас она увидела, что у одного из столиков стоит профессор Томас. Очевидно, он вошел, когда девочка начала плакать, и поэтому Габриэлла его не заметила.

Из кафе они вышли вместе.

— Вы все видели? — шепотом спросила у него Габриэлла. Теперь, когда все было позади, силы неожиданно оставили ее, и она чуть не плакала. Ее куртка из толстой верблюжьей шерсти была очень теплой, но, несмотря на это, Габриэллу знобило. Слишком велико было нервное напряжение.

— Я все видел, — подтвердил профессор и, взяв Габриэллу под руку, повел ее прочь от кафе. Ему хотелось сказать, что он еще никогда никем так не восхищался, но отчего-то в горле у него встал комок, и профессору потребовалось некоторое время, чтобы совладать со своими эмоциями.

— Ты замечательный человек, Габи, — промолвил он наконец. — И я очень рад, что мне выпало счастье познакомиться с тобой. То, что ты делала и говорила, было просто великолепно. Большинству людей один-два шлепка, которыми мать награждает своего ребенка, кажутся чем-то совершенно обыденным, не стоящим внимания.

Но ты, похоже, разбираешься в этих вещах гораздо лучше, чем многие...

— Они просто боятся, — печально возразила Габриэлла, прижимаясь к профессору, словно ища у него защиты. — Притвориться, будто ничего не замечаешь, гораздо легче, чем просто встать и сказать, что думаешь. Мой отец все время так поступал. Он делал вид, будто ничего особенного не происходит. Он позволял матери делать все, что ей хотелось, и никогда не вмешивался.

Впервые она заговорила с профессором о своем детстве, и даже по этим нескольким словам он сразу понял, что за этим стоит печальная, трагическая история. И ему показалось, что Габриэлла почти готова рассказать ему все.

— Так вот, значит, чем это обернулось для тебя, — проговорил он грустно. У него никогда не было своих детей, и все, чему профессор Томас только что стал свидетелем, не укладывалось у него в голове. Он не понимал, как можно быть таким жестоким и равнодушным по отношению к собственному сыну или дочери.

— Гораздо хуже, — честно призналась Габриэлла. — Мать избивала меня так, что я порой просто теряла сознание, а отец... Он просто смотрел и молчал. Наверное, меня спасло то, что мать в конце концов оставила меня в монастыре, чтобы во второй раз выйти замуж. С отцом они уже развелись, так что я была единственным препятствием на ее пути к свободе. Но десять лет жизни с матерью дорого мне обошлись. Одним ухом я почти ничего не слышу, вся голова у меня в шрамах, несколько ребер сломано. Я перенесла несколько сотрясений мозга, о которых никто не знает, потому что мать не вызывала ко мне врача, даже когда я теряла сознание от побоев. Она просто оставляла меня валяться там, где я упала, а потом снова наказывала меня, если я пачкала кровью паркет или ковер. Мать в конце концов забила бы меня до́ смерти. Теперь я это понимаю и не устаю благодарить судьбу за то, что ей пришло в голову оставить меня в монастыре и уехать. В Калифорнию... — добавила Габриэлла, припомнив ту ложь или, вернее, полуправду, к которой она прибегла, когда знакомилась с профессором и другими соседями по пансиону.

— О боже! — воскликнул профессор Томас, который неожиданно почувствовал себя очень старым. Ему было трудно даже представить себе тот кошмар, в котором Габриэлла жила целых десять лет, однако он верил каждому ее слову. История, которую он только что выслушал, объясняла многое в ее поведении. Теперь профессор понимал, почему Габриэлла так осторожна при встречах с новыми людьми, почему держится так замкнуто и так сильно скучает по своему монастырю. Понимал он и то, почему многие люди, которым приходилось сталкиваться с ней, считали ее сильной. Габриэлла и впрямь была наделена особой силой духа, которая позволила ей бросить вызов аду и победить. Несмотря на физические и душевные страдания, она сумела уцелеть — именно уцелеть, то есть остаться цельной, несломленной натурой. Вопреки всем усилиям матери, дух девочки закалился и окреп. Обо всем этом профессор поспешил сказать ей, пока, скользя по обледенелым тротуарам, они шли к пансиону мадам Босличковой.

— Наверное, именно поэтому мать так сильно меня ненавидела, — сказала Габриэлла, гордясь тем, что не испугалась заступиться за маленькую Элисон. Пусть это стоило ей работы, однако Габриэлла знала, что могла бы рискнуть и бо́льшим. — Она почувствовала, что не может меня одолеть. Теперь я точно знаю, что она хотела убить меня, но боялась!

— О матерях так обычно не говорят, — вздохнул профессор. — Это... это совершенно ужасно, но я верю тебе и нисколько не осуждаю. Кстати, — добавил он озабоченно и нахмурился, — с тех пор как твоя мать уехала в Калифорнию, она не пыталась связаться с тобой, найти тебя?

Габриэлла покачала головой.

— Нет, насколько я знаю. Я даже не уверена, по-прежнему ли она живет в Сан-Франциско, или перебралась куда-нибудь в другое место.

— Вот и хорошо! — с чувством сказал профессор. — И ты тоже не должна разыскивать свою мать. Никогда.

Она причинила тебе столько страданий, что хватило бы на несколько жизней. Возможно, твоя мать была просто больна, но твоего отца я совершенно не понимаю. Как он мог допустить все это? Почему он не вмешался? Почему, наконец, не забрал тебя к себе?

И профессор недоуменно покачал головой. Он действительно не понимал. Дикие звери вели себя по отношению к своим детенышам лучше, чем мать и отец Габриэллы.

А Габриэлла и сама не знала ответов на эти вопросы. Они до сих пор ставили ее в тупик, хотя порой ей казалось, что она начинает кое-что понимать. Но все было так неясно, так смутно и вместе с тем — так просто и безобразно, что она не отваживалась назвать вещи своими именами даже наедине с собой. Тем временем они подошли к пансиону, и профессор, продолжая придерживать Габриэллу за локоть, галантно отворил перед ней входную дверь.

Первой, кого они встретили в вестибюле, была миссис Розенштейн. Увидев входящих в пансион Габриэллу и профессора, она озабоченно нахмурилась. Габи еще никогда не приходила с работы так рано. Миссис Розенштейн решила, что профессору стало плохо в кафе. Вероятно, девушка решила проводить его домой.

— Все в порядке? — спросила миссис Розенштейн, в тревоге переводя взгляд с профессора на Габриэллу и обратно.

— Все в порядке, миссис Розенштейн, не тревожьтесь, — поспешила успокоить ее Габриэлла. — Просто меня уволили. С треском.

Она больше не дрожала, но в ее голосе звучало такое странное спокойствие, что профессор, выпустив ее локоть, поспешил подняться к себе в квартиру, где у него «на всякий пожарный случай» хранилась бутылочка бренди.

— За что?! — ахнула миссис Розенштейн, поднося к щекам сразу обе руки. — Чем вы могли не угодить хозяину, Габи?! Эта немецкая сосиска никогда мне не нравилась, — честно добавила она, — но я надеялась, что к вам, американке, он будет относиться без предубеждения!

Она была так возмущена и взволнована, что даже отказалась от рюмки бренди, предложенной вернувшимся профессором. Впрочем, профессор с удовольствием выпил сам.

— Дело не в предубеждении, — улыбнулась Габриэлла. Она тоже выпила рюмку бренди и неожиданно почувствовала себя сильной и свободной, хотя крепкий напиток обжег ей язык. Достигнув желудка, он взорвался там словно небольшая атомная бомба, и Габриэлла почувствовала, как по ее жилам ползет медленное, приятное тепло.

— Герр Баум никогда бы меня не уволил, если бы я не пообещала публично отшлепать одну из покупательниц, — сказала она и снова улыбнулась. Все происшедшее неожиданно показалось ей чрезвычайно смешным, хотя и она, и профессор отлично знали, что на самом деле проблема была очень серьезной.

— Боже мой! — воскликнула миссис Розенштейн. — Габи, девочка, я никогда не поверю, что вы нахамили клиентке! Несомненно, это она первая вас оскорбила. А может... — Тут она прищурилась и нацелила на Габриэллу длинный тонкий палец с наманикюренным ногтем. — Может быть, это была не клиентка, а клиент, который позволил себе, гм-м... распускать руки?

— Я вам все объясню, миссис Розенштейн, — вмешался профессор, который не спеша опрокинул еще рюмочку. — Только не сейчас, а несколько позднее, хорошо?

Но не успела миссис Розенштейн ответить, как на шум в вестибюль выглянула мадам Босличкова.

— Что случилось? — осведомилась она. — У вас что, вечеринка? А почему меня не пригласили?

— Да, мадам Босличкова, мы празднуем! — ответила Габриэлла и рассмеялась, чувствуя себя беспричинно веселой. Несомненно, тут сыграло свою роль и бренди профессора, но главным было другое. Сегодняшний вечер дался ей нелегко, но теперь, когда все было позади, Габриэлла чувствовала, что стала еще чуточку сильнее.

— Что это такое вы празднуете в моем пансионе? — с улыбкой поинтересовалась хозяйка. — По-моему, до Рождества еще несколько дней.

— Я только что потеряла работу, — ответила Габриэлла и хихикнула.

— Она пьяна? Это вы ее напоили? — Мадам Босличкова с укором взглянула на профессора.

— Поверьте, мадам Босличкова, Габриэлла вполне заслужила эту капельку бренди, — любезно ответил профессор и вдруг хлопнул себя по лбу, припомнив, что у них есть еще одна причина для веселья. Собственно говоря, и в кафе-то он отправился для того, чтобы сообщить Габриэлле приятную новость, но сцена, невольным свидетелем которой он стал, заставила его напрочь обо всем позабыть. Теперь же профессор вытащил из внутреннего кармана пиджака длинный голубой конверт и, многозначительно глядя на Габриэллу, с учтивым поклоном протянул его девушке. Ему было несколько неловко от того, что он мог забыть о такой важной вещи, но его до некоторой степени извиняло то, что письмо пришло слишком скоро. Профессор ждал его по крайней мере через месяц.

— Прочти это, Габи, — сказал он и подмигнул. — Если, конечно, ты не настолько пьяна, чтобы не различать английские буквы.

Чтобы подыграть ему, Габриэлла с преувеличенной осторожностью сильно пьяного человека вскрыла конверт и развернула письмо. На самом деле бренди почти на нее не подействовало, хотя она пила его впервые в жизни. Она чувствовала только приятное тепло, но и только. И вдруг буквы и в самом деле запрыгали у нее перед глазами.

— О боже! — вырвалось у нее. — Как вы это сделали, профессор?!

Она повернулась к нему и вдруг заскакала на месте как девочка, получившая неожиданный, но долгожданный подарок.

— Что это? — немедленно спросила мадам Босличкова, сдвигая очки на кончик носа. — Наша Габриэлла выиграла по билету Ирландского скакового кубка[1]?

— Лучше, гораздо лучше!.. — воскликнула Габриэлла, поочередно обнимая хозяйку, миссис Розенштейн и профессора. — Милый, милый мистер Томас! Я просто не знаю, как я вам благодарна! — проговорила она, задыхаясь от счастья и волнения.

Старый профессор сиял как новенький десятицентовик. Дело было в том, что он, тайком от Габриэллы, послал ее последний рассказ в «Нью-йоркер», и редакция согласилась напечатать его в мартовском номере журнала. (Содержание письма, не вскрывая конверта, он узнал очень просто. Позвонив в редакцию и представившись литературным агентом мисс Харрисон, профессор спросил, нет ли какой ошибки в полученном на ее имя письме, на что раздраженный женский голос ответил, что никакой ошибки нет и что чек на сумму одна тысяча долларов будет выслан ей по почте в ближайшее время.) Конечно, профессор поступил с рассказом несколько вольно, однако он знал, что сама Габриэлла никогда бы на это не решилась. Зато теперь она стала самой настоящей писательницей, и все это — благодаря ему.

— Как я могу отблагодарить вас, дорогой мой мистер Томас? — спросила Габриэлла, все еще прижимая письмо к груди. Ответ из журнала подтверждал все, что говорили ей и профессор, и матушка Григория. Они были правы — у Габриэллы действительно был талант. Она и в самом деле могла! Теперь это стало очевидно и самой Габриэлле.

— Отблагодарить?.. — Профессор сделал строгое лицо. — Единственная благодарность, которую я приму от тебя, Габи, это новые рассказы. Я могу даже стать твоим литературным агентом, если, конечно, ты не пожелаешь обратиться к профессионалу.

Разумеется, это была шутка: профессор понимал, что Габриэлле пока не нужен никакой агент. Но вместе с тем он знал, что когда-нибудь — и, возможно, очень скоро —

---

[1] Ирландский кубок — разновидность лотереи, в которой, как считается, невозможно выиграть.

настанет такое время, когда литературные агентства будут драться за право представлять новую звезду. У Габриэллы было все необходимое, чтобы стать знаменитой писательницей, — профессору это стало ясно, как только он прочел первые несколько страниц ее прозы.

— Вы можете быть моим агентом, редактором, директором — кем угодно! — воскликнула Габриэлла, не в силах совладать со своим восторгом. — Боже, боже мой! Я еще никогда не получала такого замечательного рождественского подарка!

Она уже забыла о том, что потеряла работу и что впереди ее снова ждали неизвестность и долгое обивание порогов. Габриэлла чувствовала себя настоящей писательницей. Не все ли ей теперь равно, станет ли она пока мыть полы или перебирать грязные тарелки.

В этот день они с профессором допоздна засиделись в гостиной. Остальные обитатели пансиона, поздравив Габриэллу с успехом, уже давно разошлись по комнатам, а они все говорили и говорили, обсуждая происшествие в кафе и то, что оно значило для Габриэллы. Потом от прошлого они перешли к будущему. Профессор убеждал ее, что если она изберет карьеру профессионального писателя, то сможет добиться на этом поприще больших успехов. Габриэлла призналась, что хотела бы работать в этом направлении, хотя ее прельщал не столько успех, сколько возможность свободно творить и приносить людям радость своими рассказами. И, самое главное, Габриэлла поверила в то, что у нее все получится. И залогом этого было письмо из «Нью-йоркера», которое она ни на минуту не выпускала из рук.

Когда они наконец расстались и Габриэлла поднялась в свою комнату, она все еще размышляла о своем неожиданном успехе. Потом ей вспомнился Джо. Как бы он сейчас гордился ею. Если бы все повернулось иначе, они, возможно, уже были бы женаты и жили в какой-нибудь крошечной квартирке — голодные, но счастливые, как дети. Сейчас они готовились бы встретить свое первое Рождество, и она была бы на пятом месяце беременности. Но жизнь, увы, распорядилась иначе. Или, вернее, не жизнь, а Джо, который отказался бороться за их трудное счастье.

И внезапно Габриэлла поняла, в чем заключается основная разница между ними. Джо не был бойцом. Габриэлла всерьез сомневалась в том, что, окажись он в числе участников сегодняшней сцены в кафе, он попытался бы защитить маленькую девочку от ее матери. Разумеется, Джо был мягким, добрым, глубоко порядочным человеком, но жизнь во всех ее жестоких проявлениях слишком пугала его. Именно поэтому в решающий момент ему не хватило мужества и отваги, чтобы преодолеть свой страх и стать свободным. И, наверное, еще ему не хватило любви, любви к ней.

Но, даже понимая все это, Габриэлла не могла его ненавидеть. Напротив, ей казалось, что, как бы ни повернулась ее дальнейшая жизнь, она всегда будет помнить и любить Джо — своего первого мужчину с мягкими, теплыми, но слабыми руками и с печальными глазами, которые смотрели, но не видели.

Размышляя так, Габриэлла подошла к окну своей крошечной комнаты и отдернула шторы. Ее лицо отражалось в темном стекле, за которым кружилась легкая метель и мерцали городские огни, но она видела перед собой только лицо Джо. Оно вставало перед ней как живое, и Габриэлле захотелось поцеловать его. Она очень хорошо помнила эти голубые глаза, эту широкую улыбку, пушистые, как у женщины, ресницы и теплые губы, поцелуи которых она все еще ощущала на своей коже. Но когда Габриэлла подняла руку, чтобы коснуться Джо, ее пальцы уперлись в холодное стекло, за которым падал снег и качалась под ветром ночная мгла.

И Габриэлла внезапно поняла одну важную вещь. Джо оставил ее, но она не умерла. Она снова выжила и намерена была жить дальше. Но, главное, впервые за свои двадцать три года она смотрела в будущее не со страхом, а с надеждой.

Глава 18

За два дня до Рождества Габриэлла зашла в большой книжный магазин на Третьей авеню, чтобы подыскать подходящий подарок для профессора Томаса. Ей хотелось купить ему книгу, которой еще не было на переполненных полках в его крошечной квартирке.

С поисками нового места она решила подождать. После рождественских каникул будет больше шансов найти подходящую работу. Тем более деньги у нее были. Баумы полностью рассчитали ее и даже выдали небольшую премию, к тому же еще в прошлом месяце Габриэлла сумела отложить некоторую сумму, чтобы заплатить за пансион. Но сейчас она решила, что имеет полное право ее потратить. Правда, чек из «Нью-йоркера» еще не пришел, но Габриэлла ожидала его в самое ближайшее время. По ее расчетам, тысячи долларов должно было хватить ей месяца на два. Неужели за это время ей не удастся найти себе новое место?

Подарки соседям по пансиону Габриэлла уже купила. Стараясь представить, кому что понравится, она приобрела очень удачные вещицы. Миссис Розенштейн получила полфунта красивой шерстяной пряжи, мадам Босличкова — набор ниток и иголок, остальным тоже достались премилые сувениры. А что касается Стива Портера, Габриэлла сочла, что знает его недостаточно хорошо, и нечего дарить ему.

Ей очень хотелось послать какой-нибудь подарок матушке Григории, но она знала, что настоятельница его не примет. Габриэлла была уверена, что настоятельница любит ее по-прежнему. Но монастырская этика запрещала настоятельнице как-либо общаться с изгнанной из обители послушницей. Габриэлла решила, что, когда ее рассказ будет опубликован, это само по себе доставит радость матушке Григории. И возможно, удастся отправить настоятельнице номер «Нью-йоркера», не накликав на нее неприятностей.

По совести сказать, лучшего подарка настоятельнице

Габриэлла не могла и придумать. Она знала, матушка Григория будет счастлива узнать, что ее воспитанница пошла по верному пути и добилась успеха. Габриэлла любила и помнила старую монахиню, и ей было тяжело думать, что это Рождество они встретят врозь. Но с этим уже ничего нельзя было поделать.

На пороге магазина Габриэлла огляделась. Все пространство вокруг занимали стеллажи с новыми книгами, однако в глубине торгового зала она отыскала букинистический отдел, где продавались старые, переплетенные в кожу фолианты и редкие первые издания. Многие из них выглядели весьма потрепанными, но было в них свое особое очарование, которое Габриэлла тотчас же почувствовала. Но, увидев наконец цены, она чуть не повернула восвояси. Один средней толщины фолиант, переплетенный в потрескавшуюся телячью кожу с позеленевшими бронзовыми застежками, стоил несколько тысяч долларов. Габриэлла, вздохнув, стала искать что-нибудь подешевле.

В конце концов ей повезло. На одной из полок она отыскала очень старый трехтомник одного автора, имя которого старый профессор часто приводил ей в пример. Этот подарок должен был ему понравиться. Габриэлла едва совсем не разорилась, но была полна решимости купить именно это. Впрочем, книги были в хорошем состоянии, хотя даже Габриэлле было совершенно ясно, что когда-то их читали и перечитывали не один раз.

— Вы сделали отличный выбор, — заметил ей молодой англичанин, который сидел за кассой. — Я купил этот трехтомник в Лондоне еще год назад и привез сюда в расчете, что он уйдет в первый же день, но американцы, видно, не так хорошо разбираются в книгах, как мне казалось. — Тут он слегка усмехнулся. — Это очень редкое и дорогое издание. Мне даже пришлось снизить цену, но все равно никто не хотел его покупать.

— Для меня это тоже дороговато, — призналась Габриэлла, наконец-то отсчитавшая нужную сумму. Теперь она так гордилась собой, что решила немного поболтать с молодым человеком и поподробнее выяснить достоинства только что купленных книг.

— Вообще-то это подарок для одного профессора английской литературы, — призналась она. — Он очень любит именно этого автора, и я решила порадовать его.

— Значит, вы студентка? — отчего-то обрадовался молодой человек, но Габриэлла смущенно покачала головой.

— Я пока никто, — ответила она. — У меня даже нет работы. Но литературу я люблю.

Сначала она не хотела говорить о том, что собирается стать писательницей, но молодой человек каким-то непостижимым образом догадался об этом и пришел в необыкновенное волнение.

— Скажите, вы уже печатались? Где? — спросил он, и Габриэлле пришлось снова покачать головой.

— Я еще только начинаю, — объяснила она. — Мой рассказ, возможно, появится в «Нью-Йоркере» в марте месяце, и все это — благодаря тому человеку, для которого я купила эти книги. Он — мой самый большой друг.

— Понимаю, — кивнул молодой человек и тут же, слегка покраснев, признался Габриэлле, что в свободное время тоже пописывает. Например, сейчас он работает над своим первым романом.

— Я пока пишу только рассказы, — улыбнулась Габриэлла. — Даже не знаю, хватит ли у меня смелости замахнуться на что-то большее. Мне кажется, это так сложно...

— Вы непременно должны попробовать себя во всех областях, — убежденно сказал молодой человек. — У вас получится, вот увидите. Впрочем, конечно, вам самой решать, быть ли профессиональным литератором или нет. Я и сам часто сомневаюсь. Это такой труд! Я начинал с коротких рассказов и стихов, но на эти деньги не проживешь — приходится постоянно подрабатывать в других местах.

— Знаю, — снова улыбнулась Габриэлла. — Я сама работала официанткой.

— А я — барменом в Ист-Вилледж, официантом у Элейна, ночным уборщиком в «Джанини-Ярд». Сейчас я устроился менеджером в этом магазине, и мне даже поручают делать закупки для букинистического отдела.

Владельцы магазина живут на Бермудах и давно уже не ведут никаких дел сами, но зато очень любят книги. Они оба писатели... — Тут он упомянул два имени, которые произвели на Габриэллу самое сильное впечатление. Эти писатели были ей хорошо знакомы.

— Скажите, что вы планируете делать дальше? Ну, в смысле работы? — спросил ее молодой человек. Он знал, что официантка, особенно такая красивая, как Габриэлла, должна получать неплохие чаевые, но такая работа почти не оставляла свободного времени. Многочасовые смены, проведенные на ногах, в постоянном движении, способны были вымотать и самого сильного мужчину. Тут много не напишешь

— Пока ничего, — улыбнулась Габриэлла. — Я планировала начать поиски нового места после рождественских каникул.

Услышав этот ответ, молодой человек, казалось, воодушевился еще больше.

— Знаете что? — сказал он. — Женщина, которая обычно работает со мной, собирается в отпуск по беременности. В следующую пятницу она выходит на работу в последний раз. Не хотите занять ее место? Зарплата у нас довольно высокая, к тому же и свободного времени будет достаточно. Когда покупателей мало — а в букинистическом отделе их всегда мало, — вы можете читать и даже работать над своими рассказами. Говорят, работать под моим началом довольно приятно, — добавил он с несколько застенчивой улыбкой. — Кстати, меня зовут Иан Джонс.

Габриэлла, назвав себя, стала расспрашивать об условиях. Место показалось ей многообещающим. Иан рассказал, сколько дней в неделю и в какое время она должна находиться на рабочем месте, назвал, какую в точности зарплату она будет получать. Сумма произвела на Габриэллу впечатление — она была чуть не вдвое больше той, что ей удавалось заработать у Баума вместе с чаевыми. Да, именно о такой работе она и мечтала.

— Боюсь только, что не смогу представить вам рекомендательное письмо. В Нью-Йорке у меня почти нет знакомых, — сказала она Иану, пытаясь представить, как аттестовал бы свою официантку мистер Баум после того, как сам уволил ее. Иан попросту отмахнулся. Габриэлла казалась ему достаточно воспитанной и порядочной девушкой, к тому же она была писательницей. Иан считал, что писатели должны помогать друг другу. Поэтому он только спросил, может ли она выйти на работу второго января, и Габриэлла с радостью согласилась. Иан помог ей завернуть книги в красивую упаковочную бумагу.

В пансион Габриэлла поехала на автобусе. Дорога занимала всего десять минут, однако она вся извелась — так ей не терпелось поделиться с кем-то своей неслыханной удачей. Увидев ее улыбку, мадам Босличкова даже предположила, что Габриэлле удалось продать еще один рассказ, но Габриэлла отрицательно покачала головой.

— Нет, нет! — воскликнула она в волнении. — Я нашла замечательное место в книжном магазине на Третьей авеню и второго января выхожу на работу.

Несколько позднее она рассказала об этом и профессору Томасу. Ему было приятно видеть Габриэллу такой счастливой и оживленной. Сам он в последнее время чувствовал себя не очень хорошо — простуда, которую он перенес на ногах, неожиданно осложнилась бронхитом, поэтому большую часть времени профессор полеживал. Вечером Габриэлла принесла ему чай. Профессор встретил ее в теплом домашнем халате. Горло его было закутано стареньким кашне, чувствовалось, что он нездоров. Но с приходом Габриэллы он очень оживился, расспрашивая о новой работе, о творческих планах.

Когда Габриэлла поднималась к себе, она неожиданно столкнулась на лестнице со Стивом Портером. Молодой постоялец мадам Босличковой выглядел озабоченным, однако он не мог не заметить счастливого лица Габриэллы. Она не сумела удержаться и поделилась с ним своей удачей. Стив поздравил ее, казалось, совершенно искренне и тут же посетовал, что вот ему, к сожалению, не везет. Он прожил в Нью-Йорке уже почти месяц, но так и не сумел найти себе места. Деньги между тем тают на глазах.

— Я слышал, «Нью-йоркер» будет печатать ваш рассказ, — добавил он. — Очень рад за вас, Габриэлла. Так держать! Если уж вы поймали удачу за хвост, так не выпускайте ее. Признаться, я даже немного завидую вам. Надеюсь, мне тоже когда-нибудь повезет.

Он, разумеется, не знал, какими несчастьями была полна ее жизнь, прежде чем удача наконец-то улыбнулась ей, но Габриэлла и не собиралась рассказывать ему об этом. Ей даже стало жаль Стива — он выглядел таким удрученным. Она-то чуть не летала от счастья и чувствовала себя превосходно. Внезапно Габриэлла вспомнила все те нелицеприятные вещи, которые она когда-то говорила и думала о нем. Ей неожиданно стало неловко.

— Кстати, я давно хотела поблагодарить вас за рождественский венок, — сказала она поспешно. — Я повесила его у себя, он очень украшает комнату.

На самом деле Габриэлла давно запихала его в пустующий ящик шифоньера. Просто ей вдруг очень захотелось сказать Стиву что-то хорошее — такое, что могло бы его подбодрить. Он старался по возможности украсить жизнь обитателям пансиона. Габриэлла пожалела, что держалась с ним так холодно.

— Когда вы в следующий раз пойдете на собеседование, — сказала она, — я буду держать за вас скрещенные пальцы.

— Спасибо, — поблагодарил Стив. — Сейчас я нуждаюсь в любой поддержке.

С этими словами он пошел дальше, но прежде, чем спуститься по лестнице, нерешительно оглянулся и посмотрел на нее. Габриэлла увидела это и тоже остановилась.

— Знаете, я все время хотел вас спросить, но боялся, не покажется ли вам это странным, — промолвил он нерешительно. — Не хотите ли сходить со мной в сочельник на рождественскую мессу?

Эта неожиданная просьба смутила Габриэллу, но вместе с тем она была тронута ею. Она хорошо понимала, что Рождество — Рождество без Джо и без сестер из монастыря — станет для нее тяжким испытанием. Да и к мессе она не ходила ни разу с тех пор, как покинула обитель Святого Матфея.

— Я пока не знаю, — ответила она честно. — Но если я решу пойти на рождественскую службу, то скажу вам. Спасибо за предложение, Стив.

— Что вы, не за что! — отозвался он и, взявшись рукой за перила лестницы, быстро сбежал вниз, словно охваченный внезапным смущением, а Габриэлла осталась стоять на площадке третьего этажа. Этот короткий разговор каким-то образом убедил ее в том, что она ошибалась, считая Стива наглым, самоуверенным, развязным типом. Прав был профессор Томас, когда убеждал ее в том, что Стив — совершенно нормальный парень. Габриэлла снова укорила себя за излишнюю холодность, с которой она к нему отнеслась.

Потом Габриэлла с удовольствием вспомнила Иана Джонса. Вот кто и впрямь был отличным парнем, с которым наверняка будет приятно и интересно работать. В разговоре с ней он обмолвился, что встречается с девушкой, на которой собирается жениться. Габриэлла сразу подумала, что это ей очень подходит. Сама она пока ни с кем не собиралась «встречаться», поэтому ее весьма устраивало, что интерес, проявленный к ней Ианом, был чисто профессиональным. Габриэлла все еще сильно тосковала. Она вообще сомневалась, сможет ли она когда-нибудь встретить человека, который хотя бы отдаленно будет похож на Джо. Возможно, думала она, они с Ианом когда-то станут друзьями, но любовниками — никогда.

И точно так же думала она о Стиве, с которым ей теперь захотелось познакомиться поближе.

— Кажется, вы были совершенно правы насчет мистера Портера, — сказала она профессору Томасу, когда тем же вечером принесла ему ужин, купленный в кафе напротив. — Сегодня я разговаривала с ним, и он действительно показался мне совершенно нормальным. Он никак не может найти себе работу и оттого выглядит немного подавленным.

— Странно, что такой блестящий молодой человек не может нигде устроиться, — отозвался профессор. — С тех пор, как он поселился в пансионе, я несколько раз разговаривал с ним, и, на мой взгляд, у него много достоинств. Стив учился в Йельском университете и закончил его с отличием; кроме того, успел получить квалификацию специалиста по деловому администрированию в Стэнфордской школе бизнеса. Одного этого более чем достаточно, чтобы получить отличное место в любой из крупных корпораций...

Профессор вздохнул. Ему очень хотелось, чтобы Габриэлла и Стив в конце концов поладили и, может быть, даже начали встречаться. Новый постоялец мадам Босличковой был целеустремленным, прекрасно подготовленным, талантливым и не лишенным здорового честолюбия молодым человеком. Профессор не сомневался, что, как только ему удастся получить работу, он сразу же пойдет в гору.

Слушая его, Габриэлла снова подумала, как же ей повезло — новая работа всего через несколько дней после скандального увольнения. Но она твердо знала, что, даже если бы ей пришлось голодать, она никогда бы не стала жалеть о своем заступничестве. Быть может, рассуждала она, когда-нибудь, вспоминая этот случай, Элисон поймет, что в мире все же есть люди, которым она не безразлична.

Они с профессором еще немного поговорили, но кашель его изрядно мучил. В конце концов Габриэлла поднялась и сказала, что пойдет к себе в комнату, попробует немного поработать над новым рассказом. На самом деле ей просто хотелось, чтобы старый профессор немного отдохнул, да и ей тоже не помешало бы прилечь после всех треволнений сегодняшнего дня.

Но судьба приготовила ей еще один сюрприз. Когда Габриэлла поднялась на четвертый этаж, она увидела, что в щели ее двери торчит записка. Она была от Стива, и Габриэлла, развернув листок бумаги, поднесла его к свету.

«Дорогая мисс Габи, — писал Стив аккуратным, почти каллиграфическим почерком. — Я осмелился оставить Вам это послание только потому, что мне очень хотелось еще раз поблагодарить за слова сочувствия и поддержки, которые я услышал от Вас сегодня. Обстоятельства таковы, что сейчас я больше, чем когда-либо, нуждаюсь в простом человеческом участии. Мой отец умер прошлой зимой; через месяц после этого мама слегла, и врачи говорят, что она скорее всего уже никогда не поднимется. Она живет далеко, и я не смогу навестить ее в это Рождество, хотя мне очень хотелось бы повидаться с ней.

Теперь, надеюсь, Вы понимаете, чем была вызвана моя странная просьба сходить со мной на рождественскую мессу. Для меня это значило бы очень много, хотя вообще-то я никогда не был особенно религиозным (если, конечно, так можно сказать о католике). Если Вы почему-либо заняты именно в сочельник, мы могли бы перенести наш поход на любой другой удобный для Вас день. А может, просто поужинаем вместе? Я неплохо готовлю, и, если только мадам Босличкова позволит мне воспользоваться ее кухней, я угощу Вас такими отбивными по-техасски, каких вы еще никогда не пробовали (не говоря уже о пицце, спагетти, блинчиках с креветками и свиных эскалопах!).

Впрочем, даже если из этого ничего не выйдет, я хотел бы еще раз поблагодарить Вас и пожелать счастливого Рождества. Пусть Вам и дальше сопутствует удача; по-моему, Вы этого заслуживаете, честное слово — заслуживаете!»

Письмо заканчивалось словами: «С наилучшими пожеланиями, преданный Вам Стив Портер. Писано в За́мке баронессы д'Осличковой в канун Рождества 19** года», и Габриэлла не сдержала улыбки.

«Все-таки он милый человек», — подумала она и, сев на кровать, перечитала его записку заново. Строки, в которых Стив упоминал о своих родителях, тронули ее до глубины души. Теперь Габриэлла совершенно искренне недоумевала, что заставило ее относиться к Стиву с таким подозрением. Да, сначала он казался ей каким-то скользким, чрезмерно напористым и навязчиво дружелюбным, но теперь Габриэлла видела, как она в нем ошибалась. Ей было стыдно, и она решила, что должна пойти со Стивом на рождественскую службу хотя бы для того, чтобы загладить свою вину. Ей вообще давно следовало побывать в соборе, чтобы помолиться за Джо и за матушку Григорию. Она должна была это сделать для тех, кто когда-то был ей ближе всего.

И, приняв это решение, Габриэлла отложила записку, пересела за стол и придвинула к себе тетрадь. Погрузившись в работу, она очень скоро забыла и о Стиве, и обо всем остальном.

Стива Портера Габриэлла не видела до вечера. Встретив молодого человека в вестибюле, она сказала ему, что была бы рада пойти с ним к мессе, если он не передумал. Но Стив не передумал. Он был в восторге и так долго благодарил Габриэллу, что ей снова стало неловко от того, что когда-то она так плохо о нем думала. Ее раскаяние было так велико, что Габриэлла рассказала о своих чувствах профессору Томасу, которому она принесла очередной ужин.

— Теперь я вижу, что ошибалась, и мне очень, очень стыдно, — закончила она свою исповедь, и профессор укоризненно покачал головой.

— Лучше поздно, чем никогда, — сказал он с упреком. — Что ж, у тебя еще есть шанс исправить свою ошибку. Стив — хороший парень, к тому же сейчас он переживает не самые легкие времена. Думаю, до конца рождественских каникул он ничего себе не найдет.

В самом деле, Стив ежедневно получал целую кучу официального вида конвертов, а мадам Босличкова, казалось, только и делала, что отвечала на телефонные звонки и записывала сообщения, которые оставляли для него какие-то люди, однако работы пока не было. Иногда профессору даже казалось, что парень чересчур высоко себя ценит и согласится только тогда, когда ему предложат пост генерального директора «Дженерал моторс» или AT&T, однако, несмотря ни на что, он вовсе не казался профессору наглым или излишне самоуверенным. Целеустремленным — да, раскованным — пожалуй, современным — возможно, но никак не развязным, высокомерным или заносчивым, и Габриэлла, конечно, ошибалась.

Они встретились в вестибюле в половине одиннадцатого вечера. Стив галантно придержал дверь, пропуская Габриэллу наружу. Ночь была морозной, под ногами похрустывал ледок, а пар от дыхания был таким густым, что просвечивающие сквозь него уличные фонари расплывались и дрожали, словно Габриэлла смотрела на них из-под воды. Холодный воздух, врываясь в легкие, обжигал их словно огнем, поэтому по дороге к церкви они почти не разговаривали.

Церковь Святого Андрея очень маленькая, и сегодня она была наполнена до отказа. Казалось, все прихожане собрались здесь в этот предрождественский вечер, да еще привели с собой родственников и друзей. Но Габриэлле и Стиву повезло — им удалось занять два последних свободных места на скамье в одном из передних рядов. Всем, кто пришел после них, пришлось стоять в проходе.

Глядя на золоченые решетки хоров, на распятия и статуи Девы Марии и святых, Габриэлла почувствовала, как ею овладевает что-то вроде ностальгии. Между колоннами витал запах воска от множества зажженных свечей, а из алтаря доносился аромат ладана и смолы — кафедра была вся в еловых ветках. Для Габриэллы это был запах дома, и она не стала сдерживать подступившие к глазам слезы.

Стив сразу заметил, что она плачет, но ничего не сказал. Вместо этого он только дотронулся до плеча Габриэллы, как бы напоминая ей, что он здесь, рядом, и готов помочь, но тут же снова убрал руку, оставляя Габриэллу наедине со своими мыслями.

Рождественские гимны, которые Габриэлла любила и знала наизусть, помогли ей несколько приободриться. Она настолько взяла себя в руки, что спела вместе со всей паствой «Вифлеемскую звезду» и «Тихую ночь». Когда же хор запел «Ave Maria», Стив и Габриэлла прослезились уже оба, но на этот раз — от умиления и ощущения неземной благодати, которая переполняла их души. У них обоих были свои дорогие сердцу воспоминания и свои сокровенные надежды.

Когда служба подошла к концу, Габриэлла поставила у боковых алтарей три свечи — одну за матушку Григорию и две за Джо и за их ребенка. Потом она долго молилась за их души и на обратном пути из церкви снова была очень молчалива. Стив, очевидно, ожидавший, что

Габриэлла что-нибудь скажет, первым прервал затянувшееся молчание. Он сказал что-то насчет того, как тяжело людям приходится вдалеке от дома, и как нелегко бывает терять своих близких и людей, которых ты когда-то любил. Габриэлла снова долго не отвечала, потом кивнула с тяжелым вздохом.

— Мне показалось, — продолжал Стив, несколько воодушевленный ее реакцией, — что для тебя этот год тоже был нелегким.

— Это так, — подтвердила Габриэлла, удивляясь про себя, когда это они успели перейти на «ты». Впрочем, стоила ли такая мелочь внимания? В монастыре на «вы» полагалось называть только старших монахинь и настоятельницу, но это правило часто нарушалось. Даже профессору она несколько раз по ошибке сказала «ты», тут же, впрочем, извинившись.

— Я видел, ты плакала, — сказал Стив, и Габриэлла снова кивнула. Отрицать это было бы глупо. Впрочем, ей тоже показалось, что Стив пережил какую-то душевную травму, но, как и полагается мужчине, старается скрыть от нее свои переживания.

Потом они некоторое время шли молча. Стив очень внимательно следил за тем, чтобы не коснуться ее даже случайно, и Габриэлла не могла не оценить его деликатности. Если не считать одного-единственного прикосновения в церкви, он вообще еще ни разу к ней не притронулся, и Габриэлле даже захотелось попросить у него прощения за то, что она думала о нем плохо.

Но вместо этого она почему-то сказала:

— Ты прав, этот год был для меня очень тяжелым. Я потеряла двух человек, которых я очень любила... И еще одну женщину, с которой мы, наверное, уже никогда больше не увидимся. Это случилось совсем недавно, незадолго до того, как я поселилась в пансионе у мадам Босличковой.

Этими словами она хотела дать своему спутнику понять, что на самом деле она очень хорошо понимает его чувства, но Стив вдруг заговорил о другом.

— Наша хозяйка — настоящее сокровище! — произнес он искренне. — Она очень добра ко мне. Бедняжка целыми днями только и делает, что отвечает на мои телефонные звонки!

— Думаю, мадам Босличкова не имеет ничего против, — возразила Габриэлла. — У нее добрая душа, хотя она и хочет казаться строгой.

Они были примерно в одном квартала от пансиона, когда Стив неожиданно предложил Габриэлле зайти в кафе на углу и выпить по чашечке кофе. Времени было далеко за полночь, но кафе еще работало. Габриэлла, успевшая основательно замерзнуть, подумала, что чашечка горячего кофе с молоком или со сливками будет ей очень кстати. Кроме того, она знала, что стоит ей остаться одной, и она сразу начнет думать о Джо, и в конце концов непременно расплачется. В рождественскую ночь просто невозможно было не чувствовать себя одинокой. Габриэлла решила, что раз уж избежать этого все равно нельзя, то неплохо хотя бы оттянуть наступление этого грустного момента. Возможно, и у Стива тоже были свои печали и заботы, о которых ему не хотелось думать. Так что общество друг друга было для обоих пусть и временным, но все-таки спасением.

— Конечно, почему бы нет? — ответила Габриэлла.

За кофе Стив много рассказывал о своем детстве, о своей учебе в Йеле и в Стэнфорде. В Калифорнии ему очень нравилось, но Стив считал, что в Нью-Йорке у него будет больше возможностей найти хорошее место. Сейчас, однако, он начинал сомневаться в правильности своего решения.

— Мне кажется, волноваться еще рано, — сказала ему Габриэлла. — Быть может, после Рождества все изменится и тебе повезет.

После этого Стив спросил, правда ли, что она была в монастыре, и Габриэлла кивнула.

— Я больше двенадцати лет жила в монастыре Святого Матфея. Сначала я была просто воспитанницей, и только в последний год — послушницей. Но в силу ряда обстоятельств мне пришлось оставить монастырь.

— Да, в жизни обстоятельства часто оказываются сильнее нас, не так ли? — заметил Стив. — Это очень печально, но это факт. Иногда мне даже кажется, что в мире не осталось простых, естественных вещей — одни только обстоятельства, которые правят нами по собственному произволу.

— Иногда мы сами себе все усложняем, — возразила Габриэлла. — С некоторых пор я стараюсь придерживаться именно этой точки зрения, и хотя у меня это не всегда получается, я постепенно убеждаюсь, что большинство вещей на самом деле гораздо проще, чем кажется на первый взгляд.

— Хотелось бы и мне смотреть на жизнь так, как смотришь ты, — вздохнул Стив, когда официантка наливала им по третьей чашке. — Но сейчас мне это трудно. Быть может, со временем...

И, повинуясь какому-то внутреннему порыву, Стив рассказал Габриэлле о девушке, с которой он познакомился во время учебы в Йеле. Они были помолвлены и собирались пожениться прошлым летом, в день Четвертого июля. Но за две недели до свадьбы невеста Стива погибла в автомобильной катастрофе, когда она ехала, чтобы встретиться с ним. Это происшествие, сказал Стив, круто и навсегда изменило его жизнь, и Габриэлла сочувственно кивнула.

А на глазах у Стива уже блестели слезы. Словно догадываясь, что в ее лице он обрел благодарную слушательницу, Стив признался, что его невеста была беременна, и что он никак не может смириться с потерей сына, рождения которого очень ждал.

Габриэлла слушала его с удивлением и ужасом. Сердце ее от жалости обливалось кровью. Трагедия, постигшая Стива, очень напоминала ей ее собственное несчастье. Она тоже потеряла и Джо, и своего ребенка, но рассказать Стиву свою историю Габриэлла не осмелилась. Слишком уж затертым и пошлым был сюжет, действующими лицами которого были священник и монашка. Большинство людей просто не способны были увидеть в нем ничего, кроме вульгарной любовной интрижки. О своей любви к Джо Габриэлла не рассказывала даже профессору Томасу, которого бесконечно уважала.

— Я чувствовала себя точно так же, когда умер Джо, — все же сказала она. — Мы хотели пожениться, но нам нужно было сначала преодолеть множество проблем. Обстоятельств... — Она грустно улыбнулась, посмотрела на него своими огромными и печальными голубыми глазами и, неожиданно даже для самой себя, добавила: — Он покончил с собой в октябре.

— О боже! — вырвалось у Стива. — О, Габи, как это ужасно!

С этими словами он порывисто потянулся через стол и взял ее пальцы в свои, а Габриэлла в задумчивости не отняла у него руку.

— Теперь, когда я оглядываюсь назад, мне становится странно, как я сумела это пережить, — сказала она. — Все... окружающие считали, что это моя вина, и я тоже была в этом уверена. Даже сейчас я не могу твердо сказать себе, что я была ни при чем. И, наверное, никогда не смогу...

Несмотря на все перемены, происшедшие в ее жизни, Габриэлла по-прежнему считала себя главной виновницей большинства собственных и чужих несчастий, но ответственность за самоубийство Джо была, безусловно, самой тяжелой.

— Ты не должна ни в чем винить себя! — с горячностью возразил Стив. — Когда люди... поступают подобным образом, это значит, у них были для этого самые серьезные причины. Нет, я не оправдываю самоубийства, просто когда человек оказывается под прессом множества неблагоприятных обстоятельств, он теряет ориентацию и перестает ясно видеть свои проблемы. В таких условиях легко можно ошибиться и...

Габриэлла вздохнула.

— Ты совершенно прав, — согласилась она. — Именно так и произошло с нами... более или менее. Джо остался круглым сиротой в четырнадцать, когда его мать покончила с собой. И всю вину за это он взял на себя. Кроме того, у него был старший брат, который утонул на его глазах, когда Джо было семь, и в этом он тоже винил себя одного. Должно быть, этот груз в конце концов раздавил его, но я не могу считать, что я тут совершенно ни при чем. То, что Джо сделал, он сделал из-за меня. Ему казалось, что он не сможет дать мне все, чего я от него жду. Он казался себе никчемным, слабым, бессильным, недостойным ни меня, ни самой жизни... И это была последняя соломинка.

— Да, такое бремя не под силу нести одному человеку, — согласился Стив. Самообвинения Габриэллы казались ему несправедливыми, но он понимал, что сейчас ее трудно будет переубедить. Поэтому он ничего больше не сказал и, расплатившись за кофе и булочки, пошел вслед за Габриэллой к выходу из кафе. До пансиона было совсем близко, и Стив рискнул дружески обнять ее за плечи, и Габриэлла не сбросила его руку. Сегодня, в ночь на Рождество, они обменялись такими признаниями, какие порой не позволяют себе и самые близкие люди, и обнаружили, что у них много общего. «Отныне мы будем друзьями», — подумала Габриэлла.

Они расстались на площадке третьего этажа. Стив, прощально махнув рукой, пошел к себе, а Габриэлла поднялась в свою комнату. Она быстро разделась и легла, но, как она и ожидала, сон не шел. Габриэлла стала думать о Стиве. Он казался ей очень хорошим человеком, к тому же он, оказывается, пережил схожие несчастья, и это не могло не расположить ее к нему.

Потом Габриэлла села на кровати и при свете ночника еще раз перечитала письмо Джо, которое, как это всегда бывало, вызвало на ее глаза обильные слезы. Если бы только она могла поговорить с ним. Если бы Джо не умер, сегодня Габриэлла не страдала бы от одиночества. Тогда ей, конечно, и в голову бы не пришло делиться своими сокровенными тайнами с совершенно посторонним человеком. Она бы любила Джо, вместо того, чтобы рассказывать о нем в прошедшем времени.

«Нет, это несправедливо, несправедливо!» — подумала в отчаянии Габриэлла, но на самом деле она больше не сердилась на Джо. Воспоминания о нем будили в ней только глубокую печаль, но и только. Ни досады, ни боли она почему-то уже не испытывала.

Но когда под утро она наконец заснула, ей снова приснился Джо, ожидающий ее в монастырском саду.

Глава 19

В Рождество мадам Босличкова снова устроила для пансионеров праздничный ужин с индейкой, и на этот раз к ним присоединился Стив. Он знал множество забавных историй, и, слушая его, многие покатывались со смеха. Потом все дарили друг другу маленькие подарки, и Габриэлла вручила Стиву флакончик лосьона после бритья, который она успела купить, когда утром выходила позавтракать в кафе. Габриэлла немного боялась, что купленный впопыхах подарок не понравится Стиву, но он, наоборот, был очень доволен, сказав, что у него как раз вышел весь лосьон, а он не мог позволить себе купить новый.

Что касалось профессора Томаса, то он был просто в восторге, когда увидел купленные ему Габриэллой книги.

— Я просто без ума от счастья, просто без ума! — без конца повторял он, любовно перелистывая хрупкие от времени страницы. («Никогда не говорите и не пишите так! — когда-то предупреждал он ее. — Выражение «без ума от счастья» могут употреблять только вульгарные писатели глупых любовных романов да старики вроде меня, которым действительно недалеко до маразма. Вам, серьезному автору, это не к лицу».) Он действительно был очень рад книгам и никак не мог поверить, что Габриэлла действительно купила их для него. Профессор хорошо знал, сколько может стоить такой трехтомник. Габриэлла успокоила его, сказав, что, во-первых, он стоит ровно вдвое дешевле, чем он думал, а во-вторых, ища для него подарок, она неожиданно нашла себе работу, так что в книжный магазин на Третьей авеню ее привело, пожалуй, само провидение.

И то же самое провидение, похоже, позаботилось о том, что Габриэлла поближе узнала Стива и изменила свое отношение к нему. Во время ужина и после него они много друг с другом разговаривали, и профессор был очень этому рад. Впрочем, с ним Габриэлла тоже провела достаточно времени и даже проиграла ему в домино пять партий подряд.

В этот праздничный вечер настроение у всех было приподнятым, и даже профессор, казалось, забыл о своем кашле. Впрочем, сегодня он действительно чувствовал себя неплохо, поскольку мадам Босличкова весь вечер усердно поила его горячим чаем с медом и мятой, к которому профессор всякий раз прибавлял большую столовую ложку бренди. Рюмку этого «напитка профессоров и солдат», как он его называл, он предложил Стиву, и тот с благодарностью выпил за здоровье всех присутствующих. «Если бы не вы, это Рождество было бы самым тяжелым в моей жизни», — сказал он, и Габриэлле почему-то показалось, что в первую очередь он имеет в виду именно ее.

Когда настала пора расходиться, Стив проводил Габриэллу до дверей ее комнаты и немного постоял у порога. В качестве рождественского подарка он преподнес ей чудесную тетрадочку в кожаном переплете. Подарок, пожалуй, был дороговат для безработного, но она постеснялась сказать ему что-либо по этому поводу. Впрочем, Стив одарил всех соседей по пансиону, в том числе и профессора, которому купил отличный теплый шарф из мохера.

— Эти люди понемногу становятся моей семьей, — сказал Стив Габриэлле, и она согласно кивнула. Она и сама чувствовала то же самое. За сегодняшний вечер они переговорили о многом: о ее новой работе, о ее рассказах, о перспективах самого Стива, но ни один из них — словно по взаимному согласию — ни словом не коснулся прошлого. Это вовсе не значило, что ни Габриэлла, ни Стив не думали об этом. Наоборот, весь вечер Габриэлла вспоминала о монастыре и о сестрах и жалела о том, что у нее нет ни одной фотографии Джо. Вполне понятно, что ни он, ни она никогда не фотографировались ни вместе, ни порознь. Теперь она очень боялась, что может забыть его черты, его глаза и его улыбку.

Стив как будто почувствовал, о чем думает Габриэлла, поэтому старался разговаривать с ней на самые нейтральные темы. Ему не хотелось подталкивать ее к чему-либо, но даже самый поверхностный наблюдатель не мог не заметить, что ему нравится ее общество. Вчера, перед тем как они расстались на лестнице, он ласково провел кончиками пальцев по ее щеке, и, уже лежа в постели, Габриэлла долго думала о том, что означает этот жест и как она должна на него реагировать. Ей не хотелось обижать Стива и притворяться, будто она ничего не замечает, но, с другой стороны, она не собиралась осложнять себе жизнь, позволив ему увлечься собой — для этого ее раны были еще слишком свежи. Порой Габриэлла вообще начинала сомневаться, способна ли она будет когда-нибудь полюбить снова — в особенности такого человека, как Стив. В нем было слишком много незнакомого, мирского, чуждого; он был бизнесменом до мозга костей, и в его характере не было ни следа той невинности и наивности, которые так нравились ей в Джо.

С другой стороны, Стив был неплохим человеком, и, главное, он был жив, он был здесь, рядом, а Джо — умер. Нет, не умер, а ушел, бросил ее. Теперь Габриэлла больше не могла этого отрицать или закрывать на это глаза.

Утром следующего дня после Рождества Стив постучал в дверь ее комнаты. Он выходил прогуляться, а на обратном пути купил для нее чашку горячего шоколада. Этот жест дружеского расположения произвел на Габриэллу сильное впечатление. Она впустила Стива в комнату. В свою очередь, Стив, увидев, что она работает, сделался восторженно-почтителен и спросил, нельзя ли ему почитать что-нибудь из того, что она уже написала.

Габриэлле не хватило духа отказать ему. Она протянула Стиву тетрадку с двумя рассказами, которые считала наиболее удавшимися, и он прочел их тут же, при ней, и так хвалил, что Габриэлле даже стало неловко. Но в глубине души она была очень довольна. «Значит, — рассуждала она, — мои рассказы нравятся не только профессорам и редакторам из «Нью-йоркера», но и таким далеким от литературы людям, как Стив».

Ей не терпелось продолжить работу, но Стив предложил ей немного пройтись. Габриэлла не смогла ему отказать, тем более что ночью выпал свежий снег, и весь город был укутан им словно толстым белым ковром. День снова выдался морозным, но Габриэлла и Стив не замечали этого. Едва выйдя на улицу, они принялись бросаться друг в друга снежками и расшалились как дети. Стив даже сказал об этом вслух. Габриэлла промолчала. Ей не хотелось портить настроение ни ему, ни себе своими детскими воспоминаниями.

Несмотря на это, они прекрасно прогулялись и, обойдя квартал, вернулись в пансион. Только там, помогая Габриэлле снять куртку, Стив признался ей, какой острой стала для него финансовая проблема. До сих пор он много помогал матери, отсылая домой те деньги, которые ему удалось заработать, стажируясь после Стэнфорда в одной крупной корпорации, но теперь, как он выразился, «банк лопнул». Перед ним стояла неприятная перспектива безуспешного возвращения к себе в Айову. Он еще не совсем отчаялся, однако положение его было таково, что он уже не раз задумывался о том, чтобы съехать от мадам Босличковой и подыскать себе квартиру подешевле.

Эти слова заставили Габриэллу посмотреть на него с сочувствием. Ей очень хотелось помочь ему, но она не знала, как предложить Стиву деньги, не оскорбив и не унизив его. Деньги у нее должны были появиться в самое ближайшее время: на днях Габриэлла ждала чек из журнала и уже все подсчитала. Тысяча долларов с лихвой покрывала все ее издержки, а некоторая сумма даже оставалась. Сначала она планировала отложить эти деньги на покупку хорошей пишущей машинки, однако поскольку их все равно не хватило бы, Габриэлла вполне могла одолжить их Стиву.

Стив к этому времени заговорил о чем-то другом, и после нескольких довольно неуклюжих попыток повернуть разговор в нужное ей русло Габриэлла открытым текстом предложила ему взять у нее взаймы.

— Твоя комната сто́ит, наверное, столько же, сколько моя, — сказала она. — Если ты заплатишь мадам Босличковой за январь, то сможешь помочь маме и спокойно искать работу еще месяц.

Стив, потрясенный щедростью и великодушием Габриэллы, благодарил ее со слезами на глазах. Он даже сказал, что не может взять у нее ни цента, но Габриэлла сумела уговорить его, пустив в ход все свое красноречие. Она говорила, что теперь у нее есть постоянная работа, что она может писать рассказы и что ей на самом деле надо совсем немного, и в конце концов Стив согласился. На следующий день пришел чек, и Габриэлла, получив в банке наличные, отнесла мадам Босличковой деньги в уплату за его комнату.

Хозяйка пансиона была весьма удивлена, когда Габриэлла объяснила ей, в чем дело.

— Как?! Ты помогаешь мистеру Портеру? — спросила она строго. — Хотела бы я знать, каким способом этому бедняге удалось добиться подобного!

В устах любого другого человека эта фраза прозвучала бы несколько двусмысленно, однако старая хозяйка слишком любила Габриэллу и не хотела, чтобы кто-то воспользовался ее житейской неопытностью и непрактичностью, пусть даже это будет такой милый молодой человек, как Стив Портер. В самом деле, как справедливо заметила мадам Босличкова два часа спустя, когда она встретилась в гостиной с миссис Розенштейн, никто из них, собственно, ничего не знал о Стиве. Ну ищет работу, ну получает кучу писем, и телефон звонит не переставая. Но Габриэлле все же удалось убедить мадам Босличкову, что она дает деньги Стиву просто в долг, причем в первый и последний раз.

— Надеюсь, что так, — сдалась в конце концов хозяйка и пошла к себе, чтобы убрать деньги в свою заветную шкатулку. Она любила, когда рента поступала вовремя. Но ей все же было больше по душе, когда жильцы расплачивались сами.

На следующий день Габриэлла рассказала об этом случае и профессору Томасу, но старик отнесся к «делу о заеме» гораздо спокойнее, чем мадам Босличкова. Он никак не выразил своего неодобрения, напротив, сказал, что вполне доверяет Стиву, и что он очень рад, что Габриэлла начала по-дружески общаться с молодым человеком.

Накануне Нового года Стив неожиданно пригласил Габриэллу в кино. Для Габриэллы это был первый Новый год, который она встречала в миру, поэтому она заколебалась. Но Стив, похоже, просто хотел побыть с ней. Ему было все равно, пойдут ли они в кино, в кафе или просто погуляют в Центральном парке. В конце концов они все же отправились на новый фильм о Джеймсе Бонде, который обоим очень понравился, а после сеанса зашли в кафе, где съели по горячему хот-догу.

В пансион они вернулись незадолго до того, как по телевизору началась трансляция новогоднего бала с Таймс-сквер. В полночь все постояльцы выпили по бокалу шампанского, и Габриэлла была очень рада, когда Стив не сделал попытки поцеловать ее. Вместо этого он сел рядом с ней на диван в углу и начал рассказывать о своей невесте, а Габриэлла вспоминала Джо.

Когда все стали расходиться, Стив снова поднялся вместе с Габриэллой на четвертый этаж. Ему было приятно просто быть с ней, и Габриэлла понимала это или думала, что понимает — ведь она была почти так же одинока, как он. Должно быть, поэтому она не сопротивлялась, когда Стив внезапно привлек ее к себе. Она еще могла остановить его, но в его глазах, в том, как Стив смотрел на нее, было что-то завораживающее и властное. Габриэлла не захотела оттолкнуть его. Когда Стив наклонился к ней и поцеловал, Габриэлла только попыталась изгнать из своей памяти воспоминание о Джо, и это ей почти удалось. Во всяком случае, на поцелуй Стива она ответила с такой страстью, которая удивила ее самоё.

Она не прогнала его и тогда, когда, еще раз поцеловав ее, Стив вошел за ней в комнату и тихо прикрыл дверь. Ее буквально трясло от возбуждения и какого-то непонятного восторга, который он сумел пробудить в ней одним-единственным прикосновением, одним объятием. В его взгляде была заключена какая-то гипнотическая сила, которой Габриэлла не смела противиться.

Только почувствовав, как его руки расстегивают пуговички на ее блузке и прикасаются к коже, Габриэлла не без труда отстранилась от него.

— Я... Мне кажется, нам не следует этого делать, — хриплым от волнения голосом прошептала она.

— Я тоже так думаю, — так же шепотом ответил Стив. — Но я не могу, не в силах остановиться!

В эти мгновения он выглядел очень молодым и очень красивым. Его страсть оказалась куда большей, чем думала Габриэлла. Пока она лихорадочно подыскивала слова для ответа, Стив поцеловал ей в третий раз, и Габриэлла с некоторым стыдом обнаружила, что хочет его. В тот момент, когда он расстегнул ей лифчик и, обхватив ладонями ее полные, теплые груди, коснулся губами сосков, Габриэлла принялась торопливо расстегивать его рубашку.

Она хотела, очень хотела остановиться или остановить его, но ни руки, ни язык ей больше не повиновались. Когда Габриэлла сумела наконец оторваться от Стива, они оба были уже полураздеты и задыхались от телесного желания.

— Послушай, Стив, я не хочу, чтобы мы сделали сейчас что-то такое, о чем мы оба потом пожалеем, — с беспокойством пробормотала она, понимая, что если они не образумятся сейчас, то потом будет уже поздно. С одной стороны, они оба были взрослыми людьми и не были обязаны ни перед кем отчитываться. С другой, оба недавно потеряли любимых, их раны еще кровоточили, а чувства и нервы пребывали в беспорядке. В этих условиях немудрено было принять за любовь обычное сострадание и тоску по живому человеческому теплу, но эта ошибка могла стоить обоим очень дорого.

— Я никогда не пожалею ни о чем, лишь бы быть с тобой — сегодня, сейчас и всегда, — прошептал Стив. — Я люблю тебя, Габи...

Похоже, он ждал ответа, но Габриэлла не могла сказать ему ничего. Она продолжала любить Джо, но память о нем отступила куда-то очень далеко, уступив медленному, но неуклонному натиску рук Стива, которые творили с ее телом настоящие чудеса. Отдаваясь его ласкам, Габриэлла словно медленно таяла, тонула в волнах сладкой и жаркой истомы. Она одновременно хотела, чтобы он немедленно ушел, и хотела быть с ним, лечь с ним, чтобы хоть в эту новогоднюю ночь не оставаться совсем одной в холодной старой комнате, за окнами которой снова сыпал снег и перемигивались голубоватые, равнодушные огни. Что будет с ней завтра, Габриэллу больше не волновало: она жила настоящей минутой и думала только о настоящем.

— Позволь мне остаться с тобой, Габи, — прошептал Стив. — Я не хочу возвращаться к себе в комнату — там так пусто, так одиноко!.. Обещаю, что не трону тебя, если ты не захочешь. Мне просто хочется быть здесь, с тобой.

Габриэлла немного поколебалась. Она думала и чувствовала то же, что и Стив. Они оба были достаточно сильны, чтобы сдержаться и не совершить никаких опрометчивых поступков.

В конце концов она кивнула и первой залезла в постель, прямо в блузке и колготах. Полуодетый Стив тихо лег рядом и обнял ее под одеялом.

Габриэлла сразу почувствовала, что он был совсем другим, не таким, как Джо. Он был, конечно, добрым и милым, и она невольно спросила себя, сможет ли она когда-нибудь его полюбить. Стив не вызывал в ней отвращения, и Габриэлла подумала, что эта возможность вовсе не исключается. Когда же он начал нежно гладить ее по волосам, шепча на ухо разные успокоительные слова, она совершенно расслабилась.

Они еще немного пошептались о разных пустяках, потом усталость взяла свое, и Габриэлла начала понемногу задремывать в его объятиях. С ним она чувствовала себя в безопасности, что всегда значило для нее чрезвычайно много. В этом мире у нее никого не было, а значит — не было защиты от одиночества и от страха.

— Счастливого Нового года, Стив... — шепнула Габриэлла. Через минуту она уже почти спала, но его новое прикосновение заставило ее стряхнуть с себя сонливость. Она чувствовала его. Каким-то образом — она даже не заметила, как и когда — Стив разделся и теперь осторожно стаскивал с нее трусики. Колготок на ней уже не было. Он прикасался к ней так нежно, так сладостно и так мучительно-медленно, что, сама того не желая, Габриэлла тихонько застонала в темноте.

Стив был и страстным, и нежным, но у него был

опыт, и он умел хорошо владеть собой. Он разбудил в Габриэлле такую пылкую страсть, какую не смог разбудить неискушенный в плотских наслаждениях Джо. Их любовь была любовью двух сердец, взаимным притяжением двух душ, готовых полностью раствориться друг в друге. Чувство, которое она сейчас разделяла со Стивом, было иным. Это была пламенная плотская страсть, и те силы, которые Стив разбудил в ней своими вкрадчивыми прикосновениями, могли бы даже напугать Габриэллу...

Могли бы, но не напугали. Должно быть, Стив очень хорошо знал, что делал, железной рукой сдерживая демонов ее и своего сладострастья. Он целовал, гладил, стискивал, даже щипал ее тело, постепенно доводя ее до исступления, до экстаза, и Габриэлла стонала и корчилась под ним от невыразимой сладкой муки. Теперь она не повернула бы назад за все сокровища мира; больше того, если бы Стив вдруг замешкался, она готова была на коленях просить его не останавливаться.

Их одежда кучей лежала на полу. Тело Габриэллы под умелыми руками Стива вибрировало и пело, словно Аполлонова лира. Она металась из стороны в сторону и выгибала спину, со слезами на глазах умоляя его войти в нее, и наконец Стив дал ей то, чего она у него просила.

Теперь он владел ею полностью и делал с ней, что хотел. Он сводил ее с ума, и волны исступления и жаркой истомы, сменяя друг друга, раз за разом накатывали на нее. Габриэлла уже не могла выносить этой пытки блаженством, но Стив словно не слышал ее тоненького и жалобного «Не надо!». Она уже почти теряла сознание, когда эта сумасшедшая скачка прекратилась, последняя молния погасла, и ее измученное, мокрое от пота тело получило долгожданную передышку.

Потом — несколько часов или несколько столетий спустя — они вместе совершили быструю вылазку в душ. Там Стив еще раз занимался с ней любовью: сначала стоя, потом уложив на пол ванной комнаты. Он брал ее с неожиданным пылом вновь проснувшейся чувственности.

Под конец Габриэлла чувствовала себя уже совершенно вымотанной, как после тяжелой работы. Ничего подобного она не испытывала с Джо, и, как ей казалось, повториться такое не могло. Для нее это была незабываемая ночь, полная ярких и глубоких переживаний, поэтому — когда они наконец вернулись в ее комнату и Стив снова обнял ее — она свернулась клубочком и уснула крепко, как младенец.

Глава 20

Проснувшись, они снова любили друг друга. Для Габриэллы подобные страсти были настоящим потрясением. В тот же день вечером они снова были у нее в комнате. Через считанные дни Габриэлла неожиданно обнаружила, что занятия любовью отнимают у нее все свободное время. Стоило им со Стивом оказаться друг с другом наедине, как они тотчас же сбрасывали одежду и ныряли в кровать. На людях, однако, они вели себя достаточно сдержанно и по вечерам даже старались уходить из гостиной мадам Босличковой порознь, чтобы тут же встретиться в комнате Габриэллы. Стив был совершенно неутомим, и они занимались любовью везде, где только могли, и самыми разными способами. Он научил ее таким вещам, о которых Габриэлла не только не подозревала, но и не думала, что такое возможно. Это сделало их любовную связь гораздо более крепкой, хотя она по-прежнему ничем не напоминала чистое и светлое чувство, когда-то соединившее Габриэллу с Джо. Отношения со Стивом были гораздо более земными, однако очень скоро она поняла, что с каждым днем ей становится все труднее обходиться без его объятий. Даже уходить каждое утро на работу ей было трудно — расставаясь с ним, она совершала на собой форменное насилие.

Работать в книжном магазине Габриэлла начала второго января, как и было условлено между ней и Ианом. Новое место ей нравилось — оно давало все, о чем Габриэлла только могла мечтать. Но каждый вечер она буквально бегом бежала домой, чтобы поскорее упасть в объятия Стива. Ночь напролет они ласкали и любили друг друга, частенько засыпая только под утро. Когда же они не лежали друг с другом в постели, то болтали о всяких пустяках, шутили и смеялись, и часто даже не давали себе труда выйти пообедать или поужинать. Недостаток калорий они пополняли с помощью печенья и картофельных чипсов.

— Я все равно не могу позволить себе кормить тебя как следует, — поддразнивал ее Стив, но Габриэлла только отмахивалась. Впрочем, каждый раз, когда поблизости не оказывалось подходящей постели, куда они могли бы забраться, она старалась затащить его в кафе или ресторан, чтобы угостить горячим обедом. Габриэлла была уверена, что рано или поздно Стив найдет себе работу и вернет ей деньги. Пока же у него почти ничего не было, ей даже нравилось ухаживать за ним и помогать ему в меру своих сил.

Но январь кончился, наступил февраль. Стив по-прежнему сидел без работы, и Габриэлле, которую бесконечно пугала мысль о том, что он может уехать домой, пришлось заплатить за его квартиру и за февраль. На этот раз она дала деньги непосредственно Стиву, а не мадам Босличковой, и попросила его никому об этом не говорить. Сама она не рассказывала об этом новом займе даже профессору. Габриэлла чувствовала, что характер ее со Стивом отношений не очень нравится обитателям пансиона. Она старалась не обращать на это внимания, утешая себя тем, что, когда человек несколько месяцев сидит без работы, остальные поневоле начинают смотреть на него косо.

Стив, как и раньше, ежедневно получал письма, постоянно куда-то звонил и ездил на собеседования, однако, несмотря на все его образование, располагающую внешность и дорогие костюмы, ни одна из этих ниточек никуда не привела. Корпорации просто боялись столь квалифицированных работников — так объяснял Стив свои неудачи, и Габриэлла верила ему. Он утверждал, что в кадровых службах засели старые хрычи, консерваторы или карьеристы, трясущиеся за свое место. Некоторые из них откровенно ему завидовали, и он ясно видел это.

Из-за своего бурного увлечения Стивом Габриэлла

писала теперь гораздо меньше, и профессор несколько раз выговаривал ей за это. Когда в марте «Нью-Йоркер» напечатал ее рассказ, он довольно строго указал Габри- элле: если она не хочет, чтобы о ней забыли, необходимо готовить следующую публикацию, а не почивать на лав- рах. «Куй железо, пока горячо» — примерно так выра- зился профессор, но теперь лучи славы интересовали Габриэллу гораздо меньше, чем зов плоти. С ним она от- крыла для себя целый мир, мир чувственных наслажде- ний, который кружил ей голову, превосходя самые сме- лые ее фантазии.

Единственное, что несколько омрачало Габриэлле жизнь, было то, что сам профессор чувствовал себя сквер- но. Его кашель никак не проходил, и, хотя температура была нормальной, он постоянно испытывал какую-то необъяснимую слабость. Но как ни убеждала его миссис Розенштейн пройти комплексное клиническое обследо- вание, профессор отказался наотрез. Он заявил, что не- навидит невежественных докторишек, видящих болезни там, где их нет и в помине, и набивающих себе карманы за счет чужих несчастий. Габриэлла была с ним вполне согласна.

Вместе с тем и она не могла отрицать, что в послед- нее время профессор выглядит неважно. Кашель выво- рачивал его наизнанку, и миссис Розенштейн как-то шеп- нула Габриэлле, что так у них в нацистском лагере каш- ляли чахоточные. Это изрядно напугало Габриэллу. Она попыталась намекнуть на это профессору, но он поднял ее на смех, заявив, что все это ерунда. Мадам Босличкова не стала бы терпеть у себя туберкулезника ни одного лишнего дня.

Это объяснение не могло, разумеется, удовлетворить Габриэллу, но она была слишком занята своими делами, чтобы всерьез задуматься о здоровье профессора Томаса. Со Стивом она была счастлива или, вернее, почти счас- тлива. Он был очень внимателен и заботлив, и Габриэлла расцветала буквально с каждым днем.

Изредка Стив заходил к ней в книжный магазин и всякий раз подолгу разговаривал с Ианом на разные се- рьезные темы. Двое молодых людей явно прониклись друг к другу уважением и симпатией, и Габриэлла была очень этим довольна. Несколько раз они даже обедали вчетвером — она, Стив, Иан и его девушка. Эти небольшие дружеские пирушки заняли важное место в ряду ее самых дорогих воспоминаний.

Габриэллу не заставило задуматься даже то, что ей слишком часто приходилось одалживать Стиву деньги. У него попросту не осталось ни доллара. Его банковский счет был пуст, перспективы найти работу оставались туманными, так что жил он только за счет Габи. То есть она содержала их обоих на то, что ей платили в магазине. На двоих было маловато, но Стив каждый раз был так благодарен, что она только радовалась, что могла помочь. К тому же Стив вел их небольшое хозяйство. Он носил в прачечную белье, покупал чипсы и пиццу. Но главным в их жизни по-прежнему были любовные игры. Часто это начиналось, едва только Габриэлла перешагивала через порог своей крошечной комнатки на четвертом этаже. Иногда Стив даже встречал ее в постели, и у Габриэллы просто язык не поворачивался сказать ему, что она слишком устала или что ей просто не хочется.

Всю весну Габриэлла прожила словно в каком-то наваждении. Только в середине мая она спохватилась, что Стив последнее время не рассказывает ей ни о собеседованиях, на которые он ходил, ни о компаниях, в которые звонил. Казалось, он вовсе перестал искать работу. Теперь Стив, не стесняясь, требовал у нее ту или иную сумму. Он даже перестал называть это «займом». Но по-настоящему беспокоила Габриэллу легкая, почти незаметная перемена в их отношениях. Стив стал менее внимателен к ней, зато проявлял повышенный интерес к ее деньгам. Несколько раз Габриэлла заставала его роющимся в ее сумочке. Она пыталась прятать от него деньги и скрывать день выплаты жалованья, но ничего не помогало — все, что Стив находил, он без зазрения совести прикарманивал. Она была в растерянности и не решалась поговорить с ним напрямую.

Когда наступил июнь, Габриэлла внезапно осознала, что уже полгода платит за комнату Стива. Тогда она предложила ему переехать к ней, но он с негодованием отказался.

— Это будет неудобно. Если я перееду к тебе, все сразу поймут, что ты мне помогаешь. Я бы не хотел нанести ущерб твоей репутации.

Но репутация репутацией, а платить каждый месяц за две комнаты Габриэлле было не по карману. Ситуация получилась нелепая. Габриэлла считала каждый цент, а Стив разъезжал по собеседованиям на такси и обедал в дорогих ресторанах. В один прекрасный день ей не хватило денег, чтобы забрать из химчистки свой любимый свитер, и тогда она решила предложить Стиву подыскать себе хотя бы временную работу. Сама Габриэлла не видела ничего зазорного в том, чтобы обслуживать посетителей в кафе или в ресторане, но когда она осторожно намекнула Стиву, что было бы неплохо, если бы он устроился куда-нибудь официантом, он неожиданно встал на дыбы.

— Ты хочешь сказать, что я — какой-нибудь альфонс?! — запальчиво бросил он ей, и Габриэлла похолодела, боясь, что могла ненароком оскорбить его.

— Я этого не сказала, — возразила она дрожащим голосом. — Просто я не могу больше помогать тебе. У меня нет денег, понимаешь?

Она впервые решала с кем-то финансовые вопросы, и оттого чувствовала себя вдвойне неуверенно. Габриэлла знала, чтó она хочет сказать, но не знала — как это сделать, чтобы не обидеть Стива. Ей и так было не по себе, да еще Стив, казалось, считал, что она ему чем-то обязана.

— Ах вот как это теперь называется! — закричал он так громко, словно ему было нанесено смертельное оскорбление. — Ты, значит, мне «помогаешь»? Да как ты смеешь так говорить!..

Этих слов было вполне достаточно, чтобы Габриэлла сразу почувствовала себя последней скрягой, которая за грош удавится, но, как ни назови, факт оставался фактом — она тратила все свои деньги на его нужды, и Стив не мог этого не признать.

— Ты дала мне эти деньги в долг, понятно? — заявил

он. — В долг!.. Я все тебе верну, как только начну работать.

— Да, конечно, Стив, прости... Я только... Видишь ли, просто у меня не хватает денег. В магазине я зарабатываю совсем мало. Может быть, ты пока взялся бы за что-нибудь попроще?..

— В Йеле и Стэнфорде меня не учили обслуживать клиентов в ресторане! — надменно бросил он.

— Я тоже заканчивала Колумбийский университет, а не курсы официантов, — возразила Габриэлла. — Но когда я ушла из монастыря, у меня было всего пятьсот долларов, и мне нужно было где-то жить и что-то есть.

— А мне нужно было помогать матери, — отрезал он. — Как тебе кажется, почему я так тщательно выбираю себе место? Да потому, что ты за год не зарабатываешь столько, сколько я вынужден платить ее врачам всего за один месяц.

Как только он упомянул о своей больной матери, Габриэлла сразу же осеклась. Эта тема казалась ей запретной. Разговор закончился — закончился полной победой Стива. Стараясь найти выход из положения, Габриэлла написала несколько коротких рассказов в надежде пристроить их в какой-нибудь журнал, но все они были отвергнуты один за другим. В день, когда пришло последнее письмо с отказом, Габриэлла снова застала Стива роющимся в ее сумочке. Когда она поднялась к себе в комнату, держа в руках распечатанный конверт, он как раз держал в руках ее недельное жалованье.

— Зачем ты взял деньги? — в ужасе спросила Габриэлла. — Ведь я еще не заплатила за наши комнаты!

— Старуха может подождать, — отозвался Стив. — Она нам доверяет. А мне нужно срочно отдать один долг.

— Какой долг? Кому?! — Габриэлла была близка к тому, чтобы разрыдаться. Деньги были последние, и взять их больше было неоткуда.

— Что мы будем есть? — спросила она в отчаянии. Стив стал необыкновенно мрачен и холоден. Должно быть, объяснила она себе, он не хочет показаться несостоятельным перед людьми, которым должен.

Габриэлла попробовала выяснить, у кого Стив занял

деньги и нельзя ли попросить этого человека немножечко подождать, но он не сказал ей ничего определенного.

— Это очень серьезные люди, и они не станут ждать, —
вот и все.

— Да какие люди?! — воскликнула в конце концов
Габриэлла, теряя терпение. Насколько ей было известно,
в Нью-Йорке Стив не знал ни одного человека. С другой
стороны, ему так часто звонили, что даже мадам Босличкова иногда жаловалась, что чувствует себя уже не хозяйкой пансиона, а дежурной телефонисткой. Количество
писем, которые приходили на его имя, также не умень-
шалось, и Габриэлла вдруг поймала себя на мысли, что
почти ничего не знает об этом человеке.

— Я до смерти устал от этих дурацких вопросов. Ос-
тавь меня в покое! — взъярился Стив. С этими словами
он, громко хлопнув дверью, выбежал из ее комнаты, не
забыв предварительно опустить в карман бóльшую половину найденных денег.

Когда его шаги затихли, Габриэлла опустилась на
кровать и заплакала, держа в руках развороченную сумочку. Ей хотелось догнать Стива и попросить у него
прощения, но она знала, что это бесполезно — скорее
всего Стив пошел не к себе, а куда-то в другое место.
Куда он ходил, она не знала. Стив часто где-то пропадал,
но никогда не говорил ей, где он был и что делал. Несмотря на это, Габриэлла чувствовала себя виноватой в
этих его исчезновениях, и, сколько бы она ни твердила
себе, что она тут ни при чем, справиться с этим ощуще-
нием ей никак не удавалось. Эту роль — роль вечного
козла отпущения, который виноват во всем, что бы ни
случилось, — она усвоила с детства. Оправдать Стива ей
не составляло никакого труда. Для этого ей достаточно
было просто вспомнить, что у него больная мать, что он
уже восемь месяцев без толку мыкается в Нью-Йорке.
Конечно, бесплодные поиски работы сделали его раздра-
жительным и нервным.

Изредка — смущаясь и чувствуя, что предает Стива — она говорила об этом с профессором Томасом, и
старик старался утешить ее, советуя запастись терпением.

— Не может быть, чтобы он долго ходил без работы! — говорил профессор Томас. — Если бы такой парень пришел ко мне, я бы нанял его так быстро, что он не успел бы оглянуться. Вот увидишь, какой-нибудь компьютерный магнат именно так и поступит!

Габриэлле было приятно слышать такие слова. О прочих странностях Стива она не упоминала, не желая волновать профессора. В последние месяцы он сильно сдал и теперь выглядел даже старше своих лет. Мадам Босличкова тоже очень постарела, а у миссис Розенштейн весной обнаружили рак, так что у всех были свои заботы, по сравнению с которыми неприятности Габриэллы казались сущей ерундой.

В конце июня ей немного подняли зарплату, но уже в июле Габриэлла обнаружила, что Стив вовсю пользуется ее чековой книжкой, мастерски подделывая ее подпись. Менеджер банка, в котором она держала свои микроскопические сбережения, поставил ее перед крайне неприятным фактом: Стив не только полностью исчерпал счет, но и, расплачиваясь необеспеченными чеками, использовал весь кредит, в результате чего они остались совершенно без средств. Но когда Габриэлла снова попробовала поговорить с ним, Стив заявил, что ему срочно понадобился новый «приличный» костюм, и что деньги он отдаст, как только устроится на работу. Это была старая песня. Габриэлла устало вздохнула. Как-нибудь все само устроится — этими словами она уже давно себя утешала. Ей даже в голову не пришло попросить Стива предъявить ей упомянутый костюм, на который ушли все ее сбережения.

Она не знала, что развязка уже приближалась. Буквально через две недели после этой истории мадам Босличкова ответила на телефонный звонок из Кентукки — из департамента полицейского надзора за условно осужденными. Надзирающего офицера интересовал мистер Стив Портер, и хозяйка сообщила, что его сейчас нет. На этом разговор окончился. Мадам Босличкова ужасно разволновалась и побежала советоваться к профессору, который успокоил ее, сказав, что это, вероятно, ошибка.

Однако в последующие несколько дней профессор

«случайно» вскрыл несколько поступивших на имя Стива писем, и то, что он в них обнаружил, ему совсем не понравилось. Во-первых, выяснилось, что у Стива не одно, а несколько имен, используя которые тот обналичивает чеки на крупные суммы в разных банках. Во-вторых, Стив находился на испытательном сроке в штатах Кентукки и Калифорнии. Он был условно осужден ни за что иное, как за мошенничество и подделку финансовых документов.

Это заставило профессора взяться за дело всерьез. Он написал несколько писем, сделал несколько телефонных звонков и вскоре узнал, что Стив Портер даже не тот, за кого себя выдавал. Он не учился в Стэнфорде и не заканчивал с отличием Йельский университет. Больше того, его звали не Стив Портер — в разных местах он был известен и как Стив Джонсон, и как Джон Стивенс, и как Майкл Хьюстон. На каждую из этих фамилий он мог предъявить удостоверение личности, водительские права и карточку социального страхования, а дело, которое на него завели в полиции, было почти таким же длинным и увлекательным, как и те сказки, которыми он потчевал доверчивых соседей по пансиону. В Нью-Йорк он приехал, все еще находясь под надзором полиции, но не из Айовы, а из Техаса.

Узнав об этом, профессор Томас пришел в ужас. Мало того, что он сам так ошибся, но ведь он еще убеждал Габриэллу в том, что Стив — достойный молодой человек. И что же? Оказывается, они имели дело с преступником.

Как рассказать обо всем Габриэлле, профессор понятия не имел, и после долгих раздумий он решил поговорить со Стивом сам. План его был прост. Профессор собирался вынудить Стива уехать из Нью-Йорка, пригрозив негодяю разоблачением. За это он готов был пообещать ему скрыть от Габриэллы правду. Профессору очень не хотелось, чтобы Габриэлла узнала, как бесстыдно ее использовали. После всего того горя, которое она изведала в жизни, новое разочарование могло стать слишком тяжелым ударом. Что касалось причин исчезновения Стива, то профессор не сомневался, что сумеет выдумать что-нибудь достаточно убедительное.

Несколько дней он караулил Стива в гостиной и наконец дождался своего часа. Стив вернулся днем. Профессор, заслышав в вестибюле его шаги, встал с кресла, чтобы позвать молодого человека к себе. Для разговора, который он затеял, профессор надел свой лучший костюм и свежую рубашку с галстуком — ему очень хотелось, чтобы их беседа завершилась джентльменским соглашением двух разумных людей. А в том, что Стив пойдет ему навстречу хотя бы ради Габриэллы, он не сомневался.

Но как только профессор увидел выражение лица Стива, он понял, что разговор вряд ли будет легким. Стив был мрачнее тучи, к тому же от него сильно пахло виски. Профессору было невдомек, что у Стива только что сорвалась небольшая коммерческая операция: он собирался приобрести в Ист-Сайде марихуану, чтобы перепродать с выгодой для себя, но поставщик, что называется, «обломил» его. Взяв деньги, торговец исчез, и Стив остался ни с чем.

— Послушайте, Стив, я хотел бы поговорить с вами, если можно, — вежливо сказал профессор, но Стив, проходя мимо него, только прорычал в ответ что-то нечленораздельное. Уже некоторое время его манеры оставляли желать лучшего, но впервые он решился на открытую грубость.

— Я хотел поговорить с вами о Габриэлле, — не сдавался профессор.

— Не сейчас, профессор, — бросил Стив через плечо. — Мне некогда — я должен закончить одно дельце.

Габриэлла продолжала прятать от него деньги, но Стив уже знал все ее тайники и собирался проверить их до ее возвращения.

— Это важно, Стив! — Профессор слегка повысил голос, и его взгляд сделался суровым. Когда-то этого было достаточно, чтобы заставить затрепетать самого дерзкого студента, но Стив Портер отнюдь не был студентом.

— Ну, в чем дело? — спросил он, поворачиваясь к

профессору, который молча протянул ему несколько бумаг. Здесь были письма, с которых профессор начинал свое расследования, а также ответы из Йеля, Стэнфорда и департаментов юстиции четырех штатов. Профессор хорошо потрудился, и, бросив взгляд на эти документы, Стив понял, что разоблачен.

Разумеется, он не пришел в восторг.

— Откуда у вас мои письма? — спросил он, сделав шаг в сторону профессора, но тот нисколько не испугался.

— Мадам Босличкова по ошибке принесла их вместе с моей почтой, и я вскрыл их в полной уверенности, что они адресованы мне, — спокойно объяснил он. — Впрочем, это не имеет отношения к делу. Главное, хотите ли вы, чтобы я показал их Габриэлле, или нет.

— Я что-то вас не пойму, — прищурился Стив. — Вы что же, собираетесь меня шантажировать?

— Нет. Я просто прошу... нет, требую, чтобы вы как можно скорее уехали из города. Если вы это сделаете, я даю вам честное слово, что Габриэлла никогда не увидит эти бумаги.

На несколько секунд в гостиной воцарилась полная тишина. Никого не было и во всем доме; даже мадам Босличкова ушла сегодня к врачу, и Стив знал это.

— А если я никуда не уеду? — спросил он развязно, но его бравада показалась профессору наигранной.

— Тогда я буду вынужден вас разоблачить, — ответил он. — Все очень просто, Стив, выбор за вами.

— Просто, значит? — С этими словами Стив слегка толкнул профессора в грудь, от чего тот едва не упал. — Ты собираешься меня разоблачить, старикашка? Так вот, запомни хорошенько: если ты скажешь Габриэлле хоть слово, то с тобой, того гляди, случится какая-нибудь неприятность. К примеру, ты можешь поскользнуться, упасть, сломать руку или разбить голову. Тебя может сбить неизвестная машина, и так далее, и так далее. Я могу это устроить без особых хлопот — у меня в Нью-Йорке много хороших знакомых, которые будут только рады мне помочь. Но я не думаю, что вы с Габриэллой этого хотите...

— Какой же вы негодяй!.. — воскликнул профессор

вне себя от гнева. При мысли о том, что Стив совершенно обдуманно пользовался добротой и наивностью Габриэллы, профессору стало так скверно, что он с трудом сдержался, чтобы не отвесить ему звонкую пощечину. — Габриэлла не заслуживает, чтобы вы так с ней обращались. Вы получили от нее все, что могли, так почему бы вам не оставить ее в покое?

— А почему я должен оставить ее в покое? — злобно прошипел Стив. — Габриэлла любит меня.

— Она вас даже не знает, мистер Джонсон... мистер Стивенс, мистер Хьюстон или как вас там... Кто вы такой? Обыкновенный жиголо, альфонс, который паразитирует на доверчивых женщинах... Вы — ничтожество, Стив!

— Не пыли, дедуля, — перебил его Стив, подходя к профессору вплотную и закрывая за собой дверь гостиной. — Бабы сами отдают мне деньги и вещи, потому что я тоже кое-что для них делаю. И эта работенка мне по душе. Вкалывать каждый день с девяти до пяти — это не для меня.

— В таком случае, вы еще больший мерзавец, чем я думал, — резко ответил профессор и тоже сделал шаг вперед, намереваясь взять Стива за шиворот и вывести вон из гостиной. При этом он даже не понимал, какой опасности подвергается. Стив понимал только свою выгоду и за нужный ему кусок вполне мог убить. Попытка профессора заставить его уехать под угрозой разоблачения с самого начала была обречена на неудачу. Судя по характеру Габриэллы, из нее можно было еще немало выжать, и Стив не собирался ее терять.

— Убери руки, папаша, — прохрипел он и снова толкнул профессора в грудь, да так сильно, что старик отлетел на несколько шагов и, запнувшись каблуком о линолеум, упал на пол, задев головой об угол обеденного стола.

Удар оглушил его, поэтому он не мог ни сопротивляться, ни даже закричать, когда Стив, наклонившись над ним, легко поднял профессора с пола за воротник рубашки.

— Если ты, старый козел, еще раз попробуешь угрожать мне, тебе не жить. Ты понял? — рявкнул он, глядя ему прямо в глаза.

Но профессора нелегко было запугать. Напротив, он пришел в ярость и хотел что-то сказать, но вместо этого только раскашлялся. Приступ был таким сильным, что лицо его сначала побагровело от натуги, потом — побледнело от удушья. Стив, видя это, только еще сильнее сжал воротник рубашки. Теперь профессор судорожно разевал рот, но не мог сделать ни глотка воздуха. Еще через несколько мгновений его лицо странно исказилось, и Стив, который дожидался именно этого, злобно ухмыльнулся. Острая сердечная недостаточность должна была докончить то, что он начал.

Его расчет оправдался. Профессор стал белым как стена и захрипел. Глаза его закатились, и Стив, который держал старика почти на весу, выпустил его. Профессор упал, неудобно подвернув ноги. Стив немного отступил, внимательно вглядываясь в его безжизненные черты.

«Инфаркт... Готов дед», — подумал он и, поправив стол, о который, падая, ударился профессор, медленно обошел гостиную, проверяя, не оставил ли он каких-нибудь следов. Подобрав с пола обличающие его письма и бумаги, он, лениво шаркая ногами, вышел из гостиной в вестибюль и не торопясь набрал номер «Скорой помощи». Когда ему ответили, Стив, притворяясь взволнованным, объяснил, что его пожилой сосед по пансиону лежит на полу без сознания, ему срочно необходима врачебная помощь.

Машина «Скорой помощи» примчалась меньше чем через пять минут. Стив, все еще изображая беспокойство, рассказал санитарам, как он пришел домой и обнаружил старого профессора лежащим на полу.

— Должно быть, падая, он ударился о стол, — предположил Стив, поскольку над ухом профессора проступила полоска крови. Врач, осмотрев больного, констатировал инсульт, который, по его мнению, и привел к тому, что мистер Томас упал и ударился головой.

После этого профессора на носилках понесли в машину.

— Вы забираете его?! — крикнул Стив, выбегая на улицу вслед за санитарами. — Когда он поправится?

— Сейчас трудно сказать, — ответил врач, садясь в машину. — Если это действительно инсульт, то...

Он не договорил, но Стив понял его без слов. Профессору было за восемьдесят, так что он вполне мог и не выжить.

Через минуту «Скорая», завывая сиреной, умчалась, и Стив, довольно улыбаясь, поднялся в комнату Габриэллы.

Глава 21

Габриэлла как раз расставляла по полкам новые поступления, когда в букинистической секции зазвонил телефон. Иан ушел на обед, и она сама взяла трубку. Едва Габриэлла узнала голос Стива, звучавший как-то непривычно, она поняла: что-то произошло.

— Что?.. Что стряслось? — повторяла Габриэлла, сходя с ума от беспокойства. Она еще никогда не слышала, чтобы Стив говорил таким голосом — ей даже показалось, что он вот-вот заплачет.

— Боже мой, Габи! — выдохнул Стив. — Я даже не знаю, как тебе сказать... Профессор...

Он хорошо знал, как сильно Габриэлла была привязана к старику, и старался разыграть самое глубокое отчаяние. И действительно, при этих его словах Габриэлла почувствовала, как ее сердце сжимается от недоброго предчувствия.

— Что с ним?! — почти выкрикнула она.

— Похоже на инсульт, — произнес наконец Стив. — Когда я пришел домой, он лежал в гостиной на полу. Наверное, ему стало плохо, и он, падая, ударился головой.

— Он был без сознания?.. — спросила Габриэлла, обмирая от волнения и страха. — Или он... умер?

— Нет, нет, когда я его нашел, он пробормотал что-то невнятное, а потом потерял сознание. Я сразу же позвонил в «Скорую», и профессора забрали в больницу. Насколько я понял, его состояние довольно тяжелое, хотя врачи, конечно, не сказали ничего конкретного. В общем, я сразу позвонил тебе...

— Куда его повезли? — перебила Габриэлла. — Надо позвонить в больницу и узнать, что с ним.

— В Центральную городскую. Но там тебе вряд ли чего скажут — профессора увезли, наверное, минуты три или пять назад.

Габриэлла задумалась. Центральная городская больница была крупным федеральным лечебным заведением. Сомнительно, что за профессором там будет должный уход. Ах, как же она теперь жалела, что не уговорила его своевременно пройти обследование! Миссис Розенштейн, мадам Босличкова и она втроем убеждали профессора заняться своим здоровьем. Он все отшучивался — и вот результат. С другой стороны, никто из них даже не подозревал, что профессор может быть так плох, хотя в последнее время он постоянно кашлял и уже давно не водил Габриэллу в рестораны. Даже на прогулки он теперь выбирался не чаще двух раз в неделю.

— Спасибо, что позвонил, — сказала она Стиву. — Я постараюсь приехать как можно скорее. Иан еще не вернулся с обеда, а я не могу бросить отдел. Как только он появится, я отпрошусь... — Больше всего ей хотелось схватить свою сумочку и бежать в пансион, не теряя ни минуты, но она действительно не могла уйти, не сказав никому ни слова.

— А ты попробуй все же дозвониться до больницы, может, уже что-нибудь известно... — быстро попросила она, вне себя от беспокойства.

— Я думаю, они сами нам позвонят, — ответил Стив, но Габриэлла не желала его слушать. Она должна была быть со старым профессором, который заменил ей семью.

— Лучше я поеду туда, как только вернется Иан, — решила она и тут же увидела своего босса, который как раз входил в двери магазина. — Вот он уже идет. Я позвоню тебе из больницы, — добавила она, полагая, что Стив, конечно, тоже захочет узнать, что с профессором.

Поспешно выложив Иану новости, Габриэлла извинилась и сказала, что должна уйти. Иан все отлично понял и не возражал. Он даже пожелал ей удачи, но Габриэлла уже не слышала его. Схватив свою сумочку, она выбежала из дверей и, остановив такси, велела везти себя в Центральную больницу.

Дорога заняла всего несколько минут, но Габриэлле они показались вечностью. Она вздохнула с облегчением только тогда, когда такси затормозило перед воротами Центральной больницы. Но когда Габриэлла полезла в кошелек, чтобы расплатиться, она с удивлением увидела, как мало там осталось денег. Габриэлла была уверена, что вчера вечером у нее была гораздо бо́льшая сумма.

Мысли ее были слишком заняты здоровьем профессора, и она не сразу сообразила, что Стив снова рылся в ее сумочке. В последнее время он «стеснялся» просить у нее деньги и предпочитал брать их тайком. Иногда это ставило Габриэллу в крайне затруднительное положение. Вот и сейчас она едва наскребла нужную сумму, чтобы заплатить за такси, и мысленно пообещала себе еще раз серьезно поговорить со Стивом, когда вернется домой.

Но в приемном покое больницы Габриэлла сразу забыла и о Стиве, и о деньгах. Она расспрашивала всех о профессоре, но даже дежурные сестры не могли ничего ей сказать. Лишь полчаса спустя в приемный покой поступила информация о недавно зарегистрированных пациентах, и Габриэлла увидела в списках фамилию профессора. Для нее было большим облегчением узнать, что он, по крайней мере, не умер по дороге в больницу, но когда, спустя еще полчаса, ее пропустили к профессору, Габриэлла была потрясена тем, как он выглядел. Лицо у профессора было серым, как зола; закрытые глаза ввалились, а руки, лежащие поверх простыни, казались совсем тонкими и слабыми. Возле койки громоздились друг на друга мониторы, тонометры, осциллографы, самописцы, и все это оборудование гудело, попискивало, а то вдруг принималось скрежетать, вычерчивая на длинной бумажной ленте зазубренную кривую. Целая бригада сестер и врачей трудилась над профессором, стараясь сохранить ему жизнь, но, насколько Габриэлла могла понять, их усилия не давали каких-то особенных результатов.

Она тихонько стояла в уголке, и прошло довольно много времени, прежде чем ее заметили. Кто-то из врачей довольно резко спросил ее, кто она такая и что она здесь делает. Габриэлле показалось проще всего назваться дочерью профессора. Она действительно чувствовала себя так, словно у нее на глазах умирал самый близкий человек, к тому же она очень боялась, что ее прогонят. Да и профессор, наверное, обрадовался бы, если бы услышал это. Во всяком случае, он часто говорил Габриэлле, что они с Шарлоттой очень хотели бы иметь дочь, похожую на нее.

— Все равно уходите, вам здесь нечего делать, — сказал врач. Из глаз Габриэллы потекли слезы. Мысль о том, что она может потерять профессора, была ей невыносима.

— Что с ним? Он будет жить? — спросила она, и врач сочувственно покачал головой.

— У вашего отца был инсульт. Вся правая сторона у него парализована, так что он не может ни двигаться, ни говорить. Когда он придет в сознание, он, наверное, сможет слышать нас, но сейчас ничего еще нельзя сказать наверняка.

Услышав эти слова, Габриэлла даже растерялась. Она не понимала, как это могло произойти так быстро. Еще вчера профессор Томас был здоров и относительно бодр, и вот за какие-то несколько часов он превратился в полупарализованного инвалида. Это было так несправедливо и страшно, что просто не укладывалось в голове.

— Могу я поговорить с ним? — спросила Габриэлла, чувствуя, как ею овладевает паника.

— Я же сказал вам, что... — начал врач, но подошедшая к ним сестра перебила его.

— Больной приходит в себя, Майкл, — сказала она и добавила специально для Габриэллы: — Через несколько минут вы сможете попробовать поговорить с ним.

Но несколько минут превратились в несколько часов. Врачи ставили профессору Томасу капельницы, давали кислород, подключали к нему новые и новые машины. Когда его наконец перевезли в отделение интенсивной терапии, Габриэлла дрожала как в лихорадке. Предпринятые врачами решительные меры напугали ее. Многого она не понимала, однако из обрывков разговоров сиделок и сестер ей стало ясно, что профессор живет сейчас лишь благодаря аппарату искусственного дыхания.

Но наконец ей разрешили побыть с профессором, предупредив, чтобы она разговаривала с ним как можно меньше и не ждала, что он ответит.

Кивнув, Габриэлла робко приблизилась к койке профессора. Глаза его по-прежнему были закрыты, седые волосы растрепались, а грудь подымалась и опускалась с видимым трудом, но лицо уже не было таким бледным. Габриэлла почувствовала некоторое облегчение.

— Профессор, — позвала она. — Профессор Томас!.. — Габриэлла поспешно вытерла слезы.

При звуке ее голоса веки профессора затрепетали. Он открыл глаза и попытался улыбнуться, но у него ничего не получилось. Он не мог ни пошевелиться, ни произнести ни слова, но Габриэлла была бесконечно рада тому, что профессор ее узнал.

Присев на стул возле его изголовья, Габриэлла бережно взяла его за руку и поцеловала пальцы, и по щеке профессора скатилась на подушку одинокая слеза.

— Не беспокойтесь, милый мистер Томас, все будет хорошо! — попыталась подбодрить она его. — Врачи мне сказали, что вы обязательно поправитесь!

Это была ложь, и по глазам профессора Габриэлла поняла, что он ей не поверил. Лицо его чуть заметно дрогнуло, в глазах появилась какая-то напряженная сосредоточенность, словно он страдал от сильной боли. Габриэлла в панике оглянулась на дверь, чтобы позвать сестру. Лишь несколько мгновений спустя она поняла, что профессор силится что-то сказать, и отрицательно покачала головой.

— Вам надо беречь силы, — прошептала она, не замечая, что по ее лицу одна за другой катятся слезы. Профессор был рядом и вместе с тем — где-то очень далеко, откуда он никак не мог до нее докричаться. Его сил хватило только на то, чтобы несильно пожать ей пальцы; потом его рука ослабела и упала бы на постель, если бы Габриэлла не удержала ее.

— Не надо ничего говорить, — прошептала Габриэлла, в свою очередь слегка пожимая его холодные худые пальцы, но профессор не успокаивался. По его глазам она видела, что он продолжает кричать ей что-то очень важное, но с губ его слетали лишь чуть слышные звуки, напоминающие тоненький храп младенца. Они были очень тихими, но дежурная сестра услышала их и сразу велела Габриэлле уходить.

— Прошу вас, пожалуйста, позвольте мне остаться! — взмолилась Габриэлла, но сестра была неумолима.

— Вы сможете вернуться сюда часа через два. Вашему отцу нужно поспать, — строго сказала она, крайне недовольная тем, как это люди не понимают самых простых вещей. Отделение интенсивной терапии вовсе не предназначалось для посетителей — здесь с ними мирились только как с неизбежным злом.

— Я вернусь, — шепотом пообещала Габриэлла профессору, и он на мгновение закрыл глаза, но тут же открыл их снова и издал какой-то низкий гортанный звук. Он ужасно хотел что-то ей сказать, но не мог, и это приводило обоих в отчаяние.

— Молчите, прошу вас, — снова шепнула Габриэлла. — Отдыхайте, набирайтесь сил... Я люблю вас, — неожиданно добавила она после небольшой паузы.

Для нее сейчас действительно не существовало в мире человека, который был ей ближе и дороже, чем этот седой старик, глядевший на нее с какой-то непонятной мольбою.

Всю дорогу до пансиона Габриэлла проплакала. Денег на такси у нее не осталось, и она твердо решила поговорить со Стивом, когда вернется в пансион. Но в доме мадам Босличковой царила атмосфера такой глубокой печали и тревоги, что Габриэлла сразу забыла об этом своем намерении. Сама хозяйка, миссис Розенштейн и другие обитатели пансиона собрались в гостиной, ожидая ее возвращения. Стив снова и снова рассказывал, как он нашел профессора лежащим на полу и как, по его мнению, случилось это несчастье.

— Ну, как он? — чуть ли не хором спросили все, когда Габриэлла появилась на пороге гостиной.

— Не знаю, — честно ответила она. — У мистера Томаса инсульт, к тому же он сильно ударился головой, когда падал. Он не может говорить, и вся правая сторона у него парализована. Но когда он пришел в себя, он сразу меня узнал. Профессор пытается говорить, но у него ничего не получается, и от этого он очень расстраивается... — Тут Габриэлла снова заплакала. Ей было очень больно воспоминать, каким слабым и беспомощным выглядел профессор, когда она его оставила; она даже не хотела об этом рассказывать, но выражение ее лица говорило яснее всяких слов.

Мрачную тишину, на короткое время установившуюся в гостиной, нарушили сдавленные рыдания миссис Розенштейн. Мадам Босличкова обняла ее за плечи и стала утешать. По лицам всех собравшихся было заметно, что никто уже почти не верит в то, что профессор сумеет поправиться.

— Как это могло случиться! — воскликнул Стив. — Не понимаю... Такой замечательный человек, и вдруг!.. Как же это несправедливо!

Он казался таким расстроенным, что все принялись наперебой уверять его, что если бы он не нашел профессора и не вызвал бы к нему врача, то сейчас мистер Томас был бы, без сомнения, мертв. Стив с некоторой долей цинизма заметил, что «в том, чтобы быть безработным, есть свои плюсы».

Но никто не упрекнул его, и даже Габриэлла посмотрела на него с сочувствием. Она считала, что знает лучше других, как неудобно Стиву чувствовать себя тунеядцем и бездельником. Ему просто хронически не везло, и Габриэлла считала своим долгом поддерживать в нем веру в скорые перемены к лучшему. Она даже начинала раскаиваться в том, что порой упрекала Стива в бездействии и вынуждала предпринять хоть что-нибудь, чтобы заработать себе на жизнь. Несчастье, случившееся с профессором, сразу напомнило ей, как неожиданно и быстро жизнь может измениться к худшему, и как легко потерять дорогого тебе человека. И одной только мысли об этом было вполне достаточно, чтобы все ссоры и разногласия между ней и Стивом стали казаться Габриэлле мелкими и ненужными.

— Мне очень жаль, Габи, — сказал Стив, подходя к ней. Ему казалось, что он понимает, какую роль профессор Томас играл в ее жизни, но он ошибался. В старом профессоре воплотились для нее все ее представления и все несбывшиеся мечтания о семье, которой у Габриэллы никогда не было. Профессор для Габриэллы был одновременно и дедом, и отцом, и наставником, и близким другом. Именно он и никто другой хвалил или доброжелательно критиковал ее рассказы, именно он вдохнул в нее настоящую уверенность в том, что она может и должна стать писательницей, и именно он любил ее крепкой и бескорыстной любовью, не требуя ничего взамен. Профессор, которого она узнала меньше года назад, значил для нее теперь едва ли не больше, чем когда-то — матушка Григория. Габриэлла очень боялась потерять и его. В своей жизни она уже стольких теряла, что одна мысль об уходе профессора приводила ее в отчаяние. Для нее это было бы катастрофой, и Габриэлла твердо решила про себя, что не даст ему умереть.

После того как Габриэлла позвонила в больницу и узнала, что состояние профессора не ухудшилось, мадам Босличкова и миссис Розенштейн усадили ее за стол. Есть ей совершенно не хотелось, но, чтобы не расстраивать этих добрых женщин, она заставила себя проглотить несколько ложек овощного рагу и съесть запеченное в тесте яблоко, готовить которые мадам Босличкова была большая мастерица. Запив обед чашкой крепкого кофе, Габриэлла сразу схватила в руки сумочку и выскочила из-за стола.

— Я хочу вернуться в больницу как можно скорее, — заявила она и только тут вспомнила, что у нее совсем не осталось денег. Стив некоторое время назад поднялся наверх, сославшись на какое-то дело, и Габриэлла искренне надеялась, что он еще не добрался до той небольшой суммы, которую она хранила под чулками в ящике шифоньера. Но когда она поднялась в свою комнату и достала заветный конверт, он оказался пуст, в то время как еще вчера в нем лежало двести пятьдесят долларов.

Габриэлле не нужно было быть Шерлоком Холмсом, чтобы догадаться, кто взял деньги. Конечно же, это был

Стив... Габриэлле ужасно не хотелось ссориться с ним сейчас, но она чувствовала себя слишком взвинченной, чтобы добираться до больницы на метро. Да и возвращаться ей пришлось бы поздно, а ночью нью-йоркская подземка отнюдь не безопасна.

Почти бегом Габриэлла спустилась на третий этаж и без стука ворвалась в комнату Стива. Тот сидел за столом и перечитывал только что написанные им письма.

— Мне нужны деньги на такси, — без предисловий заявила Габриэлла. — И сейчас же.

— У меня нет денег, крошка, извини. Как раз сегодня я купил новую пачку бумаги и конверты. Это обошлось мне в кругленькую сумму, не говоря о том, что за ксерокс диплома и прочих документов с меня содрали безбожно дорого.

Он извинялся, казалось, совершенно искренне, но Габриэлла не обратила на это никакого внимания.

— Не надо вешать мне лапшу на уши, Стив, — жестко сказала она. — Ты взял из конверта двести пятьдесят долларов и выгреб почти все, что было у меня в кошельке.

Им обоим было хорошо известно, что, кроме него, никто другой этого сделать не мог, однако Стив продолжал упорствовать.

— Честное слово, дорогая, вчера вечером я взял у тебя только сорок пять долларов на ксерокс и бумагу. Кстати, извини, что забыл тебе сказать... У меня осталось только два доллара. — Он достал бумажник, достал оттуда две банкноты и, повертев перед носом Габриэллы, спрятал деньги обратно. — Никаких двухсот пятидесяти долларов я и в глаза не видел.

Он, разумеется, лгал. Габриэлла полагала, что Стив стыдится брать у нее деньги и поэтому часто обманывает ее, однако сейчас она была не расположена выслушивать его сказки. Ей нужны были деньги на такси — и точка.

— Стив, прошу тебя!.. — сделала она последнюю попытку. — Мне очень нужны деньги. У меня ни осталось ни цента даже на метро, а в магазине мне заплатят не раньше пятницы. Верни мне мои деньги, и я поеду в больницу... И вообще, — добавила она, подумав, — перестань таскать деньги из моего кошелька. Мне это надоело!

Только тревога за профессора могла подвигнуть ее на столь решительные заявления.

— Говорю тебе, не брал я твоих денег! — возразил Стив с видом оскорбленной добродетели. — Вечно ты лезешь ко мне с какими-то глупостями! Неужели ты не видишь, что мне и так тяжело?! Думаешь, мне самому нравится ходить без работы?

— Думаю, тебе нравится сидеть у меня на шее, — процедила Габриэлла сквозь зубы. — Впрочем, сейчас я не хочу с тобой об этом разговаривать...

Действительно, единственным ее желанием было как можно скорее вернуться в больницу.

— Перестань попрекать меня каждым куском! — вскипел Стив. — Это, в конце концов, просто нечестно! Я...

— Извини, — перебила его Габриэлла. Она всегда старалась быть справедливой к нему, однако частые недоразумения между ними сделали обоих крайне чувствительными и ранимыми. — Извини, я не хотела тебя обидеть. Я знаю только, что кто-то берет мои деньги, и знаю, что это — не миссис Розенштейн. Но я вовсе не имела в виду, что это ты. Быть может, я что-то напутала.

Стив все еще был дорог ей, и Габриэлла часто шла на большие жертвы, чтобы лишний раз с ним не ссориться.

— Извиняю, — охотно ответил Стив и поднялся, чтобы поцеловать ее. — Хочешь, я поеду с тобой?

После того, как она извинилась, он сразу заговорил с ней мягче, хотя выражение обиды еще не исчезло с его лица. Габриэлла опять почувствовала себя виноватой. Быть может, это и вправду не он. Габриэлла редко запирала дверь своей комнаты, и любой мог зайти внутрь и украсть все, что угодно. Правда, она по-прежнему считала, что никто из постоянных обитателей пансиона на это не способен, но ведь могла же мадам Босличкова пригласить электрика, сантехника, плотника...

Глядя на честное лицо Стива, Габриэлла уговорила себя поверить, что деньги взял кто-то другой.

— Нет, не надо, со мной все будет в порядке. Если

что-то изменится, я позвоню. — И, чмокнув его в щеку, Габриэлла сбежала вниз. Там, краснея и заикаясь от смущения, она попросила у мадам Босличковой несколько долларов, чтобы доехать до больницы на такси.

Хозяйка без колебаний достала из своего кошелька три двадцатки и вручила их Габриэлле. Просьба девушки ее не удивила, хотя Габриэлла в первый раз просила у нее в долг; всем обитателям пансиона было хорошо известно, что она снабжает деньгами — фактически содержит — Стива. Мадам Босличкова в глубине души давно считала этого жильца проходимцем и бездельником.

И дело было даже не в странном телефонном звонке из кентуккийского департамента исполнения наказаний, о котором она рассказала профессору. Просто за те несколько месяцев, что Стив прожил в пансионе, все жильцы мадам Босличковой успели изрядно подустать от его бесконечных рассказов о том, как он учился в Йеле и Стэнфорде. Но больше всего мадам Босличковой не нравились жалобы Стива на то, что в наши дни, дескать, все решает протекция, и что образованному молодому человеку хорошее место найти гораздо труднее, чем какому-нибудь полуграмотному выскочке со связями. Насколько было известно хозяйке, кто хотел найти работу, тот ее находил. Значит, загвоздка была в самом Стиве, который либо просто отказывался от предлагаемых должностей, слишком много о себе понимая, либо вовсе и не искал никакой работы, а просто занимался какими-то темными делишками. Правда, он по-прежнему получал много писем, и звонили ему часто, но теперь мадам Босличкова вовсе не была уверена, что это связано с поисками работы. Она искренне сожалела о том, что прилагала такие усилия, чтобы поближе познакомить Стива и Габриэллу. На ее нынешний взгляд, девушка была достойна лучшей партии.

— Позвони, если будут какие-нибудь новости, — напутствовала Габриэллу мадам Босличкова, и та, кивнув, выбежала на улицу.

Она сразу нашла такси и домчалась до больницы за несколько минут. Но едва Габриэлла вошла в палату, ей сразу стало ясно, что дела у профессора идут не блестяще. Наоборот, налицо было явное ухудшение. Профессор пребывал в явном беспокойстве, и каждый раз, когда его взгляд падал на Габриэллу, он, казалось, приходил в еще большее волнение. Он смотрел на нее так пристально и с такой мольбой, что Габриэлла встревожилась. В конце концов сиделки снова попросили ее удалиться, но она решила остаться и переночевать на диванчике в коридоре.

На рассвете она снова вернулась в палату. Дежурная сиделка сказала, что ночь прошла нормально, профессор успокоился и даже немного поспал.

— Доброе утро, профессор, — негромко сказала Габриэлла, садясь на стул и беря его за руку. — Все наши передают вам привет и желают скорейшего выздоровления. А миссис Розенштейн велела вам принимать все лекарства и не ссориться с сестрами из-за лишнего укола или таблетки. — Старая миссис действительно сказала ей это, вытирая глаза белоснежным носовым платком. — Мы все вас любим...

В эти слова она вложила все свое чувство, и профессор это понял — он на мгновение прикрыл глаза и чуть сильнее сжал пальцы Габриэллы.

По пути в больницу она раздумывала о том, чтобы взять в магазине отпуск и ухаживать за профессором, когда его выпишут. Габриэлла не сомневалась, что Иан пойдет ей навстречу и даст, по крайней мере, неделю с сохранением места. Габриэлла чувствовала себя виноватой за то, что в последние месяцы нередко была к нему невнимательна, мало разговаривала и совершенно забросила свою писательскую работу. Теперь она заговорила с профессором о своем новом рассказе, который начала совсем недавно. Она упомянула о том, что рассказ очень понравился Стиву. Профессор снова нахмурился и вдруг, с трудом подняв левую руку, погрозил ей своим «знаменитым» пальцем. Он был так слаб, что почти сразу же уронил руку обратно на одеяло. Габриэлла едва не разрыдалась, почувствовав, как жалость стиснула ее сердце. «Должно быть, — подумала она, — он бранит меня за то, что я так долго не работала».

— Я буду, буду писать! — пообещала она, искренне

радуясь тому, что — как ей казалось — сумела правильно разгадать его мысль. — В последнее время я была очень занята на работе — мне надо помогать Стиву, ведь ему так тяжело приходится без работы...

И снова левая рука со «знаменитым» пальцем дрогнула и стала подниматься, но тут же упала. В глазах профессора показались слезы.

— Не шевелитесь, прошу вас! — воскликнула Габриэлла. — И не разговаривайте, а то сиделки опять меня выгонят. Вот выздоровеете, вернетесь домой, тогда и побеседуем всласть обо всем.

За исключением того первого рассказа, который профессор без ее ведома отослал в «Нью-йоркер», ей так и не удалось ничего опубликовать. Габриэлла знала, что сама в этом виновата. Она не работала над текстами, как до́лжно, и рассказы получились сыроватыми. Частые ссоры со Стивом из-за денег сильно отвлекали ее, а теперь еще это несчастье с профессором!.. Габриэлла чувствовала, что, пока он не поправится, она вряд ли сумеет написать хоть строчку. Болезнь профессора полностью занимала ее мысли, и Габриэлла мечтала только об одном — чтобы он скорее выздоровел. Если бы существовал какой-нибудь волшебный способ поделиться с ним своими силами и своим здоровьем, она бы с радостью сделала это, пусть даже ей пришлось бы поменяться с профессором местами.

Примерно через час профессор снова закрыл глаза и заснул, но часто просыпался, в тревоге ища глазами Габриэллу. Тогда она брала его за руку и утешала. Взгляд профессора Томаса был очень пристальным; он как будто старался внушить Габриэлле какую-то мысль, однако это усилие быстро утомляло его, и профессор снова ненадолго засыпал. В эти минуты Габриэлла принималась молиться так горячо, как она не молилась, даже когда была в монастыре. Ей никто не мешал — сестра, заступившая на дежурство нынешним утром, была не таких строгих правил, как предыдущая, и просила Габриэллу выйти из палаты только тогда, когда профессору надо было делать укол. Все остальное время Габриэлла сидела рядом с ним и, шепча молитвы, вспоминала монастырь, сестер, матушку Григорию и раздумывала об их тихой силе, которая питалась неколебимой уверенностью в том, что Бог будет всегда любить и защищать их, что бы ни случилось. Сейчас Габриэлле не хватало именно веры, которая могла бы провести через все испытания — и ее, и профессора Томаса.

Профессор все еще дремал, когда, ближе к вечеру, Габриэлла наконец уехала домой, чтобы принять душ, переодеться и рассказать остальным, что происходит. Собственно говоря, никаких особых новостей не было: врач, совершавший обход, сказал ей, что состояние больного вроде бы стабилизировалось и что в ближайшее время ухудшение вряд ли возможно.

Уходя, Габриэлла поцеловала профессора в щеку, но он даже не пошевелился. Она решила, что мистер Томас наконец-то крепко заснул. Это слегка ободрило ее, и по дороге домой она твердила себе, что профессор непременно поправится. Он сильный человек и будет бороться за жизнь, помогая врачам. Именно эти свои чувства она постаралась передать остальным пансионерам, которые с нетерпением ждали ее возвращения.

Услышав эти новости, миссис Розенштейн тотчас же засобиралась в больницу, чтобы тоже навестить профессора. Мадам Босличкова с воодушевлением заговорила о том, какой пищей следует кормить профессора, когда он вернется, и не пора ли уже сейчас закупать яблоки и другие свежие фрукты, чтобы отжимать из них сок и готовить протертое пюре. Каждый спешил высказать свое мнение по этому поводу, и в поднявшейся суматохе Габриэлла не сразу заметила отсутствие Стива. Никто не знал, куда он ушел и когда вернется. Поднявшись к себе, Габриэлла обнаружила на столе записку. Стив сообщал ей о том, что идет в Центральный парк — сыграть партию в теннис с одним знакомым, который обещал ему похлопотать насчет места. Эта записка еще больше подняла ей настроение. Габриэлла как-то уверилась, что и у Стива дела наконец-то сдвинутся с мертвой точки, хотя, строго говоря, никаких оснований для подобного оптимизма у нее не было. Уже несколько раз Стив уезжал, чтобы посидеть в ресторане с «нужными людьми», но из этого так ничего и не вышло. Но сейчас Габриэлла просто не хотела вспоминать об этом.

Войдя в ванную комнату, Габриэлла включила душ и, стоя под его упругими, горячими струйками, снова задумалась о самом дорогом для нее человеке, который в это время боролся за жизнь в палате интенсивной терапии. Профессор был для Габриэллы больше чем другом, и она старательно отгоняла от себя мысль, что будет с ней, если она его потеряет. Вместо этого она рисовала себе радостные и счастливые картины, во всех деталях представляя возвращение профессора, раздумывала о том, что следует предпринять для его скорейшего выздоровления. Габриэлла готова была сделать для него все, что только в человеческих силах, отдать до последней капли всю свою кровь, если понадобится. Бог послал ей этого удивительного человека, и Габриэлла поклялась не допустить, чтобы Он забрал его теперь. Она считала себя в своем праве: Бог и так лишил ее всего, что было у всех обычных людей. Если бы профессор вдруг умер, она перестала бы верить в высшую справедливость.

Когда ближе к вечеру Габриэлла снова приехала в больницу, мадам Босличкова и миссис Розенштейн как раз собирались уходить. Обе женщины были в слезах. Габриэлла спросила, что случилось, и они рассказали, что профессору неожиданно стало хуже. Паралич правой стороны тела начал распространяться и на левую сторону, и профессор задыхается. Врачам снова пришлось подключить аппарат искусственного дыхания.

Это были тревожные вести. Когда Габриэлла вбежала в палату, она сразу увидела, что профессору действительно стало хуже. Он выглядел крайне изможденным и очень усталым; черты его лица заострились, а лежащие на одеяле руки были совершенно неподвижны.

Состояние профессора ужаснуло Габриэллу, но она постаралась собрать все свое мужество и заговорила с ним преувеличенно бодрым тоном.

— Мне сказали, что вы сегодня плохо себя вели, — промолвила она, садясь на знакомый желтый стул в изголовье его кровати. — Говорят, вы все время щиплете молоденьких сиделок за... мягкие места и не даете прохода медсестрам. Я от вас этого не ожидала, профессор, я считала вас воспитанным человеком...

Его глаза немного оживились, а потом взгляд профессора снова стал напряженным и мрачным. Но мистер Томас попыток приподнять руку и погрозить ей пальцем больше не делал. Аппарат искусственного дыхания не позволял профессору издавать никаких звуков. Габриэлла вдруг осознала, насколько беспомощен сейчас этот человек и как близко он подошел к самому последнему пределу. Впрочем, она тут же сказала себе, что, несмотря на свой утомленный вид, профессор выглядит чуть менее бледным, чем раньше. В глубине души она понимала, что обманывает себя, и что шафранно-желтый оттенок, появившийся на пальцах и на скулах профессора, не имеет никакого отношения к румянцу, который, случается, играет на щеках выздоравливающих.

Зная, что профессор слышит и понимает все, что она говорит, Габриэлла принялась рассказывать ему о том, как они заживут, когда он вернется в пансион.

— Все будет замечательно. Я снова начну писáть, — говорила она, — а вы будете разносить меня в пух и прах за пристрастие к таким словам, как «прелестный», «чудесный» и «очаровательный»... — Тут Габриэлла улыбнулась. Она начинала свой монолог с некоторой принужденностью, но теперь разошлась настолько, что сама почти поверила в то, что говорит. Она даже рискнула — в шутку, конечно, — посетовать на то, что профессор уже давно не приглашал ее ни в какой ресторан, как это часто бывало в начале их знакомства.

— То, что в моей жизни появился Стив, — сказала она, — вовсе не означает, что мы с вами не можем никуда выходить. Стив нисколько к вам не ревнует, хотя на его месте я была бы поосторожней — такой кавалер, как вы, способен отбить девчонку у самого красивого мужчины.

Тут она лукаво улыбнулась профессору и наклонилась, чтобы поцеловать его, но тот только закрыл глаза и сделал слабое движение, будто хотел отвернуться. В его мозгу, казалось, кипела какая-то битва, которую он проигрывал только потому, что язык больше ему не повиновался. Габриэлла не могла его понять, как ни старалась. Поэтому она стала дальше рассказывать профессору про Стива.

Профессор снова открыл глаза и впился в нее умоляющим взглядом. Габриэлла ничего не могла поделать. Какая бы мысль ни терзала профессора, он оказался бессилен передать ее без помощи языка.

Габриэлла сидела с ним до самого вечера. Сначала она хотела вернуться в пансион, но, позвонив туда и переговорив со Стивом, решила остаться. Дома ей все равно нечего было делать — Стив собирался ужинать с тем человеком, с которым днем играл в теннис, и, судя по голосу, его дела продвигались успешно. О своем знакомом Стив сообщил только, что он работает на Уолл-стрит, и дружеские отношения с ним могут иметь большое значение для его дальнейшей карьеры.

Услышав об этом, Габриэлла вздохнула с некоторым облегчением. Она была рада узнать, что у Стива есть чем занять вечер. Ей было несколько неловко от того, что приходится оставлять Стива одного, но теперь эта проблема разрешилась. Лишь повесив трубку, Габриэлла задумалась о том, как он собирается платить за ужин.

Вернувшись в палату профессора, она снова села на стул и накинула на плечи теплую кофту, поскольку в палате было прохладно. Готовясь к длинной ночи в больнице, Габриэлла взяла с собой какой-то журнал, но читать все равно не могла. Она просто сидела и смотрела в бескровное, бледное лицо дорогого ей человека.

К счастью, ночь прошла спокойно — должно быть, тут сыграл свою роль аппарат искусственного дыхания, благодаря которому профессору не надо было сражаться за каждый глоток воздуха. Лишь иногда он ненадолго просыпался и в панике начинал шарить по одеялу здоровой рукой, но, нащупав пальцы Габриэллы, сразу успокаивался и засыпал снова.

— Вы — мой самый близкий человек, Теодор Томас, — шепнула ему Габриэлла, и ей показалось, что он ответил слабым пожатием. Должно быть, в полусне он принимал ее за Шарлотту. Так она подумала, заметив, с какой нежностью смотрел на нее профессор каждый раз, когда ненадолго приоткрывал глаза. И, как ни странно, в такие моменты ей даже казалось, что этот старый человек чувствует себя счастливым, но она не знала — от чего. Быть может, он лучше ее знал, что поправится и что все будет хорошо. А может, во сне ему являлась Шарлотта, маня его за собой, и ему было радостно сознавать, что их двадцатилетняя разлука скоро закончится.

Под утро, продолжая держать руку профессора в своей, Габриэлла тоже заснула, уронив голову на грудь. Ей снились странные сны про Джо, про ее отца, Стива и профессора. Отец, как всегда, стоял в стороне и смотрел, а Джо и профессор ссорились со Стивом, но Габриэлла не могла понять — из-за чего.

Когда на рассвете она очнулась, первой ее мыслью было: как профессор. Серое небо за окном только-только начинало розоветь. Габриэлла вздрогнула. Вот, начинается новый день, и битва еще не закончилась. Теперь она не сомневалась, что профессор сумеет победить.

Она посмотрела на него. Глаза профессора были закрыты, а челюсть как-то странно отвалилась. «Искусственное легкое» продолжало мерно дышать за него, и грудь профессора поднималась и опускалась все так же ритмично, но в лице его было какое-то нездешнее спокойствие, которое напугало Габриэллу чуть не до обморока. Но не успела она сдвинуться с места, как на одном из приборов замигала фиолетовая лампочка, и сам прибор издал какой-то пронзительно-скрежещущий звук.

Габриэлла хотела поднять тревогу, но двери палаты распахнулись словно сами собой, и внутрь ворвались дежурный врач и сиделка. Следом за ними появилось еще множество людей с какой-то аппаратурой, они оттеснили Габриэллу в сторону и занялись профессором. Последним прибежал какой-то запыхавшийся толстяк с металлическим чемоданчиком в руке. Он раскрыл его на том же самом стуле, на котором сидела Габриэлла, и достал изнутри какие-то провода с белыми рукоятками на концах. В следующее мгновение широкие спины врачей-реаниматоров заслонили от Габриэллы и толстяка, и профессора. Она отчетливо слышала сухой треск электрического разряда, повторившийся несколько раз.

Сколько это продолжалось, Габриэлла не знала — она потеряла счет времени. Лишь когда кто-то из врачей отключил аппарат искусственного дыхания, она поняла, что произошло. Сердце профессора остановилось, и все усилия врачей ни к чему не привели. Профессор Томас умер.

Медленно, как во сне, Габриэлла поднялась с кушетки, на которую она сама не помнила как опустилась, и сделала два шага вперед, но дежурный врач, неожиданно оказавшийся перед ней, мягко придержал ее за плечи.

— Мне очень жаль, миссис Томас, — сказал он, — но вашего отца больше нет.

Габриэлла уставилась на него широко раскрытыми глазами. Нет, хотелось крикнуть ей, вы лжете, этого не может быть! Ведь только что он был жив, он смотрел на нее и улыбался одними глазами, а она держала его руку — худую, теплую, добрую руку и верила, что все обойдется. Не может быть, чтобы профессор умер. Он не мог умереть теперь, когда она уже перестала сомневаться в его выздоровлении.

И все-таки он умер — умер тихо, во сне, и так же тихо отправился на небо, где давным-давно ждала его Шарлотта.

Выключив ненужное теперь оборудование, врачи ушли, а Габриэлла осталась в палате одна. Она молча смотрела на неподвижное, мертвое тело профессора и отказывалась верить в происходящее. Она даже снова села на стул рядом, взяла его руку в свою и заговорила с ним так, словно он был жив и мог слышать ее.

— Вы не можете так поступить со мной, — глотая слезы, шептала она. — Вы мне так нужны... Не уходите, не бросайте меня одну. Вернитесь, пожалуйста, я прошу вас...

Но она знала, что все бесполезно. Профессор обрел покой; он ушел в мир, где над ним были не властны беды, болезни и огорчения. Теодор Томас прожил большую, полную самыми разными событиями жизнь длиной в восемь с небольшим десятилетий, и теперь больше не принадлежал ни земле, ни ей, Габриэлле.

Он вообще никогда ей не принадлежал. Господь послал ей его лишь на короткое время. По ее мнению, слишком короткое, — но Бог рассудил иначе. Теперь профессор принадлежал только Ему и Шарлотте, и к ним он отправился в назначенный свыше срок.

И все же Габриэлла не могла не чувствовать горечи. Как и все, кто когда-либо был ей близок, профессор ушел, оставив ее одну. Он ни за что ее не осуждал, не злился, не сводил счеты. Все их отношения были окрашены пониманием, дружбой и нежной, почти родственной любовью, которую они питали друг к другу. Но даже несмотря на это профессор не задержался возле нее ни на один лишний час, ни на одну лишнюю минуту. Он ушел, воспарил, вознесся куда-то в другой мир, перебрался в другое время и в другое место, где Габриэлла уже не могла к нему присоединиться.

В палату заглянула сиделка. Она спросила, не нужно ли что-нибудь, но Габриэлла отрицательно покачала головой. Она хотела только одного: вернуть профессора, но это было невозможно, и Габриэлла наконец поняла это со всей жестокой беспощадностью и бесповоротностью. И, как ни странно, эта мысль неожиданно помогла ей собраться. Габриэлла вытерла слезы и встала.

— Нет, мне ничего не надо, все в порядке.

Тогда сиделка деловито осведомилась, как следует поступить с телом и не было ли у покойного каких-нибудь особенных желаний.

— Я не знаю, — спокойно ответила Габриэлла. — Мне надо уточнить...

Она действительно не знала и больше того — не знала, у кого можно об этом спросить. Быть может, у миссис Розенштейн?.. У профессора не было ни семьи, ни детей, ни родственников — только соседи по пансиону, где он прожил почти двадцать лет. Печальный финал долгой и интересной жизни. Огромная потеря для всех них, и в особенности для самой Габриэллы... Профессор научил ее многому, дал много ценных советов, наконец — заставил поверить в свои силы и помог почувствовать себя настоящей писательницей. Как она будет без него?

Наклонившись к профессору, Габриэлла в последний раз поцеловала его в холодеющий лоб и снова с пронзительной ясностью почувствовала, что его больше нет. Дух отлетел, осталась только бренная оболочка — дряхлая, пустая, никому не нужная. Того, что делало профессора профессором, больше не было — перед ней лежал труп, похожий на все другие трупы.

— Передайте от меня привет Джо... — прошептала Габриэлла и, выпрямившись, медленно вышла из палаты. Почему-то она не сомневалась, что профессор и Джо обязательно встретятся.

Лифт доставил ее на первый этаж, и Габриэлла вышла в жаркое июльское утро. Солнце светило ярко и празднично, на небосводе не было ни облачка, и его акварельная голубизна казалась глубокой и безмятежной. Самые разные люди окружали Габриэллу, они выходили и входили в двери больницы, переговаривались, смеялись, и Габриэлле это казалось странным, почти диким. Она еще не осознала, что, несмотря на смерть профессора, которая произвела переворот в ее душе, мир остался стоять как стоял. Жизнь продолжается для всех — в том числе и для нее. Габриэлле вспомнился тот день, когда она была принуждена оставить монастырь, и, стоя возле входа в больницу, Габриэлла как наяву слышала за спиной лязг монастырских ворот, навсегда отрезавших ее от прошлой жизни.

Она еще долго стояла там и пришла в себя, только когда дежуривший у дверей охранник, который уже некоторое время с подозрением на нее косился, подошел и спросил, не может ли он чем-нибудь помочь. В ответ Габриэлла только отрицательно покачала головой. Нет, никто ничем не мог ей помочь.

Поблагодарив охранника, она медленно пошла по улице, держа путь обратно к пансиону. От денег мадам Босличковой у нее осталось больше половины, но Габриэлла не хотела ни брать такси, ни спускаться в метро. Она никуда не торопилась, к тому же ей хотелось немного подышать свежим воздухом и еще раз вспомнить профессора.

И когда она прошла уже порядочный кусок пути, ей вдруг показалось, что профессор Томас тоже шагает рядом с ней по залитым солнцем тротуарам. Значит, поняла Габриэлла, он вовсе не покинул ее. Он оставил ей так много чувств, слов, так много самых разных историй, что Габриэлла просто не могла считать его одним из тех, кто когда-то покинул ее, не оставив после себя ничего, кроме горечи и боли. Да, рассудком она знала, что профессор Томас умер, но сердце твердило другое, и Габриэлле стало легче на душе от сознания того, что он не предал ее.

Глава 22

Ко всеобщему удивлению, дела профессора Томаса оказались в порядке почти образцовом. Всем обитателям пансиона он казался человеком, обладающим порывистым и оттого — несколько неорганизованным характером. Габриэлла предвидела, что им с мадам Босличковой придется, возможно, долго рыться в бумагах, прежде чем они выяснят последнюю волю профессора.

Но их ждал сюрприз, вызвавший в обоих изрядное удивление. В отдельном ящике стола лежала аккуратная кожаная папка, в которой оказался запечатанный по всем правилам конверт с завещанием и несколько листков бумаги с инструкциями. Профессор желал, чтобы ему устроили небольшую поминальную службу на открытом воздухе, и чтобы над гробом обязательно прочли отрывок из поэмы Теннисона и небольшое стихотворение Роберта Браунинга, напоминавших ему о Шарлотте, рядом с которой он и хотел быть предан земле. В записке также содержалось указание, как поступить с корреспонденцией, которая была разобрана по алфавиту и содержалась в огромном шкафу-картотеке в кабинете профессора, и сообщался шифр депозитной ячейки, которую профессор, оказывается, арендовал в одном из крупных банков в деловом центре города.

Информация была более чем исчерпывающей, и Габриэлла с мадам Босличковой взялись за организацию похорон. От миссис Розенштейн, которая вела себя как безутешная вдова, не было никакого проку, но им очень помог Стив, который — как он сказал — хорошо помнил, как хоронили его отца. Он отыскал приличное и недорогое похоронное бюро, взявшее на себя все формальности, помог выбрать гроб и венки и целыми днями пропадал в городе, курсируя между больничным моргом, страховой компанией и местным отделением социального обеспечения.

В день похорон все обитатели пансионата отправились на арендованном лимузине-катафалке на Лонг-Айленд, где была похоронена Шарлотта. Похороны, как и хотел профессор Томас, были очень короткими и скромными. Были еще только кладбищенский распорядитель и протестантский священник, который совершил над гробом сокращенный чин отпевания. Потом Габриэлла прочла стихи Теннисона и Браунинга и — после некоторого колебания — свое собственное стихотворение, которое она посвятила профессору. Голос Габриэллы дрожал от переполнявшего ее горя, и если бы не молчаливое присутствие Стива, который бережно поддерживал ее под локоть, она, наверное, разрыдалась бы. Стив вообще как мог утешал и помогал им всем. Ему даже удалось реабилитировать себя в глазах мадам Босличковой.

На этом похороны завершились — профессор не хотел, чтобы кто-либо видел, как его будут засыпать землей. Им пришлось уехать еще до того, как распорядитель дал команду опускать гроб в могилу. Габриэлла только успела положить на гроб красную розу — свой последний дар человеку, который сделал для нее так много.

Профессора похоронили в его единственном темном костюме; остальную его одежду они еще раньше передали в ближайший церковный приход для бедных. В «Нью-Йорк таймс» появился небольшой некролог, из которого все с удивлением узнали, что профессор Томас был автором нескольких книг и научных исследований, обладателем высших ученых степеней и почетных наград, о которых он из скромности умалчивал.

Но главное потрясение ожидало их, когда в гостиной

состоялось формальное чтение завещания. Огласить его взялся один из пансионеров, в прошлом адвокат. Он собрал в гостиной всех постояльцев и вскрыл в их присутствии запечатанный конверт.

Габриэлла пришла в гостиную в полной уверенности, что чтение завещания представляет собой простую формальность. Всем было известно, что профессор жил на одну весьма скромную пенсию, и, кроме книг, у него ничего не было. Но то, что прочел адвокат, поразило ее, да и всех остальных тоже. Оказывается, профессор жил в пансионе вовсе не по необходимости, а потому, что это было единственное место, где он не чувствовал себя одиноким. На самом же деле профессор Теодор Томас вполне мог позволить себе нечто более солидное, чем скромная квартирка на втором этаже, которую он занимал на протяжении почти двух десятилетий. Всю жизнь он копил деньги и вкладывал их в акции крупных корпораций, которые приносили немалый доход, да и на рынке они стоили уже намного больше номинала. Иными словами, скромный одинокий старик был обладателем неплохого состояния в деньгах и ценных бумагах.

Но еще более удивительным было то, как он распорядился этим богатством. Своим добрым друзьям Марте Розенштейн и Эмме Босличковой профессор оставил по пятьдесят тысяч долларов, присовокупив к ним слова любви и искренней благодарности за ту доброту и внимание, которыми они окружали его на протяжении всех двадцати лет знакомства. Миссис Розенштейн профессор также завещал свои золотые часы; это была его единственная дорогая вещь. Он знал, что его верной поклоннице будет приятно получить их на память. Свою богатую библиотеку и все деньги, которые находились на его текущем счету и в виде акций в депозитной ячейке банка, профессор завещал «своей юной коллеге и ученице мисс Габриэлле Харрисон». В общей сложности Габриэлла получала чуть больше шестисот тысяч долларов, и все присутствующие дружно ахнули, когда адвокат огласил этот пункт завещания.

Габриэлла не верила своим ушам. Сначала она подумала, что ослышалась, потом — что все это просто шутка. Это невозможно — такова была ее последняя мысль. Почему профессор оставил ей столько денег? Но в своем завещании он объяснял и это. Профессор считал, что Габриэлла способна распорядиться этими средствами разумно и с пользой. Шестисот тысяч ей должно быть достаточно, чтобы серьезно заниматься писательством. По мнению профессора, сумма, которую он ей оставил, давала свободу и служила определенной страховкой на случай непредвиденных обстоятельств. В конце завещания профессор также приписал, что всегда относился к Габриэлле как к родной дочери и этот подарок он преподносит ей со всей любовью, ибо восхищается ею и как писателем, и как личностью.

Свою последнюю волю профессор подписал полным именем — Теодор Роусон Джеймс Томас, и адвокат, огласив число и назвав фамилию нотариуса, заверившего собственноручную подпись профессора, сказал, что завещание находится в полном порядке и, значит, имеет законную силу и начинает действовать с момента оглашения.

Когда он замолчал, в гостиной ненадолго воцарилась тишина. Все были настолько ошеломлены, что не могли произнести ни слова. И вдруг в одно мгновение эта тишина сменилась взволнованным гомоном голосов, удивленными и радостными восклицаниями соседей по пансиону, которые от души поздравляли Габриэллу. Все были так рады за нее, что никто даже не позавидовал свалившемуся на нее неожиданному богатству.

А Габриэлла совершенно растерялась. Еще вчера она была бедна, как церковная мышь, а сегодня вдруг стала богатой и к тому же — обладательницей замечательной библиотеки! В смятении она посмотрела на Стива и увидела, что он радостно улыбается. По его лицу было видно, как он счастлив за нее. Габриэлла с облегчением подумала, что он не ревнует и не завидует ей. Как и все, Стив считал, что Габриэлла все это заслужила.

— Теперь ты, наверное, уедешь от нас, — с легкой грустью сказала ей мадам Босличкова. — С такими деньгами ты можешь сама купить целый дом и открыть пансион... — Тут она прослезилась и крепко обняла Габриэллу. — Девочка моя, как я за тебя рада!.. — шмыгая носом, твердила она.

— Ну что вы, что вы!.. — отвечала Габриэлла. — Куда же я уеду от вас?!

Она все еще не верила в свою удачу и, как и все остальные, была поражена тем, что профессор сумел скопить такую значительную сумму. Габриэлла тоже считала, что, кроме библиотеки и пенсии по старости, у него больше ничего нет. Она сама чувствовала себя ужасно неловко, когда в начале их знакомства профессор, приглашая ее в ресторан, настаивал на том, что сам будет оплачивать счет. Теперь выходило, что она переживала совершенно напрасно. Оставленное им завещание объясняло и это, и множество других вещей.

Но главное, теперь Габриэлла точно знала, как профессор относился к ней в действительности, и жалела только о том, что не может поблагодарить его. Впрочем, почему не может? Единственной формой благодарности, которую бы принял профессор, была ее писательская карьера. Габриэлла твердо пообещала себе, что будет работать над новыми рассказами не только ради собственного удовольствия, но и ради него.

— Ну что, принцесса, каковы ваши планы на ближайшее будущее? Купите себе самолет и полетите на каникулы в Гонолулу? — шутливо сказал Стив, обнимая ее за плечи, и Габриэлла невольно подумала о том, что теперь их проблемы остались позади. Наследство профессора все изменило. Она жалела только о том, что не может поделиться этими новостями с матушкой Григорией и сестрами. Возможно, подумалось ей, все это — действительно божественное провидение. Ведь останься она в монастыре, то никогда бы не познакомилась с профессором, не напечаталась бы в «Нью-йоркере» и не получила бы в наследство более полумиллиона долларов...

Да, трудно было поверить, что столько событий вместилось в какой-то год. В июле прошлого года они с Джо признались друг другу в любви; десять месяцев назад Джо умер и она покинула монастырь, а семь месяцев назад они стали близки со Стивом. А ее дружба с профессором?.. Как много она значила в жизни Габриэллы!

Ей было так хорошо с ним. Она до последнего не верила, что он может умереть. Впрочем, сам профессор, похоже, держался иного мнения. Его завещание было датировано маем месяцем, значит, он уже тогда почувствовал, что ему осталось недолго. Строго говоря, чтобы составить такой прогноз, никакой особой прозорливости не требовалось. Всю зиму и почти всю весну профессор проболел, болезнь подорвала его силы, и он, предчувствуя близкий конец, решил привести свои дела в порядок. Да и болезнь миссис Розенштейн, наверное, напомнила ему, что все люди смертны, и что он — не исключение.

Вечером все обитатели пансиона снова собрались в гостиной на торжественный ужин. Его устроила для своих друзей Габриэлла, хотя для этого мадам Босличковой пришлось ссудить ее деньгами. Ужин удался на славу, и все снова поздравляли Габриэллу и радовались за нее. «Такое бывает только в сказках, — сказала мадам Босличкова, поднимая за нее бокал сухого вина. — И пусть для тебя, Габи, эта сказка никогда не кончается!»

После того как пансионеры разошлись, Габриэлла тихонько поднялась в бывший кабинет профессора, чтобы получше познакомиться с унаследованной библиотекой. Полюбовавшись на прекрасную подборку редких и специальных изданий, среди которых стоял и трехтомник, подаренный ею на Рождество, Габриэлла села за стол и стала рассеянно перебирать бумаги. Она и сама не знала, что ищет. Быть может, она рассчитывала наткнуться на неотправленное письмо или на адресованную ей записку в несколько строчек... Но вместо этого в одном из ящиков стола она неожиданно наткнулась на папку из коричневого манильского картона. Машинально раскрыв ее, Габриэлла увидела какие-то бумаги и несколько вскрытых писем, адресованных Стиву Портеру.

Это были копии тех документов, которыми профессор пытался пригрозить Стиву. Здесь лежали ответы на все запросы, которые профессор посылал в Йель и Стэнфорд, а также официальные справки из полиции разных штатов. Габриэлла просматривала их одну за другой, и на лбу ее проступали капли холодного пота.

Человек, о котором шла речь в этих бумагах, не имел

ничего общего с тем Стивом Портером, которого она знала. Это был настоящий негодяй. Содрогаясь от ужаса и отвращения, Габриэлла прочла выдержку из полицейского досье, в котором были перечислены все преступления, все приговоры и все сроки заключения, которые Стив отбывал в тюрьмах разных штатов. В поле зрения закона он попадал за мошенничество, подделку документов и вымогательство. Жертвами его были в основном женщины, с которыми он знакомился, заводил интрижку, а потом — обдирал как липку. Не брезговал Стив и наркотиками, время от времени покупая и перепродавая небольшие партии марихуаны или кокаина. Из подколотого к одному из запросов рапорта сотрудника социального ведомства Габриэлла узнала, что Стив даже не закончил школу, но это уже не произвело на нее никакого впечатления — даже не заглядывая в соответствующие документы, она догадалась, что уж тем более он никогда не учился ни в Йеле, ни в Стэнфордской школе бизнеса.

Потрясло ее другое. Она вдруг разом поняла, что происходило с ней в последние восемь месяцев. Все встало на свои места, и многие странности в поведении Стива получили свое рациональное объяснение. Он использовал ее — использовал цинично и жестоко, и ему было совершенно наплевать на ее чувства. Чтобы вызвать в Габриэлле жалость и сочувствие и втереться к ней в доверие, Стив выдумал и больную маму, и погибшую в автокатастрофе невесту. Ни невесты, ни ребенка, которого она якобы ждала, никогда не существовало в природе, а родители Стива умерли, когда он был совсем маленьким. На протяжении десятка лет Стив кочевал из одного федерального приюта в другой и кончил спецзаведением для несовершеннолетних правонарушителей.

Значит, все было ложью от первого до последнего слова. Стива Портера, которого она знала и которого считала своим близким другом, никогда не существовало — его выдумал и воплотил, как на сцене, этот незнакомый и страшный человек, которого звали не то Джон Стивенсон, не то Майкл Хьюстон.

По сравнению с этим бессовестным и циничным обманом даже смерть Джо не казалась ей такой ужасной. По крайней мере, Габриэлла знала, что он искренне любил ее. Стив не любил ее никогда. Он только лгал ей, использовал ее в своих целях и крал у нее деньги. А она-то думала...

Габриэлла неожиданно почувствовала себя так, словно она не просто вывалялась в грязи, но еще и наглоталась этой же самой грязи. Даже думать о Стиве ей было противно — он не вызывал у нее ничего, кроме омерзения и досады на свою близорукость и чрезмерную доверчивость. Сейчас Габриэлла сравнивала себя с проституткой, хотя в данном случае роль содержанки исполнял скорее Стив.

Она еще долго сидела за столом и, рассматривая письма, думала о том, как ей теперь быть. Наконец она убрала документы обратно в ящик и тщательно заперла. Габриэлла так ничего и не решила — единственное, что она знала твердо, это то, что не хочет ни видеть Стива, ни разговаривать с ним. Она просто не знала, что ему сказать...

И вдруг новая мысль поразила ее словно молния. Откуда у профессора эти документы? И зачем они ему понадобились? Неужели он собирался разоблачить этого мерзавца? Что, если он уже разговаривал со Стивом?

Холодок страшного предчувствия пробежал по спине Габриэллы. У нее не было никаких доказательств; больше того, врачи совершенно определенно сказали ей, что мистер Теодор Томас скончался от последствий инсульта, и все-таки она чувствовала, что Стив каким-то образом причастен к смерти профессора. Какой-то разговор между ними наверняка произошел, и именно после него случилось то, что случилось. То ли Стив толкнул старика так, что тот упал (Габриэлла уже не верила, что ссадина на виске появилась у него вследствие удара о столешницу). Или он намеренно довел профессора до такого состояния, что с ним случился удар. Это означало, что ко множеству своих преступлений Стив добавил убийство. Хладнокровное убийство старого, беспомощного человека!

В конце концов Габриэлла покинула квартиру профессора и поднялась к себе. Там она села на кровать, чтобы немного упокоиться и привести в порядок мысли, но ей помешали. Дверь отворилась, и в комнату заглянул Стив.

— А-а, ты здесь... — протянул он и вдруг заметил, что Габриэлла как-то странно на него смотрит.

— Что с тобой? Ты не заболела? — спросил он, входя в комнату и закрывая за собой дверь.

У Габриэллы действительно был очень растерянный вид, но тут Стив ее как раз понимал. Поневоле обалдеешь, когда на тебя, как с неба, сваливается шестьсот «кусков». Он и сам был удивлен, когда услышал завещание. Как и все в пансионе, Стив считал, что старикашка беден, как вошь, а оказалось, что у него в кубышке хранится настоящий капитал. Что ж, ему повезло, что старый маразматик оставил шестьсот тысяч девчонке. Стив рассчитывал в самое ближайшее время наложить на них лапу и отчалить. А в том, что ему это удастся, он ни минуты не сомневался.

— У меня ужасно болит голова, — ответила Габриэлла. Ее голос действительно звучал слабо, как у больной, но взгляд был пронзительным и отчужденным. Габриэлла смотрела на него, как на чужого. Да и в самом деле, человека, который стоял перед ней, она совсем не знала.

— Ну, дорогая, это такой пустяк! — беззаботно воскликнул Стив. — Теперь, когда у тебя есть шестьсот тысяч долларов, ты можешь скупить весь аспирин в этом паршивом городишке. Кстати, как насчет того, чтобы отпраздновать это дело? Мы могли бы пойти с тобой в самый дорогой ресторан и кутнуть как следует... Да что там — ресторан! На эти деньги можно отправиться в Рим, в Милан, в Париж!.. Весь мир перед нами, только выбирай. Что скажешь?..

В самом деле, перспектива открывалась очень заманчивая. Стиву действительно хотелось заманить Габриэллу в Европу, чтобы там без помех как следует обработать ее.

— Я пока не готова ответить тебе, Стив, — проговорила Габриэлла, с трудом подбирая слова. — Мне нужно как следует подумать... Я не могу просто взять и бросить работу, Иан меня не поймет. Кроме того, профессор хотел, чтобы я использовала эти деньги для своей писательской карьеры. Я не собираюсь тратить их на удовольствия — по отношению к нему это было бы нечестно.

Так она лепетала, удивляясь про себя тому, зачем она вообще с ним разговаривает. Впрочем, определенный резон у Габриэллы был. Ей требовалось время, чтобы что-нибудь придумать. С другой стороны, даже смотреть на Стива ей было больно, а при мысли о том, что он может быть причастен к «несчастному случаю» с профессором, руки у нее сами собой сжимались в кулаки.

Но Стива ее отговорки только позабавили.

— Ты сущий ребенок, Габи, — с улыбкой промолвил он. — Профессор уже никогда не узнает, что ты сделаешь с этими деньгами. Теперь они твои, и ты можешь распоряжаться ими по своему усмотрению.

В ответ Габриэлла только кивнула. Раньше слова Стива показались бы ей совершенно невинными, но теперь, когда она точно знала, кто он такой, она отнеслась к ним совсем по-другому.

Этой ночью они, как обычно, легли в ее комнате (свою Стив использовал только как кабинет и гардеробную для хранения своих многочисленных костюмов). Габриэлла еще раз упомянула о том, что плохо себя чувствует. Ей и в самом деле было не по себе, к тому же она знала, что, если Стив попытается затеять с нею любовную игру, она не выдержит и закричит или ударит его. Он оскорблял, унижал ее одним своим присутствием. Она не испытывала физической боли. Но в каком-то смысле это было даже хуже того, что когда-то проделывала с ней мать.

Утром Габриэлла притворилась, будто идет на работу, но из первого же телефона она позвонила Иану и сказалась больной. Потом она отправилась в парк и села там на скамью.

Ей нужно было что-то придумать. Дальше так продолжаться не могло. Габриэлла довольно долго ломала над этим голову. В конце концов ей пришло на ум, что в кабинете профессора могут найтись еще какие-то обличающие Стива документы, которые помогут ей принять решение.

Габриэлла знала, что Стива сегодня дома не будет — он опять встречался за ленчем с какой-то важной шишкой. Мадам Босличкова отправилась покупать для гостиной новый диван взамен старого, в незапамятные времена прожженного на самом видном месте кем-то из прошлых жильцов. Миссис Розенштейн уехала на прием к врачу. Все остальные где-то подрабатывали, и даже отставной адвокат трижды в неделю консультировал своих молодых коллег. Таким образом по крайней мере до обеда в пансионе не должно было быть ни души. Габриэлла решила воспользоваться этой возможностью, чтобы еще раз побывать в кабинете профессора. В любом случае ей нужно было забрать собранные им документы, чтобы показать их юристу и послушать, что он посоветует. О том, что можно возбудить судебное преследование, Габриэлла даже не подумала — сейчас она хотела только одного: чтобы Стив исчез из ее жизни как можно скорее и навсегда. Мысль о том, что ей придется провести со Стивом еще одну ночь и что он снова будет прикасаться к ней, вызывала в ней почти физическое ощущение тошноты.

Эта перспектива показалась ей настолько мрачной, что Габриэлла больше не раздумывала. Бросив быстрый взгляд на часы, она решительно встала со скамейки и зашагала обратно к пансиону. Время двигалось к полудню, и в ее распоряжении оставалось что-то около часа, но Габриэлла была уверена, что успеет сделать все, что нужно.

Как она и рассчитывала, в пансионе никого не было, и никто не видел, как она вошла в квартиру профессора. В кабинете она первым делом отперла ящик и, достав папку с письмами и документами, внимательно перечла их еще раз, особо останавливаясь на всех омерзительных подробностях. Габриэлла узнала, что Стив ухитрился не зарегистрировать брак ни с одной из женщин, которых он обобрал, но список его жертв был очень внушительным. Сопоставив некоторые даты, Габриэлла обнаружила, что Стив часто находился в близкой связи с двумя и даже с тремя женщинами одновременно.

Она все еще читала, когда позади нее скрипнула половица. Габриэлла испуганно обернулась и увидела Стива, который стоял на пороге и ухмылялся.

— Решила пересчитать свои денежки? — спросил он. — Или ищешь, чем тут еще можно поживиться? Не надо жадничать, крошка.

У него было такое странное лицо, что Габриэлла невольно содрогнулась, но тут же постаралась взять себя в руки. Она даже попробовала улыбнуться ему как ни в чем не бывало, но у нее ничего не получилось. Габриэлла просто не могла вести себя с ним как прежде.

— Так что ты тут делаешь, малыш? — уточнил Стив, и Габриэлла мысленно прокляла себя за то, что, войдя в квартиру, не заперла за собой дверь. Но ведь она не знала, что он вернется так рано!

— Я... Иан дал мне целых два часа на обед. Я подумала: зайду посмотрю, нет ли где-нибудь среди бумаг полного списка книг. Искать на полках — такая морока, а мне хотелось прочесть одно исследование, — солгала она.

Стив ничего не ответил. Оттолкнувшись от дверного косяка, он сделал несколько шагов вперед и снова остановился. На нем были светлые брюки, белая сорочка с короткими рукавами и галстук, заколотый золотой булавкой, и Габриэлла подумала, что обед, наверное, не состоялся.

«Какой обед! — тут же оборвала она себя. — Никакого обеда и не было назначено! Это все ложь, ложь, ложь!..»

— Интересное, должно быть, исследование, — сказал Стив, указывая на картонную папку, которая Габриэлла машинально прижала к груди. По выражению его глаз она поняла — Стиву знакома эта папка. Должно быть, Стив уже видел какие-то документы из этой папки и теперь явился, чтобы забрать остальное. Впрочем, документы интересовали его лишь во вторую очередь. Стиву нужны были деньги — ее деньги.

— Я... я не понимаю, о чем ты... — пробормотала Габриэлла и сделала неуклюжую попытку спрятать папку за спину.

— Прекрасно понимаешь, — оборвал ее Стив. — Неужели старикашка успел шепнуть тебе словечко, прежде чем подох? Или ты сама их нашла?..

Габриэлла угадала правильно. Как и она, Стив выбрал время, когда в доме никого не должно быть, и вернулся, чтобы поискать копии тех писем, которыми пытался угрожать ему старый пердун. Несмотря на кажущуюся рассеянность, Стив давно понял, что в душе профессор — педант. Значит, он наверняка снял с писем копии хотя бы просто для того, чтобы обезопасить себя или заполнить ими еще одну ячейку в своей идиотской картотеке.

— Кого — их? Что, ты думаешь, я нашла?

Но запираться было бесполезно, и они оба знали это.

— Мою краткую биографию. Должно быть, этот старый кретин истратил на марки не меньше ста долларов, когда рассылал свои запросы. Здесь, конечно, не всё, но самое главное старик сумел раскопать.

Стив сказал это почти с гордостью; он был бесконечно уверен в себе, и Габриэлла не могла смотреть на него без содрогания. Кто этот человек? Кто он ей? Никто! Просто незнакомец, но незнакомец злонамеренный, весьма и весьма опасный.

— Да, да!.. — весело подтвердил Стив, прочитав выражение лица Габриэллы, отразившее одновременно и брезгливость, и страх. — Мы с профессором разговаривали об этом в тот самый день, когда он, гм-м... упал.

Последнее слово он особенно подчеркнул голосом и выразительно посмотрел на Габриэллу.

— Ты сделал это?! — выкрикнула Габриэлла. — Ты!!! Ах, какой же ты подонок! — Она еще никогда никого так не называла, но Стив заслужил это.

— Ты ударил его? Или просто толкнул? Что ты ему сделал, негодяй? — Гневно сверкая глазами, Габриэлла шагнула вперед. Она хотела знать, знать наверняка.

Стив со смехом поднял руки, словно защищаясь от нее.

— Я? Абсолютно ничего! Старикашка так раскипятился, что мне не пришлось ничего делать. Я просто немного ему помог — только и всего. Он ужасно за тебя беспокоился, и теперь я знаю — почему. Ведь он выбрал тебя своей наследницей... — Стив ухмыльнулся. — Скажу честно, это была приятная неожиданность... Или ты знала? — Он подозрительно сощурился. — Когда проф сказал тебе? И зачем вы разыграли всю эту комедию с чтением завещания?

— Я ничего не знала! — возразила Габриэлла. — Откуда я могла узнать?

— От него, конечно.

— Он не мог мне ничего сказать, — дерзко ответила Габриэлла. — А вот я могу! И уж, конечно, всем расскажу, что ты сделал!..

Она была совершенно уверена, что справедливость непременно восторжествует, стоит только кому-то набраться смелости, чтобы встать и сказать правду. И если твердо стоять на своем, ни на йоту не отклоняясь от истины, ложь и порок будут обращены в постыдное бегство. Но Стив, похоже, не собирался признавать себя побежденным.

— И что будет? — спросил он самым издевательским тоном.

— Мы позвоним в полицию. Лучше уезжай отсюда, да поскорее. Иначе тебе придется очень пожалеть!

Габриэлла буквально кипела от гнева. Она знала, что так или иначе, но Стив виновен в смерти профессора, и это придавало ей смелости.

— Я так не думаю, Габи, — спокойно ответил он. — Мне почему-то кажется, что ты никому ничего не расскажешь. Другое дело — я. Я могу сказать в полиции, что ты знала о деньгах, которые завещал тебе профессор. Я под присягой покажу, что ты сама много раз рассказывала мне об этом и уговаривала убить несчастного старика. Я скажу, что за эту работу ты предлагала мне половину всех денег — а это целых триста «кусков». Я, конечно, отказался и даже попробовал убедить тебя не предпринимать ничего, что могло бы ускорить кончину профессора.

Так что сама видишь — я совершенно ни при чем.

Что я, в конце концов, сделал? Просто поговорил с ним, и старика хватил удар. За это в тюрьму не сажают, тем более что деду было уже за восемьдесят — в таком возрасте человека может прикончить простой сквозняк. А вот тебя могут упрятать за решетку за подстрекательство к убийству. Профессор завещал тебе больше полумиллиона долларов. За такие деньги и ангел убьет. Насколько я знаю, тебе грозит до пятнадцати лет тюрьмы; срок не шибко большой, но тюремные порядки суровы. Такой нежный цыпленочек, как ты, не протянет там и шестнадцати месяцев, так что стоит мне сказать хоть слово, и тебе конец. Как тебе это понравится, Габи?

Габриэлле стало страшно. Она не нашлась, что ему возразить, и Стив удовлетворенно хмыкнул.

— Так вот, Габи, я обещаю тебе, что сделаю это, если ты не отдашь мне из своего наследства пятьсот тысяч долларов. Выбирай! По-моему, это не слишком большая цена за свободу и, быть может, — жизнь. Подумай как следует. От семи до пятнадцати лет... если доживешь. Тюрьма — не для таких, как ты, Габи. Я-то это знаю — я сам там неоднократно бывал.

— Как... как ты можешь поступать так со мной? — спросила Габриэлла неожиданно жалобным голосом, и подбородок ее предательски задрожал. — Как ты можешь? Ведь ты... ты!..

«Ведь ты любил меня», — хотелось сказать ей, но она вовремя вспомнила, что Стив никогда ее не любил. Он только притворялся любящим, добрым, внимательным. Он обманывал ее почти год, а теперь шантажировал ее, грозил поломать ей судьбу, карьеру... И, чтобы этого не произошло, она должна была отдать ему деньги профессора.

— Как я могу? Очень просто, Габи. Этим миром правят деньги. Это — великая вещь, когда они у тебя есть. С ними ты король, а без них — безработный выпускник Йеля... — Он хрипло рассмеялся. — Тебе грешно жаловаться, Габи, ведь я оставляю тебе целых сто тысяч, даже больше. Ну, решай же скорее, пока я не передумал. Иначе заберу все. Даю тебе пять минут, потом — прямо отсюда — ты позвонишь в банк. Нет, сначала — адвокату, потом в банк...

— Как ты собираешься объяснить, почему я вдруг так решила? Ты не боишься, что это будет выглядеть подозрительно?

— Что-нибудь придумаю... Придумаем, — поправился он. — Влюбленные женщины часто совершают необъяснимые, странные, просто глупые поступки. Думаю, ты это и сама знаешь.

— Ты не посмеешь.

— Посмею, Габи, еще как посмею. Пятьсот тысяч на бочку — и я навсегда исчезну из твоей жизни. Зубастый, страшный Серый Волк уедет далеко-далеко, и доверчивая Красная Шапочка увидит его снова разве что в кошмарном сне, когда он придет к ней вместе с ее ведьмой-мамочкой и любовником-самоубийцей.

Стив не постеснялся использовать против нее то, что она сама рассказала ему в минуты величайшей откровенности, и Габриэлла, забыв о своем страхе, ринулась вперед.

— Ты просто мерзавец, Стив! — выкрикнула она, неловко замахиваясь, чтобы дать ему пощечину. Сначала он убил профессора, а теперь хотел уничтожить ее и опоганить все, что было в ее жизни хорошего. По его лицу было видно, что Стив не испытывал ни малейших угрызений совести. Похоже, ему даже доставляло удовольствие мучить ее. Каким же надо было быть подонком, чтобы угрожать ей тюрьмой за то, что она якобы планировала убийство профессора — человека, который так много для нее сделал и которого она любила сильнее, чем родного отца.

Нет, вдруг решила Габриэлла, опуская руку. Этому не бывать!

— Вот что, Стив Портер, или как там тебя... — сказала она неожиданно твердым голосом. — Можешь убить меня, можешь рассказывать полиции все, что тебе вздумается, но ты не получишь от меня ни цента. Почти семь месяцев ты забирал почти все, что я зарабатывала. Ты заставил меня поверить, будто любишь меня, а сам ис-

пользовал меня, как будто я... вещь. Так вот, от меня ты
ничего больше не получишь. Никогда!..

Стив невольно отшатнулся. Он понял, что Габриэлла
намерена сдержать свое слово, и в первое мгновение ее
решимость озадачила его. Впрочем, через секунду Стив
вспомнил, что он — мужчина, и что он гораздо сильнее
ее. Шагнув вперед, он схватил Габриэллу за волосы и
сильным рывком заставил запрокинуть голову назад.

— Не смей разговаривать со мной таким тоном, Габи,
иначе я сверну тебе шею! — прошипел он. — Ты сделаешь то, что я тебе скажу, или я действительно убью тебя.
Мне нужны деньги, и ты мне их доставишь. Немедленно.
Ну, поняла, или ты еще тупее, чем я думал?..

Увидев, что у Габриэллы глаза расширились от ужаса, Стив еще раз дернул ее за волосы, чтобы привести
девчонку в чувство и напомнить, кто настоящий хозяин
положения.

— А теперь звони адвокату, живо!

И свободной рукой он указал на телефон.

— Я не буду никуда звонить! — Габриэлла старалась
говорить как можно спокойнее, хотя колени у нее подгибались. — Кончена игра, Стив!..

— Как бы не так! — отозвался он и слегка ослабил
хватку — ровно настолько, чтобы Габриэлла могла выпрямиться. «Интересно, — думал он, — как долго придется ее увещевать? Наверное, недолго». Габриэлла всегда казалась ему безвольным, робким существом, боящимся собственной тени.

— Игра только начинается, Габи, — произнес он с угрозой. — К счастью, я могу больше не притворяться,
будто люблю тебя. Ты и так отдашь мне то, что я у тебя
прошу. Достаточно будет только рассказать тебе, что я
сделаю, если ты вздумаешь упрямиться. Итак?..

Но Габриэлла не отвечала, она только смотрела на
него в упор, и взгляд ее Стиву совершенно не понравился.

— Звони в банк, — приказал он коротко. — Звони,
или я вызову полицию. Не беспокойся, они поверят мне,
а не тебе. Старик завещал тебе деньги? Завещал! Значит,
у тебя были все основания желать, чтобы дедуля пересе-

лился на тот свет как можно скорее. Я от его смерти ничего не выигрывал, так что решай сама...

Габриэлла продолжала с ненавистью смотреть на него и молчать. Если бы она могла, то убила бы его взглядом.

— Ну?!

Габриэлла выдернула волосы из его руки и повернулась к стоявшему на столе телефону.

— Что это ты делаешь? — спросил Стив, которому не было видно, какой номер она набирает.

— Мне надоела комедия, которую ты ломаешь. Я звоню в полицию вместо тебя, — не оборачиваясь, отозвалась Габриэлла.

Подскочив к ней, Стив вырвал трубку из ее рук и нажал на клавишу. Потом так дернул за провод, что оторвал от стены розетку.

— Не валяй дурака! — рявкнул он. — Я не собираюсь возиться с тобой до вечера. Сейчас мы с тобой пойдем в банк, ты получишь деньги и отдашь их мне. Потом я сяду на первый же самолет в Европу, и все. Для тебя... Для меня же все только начнется.

— Откуда мне знать, что ты не заявишь в полицию после того, как я отдам тебе деньги? — спросила Габриэлла, и Стив удовлетворенно кивнул. Похоже, эта дурочка поняла, что он ни перед чем не остановится, и сдалась.

— Знаешь, это совсем неплохая идея! — расхохотался он. — Тебе придется поверить мне на́ слово, крошка. Все равно у тебя нет никакого выбора. Если ты не отдашь мне деньги, я тебя просто убью. Честное слово, за эти восемь месяцев мне так надоело, что ты трясешься над каждым центом, что я с огромным удовольствием сверну тебе шею!

Услышав эти слова, Габриэлла даже вздрогнула. Опять она одна оказалась виновата во всем! Стив вынужден был убить ее, потому что она его «довела»!.. Он тут ни при чем, он не хотел, но она его вынудила...

— Ну, убей меня! — почти выкрикнула она с отчаянием и дерзостью. В это мгновение ей действительно было все равно, ведь, куда бы она ни пошла, рядом с ней всегда оказывался кто-то, пытающийся свалить на нее всю вину, наказать за какие-то настоящие и выдуманные грехи и пороки. Она всегда оказывалась виновата, и всегда кто-то мучил ее, уходил, бросал, лгал ей, угрожал убить ее тело и сломить дух. И в каком-то смысле им это удалось, потому что с каждым предательством какая-то часть ее души умирала.

— Ты дура! — прошипел Стив, с угрозой надвигаясь на нее. Он не мог допустить, чтобы ему нанесла поражение эта дрянь, эта глупая, жалкая женщина, с которой он жил, спал, забирал те жалкие крохи, которой ей удавалось заработать. Он, Стив Портер, вынужден был рыскать по всему дому, разыскивая заначки по пять-десять долларов, которые она прятала то под матрасом, то среди белья. Нет, хватит с него унижений! Он отберет у нее деньги, которых она не заслужила, а потом поквитается с ней по-своему!

— Хватит валять дурака, Габи! Мне нужны эти деньги!..

Но по глазам Габриэллы Стив уже понял, что ничего от нее не добьется. Да и времени оставалось совсем мало — вот-вот должны были вернуться постояльцы, а он все еще не получил этих денег. Своих денег!.. Они принадлежали ему, потому что он заслуживал их больше, чем она.

Не тратя слов даром, Стив обхватил Габриэллу обеими руками за шею и затряс так, что у нее залязгали зубы, но она не пыталась сопротивляться и даже не вскрикнула. Как и всегда, она просто позволяла ему делать с собой все, что угодно, и это привело Стива в еще большее бешенство.

— Чертова шлюха, я тебя убью! — взвизгнул он. — Ты что, не понимаешь!?

Но она не понимала и даже, похоже, не слышала его. Габриэлла снова стала маленькой девочкой, которая настолько привыкла к побоям, что уже не ждет, когда они наконец кончатся. Как и всегда в подобных случаях, она ушла мыслями в такие бездонные глубины, куда Стив не мог дотянуться. Но как бы сильно ни хотелось ему открутить Габриэлле ее тупую белокурую башку, ему не нужен был труп. Ему нужны были деньги, и он хотел их получить любой ценой.

— Я тебя ненавижу, — неожиданно произнесла Габриэлла. Эти слова были обращены не только к Стиву, но и ко всем остальным, кто преследовал и предавал ее. — Ненавижу! — повторила она отчетливо и ясно, и Стив наотмашь ударил ее по лицу.

Габриэлла пошатнулась, но не столько от удара, сколько от нахлынувших на нее страшных воспоминаний. О, как знакомо было ей это ощущение, этот звук, эта боль! Не в силах совладать с собой, она попятилась и, потеряв равновесие, упала навзничь, ударившись затылком о тумбу письменного стола. Но не успела она коснуться пола, как Стив схватил ее за руку и, рывком подняв, нанес ей еще один сокрушительный удар кулаком. Удар пришелся по уху, но Габриэлла услышала только глухой и далекий звук, словно от упавшего на асфальт мешка с песком. Этим ухом она давно почти ничего не слышала. После побоев, пережитых ею в детстве, казалось, Стив ничего уже не мог ей сделать.

Он вообще ничего не мог, ибо не было такой боли, какой Габриэлла не испытала. Стив выбивался из сил, нанося ей удар за ударом, но все это были сущие пустяки по сравнению с непрекращающимся кошмаром, в котором Габриэлла жила целых десять лет. Напрасно он швырял ее на пол, пинал ногами и бил головою об пол — Габриэлла продолжала считать, что он к ней даже не прикоснулся. Она видела, как шевелятся его губы, но не слышала и не понимала, что он все еще говорит, и лишь догадывалась, что он требует от нее деньги.

Потом Стив и вовсе потерял над собой контроль и только свирепо рычал, словно шакал, треплющий беспомощную птицу с поврежденным крылом. И действительно, в эти мгновения ослепляющей ярости Габриэлла перестала быть для него человеком; Стив видел в ней лишь мерзкую тварь, которую надо растоптать, раздавить, уничтожить, ибо она преграждала ему путь к сокровищу, о котором он мечтал и которое должно было по праву принадлежать ему.

Но все его старания были тщетны. Габриэлла отказывалась подчиниться ему, и никакая сила не могла заставить ее сдаться. Она даже не кричала и не стонала. Не вскрикнула она и тогда, когда Стив в очередной раз швырнул ее о стену и раздался такой знакомый звук треснувшей кости. Ей было все равно. Она знала, что, даже если Стив переломает ей одну за другой все кости, хуже ей уже не будет. Сама жизнь, которую он хотел у нее отнять, ничего больше не значила для Габриэллы. По сравнению со всеми разочарованиями, которые она пережила, по сравнению со всеми потерями, со всей ложью и всеми страданиями эта последняя потеря была пустяком.

Наконец, после очередного удара, пришедшегося в переносицу, Габриэлла увидела перед собой ослепительно яркий свет и упала на пол. Стив продолжал избивать ее ногами, кричать, чтобы она позвонила в банк, чтобы она отдала ему деньги, и что она — шлюха, что он никогда не любил ее. Эти слова, которые когда-то могли заставить ее страдать, не доходили до сознания Габриэллы. Глядя снизу вверх на его багровое от ярости лицо, она увидела сначала Джо, потом профессора, потом — свою мать. Джо говорил ей о своей несчастной любви; профессор пытался рассказать правду о Стиве, а мать... Она, как всегда, злобно кричала, что все это — ее вина, что Габриэлла и в самом деле — дрянь, чудовище, и что она заслужила каждый удар, которым награждал ее Стив.

Но теперь Габриэлла знала правду! Она была ни в чем не виновата. Это Стив был грубым и жадным чудовищем, это он убил профессора и теперь убивал ее. И вдруг, почувствовав в себе силу, о существовании которой она прежде не подозревала, Габриэлла поднялась с пола. Ее платье было в крови, лицо распухло, и теперь Стив не мог ни вести ее в банк, ни звонить в полицию. Ему оставалось только одно — забыть о деньгах и бежать, спасая свою шкуру. Но он уже не мог остановиться, смирившись с поражением. В последнем приступе бессильной ярости Стив бросился на нее и, схватив за горло, сжал с такой силой, что комната перед глазами Габриэллы закружилась. Но она не сдавалась, она продолжала стоять, держась за него, и впервые в жизни решилась ответить. Ногтями она впилась в его лицо и наносила ему слабые, неточные удары, которые, конечно, не могли ему повредить. Но это было не главное. Главное заключалось в том, что Габриэлла перестала быть жертвой, раз и навсегда решив про себя, что больше никто и никогда не сможет унижать ее безнаказанно. И Стив, который пытался задушить ее совершенно всерьез и напрягал все свои немалые силы, вдруг увидел, что у него ничего не выходит. Габриэлла отказывалась умирать только потому, что какой-то подонок решил выместить на ней собственные разочарования.

И Стив отступил. Пальцы его разжались, и только после этого Габриэлла позволила себе медленно опуститься на пол. Она почти ничего не видела и ждала еще одного удара, чтобы из последних сил вцепиться зубами в его руку или ногу — вцепиться и не отпускать до конца, пока хватит сил и самой жизни, но удара не последовало. Вместо этого она услышала негромкий хлопок двери и поняла, что Стив бежал.

Габриэлла не знала, победила она или проиграла в этой последней схватке, но это было уже не важно. Главное, что все, кто в разное время хотел так или иначе сломать ее, не добились успеха. Ее мать, отец, Джо, Стив — все они пытались убить ее, но не сумели. Каждый из них в свое время прилагал огромные усилия, чтобы овладеть ее духом и погасить его, как гасят свечу. Но этот маленький огонек мигал, дрожал, проскальзывал сквозь пальцы и не давался им в руки.

Значит, она все-таки победила?..

Габриэлла слабо пошевелилась и перекатилась на спину. Взгляд ее залитых кровью глаз устремился в потолок, и она неожиданно увидела Джо, который снова манил ее за собой, протягивая руку. Габриэлла отвернулась от него.

Она отвернулась — и сошла во тьму одна.

Глава 23

Габриэллу обнаружила миссис Розенштейн. Поднимаясь к себе мимо квартиры профессора, она обратила внимание, что дверь слегка приоткрыта. В кабинете она увидела опрокинутую мебель, кровавые пятна на полу и распростертое возле стола тело. Поначалу миссис Розенштейн даже не узнала Габриэллу: ее лицо было разбито, чудесные светлые волосы намокли от крови, на шее отпечатались четкие следы пальцев. Габриэлла лежала в такой неестественной позе, что миссис Розенштейн решила, что она мертва.

На ее крики сбежался весь дом. Один из пансионеров тут же бросился звонить в «Скорую», но оказалось, что телефонная розетка вырвана из стены (профессор был единственным жильцом, у которого был собственный телефонный номер). В конце концов «Скорую» вызвали с общего телефона, но несколько минут, которые потребовались врачам, чтобы добраться до Восемьдесят восьмой улицы, показались обитателям пансиона часами. Они уже знали, что Габриэлла жива. Старый адвокат нащупал у нее на шее слабый пульс, однако всем было ясно, что в любой момент девушка может скончаться. Кто-то зверски избил ее, причем большинство ударов пришлось по голове.

— У бедняжки может быть серьезное сотрясение, — шепнула мадам Босличкова одному из пансионеров и залилась слезами. Тут могли быть самые печальные последствия. Мысль о том, что Габриэлла — такая красивая и молодая — может до конца своих дней пролежать в коме, казалась ей невыносимой.

«Кто мог это сделать?» — этот вопрос они задавали друг другу, но никто не знал на него ответа. Лишь мадам Босличкова сразу заподозрила Стива, но, когда она отправилась проверить свою догадку, оказалось, что все его вещи на месте. «Значит, это не он», — подумала хозяйка с некоторым облегчением, но перед ней сразу же встала другая проблема: как рассказать Стиву о том, что случилось с Габриэллой? Она не могла на это решиться, да и никто другой — тоже.

Размышления мадам Босличковой были прерваны появлением полиции и бригады «Скорой помощи». Бегло осмотрев Габриэллу, санитары тотчас же уложили ее на носилки и понесли в машину. Все это заняло меньше, чем две минуты. Не успели пансионеры опомниться, как «Скорая» уже умчалась, и сирена ее затихла в отдалении.

На этот раз Габриэлла не слышала ни пронзительного воя сирены, ни голосов врачей. Она была в таком глубоком обмороке, что не чувствовала никакой боли, и ничей призрак не осмелился последовать за ней в ту безгласную мглу, в которую она погрузилась вскоре после того, как Стив оставил ее и бежал.

В травматологическом отделении больницы уже ждали дежурный врач и целая бригада специалистов, однако им пришлось изрядно потрудиться, прежде чем они сумели более или менее привести Габриэллу в порядок. Сломанную руку поместили в лубок, треснувшие ребра скрепили широким пластырем, открытые раны зашили хирургическими нитками, синяки обработали холодом и специальной мазью, однако больше всего врачей беспокоило, насколько сильно пострадал мозг. Вскоре стало ясно — внутримозговая гематома привела к сдавливанию мозга. Теперь все зависело от того, насколько скоро спадет опухоль и сумеет ли мозг справиться с ее последствиями.

В конце концов травматологи уступили Габриэллу пластическому хирургу, который занялся ее лицом. У Габриэллы были рассечены бровь и подбородок, однако хирургу удалось зашить эти раны, и он почти не сомневался, что в конце концов не останется даже шрамов. Не мог он не заметить и синяков на шее девушки, поэтому сразу после операции хирург зашел поговорить об этом с дежурным травматологом.

— Ее хорошо отделали, Питер, — сказал он, открывая исписанный невозможными каракулями больничный листок Габриэллы и занося туда свой анамнез. — Ты обратил внимание на пальчики на шее?

Питер Мейсон кивнул. Он принимал Габриэллу, и он же оказывал ей первую помощь, прежде чем передать ее ортопеду и хирургу.

— Похоже, она кого-то здорово разозлила, — сказал хирург. Он был опытным, много повидавшим в своей жизни врачом, но даже он удивлялся, как Габриэлла осталась в живых.

— Ерунда, — без улыбки отозвался Питер. — Должно

быть, забыла подать мужу тапочки или снова пересолила суп. Все как всегда.

Это была мрачная шутка, но именно такой юмор помогал врачам-травматологам не сойти с ума. Им приходилось видеть слишком много страшного: пострадавшие в автомобильных авариях, бросившиеся из окна самоубийцы, жертвы преступников — все они попадали сюда, и врачам далеко не всегда удавалось выиграть схватку за жизнь. Иногда в приемный покой попадали дети, и тогда сохранить спокойствие бывало особенно трудно. Каждый молодой врач, попавший в отделение травматологии, либо очень быстро расставался со своими иллюзиями, либо уходил. Питер предпочел остаться, хотя это обошлось ему не дешево.

— Так копы видели пальчики у нее на шее? — повторил свой вопрос хирург, закрывая больничный листок.

— После того, как ей взяли руку в гипс, полиция сделала несколько фотографий. Сейчас, кстати, девочка выглядит гораздо приличнее. Посмотрел бы ты, на что она была похожа, когда ее только что доставили.

— Могу себе представить, — вздохнул хирург и, помолчав, добавил: — Как думаешь, она выкарабкается?

Питер Мейсон ненадолго задумался. Список внутренних повреждений состоял почти из трех десятков пунктов, а еще не до конца просохшие рентгенограммы показывали не только новые переломы, но и множество старых, давно заживших. У Питера сложилось впечатление, что мисс Харрисон когда-то побывала в серьезной автомобильной аварии. Левый глаз у нее был поврежден, одна почка перестала функционировать. Слава богу, хоть череп цел. Но сотрясение, судя по всему, было серьезное.

— Думаю, выкарабкается, — ответил Питер, хотя на самом деле у него были все основания сомневаться. Самым главным препятствием на пути к выздоровлению была все же внутримозговая гематома. Габриэлла могла на всю жизнь остаться совершенно беспомощной, полупарализованной идиоткой, не способной самостоятельно ни есть, ни пить, и соображающей не больше, чем понимает кочан капусты на грядке. В этом случае для нее было бы лучше умереть на операционном столе.

— Надеюсь, они схватят того сукиного сына, который сделал это, — с чувством произнес хирург и, сбросив в мусорный бак резиновые перчатки, стал мыть руки. Его смена закончилась, и он собирался домой, ужинать.

— Это наверняка любовничек постарался, — сквозь зубы пробормотал Питер. Сожители и мужья, напившись или приревновав, часто срывались по поводу и без повода и вымещали на подругах свою собственную ущербность. Они готовы были убить, лишь бы успокоить свое собственное эго — за десять лет работы в травматологии Питер не раз сталкивался с подобными случаями.

Самому ему было тридцать пять лет. Два года назад он развелся с женой, которая в один прекрасный день просто сказала ему, что не может больше выносить его бесконечных дежурств, его постоянной озабоченности состоянием больных и специфического юмора. Он и сам начинал бояться, что становится циничным, черствым, угрюмым, но ничего с собой поделать не мог. Удивлялся он только одному — тому, как Лилиан хватило терпения на целых пять лет. Ему выпадали редкие выходные, да и то его могли каждую минуту вызвать в больницу — спасать очередного «летуна» или собирать из кусочков жертву автомобильной аварии. В конце концов Лилиан променяла его на пластического хирурга, который удалял морщины состоятельным клиенткам. У Питера не поворачивался язык, чтобы произнести хоть слово осуждения. Если уж у него порой бывали минуты, когда он был готов послать все к черту, то чего требовать от женщицы.

Вечером он несколько раз заходил в палату интенсивной терапии, в которой, кроме Габриэллы, лежали еще две пациентки. Одна из них, выпрыгнув из окна четвертого этажа, отделалась сложным переломом таза. Питер вот-вот собирался переводить ее в общую терапию. Второй в палате была юная наркоманка, которая не рассчитала дозу и свалилась на рельсы метро. Она доживала свои последние часы — Питер, во всяком случае, был уверен, что девчонка не выкарабкается.

Что касалось Габриэллы, то ее жизнь была все еще

под вопросом. Состояние ее оставалось стабильным, и Питер отметил это с удовлетворением. Но она до сих пор не пришла в сознание, а выжить Габриэлла могла только в том случае, если бы сама захотела этого и начала бороться.

От сиделок Питер узнал, что из пансиона, в котором жила Габриэлла, несколько раз звонили и справлялись о ее состоянии, однако среди этих пожилых людей не было ни близких родственников, ни мужа. Следовательно, как изначально полагал Питер, с ней расправился любовник. Застигнутые на месте преступления взломщики и квартирные воры никогда не избивали случайного свидетеля с таким усердием — для них это жестокое действо было лишь необходимостью, и они никогда не вкладывали в него всю душу. Тот, кто напал на Габриэллу, не пожалел ни сил, ни времени, чтобы нанести ей максимум повреждений. Единственное, что ему оставалось сделать, чтобы картина была полной, это облить ее бензином и поджечь — во всем же остальном он преуспел. На Габриэлле, что называется, не было живого места.

— Есть какие-то изменения у мисс Харрисон? — спросил Питер у дежурной сестры, в очередной раз зайдя в отделение интенсивной терапии, но та отрицательно покачала головой.

— Никаких.

— Что ж, отсутствие перемен к худшему — уже успех, — пофилософствовал Питер. — Но все же будем надеяться на лучшее.

И он посмотрел на часы — начало первого ночи. Питер подумал, что было бы неплохо вздремнуть. На дежурство он заступил в полдень, а значит, половина смены уже прошла.

— Разбуди меня, если что-нибудь случится, о'кей? — Он улыбнулся сестре, и та ответила ему дружеской улыбкой. Ей, как и многим другим, нравилось работать с Питером. Он был отличным парнем, а мягкие русые волосы и темно-карие глаза делали его весьма и весьма привлекательным. Правда, Питер бывал крут, ибо не терпел расхлябанности и пренебрежения своими обязанностями, но он был чертовски хорошим врачом.

Потом Питер ушел в комнатку, которая использовалась для хранения медикаментов, запасных носилок и перевязочных материалов. Там же стояла складная походная кровать, на которой врачи и сестры могли отдохнуть, если выдавалась свободная минутка. Через пять минут он уже спал.

Сестры и сиделки внимательно наблюдали за Габриэллой до самого утра, но она так ни разу и не пошевелилась. Дыхание ее было неглубоким и редким, а пульс — слабым, но стабильным. Утром в палате прозвучал сигнал тревоги, но он не имел к Габриэлле никакого отношения — умерла юная наркоманка, лежавшая на соседней койке. Сознание так и не вернулось к Габриэлле, и Питер начал опасаться самого худшего — комы.

Настроение в пансионе тоже было тревожным. Утром мадам Босличкова, которая весь предыдущий вечер просидела у телефона, снова позвонила в госпиталь и узнала, что состояние Габриэллы не изменилось. Пансионеры, расходившиеся по делам, обнаружили на входных дверях написанный от руки информационный бюллетень, в котором хозяйка извещала жильцов, что Габи все еще без сознания, но врачи надеются на лучшее.

После обеда мадам Босличкова и миссис Розенштейн снова позвонили в больницу, но новости были неутешительными. Никаких перемен, сказал им мистер Мейсон — тот самый молодой врач, который занимался Габриэллой вчера. «Прогноз неопределенный», — добавил он, и две пожилые женщины всполошились, решив, что Габриэлла непременно умрет. Врач объяснил, что, пока она не пришла в сознание, сказать что-либо наверняка очень трудно, и обещал непременно позвонить им, если что-нибудь изменится.

Смена кончилась два часа назад, но Питер все еще был на месте. Врач, который должен был его сменить, позвонил ему в одиннадцать и сказал, что у его жены трудные роды. Он с шести утра находится вместе с ней в родильном отделении той же больницы. Питер сразу согласился выручить приятеля, хотя это означало, что ему придется дежурить вторые сутки подряд. Впрочем, для него это было в порядке вещей. В сложных случаях Питер оставался в отделении, даже если ему не надо было никого подменять. В конце концов, именно это и привело их брак с Лилиан к такому бесславному концу. Но Питер ни о чем не жалел и всячески оправдывал свою бывшую жену. В последнее время ему все чаще и чаще казалось, что врач-травматолог федеральной больницы вовсе не должен жениться.

— Что новенького? — спросил Питер у дежурной сестры, вернувшись из столовой. Утро выдалось довольно тихим: до конца его смены они приняли только двух пострадавших — десятилетнего темнокожего мальчика, который сильно обгорел во время пожара в Гарлеме, и восьмидесятишестилетнюю женщину, которая упала на крыльце собственного дома и заработала перелом шейки бедра. Ничего экстраординарного. Мальчишку передали в ожоговое отделение, и Питер отправился обедать.

— Все по-прежнему, — ответила сестра, с сочувствием глядя на него. Она уже знала, что Питер работает вторые сутки подряд. — У меня полный термос кофе. Хочешь?..

— Потом. — Питер покачал головой и, скорее по рутинной привычке, чем по необходимости, зашел в палату интенсивной терапии, чтобы проведать Габриэллу. Минуты две он стоял возле ее койки, созерцая показания приборов, потом приподнял пальцем веко здорового глаза.

И в этот момент ему показалось, что лицо Габриэллы чуть заметно дрогнуло, словно от боли. Он снова прикоснулся к ней и опять увидел, как ее черты чуть заметно исказились, однако Питер пока не мог сказать, приходит ли она в себя, или это было просто рефлекторное сокращение лицевых мускулов. Заглянув в больничный листок, висевший на спинке кровати, Питер наклонился поближе и позвал ее по имени.

— Габриэлла!.. Габриэлла, ты меня слышишь? Если слышишь — открой глаза. Просто открой глаза!

Но ее лицо осталось неподвижным — как Питер ни вглядывался, он не мог уловить ни малейшего намека на движение. Тогда он вложил два пальца в ее расслабленную руку и снова заговорил:

— Габриэлла, если ты слышишь меня — пожми мне руку!

Несколько секунд Питер ждал, но ничего не происходило. Когда он уже готов был убрать руку, пальцы Габриэллы чуть заметно дрогнули. Это нельзя было даже назвать пожатием, но она, несомненно, услышала и поняла его, и Питер не сдержал улыбки. Подобные маленькие победы составляли с некоторых пор весь смысл его жизни, и он ими очень дорожил. Без них было бы стократ тяжелее.

Питер снова повторил свой вопрос, и на этот раз Габриэлла почти что сжала его палец по-настоящему.

— Умница! — воскликнул Питер. — Превосходно, Габриэлла. А теперь попробуй открыть глаза. Или хотя бы просто моргни. Ну?.. Если не получается открыть, просто зажмурься покрепче, а потом расслабься. Постарайся, Габриэлла, мне хотелось бы, чтобы мы поняли друг друга.

И снова очень долго ничего не происходило, но Питер чувствовал, что она собирается с силами. Наконец ресницы Габриэллы затрепетали, и хотя она так и не сумела открыть глаза, Питер был очень рад. Она слышала и понимала его, а значит, медленно, медленно, но все шло к лучшему.

Но это означало и то, что работа только начинается.

Питер звонком вызвал сиделку и, когда та появилась, объяснил ей, в чем дело.

— Похоже, мисс Харрисон начинает приходить в себя, — сказал он. — Попробуйте немного поговорить с ней — может, так она быстрее очнется. Я загляну, когда освобожусь, и проверю, какие у нас успехи.

Соседку Габриэллы — ту самую, которая выпрыгнула из окна — уже перевели из интенсивной терапии в общую. Питер отправился проведать женщину со сломанной шейкой бедра. Ее он застал полной бодрости и праведного гнева. Несмотря на то что перелом был очень сложным и болезненным, пожилая миссис Дюмон требовала, чтобы ее немедленно отправили домой, так как завтра утром она должна была быть у своего парикмахера.

Выходя от нее, Питер все еще улыбался. Миссис Дюмон была настоящей аристократкой. Если бы у нее была тросточка, она наверняка пустила бы ее в ход просто потому, что ей здесь осмеливаются перечить. К счастью, ничего такого у нее не было, и Питер мог чувствовать себя в безопасности. Впрочем, несмотря на это, он пообещал старушке отправить ее домой, как только она освоится с инвалидными ходунками. Пока же ей предстояла серьезная операция.

Был уже поздний вечер, когда Питер, покончив с бумажной работой, снова заглянул в палату к Габриэлле.

— Как тут наша Спящая Красавица? — осведомился он беззаботно, и сиделка пожала плечами. Как и велел Питер, она много разговаривала с Габриэллой, но та никак не реагировала. Сиделка решила, что либо врач ошибся, и это был обычный рефлекс, либо девушка просто не хотела возвращаться в мир, который обошелся с ней так жестоко. Такие вещи иногда случались: спасаясь от боли, страданий и несправедливости, пациент порой отступал так глубоко в себя, что уже не мог вернуться.

Знаком отпустив сиделку, Питер сел на стул рядом с кроватью и еще раз вложил палец в ладонь Габриэллы, но ничего не произошло, хотя он продолжал звать ее по имени и разговаривать с ней. Он уже отчаялся, но вдруг Габриэлла неожиданно шевельнула рукой. Глаза ее оставались закрыты, но Питер понял, что она услышала его.

— Ты так разговариваешь? — ласково спросил Питер. — Может, попробуешь что-нибудь сказать по-настоящему?

Ему было очень важно знать, не повреждены ли речевые центры, и если нет, то способна ли она рассуждать логически и здраво. Но пока Питеру было бы достаточно одного слова, одного взгляда или звука.

— Как насчет того, чтобы спеть мне какую-нибудь песенку? — весело предложил он и негромко засмеялся. В любых, самых тяжелых обстоятельствах Питер умел рассмешить пациента, вдохнуть в него веру в собственные силы. За это его любили и больные, и сестры. Но главным, что завоевало Питеру уважение коллег, было, безусловно, его умение возвращать к жизни самых тяжелых больных, которые уже утратили способность к сопротивлению или просто не хотели бороться.

— Ну же, Габриэлла! — продолжал уговаривать ее Питер. — Спой мне «Звездно-полосатый стяг». Или «Маленькая звездочка, свети!»...

И он сам запел эту известную детскую песенку. У него совсем не было музыкального слуха, и заглянувшая в операционную сестра невольно улыбнулась. В больнице Питера считали немного сумасшедшим, однако его «музыкальная терапия» давала порой совершенно удивительные результаты.

— А может, ты предпочитаешь «Алфавит»? — спросил Питер, прерывая пение. — Он поется на ту же мелодию, что и «Маленькая звездочка...». Знаешь?..

Так он продолжал болтать и петь, и вдруг Габриэлла негромко застонала.

— Что-что? — быстро спросил Питер, воодушевленный успехом. — Это был «Звездно-полосатый» или «Отель Калифорния»? Я узнал мелодию, но что-то не расслышал слова...

Габриэлла снова застонала, на этот раз — громче, и Питер понял, что она возвращается. Реакция была вполне сознательной.

Тут ресницы Габриэллы снова затрепетали. Опухоль на скуле все еще мешала ей, и Питер осторожно коснулся ее век кончиками пальцев. Лишь с его помощью Габриэлла сумела открыть глаза. Все еще расплывалась перед ней, но она сумела рассмотреть рядом с собой очертания человеческих плеч и головы. Губы Габриэллы чуть заметно дрогнули, и, хотя она не издала ни звука, Питер готов был завопить от радости. С помощью одного лишь волевого усилия ему удалось заставить ее вернуться чуть не с того света. Теперь у него появилась надежда, что, может быть, — пока еще только «может быть»! — Габриэлла сумеет поправиться.

— Привет, — сказал он. — Я очень рад, что ты вернулась. Нам тебя не хватало.

Габриэлла снова застонала. Ее губы так распухли, что она не могла говорить внятно, но Питер видел, что она старается. Ему очень хотелось спросить, что случилось и кто сотворил с ней такое, но он понимал, что торопиться не стоит.

— Как ты себя чувствуешь? — осведомился он самым беззаботным тоном, на какой только был способен. — Или это глупый вопрос?

На этот раз Габриэлла чуть заметно кивнула и сразу же зажмурилась. Двигать головой было невыносимо больно, и она невольно застонала, но минуту спустя снова открыла глаза, чтобы посмотреть на него. В ее голубых глазах застыло страдание.

— Вижу, вижу, как тебе скверно, — пробормотал Питер с сочувствием. Несколько позднее он планировал дать ей болеутоляющее, но сейчас делать это не стоило: Габриэлла только что пришла в сознание, и Питер не хотел сразу же погружать ее в наркотический сон, вызванный тем или иным лекарством. Пока он не выяснит все, что ему необходимо, ей придется потерпеть.

— Можешь сказать что-нибудь еще? — спросил он. — Петь не обязательно — просто сказать...

Лицо Габриэллы снова чуть заметно дрогнуло. Питер видел — она пытается улыбнуться ему, но то, что у нее в конце концов получилось, больше походила на гримасу боли.

— Больно... — Это было единственное слово, которое Габриэлле в конце концов удалось произнести, а вернее — простонать.

— Вижу, все вижу, — повторил Питер и ненадолго задумался.

— Голова болит? — уточнил он несколько секунд спустя.

— Д-да... — хрипло шепнула Габриэлла. — Голова... лицо... рука...

Питер кивнул. Он знал, что у Габриэллы должно было болеть буквально все, но об этом можно было подумать потом. Главное, она понимала его и могла отвечать, а значит, он должен был задать ей вопросы, ответы на которые интересовали и его, и полицейского инспектора, который обещал заехать в больницу завтра утром. Такое пристальное внимание к Габриэлле со стороны полиции объяснялось тем, что копы уже давно не сталкивались с таким жестоким избиением и горели желанием как можно скорее поймать того, кто это сделал.

— Ты знаешь, кто на тебя напал? — спросил Питер самым будничным тоном, но Габриэлла не ответила. В наивной попытке уйти от этого одновременно и простого, и очень сложного вопроса она даже закрыла глаза, но Питер не отступал.

— Кто?.. — повторил он. — Если ты знаешь — скажи мне. Ведь ты не хочешь, чтобы он поступил так же с кем-нибудь еще, правда? Подумай об этом... Может, как раз в эти минуты этот человек избивает другую беспомощную женщину или ребенка. Ты можешь его остановить. Только ты...

Он сидел очень тихо, и Габриэлла снова открыла глаза и посмотрела прямо на него. Казалось, она думает, думает изо всех сил, и Питер понял, что тот, кто избил ее, был когда-то очень ей близок.

А Габриэлла и в самом деле думала о Стиве и о прочих. Она всегда выгораживала их, защищала, оправдывала перед собой и перед другими людьми, но в словах врача была своя правда, которая неожиданно смутила ее.

— Ты знаешь, кто это был? — повторил Питер. — Это сделал твой приятель, да?

Но Габриэлла не ответила, и он покачал головой.

— Ладно, поговорим об этом потом, — сказал он, и Габриэлла моргнула в знак согласия. Потом губы ее шевельнулись, и она попыталась снова заговорить.

— Имя... — произнесла она, и Питер, который уже собирался встать, уселся обратно на стул.

— Имя? Чье? Того, кто побил тебя? — переспросил он, но Габриэлла недовольно нахмурилась оттого, что врач ее не понял. Слегка пошевелив рукой, она с усилием приподняла ее и вытянула палец в его сторону. Она хотела знать, как его зовут.

— А-а!.. — протянул он. — Меня зовут Питер... Питер Мейсон. Я — врач, и ты — в больнице. В самой лучшей больнице в городе, — добавил он, немного подумав. — Мы тут немножко тебя подлечим и отправим домой. Нам нужно быть уверенными, что там тебе ничего не будет грозить. Вот почему нам надо знать, кто сделал это с тобой.

Но Габриэлла лишь застонала и снова закрыла глаза. Вскоре Питер увидел, что она заснула, и, посидев рядом с ней еще две-три минуты, ушел. Он был весьма доволен: Габриэлла мыслила совершенно ясно и разумно, она откликалась на все его вопросы и захотела узнать, как его зовут. Для человека в ее состоянии это было весьма обнадеживающее начало.

Этой ночью Питер спал совсем мало, а утром снова пошел проведать Габриэллу. Она выглядела несколько лучше, чем накануне, и могла говорить — правда, только шепотом, зато она вспомнила, что его зовут Питер, и улыбнулась, когда он вошел в палату. Ее энцефалограмма выглядела вполне прилично, да и показания остальных приборов вполне удовлетворили Питера. Похоже, кризис миновал, и девушка пошла на поправку, хотя, конечно, была еще очень слаба.

Питер все еще сидел у нее, когда прибыла полиция. Следователь весьма воодушевился, узнав, что Габриэлла пришла в себя; его очень интересовали те сведения, которые она могла сообщить, но Питер предупредил, что пострадавшая говорит еще с трудом, и попросил не очень на нее наседать.

Сев у постели Габриэллы, инспектор задал ей те же вопросы, что и Питер, однако, несмотря на предупреждение, полицейский держался достаточно жестко. Чтобы защитить ее и, возможно, других людей, сказал он, ему обязательно нужно знать имя или приметы человека, который на нее напал. Если же она предпочтет промолчать, добавил полицейский, то, возможно, из-за нее пострадает кто-то другой.

Услышав эти слова, Габриэлла, казалось, задумалась, и лицо ее сделалось виноватым. Но, поскольку она молчала, Питер решил немного ей помочь.

— Ты не должна так относиться к себе, — сказал он негромко. — В этот раз тебе повезло, и ты осталась в живых, но в следующий раз все может кончиться гораздо хуже. Тот, кто избил тебя, хотел искалечить и, быть может, даже убить тебя. И ему это почти удалось...

Питер уже говорил с этим следователем, когда Габриэлла поступила в приемный покой, и коп сказал, что, судя по характеру повреждений, пострадавшую били ногами, душили и били затылком о стену, словно хотели вышибить ей мозги. Полицейский был совершенно уверен, что это не несчастный случай и не преступление, совершенное в состоянии аффекта, вызванного ревностью, страстью или чем-либо еще. По его мнению, кто-то убивал Габриэллу медленно и со вкусом. Питер был вполне согласен с этим утверждением.

— Он хотел расправиться с тобой, — повторил Питер. — И теперь ты должна помочь нам поймать его, чтобы это никогда не повторилось. Ты не сможешь чувствовать себя в безопасности до тех пор, пока этого парня не упрячут в тюрьму, где ему самое место. Назови нам его имя. Имя, Габриэлла!..

Но Габриэлла все еще колебалась. Она понимала, что Питер и этот полицейский совершенно правы, но никак не могла решиться назвать Стива. Сейчас Габриэлла думала, что не заслужила и десятой доли несчастий, которые обрушились на нее. Не заслужила она и этих жестоких побоев, из-за которых она снова угодила на больничную койку. Габриэлла не хотела больше отвечать за чужие преступления.

И, подумав об этом, она открыла рот, но тут же снова заколебалась. Ее беспомощный и растерянный взгляд перебегал с невозмутимого лица полицейского на сочувственное — доктора и обратно, однако она молчала.

— Ну же, Габриэлла, скажи нам!.. — вырвалось у Питера. — Ты должна. Ты не заслуживаешь, чтобы с тобой так поступали, ведь ты ни в чем не провинилась, правда?..

Да, теперь она знала, что это правда. Никто не имел никакого права так обращаться с ней. Именно это она и имела в виду, когда сказала Стиву, что ненавидит его. И его, и всех, кто когда-то пользовался ее слабостью. Габриэлла сумела переломить себя, и была исполнена решимости сделать все, чтобы никто никогда не смел больше тронуть ее даже пальцем.

И эта ее решимость была твердой, как скала.

— Стив... Это был Стив, — прошептала Габриэлла сначала чуть слышно, потом повторила уверенней и громче: — Стив Портер!..

Но она сразу же поняла, что ей нужно еще многое объяснить, а сил у нее практически не осталось. Но полицейский инспектор так и подался вперед, врач тоже слушал внимательно, и Габриэлла, собрав всю свою волю и мужество, рассказала им, что Стив Портер был ее любовником и жил в том же пансионе, что и она.

— Он был в тюрьме... — прошептала она. — У него много других имен... Документы — в ящике стола профессора... Там все написано.

Полицейский и Питер переглянулись. Габриэлла сообщила очень полезные сведения, и теперь поимка преступника была лишь вопросом времени. И все же инспектор счел нужным кое-что уточнить.

— Другие имена, мисс Харрисон? Не припомните — какие?

— Стив... Джонсон, Джон Стивенсон и Майкл Хьюстон. — Все эти имена всплыли в ее памяти словно сами собой, и Габриэлла сама удивилась этому. Читая найденные в столе профессора документы, она вовсе не старалась их запомнить. И она готова была припомнить еще многое другое, потому что — впервые в жизни — старалась не ради кого-то, а ради себя самой. Пусть Стив сам расплачивается за то, что он совершил...

— ...Он сидел в тюрьме в Кентукки, в Техасе и Калифорнии, — добавила она, и инспектор что-то быстро черкнул в своем блокноте.

— Вам известно, где он может быть сейчас? — спросил он, и Габриэлла отрицательно покачала головой.

— Я не знаю... Он ведь не приезжал сюда, нет? — спросила она, глядя на Питера, и тот сделал удивленное лицо. Сама эта мысль показалась ему невероятной, но Габриэлла, как видно, еще не полностью избавилась от иллюзий.

— Мне все ясно, — объявил полицейский инспектор. — Еще один вопрос, мисс... Почему этот Стив Портер напал на вас? Он был пьян? Ревновал вас к кому-то? Может быть, вы хотели порвать с ним и уйти к другому?

Все это были вполне обычные причины, которые приходили в голову и Питеру, но Габриэлла снова удивила обоих.

— Ему нужны были деньги... много. Я восемь месяцев давала ему деньги на жизнь, — прошептала она.

«И он брал их», — следовало бы ей добавить. Но тут новая мысль пришла ей в голову.

— Один... друг завещал мне шестьсот тысяч, — добавила она, вспомнив, что Стив наверняка был причастен к смерти профессора. — Стив хотел отнять их у меня. Я не отдавала. Он хотел обвинить меня в том, что я подговаривала его убить профессора... Но это неправда. Профессор оставил мне деньги, потому что... потому что любил меня как дочь. Стив собирался бежать с этими деньгами в Европу. Он даже сказал, что убьет меня, если я не пойду с ним в банк...

Стив использовал, обманул, предал ее, но, несмотря на это, Габриэлла была рада тому, что ему не удалось привести свою угрозу в исполнение. Впервые в жизни после очередного жестокого разочарования ей хотелось не умереть, а жить дальше. Это ощущение так воодушевило Габриэллу, что она даже попыталась приподняться.

— Знаете, — добавила она, — я думаю, это Стив убил профессора... Вернее — попытался. Он мог нарочно рассердить его или огорчить, чтобы с профессором случился удар. Он так и не сказал мне, что именно он сделал, но я запомнила: Стив говорил, что «помог» ему умереть... Правда, тогда он не знал, что у профессора столько денег. Мне кажется, мистер Томас разоблачил Стива и собирался заставить его уехать...

Ее речь была все еще несколько невнятной и скомканной, однако подробности полицейский инспектор надеялся узнать у мадам Босличковой и других пансионеров.

— Стив применил против вас какое-нибудь оружие? — снова спросил полицейский, притворяясь, будто не замечает предостерегающих жестов Питера.

— Нет. — Габриэлла, казалось, была даже удивлена. — Он только несколько раз ударил меня кулаком... ногой.

— Судя по вашему описанию, этот Стив Портер — настоящий джентльмен! — воскликнул инспектор, захлопывая блокнот. — Ну ничего, теперь он от нас не уйдет. Желаю вам скорейшего выздоровления, мисс Харрисон.

И, пообещав зайти, когда она будет чувствовать себя лучше, полицейский наконец ушел, а Габриэлла в изнеможении откинулась на подушку и закрыла глаза. Она ни капли не жалела о том, что рассказала инспектору про Стива. Только так Габриэлла могла остановить тех, кто привык безнаказанно делать ей больно. Правда, Джо и матушка Григория просто не могли избежать этого, но ее мать... и, может быть, отец тоже должны были относиться к ней иначе.

Когда Габриэлла открыла глаза, она с удивлением обнаружила, что Питер все еще стоит возле ее кровати. Он старался угадать, о чем думает Габриэлла, любила ли она этого Стива Портера и насколько глубокую рану нанесло ей его предательство. Но стоило Питеру увидеть ее глаза, как он понял, что Габриэлла не испытывает ничего, кроме облегчения и, пожалуй, удовлетворения. Если бы не боль от многочисленных ушибов, она бы, наверное, выглядела почти счастливой. Питер неожиданно подумал о том, что Габриэлла, наверное, была очень красива, прежде чем с ней случилось это несчастье. Он был совершенно уверен в том, что, когда спадут опухоли и пройдут синяки, красота снова вернется к ней, но она могла бы понравиться ему даже такой, как сейчас. В Габриэлле Питер чувствовал присутствие какой-то внутренней силы, которая не могла ему не импонировать. Он знал, что она прошла через ад и едва не умерла у него на руках, но — несмотря ни на что — продолжала улыбаться ему разбитыми губами.

— Все правильно, — подбодрил он ее, хотя по глазам Габриэллы Питер видел — она и сама все знает.

— Он был плохим человеком... ужасным, — шепнула она в ответ. — Он убил моего друга.

— Он чуть не убил тебя, — заметил Питер. Для него это было гораздо важнее — ведь Габриэлла была его пациенткой.

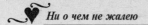

— Надеюсь, они его поймают.

— Я тоже...

Их желанию суждено было сбыться очень скоро. Около шести вечера, когда Питер наконец-то начал собираться домой, ему позвонил полицейский инспектор и сказал, что Стив Портер задержан агентами ФБР в одном из казино в Атлантик-Сити. Сначала он пытался все отрицать, потом заявил, что Габриэлла — психически больная, и что она сама напала на него, но Стиву никто не поверил. Его прежние подвиги, хорошо известные полицейским департаментам Калифорнии, Кентукки и других штатов, а также тяжкие телесные повреждения, которые он нанес Габриэлле, свидетельствовали против него достаточно красноречиво. Стива поместили в тюрьму без права освобождения под залог, где ему предстояло дожидаться решения суда. А по мнению полицейского, решение это могло быть очень жестким. Даже если бы Стив не избил Габриэллу, ему предстояло отбыть достаточно внушительный срок за то, что он скрылся из-под надзора полиции трех штатов, так что теперь для него все было кончено. ФБР давно шло по его следу, но, к сожалению, они не успели схватить Стива до того, как он поймал Габриэллу в свои сети. Теперь его обвиняли в покушении на убийство, в случае же, если бы полиции удалось доказать его причастность к смерти профессора, Стиву грозил пожизненный срок.

Инспектор сообщил эти новости чуть ли не с торжеством, но Питер не разделял его радости — ему казалось, что было бы гораздо лучше, если бы Стива Портера арестовали до того, как он убил профессора и едва не прикончил девушку. Впрочем, он поблагодарил инспектора и пошел сообщить новости Габриэлле.

— Теперь он попадет в тюрьму? — шепотом спросила она, когда Питер закончил. Ей все еще было очень больно разговаривать, к тому же за сегодняшний день она потратила слишком много сил.

— Он уже в тюрьме, и надолго, — уверил ее Питер, и Габриэлла кивнула. Как и он, она жалела о том, что полиция не схватила Стива раньше; если бы это случилось, тогда, быть может, профессор прожил бы еще сколько-то времени. Ради этого Габриэлла без сожаления рассталась бы со всеми деньгами, которые он ей оставил, однако она только печально вздохнула, понимая, что теперь ничего поправить уже нельзя и что никакие деньги, никакое самопожертвование, никакое волшебство не помогут ей вернуть профессора.

Чтобы немного подбодрить ее, Питер сказал, что все ее соседи по пансиону передают ей привет и желают скорейшего выздоровления.

— Когда им можно будет навестить меня? — сразу спросила Габриэлла, и Питер придал своему лицу весьма строгое выражение.

— Когда *я* разрешу, — сказал он с напускной суровостью. — Здесь я главный. Тебе нужно отдыхать. Кстати, как ты себя чувствуешь?

Он был серьезно обеспокоен той серьезной психологической нагрузкой, которая свалилась на нее сегодня. Сначала Габриэлле пришлось произнести роковые слова, которые обрекали на многолетнее заключение человека, которого она когда-то любила, а потом — принять последствия этого своего решения.

Но Питер ошибался. Сознавать, что по одному ее слову Стив на долгие годы отправится в тюрьму, Габриэлле действительно было нелегко, но зато теперь она окончательно поняла, что никогда его не любила. Стив опутал ее своими сетями, да так ловко, что она приняла за любовь сочувствие, обычную привязанность, привычку.

С другой стороны, какой бы сильной она ни была, ей, наверное, еще долго не удалось бы расстаться со Стивом; он был опытным мошенником, в то время как Габриэлла по-прежнему оставалась весьма наивной и неискушенной в житейских делах. Освободила ее от Стива случайность, которая едва не стоила ей жизни, но теперь самое страшное было позади. Габриэлла, во всяком случае, была в этом уверена.

— Так как мы себя чувствуем? — повторил Питер свой вопрос, и Габриэлла с трудом улыбнулась.

— Спасибо, кажется — ничего... — Она и сама не

знала, как она себя чувствует, — слишком многое свалилось на нее сегодня.

— Тебе, наверное, нелегко сейчас, — посочувствовал Питер. — Ведь ты считала его своим другом.

Но Габриэлла покачала головой. Сначала она действительно думала, что Стив предал ее, но теперь... Теперь она не знала, что и думать.

— Сейчас я понимаю, что на самом деле я даже не знала его как следует. Он оказался совершенно другим, не таким, каким он мне казался...

Она быстро отвернулась, но в ее глазах Питер заметил что-то такое, что тронуло его чуть ли не до слез. Ему хотелось сказать ей какие-то теплые, дружеские слова, но Габриэлла опередила его.

— Кстати, как долго я здесь пробуду? — спросила она, снова поворачиваясь к нему, и Питер сразу вспомнил пожилую леди из соседней палаты, которая требовала, чтобы ее отправили домой на второй день после того, как она сломала шейку бедра. О ней он рассказывал Габриэлле перед самым звонком полицейского инспектора.

— Разве тебе тоже нужно к парикмахеру? — с улыбкой поинтересовался он.

— Нет, не совсем, — тихо ответила Габриэлла, машинально сделав такое движение, словно хотела поправить волосы, скрытые под бинтами, и Питер на мгновение задумался, какого они могут быть цвета. Когда ее только привезли, он как-то не обратил на это внимания, к тому же голова Габриэллы была сплошь покрыта коркой запекшейся крови.

— Я просто так спросила.

— Ну, пройдет еще несколько недель, прежде чем ты снова сможешь сниматься в кино, танцевать чечетку или играть в бейсбол... Кстати, чем ты зарабатывала себе на жизнь?

Из ее больничного листка Питер знал, что Габриэлле — двадцать три года, что она — не замужем, живет в пансионе на Восемьдесят восьмой улице и не имеет никаких близких родственников.

— Вообще-то я работаю в книжном магазине, — ответила Габриэлла, и Питер машинально отметил, что с каждой минутой она говорит все лучше, хотя и давалось ей это с очевидным трудом. — Но я хотела бы стать писательницей. Говорят, у меня есть способности, — добавила она смущенно. — Это профессор так говорил. Ну, тот человек, который... которого...

— Я помню, — быстро сказал Питер, чтобы избавить ее от неприятных воспоминаний. — Что ж, писательниц у нас в травматологии еще не было... Ты уже где-нибудь публиковалась?

— Один раз. В мартовском номере «Нью-йоркера» напечатали мой рассказ.

Питер даже присвистнул от удивления. «Нью-йоркер» был престижным изданием, и сообщение Габриэллы произвело на него сильное впечатление.

— Ты, должно быть, и в самом деле здорово пишешь! — заметил он.

— Пока нет, — скромно ответила Габриэлла. — Но я буду работать над собой. Мне бы хотелось зарабатывать на жизнь именно этим, и потом, так хотел профессор Томас.

— Только ты пока не пиши, — предостерег ее Питер. — Сперва тебе надо поправиться и набраться сил. Кстати, можно тебя спросить: где ты познакомилась с этим Стивом? На благотворительной дискотеке для бывших заключенных?

Габриэлла снова улыбнулась, хотя ей это было и трудно, и больно. Этот врач очень нравился ей. Несмотря на некоторую внешнюю суровость, он был очень добрым и внимательным человеком, а его шутки действовали на нее лучше всяких лекарств.

— Стив жил в том же пансионе, что и я.

— Гм-м... — Питер задумчиво потер подбородок. — Не думал, что нью-йоркские пансионы могут быть опаснее улиц Гарлема глухой полночью. Наверное, теперь, когда ты выпишешься отсюда, ты предпочтешь собственную квартиру... — Тут он бросил взгляд на часы. — Кстати, о собственных квартирах... — добавил Питер. — Мне пора домой, иначе с двенадцатым ударом моя «Тойота» снова превратится в тыкву, и мне придется идти домой пешком. Постарайся не попасть в новую беду, пока меня не будет — мне полагается двое суток отдыха, и я намерен их проспать. С перерывом на обед, разумеется... — Тут он ласково похлопал ее по ноге. — Постарайся за то время как следует отдохнуть, Габриэлла...

— Габи, — поправила она. Ей уже давно хотелось, чтобы он называл ее именно так, но она не решалась сказать об этом Питеру. Имя Габриэлла казалось ей слишком формальным. Она уже считала Питера своим другом, и ей было жаль, что он уходит.

Когда через двое суток Питер снова заступил на дежурство, первым делом он отправился проведать Габриэллу. Ее успехи произвели на него потрясающее впечатление. Опухоль, уродовавшая ее лицо, спала, и она могла говорить совершенно свободно. Только смеяться ей все еще было больно из-за косметических швов, поэтому она старалась сдерживаться. Накануне вечером ее начали ненадолго сажать, а уже утром Габриэлла сумела сесть сама, без посторонней помощи, и при этом — не потерять сознания. Врач, сменивший Питера, пообещал ей, что к концу недели она уже сможет ходить. Теперь Габриэлла ждала этого дня, как дети ждут рождественских подарков.

Утром, за два часа до возвращения Питера, Габриэллу навестили мадам Босличкова и миссис Розенштейн. Они принесли ей открытки и подарки от всех соседей по пансиону, а от себя купили громадный букет роз, который теперь украшал собой ее тумбочку и благоухал на всю травматологию.

Но свидание получилось не самым веселым. Сегодня в «Нью-Йорк таймс» появилась большая статья, в которой перечислялись все преступления Стива. Мадам Босличкова переживала по этому поводу ужасно. Ей, правда, хватило ума оставить дома газету, в которой была фотография Стива из полицейского архива, но зато она почти дословно пересказала Габриэлле содержание статьи.

— Подумать только, что такой человек жил рядом с нами! — то и дело восклицала мадам Босличкова, и миссис Розенштейн согласно кивала аккуратной седой головой. Обе почтенных дамы пребывали в расстроенных чувствах; несчастье с Габриэллой совершенно выбило их из колеи. А тут еще полиция занялась обстоятельствами смерти профессора, к которой Стив тоже мог быть причастен — расспросам нет конца. На следующий день обе ринулись в больницу в надежде, что Габриэлла как-нибудь их утешит.

Но что Габриэлла могла сказать им? Она только надеялась, что никогда больше не увидит Стива. При одной мысли о том, что она жила с ним в одной комнате, спала с ним и, в сущности, содержала его, внутри у нее все переворачивалось. Правда, рано или поздно ей все равно пришлось бы присутствовать в суде. Но Габриэлла рассчитывала, что к тому времени она станет сильнее, увереннее в себе и спокойнее. Тогда, что бы Стив о ней ни говорил, его ложь не сможет причинить ей боли.

Когда мадам Босличкова и миссис Розенштейн ушли, позвонил Иан. Через дежурную сестру он передал, что собирается сохранить за ней место, и она сможет вернуться на работу, как только достаточно окрепнет. Это сообщение обрадовало Габриэллу — Иан ей нравился. Она хотела бы и дальше работать в магазине, хотя денег ей теперь вполне хватало. Переезжать из пансиона она так же не собиралась — теперь, когда Стива больше не было, Габриэлла чувствовала себя там в полной безопасности (уходя, хозяйка сгоряча пообещала ей, что не будет пускать новых жильцов без справки из полиции).

— Итак, чем ты занималась, пока меня не было? — спросил Питер, закончив осматривать ее. — Аэробикой? Танцами? Или как обычно?

— Как обычно. — Габриэлла с трудом сдержала улыбку. — Вчера одна сиделка вымыла мне волосы. Но в ванную меня по-прежнему не пускают — сказали, что надо дождаться тебя. Зато я уже могу сама сидеть и есть!

Габриэлла сказала это с гордостью — ее победы были еще очень скромными, но ей не терпелось похвастаться ими перед Питером, которого она была ужасно рада видеть.

— Что ж, с завтрашнего дня я, пожалуй, разрешу тебе вставать, — отозвался Питер, делая какие-то пометки в ее больничном листке. Габриэлла действительно поправлялась на удивление быстро — ему еще не приходилось видеть ничего подобного. Впрочем, дело было скорее всего не в биологических особенностях организма Габриэллы, а в силе ее духа. Ее как будто в одну ночь исцелил ангел Господень.

Потом Питер вспомнил кое-что еще и задал Габриэлле вопрос, который ему захотелось выяснить, как только он увидел ее первые рентгеновские снимки.

— Когда ты попала в автокатастрофу, Габи? — спросил он, продолжая что-то черкать в листке предписаний. — На снимке я заметил следы старых переломов. Твоя грудная клетка выглядит так, словно по ней прошлись кувалдой.

— Довольно давно. Еще в детстве, — отозвалась Габриэлла, но ее тон показался Питеру странным. Она как будто закрылась от него, спряталась в свою раковину точно улитка.

— Гм-м... — Ничего иного Питеру просто не пришло в голову, и он решил поговорить об этом как-нибудь в другой раз. Габриэлла явно не хотела откровенничать, а его ждали другие больные.

Ближе к вечеру Питер снова зашел к Габриэлле и принес ей бутылочку имбирного пива.

— Решил проведать, как ты поживаешь, — жизнерадостно заявил он еще с порога. — Пока мне не стало плохо... Дело в том, — пояснил он, заметив удивленный взгляд Габриэллы, — что я только что поужинал в нашей столовой. Там так здорово кормят, что рядом с кассой приходится держать специальный аппарат для промывания желудка на случай, если кто-нибудь отравится. Ты не поверишь, но нам приходится использовать его не менее четырех раз в неделю.

Он шутил, но Габриэлла сразу заметила, что Питер выглядит усталым. Только сейчас она начала понимать, какая тяжелая здесь работа и как выматываются врачи, откачивая разных жмуриков. (Когда она впервые услышала от Питера это слово, она сразу просила: «И я тоже — жмурик?» Питер замолчал и долго смотрел на нее, потом сказал: «Нет, ты — наша Спящая Красавица, хотя по тебе пока этого не скажешь».) И, несмотря на это, Питер как мог подбадривал ее, рассказывал разные смешные истории, просто болтал с ней на разные темы. Вот и сейчас, привычно усевшись на стул рядом с ее койкой, он принялся расспрашивать Габриэллу о том, как она решила стать писательницей и училась ли она где-нибудь этому.

Потом разговор перешел на него, и Габриэлла узнала, что Питер родом с Юго-Запада. Это ее почти не удивило — она уже давно заметила, что ее лечащий врач чем-то похож на ковбоя. Он был в меру высоким, поджарым и ходил обманчиво медлительной, почти ленивой походкой, каким-то образом ухитряясь в два шага преодолеть расстояние от поста дежурной сестры до дверей ее палаты. Она также обратила внимание, что под белыми больничными брюками Питер носит ковбойские полусапожки с острыми мысами и скошенными каблуками, которые придавали ему какой-то залихватский вид.

А Питер с удовольствием разглядывал ее глубокие голубые глаза, светлые и мягкие волосы и тонкие черты лица. Как он и предполагал с самого начала, Габриэлла была очень хороша собой. И еще она казалась ему одновременно и очень юной, и очень старой. Габриэлла была полна тайн, загадок, контрастов, и это восхищало Питера, хотя уже много, много раз он замечал в ее глазах выражение какой-то печальной мудрости. Разумеется, такого урока, что преподал ей Стив, было бы больше чем достаточно, однако за ее печалью Питер угадывал что-то большее. Какова вообще была ее жизнь? Габриэлла явно не хотела вспоминать.

Именно поэтому он был рад, когда она стала расспрашивать о нем, однако и эта тема, похоже, не слишком увлекала ее. Питер все же решился заговорить о ее прошлом.

— Так где же ты все-таки выросла? — спросил он ее.

— Здесь, в Нью-Йорке, — коротко ответила Габриэлла, умолчав о своем пребывании в монастыре. Эта страница ее жизни была перевернута и — как она надеялась — прочно забыта. Возвращаться к ней, во всяком случае, ей не хотелось.

Питер не стал настаивать. Вместо этого он опять стал рассказывать о себе. Единственный ребенок в семье, он закончил медицинский факультет Колумбийского университета, где когда-то училась сама Габриэлла. Но этим, пожалуй, и исчерпывалось все, что было между ними общего. Во всем остальном они были совершенно разными людьми. По характеру Питер был открытым. В своей врачебной практике ему часто приходилось сталкиваться с последствиями жестокости и страданиями, но на себе он их не испытывал никогда. В Габриэлле же было что-то такое, что заставляло его предположить: в свои двадцать три года она перенесла слишком много страшного — такого, чего вполне хватило бы не на одну жизнь. Но что это было, Питер так и не узнал. Двери ее души были для него закрыты, и он не знал, как подобрать к ним правильный ключ. Впрочем, сейчас Габриэлла казалась ему больше задумчивой, чем печальной, и Питер решил, что не станет докапываться до ее тайн.

А потом — чисто случайно — он упомянул о своем школьном друге, который стал священником и с которым они продолжали поддерживать тесные дружеские отношения. Питер рассказывал о нем с такой теплотой и любовью, что, слушая его, Габриэлла не сдержала улыбки. Питер же решил, что она смеется над ним, и, задетый за живое, стал убеждать ее, что священники — такие же люди, как и все остальные. Именно тогда он узнал, что Габриэлла с десяти лет воспитывалась в монастыре. Но это было все. Ни в какие подробности вдаваться она не захотела.

Питер удивился. Он долго не мог поверить, что она чуть не стала монахиней, а потом спросил, что же заставило ее передумать.

И снова Габриэлла поспешила отгородиться от него.

— Долго рассказывать, — ответила она и вздохнула.

Только сейчас Питер спохватился, что его ждет работа, и ушел, пообещав непременно заглянуть к ней завтра. Однако слова своего он не сдержал. Он вернулся два часа спустя и убедился, что она спит. В начале первого ночи — вместо того, чтобы самому подремать хотя бы минут тридцать, — Питер опять зашел к Габриэлле и обнаружил, что она проснулась. Несмотря на темноту, он еще с порога увидел, что она лежит с открытыми глазами, и это напугало его.

— Можно войти? — спросил Питер, тихо прикрывая за собой дверь. Весь вечер его тянуло сюда словно магнитом, но он не мог бросить остальных пациентов. Даже ради нее.

— Конечно. — Габриэлла улыбнулась и даже приподнялась на локте здоровой руки. В углу палаты горела небольшая синяя лампочка, и от этого вся комната была погружена в мягкий, романтический полумрак, однако мысли Габриэллы были не очень приятными. Она проснулась уже минут сорок назад и тихо лежала, вспоминая своих родителей, особенно — отца.

— Что-то у тебя очень серьезное лицо, — шутливо промолвил Питер, подходя ближе. — Ты себя плохо чувствуешь или просто не спится? Может, сделаем укольчик?

— Нет, все в порядке, не стоит, — ответила Габриэлла. — Просто я думала... обо всем.

Как печально, что все люди, которые когда-либо были ей небезразличны, исчезали из ее жизни, не оставив после себя ничего, кроме горьких воспоминаний. К счастью, это не относилось к профессору. Хотя бы о нем думать было легко.

— Если ты о том, что случилось, то не надо... — Питер положил ей руку на лоб, но Габриэлла отрицательно покачала головой.

— Я думала не о Стиве, а о своих родителях, — призналась она, и Питер с сочувствием посмотрел на нее. В ее больничном листке в графе «Родственники» стоял прочерк, а это значило, что родителей у нее нет. Питер спросил, когда они умерли.

Габриэлла ответила не сразу, и по одному ее молчанию Питер понял, что снова попал впросак.

— Они не умерли, — сказала она наконец. — Насколько мне известно, много лет назад мой отец жил в Бостоне, а мать, наверное, все еще в Калифорнии. Ее я не видела больше тринадцати лет, а отца — пятнадцать.

Услышав это, Питер был весьма озадачен.

— Ты, наверное, была непослушной девочкой и убежала с бродячим цирком? Или тебя похитили цыгане? — предположил он в своей шутливой манере, и Габриэлла невольно рассмеялась нарисованной им картине.

— Нет, я убежала, чтобы поступить в монастырь, — ответила она в тон ему, но сразу же снова стала серьезной. — Это правда долгая история, Питер. Отец ушел из семьи, когда я была маленькой. А в десять лет мать оставила меня в монастыре. Ей нужно было оформить развод. Она собиралась вернуться за мной, но... так и не вернулась.

В устах Габриэллы это звучало совсем просто, но Питер уже догадался, что на самом деле все обстояло иначе.

— Это... звучит необычно, — осторожно сказал он. — Неужели ни мать, ни отец не могли тебя содержать?

— Нет, они были хорошо обеспеченные люди, — сказала Габриэлла и сразу же подумала о том, как холодно звучит эта фраза. «Хорошо обеспеченные люди»... Можно было подумать, что она говорит о ком-то постороннем. — Просто мне кажется, что они не очень любили детей.

— Какая милая, достойная уважения черта, — заметил Питер, внимательно наблюдая за Габриэллой и борясь с желанием обнять ее и прижать к себе. Но он был на дежурстве, и она была его пациенткой. Питер и так проводил с ней времени больше, чем с другими. Ему не хотелось, чтобы кто-то это заметил.

— Отнюдь... — Габриэлла неожиданно подумала о том, что не должна ничего от него скрывать. Питер был врачом, а ей казалось, что врачу можно доверить больше, чем обычному человеку. С ним ей было спокойнее, чем с кем бы то ни было. Во всяком случае, Габриэлле захотелось открыть ему свой мрачный секрет.

— Ты спрашивал меня об автомобильной катастрофе, в которую я попала... Так вот, они и были моей катастрофой. Вернее, мать... Отец просто наблюдал за всем со стороны.

— Я, наверное, не очень хорошо тебя понял, — проговорил Питер и нахмурился. Габриэлле на мгновение показалось, что — как и многие другие — он просто не хочет понимать, о чем она говорит. — Что ты имеешь в виду?

— Я имею в виду сломанные ребра, — с необычной для себя жесткостью сказала Габриэлла, решив, что раз уж она проговорилась, надо идти до конца. — На протяжении нескольких лет подряд это был единственный мамин подарок дочке к Рождеству. Единственный и излюбленный — других она не признавала. Правда, существовал еще ремень, но им меня потчевали по другим, менее знаменательным поводам.

Она пыталась придать своим словам легкость в манере Питера, но — по крайней мере для нее самой — рассказ о том, что она пережила, продолжал оставаться жутким, какие бы слова она ни выбирала.

— Мать била тебя?! — потрясенно воскликнул Питер.

— Ну, во всяком случае, я никогда не попадала ни в какие автомобильные катастрофы и не падала с лестниц... по своей собственной неловкости. Она сталкивала меня. Или, избив, заставляла говорить, будто я оступилась. Это продолжалось полных десять лет. Потом мать избавилась от меня, оставив в монастыре. И я от нее избавилась...

Не отдавая себе отчета в своих действиях, Питер поднял руку и коснулся щеки Габриэллы, потом взял ее прохладную тонкую кисть в свою ладонь. Сердце его буквально рвалось на части от жалости и возмущения. И от бессилия. Ему трудно было представить себе все, через что прошла Габриэлла, однако еще труднее ему было смириться с тем, что его не было рядом и он не мог защитить ее.

— Габи!.. Как это ужасно! Неужели никто не мог остановить ее?

Это казалось ему совершенно невероятным. Маленькая девочка — и рядом никого, кто мог бы ее защитить. Защитить от родной матери...

— Нет. — Габриэлла слегка качнула головой. — Отец все видел, но он никогда ничего не говорил и не вмешивался. Сейчас я думаю, что он, наверное, просто боялся ее. В конце концов он просто не выдержал и сбежал к другой женщине.

— Но почему он не забрал тебя к себе? — воскликнул Питер, и Габриэлла пожала плечами. Раньше она не осмеливалась задавать себе этот вопрос, потому что не хотела знать на него ответ, но сейчас, когда рядом с ней был Питер, а детство казалось очень далеким, Габриэлла неожиданно задумалась над этим.

— Не знаю, — сказала она наконец. — Я до сих пор многого не понимаю и не могу объяснить себе их поступки. Почему Стив так обошелся со мной, мне более или менее понятно. Ему нужны были мои деньги, но я отказалась ему их отдать, и он... разозлился. Но почему мои собственные родители так ненавидели меня — это мне до сих пор непонятно. Что я им могла сделать? Мать все время твердила, что я — плохая, непослушная, испорченная, и что если бы я не лгала и не совершала на каждом шагу ужасные, непростительные поступки, ей не пришлось бы меня наказывать. Но ведь мне тогда было три, четыре, пять лет! Какое преступление может совершить пятилетний ребенок? Убить? Оскорбить? Украсть?.. Разве только по недомыслию, но ведь я никогда ничего такого не делала...

В последнее время этот вопрос все чаще и чаще тревожил ее, но Габриэлла так и не смогла дать на него удовлетворительный ответ.

— Даже взрослым ворам и убийцам не ломают ребра за то, что они совершили, — жестко сказал Питер, и глаза его сверкнули. — Нет, Габи, я тоже не понимаю этого. Наверное, кроме твоих родителей, никто и не сможет тебе этого объяснить. Ты не пробовала теперь, став взрослой, поговорить с ними?

— Я никогда больше их не видела. Правда, я пыталась разыскать отца, но в адресном столе Бостона мне ничем помочь не смогли. Наверное, он куда-то переехал.

— А мать?.. — спросил Питер. — Впрочем, насколько я понимаю, от такого человека, как она, лучше держаться подальше, — тут же поправился он, и Габриэлла кивнула.

— Ты прав, но в детстве я этого еще не понимала. Когда она оставила меня в монастыре, я даже скучала по ней... некоторое время. Но это только потому, что, кроме нее, у меня в целом мире никого не было, — честно ответила Габриэлла и задумалась. Помимо ее воли этот разговор разбудил в ней старые воспоминания, и молчавшие до сих пор струны памяти ожили и зазвучали с новой силой.

— Иногда я спрашиваю себя, — добавила Габриэлла некоторое время спустя, — может быть, за эти тринадцать лет она изменилась? Может быть, стала другой? Я могла бы попробовать разыскать ее и спросить, почему она меня так ненавидела и не жалеет ли она об этом теперь. Ведь эта ненависть... Она чуть было не погубила меня. Я думаю, что она отравляла жизнь и моей матери.

Тут Габриэлла неожиданно подняла голову, их глаза встретились, и у Питера чуть не захватило дух — таким открытым, честным и бесстрашным был ее взгляд.

— За что она так ненавидела меня? — с нажимом повторила Габриэлла. — За что?! Я имею право знать.

— Мне кажется, дело не в тебе, а в ней, — осторожно ответил Питер. — Я, конечно, не психоаналитик, но я все-таки врач. Похоже, с твоей матерью что-то было не в порядке. Ты не знаешь, она не была больна? Люди, страдающие какой-то неизлечимой болезнью, часто начинают вести себя как настоящие буйные сумасшедшие. Они не боятся ни общественного мнения, ни человеческого суда... а порой — и суда Божеского. Быть может, у твоей матери был рак или что-то в этом роде?..

— Нет, — ответила Габриэлла, вспоминая вечеринки, которые устраивала ее мать. — Общественное мнение ее как раз очень беспокоило. Во всяком случае, она старалась сделать так, чтобы у меня не оставалось синяков на лице и на ногах. А если они все же появлялись, она говорила всем, что я упала с качелей, что я неловкая, неуклюжая и так далее. Нет, болезнь тут ни при чем... — уверенно закончила она, и Питер покачал головой. Ему много раз приходилось видеть детей — жертв родительской жестокости, и каждый раз его сердце готово было разорваться от жалости. Он очень хорошо помнил их испуганные глазенки и срывающиеся голоса, которыми они убеждали его, что их никто и пальцем не тронул, и что они сами не слушались родителей и падали, падали с деревьев, с заборов, с лестниц, с велосипедов и прочего. Дети, как могли, выгораживали родителей, и Питер понимал их — ведь они были совершенно беззащитны перед своими папами и мамами, которые могли сделать с ними все, что угодно. Всего два месяца назад один такой ребенок умер у него в палате — родная мать зверски избила его, и спасти его не удалось. Это произошло в дежурство Питера, и спустить мамашу с лестницы ему помешало только то, что ею уже занималась полиция. Сейчас эта женщина находилась в тюрьме, а недавно Питер узнал, что адвокаты ходатайствуют о том, чтобы ее осудили условно.

— Удивительно, как ты смогла пережить все это, — сказал он. — Неужели тебя никто никогда не жалел и не защищал?

— Нет. Только в монастыре я узнала, что такое нормальная жизнь, жизнь без страха.

— А там... Там с тобой хорошо обращались? — Питер искренне надеялся, что да. Ему было бы очень тяжело знать, что мучения Габриэллы продолжались и после того, как она столь счастливо избавилась от материнской «опеки».

— Да, — лицо Габриэллы прояснилось, — там меня все любили. В монастыре мне нравилось, и я была счастлива.

— Но почему же ты ушла? — спросил Питер. Вопрос был совершенно естественный, однако он уже знал, что расспрашивать Габриэллу надо с особой осторожностью, чтобы ненароком не сделать ей больно. Но что сказано, то сказано.

— Мне пришлось уйти. Я совершила ужасную ошибку, и они... Настоятельница просто не могла позволить мне остаться, как бы ей этого ни хотелось.

За прошедшие месяцы Габриэлла поняла это и смирилась или, вернее, почти смирилась со своей потерей.

— Что же это ты натворила? — Питер перешел на приветливый, шутливый тон, и в его глазах вспыхнул лукавый огонек. — Наверное, стянула у другой монахини ее лучшую накидку. Или сморкалась двумя пальцами перед алтарем. Я угадал?

В других обстоятельствах Габриэлла с удовольствием посмеялась бы, но не сейчас.

— Из-за меня умер один человек. Я... Теперь мне придется жить с этим до конца моих дней.

От этих ее слов Питер растерялся. Он не знал, что сказать, а с ним это случалось достаточно редко. Обычно в подобных ситуациях ему на выручку приходил профессиональный цинизм врача-травматолога, однако сейчас он не посмел прибегнуть к этому испытанному средству. За тем, что сказала ему Габриэлла, стояла совсем недавняя трагедия. Питер не стал расспрашивать дальше и промолчал.

Но Габриэлле уже самой захотелось выговориться. Неожиданно даже для самой себя она решила, что может полностью довериться этому человеку. Еще каких-нибудь полчаса назад она была твердо уверена, что не станет доверять никому и никогда, но вот она увидела его глаза, и ее решимость растаяла, как тонкий весенний лед под лучами солнца.

— Он был священником и приходил в наш монастырь служить мессы и исповедовать. Случилось так, что мы полюбили друг друга и начали встречаться за пределами обители. Когда все открылось, я носила под сердцем его дитя. В конце концов он покончил с собой.

Услышав это, Питер сморщился как от сильной боли. Ад преследовал эту хрупкую девушку буквально по пятам.

— Давно это случилось? — спросил он машинально и тут же подумал, что это, наверное, не имеет никакого значения.

— Без малого год тому назад, — ответила Габриэлла. — Но я до сих пор не понимаю, что на меня нашло. Раньше я даже не смотрела на мужчин и не думала о них — я готовилась стать послушницей. Наверное, ни я, ни Джо — его звали Джо — не понимали, что мы делаем и куда это может нас завести. А потом стало слишком поздно. Наши отношения длились почти три с половиной месяца. Сначала мы хотели уйти вместе — я из монастыря, а Джо из прихода, где он служил священником. Но он не смог расстаться со священством. Для него в этом заключался весь смысл его жизни. К тому же у него было свое прошлое, которое никак не отпускало его. Он не мог сложить с себя сан и не мог оставить меня. Душа его металась, ища выхода. В конце концов он нашел третий путь и... убил себя, оставив мне записку, в которой, как сумел, объяснил свой поступок.

— А ребенок? — Сам того не замечая, Питер сильнее сжал ее пальцы, но Габриэлла не отняла их у него.

— Ребенка я потеряла. — Как именно это произошло, Габриэлла помнила смутно; вся последовательность событий представала перед ней как вереница неясных, полуразмытых, почти сюрреалистических образов и картин, которые никак не были связаны между собой. Это, однако, не мешало ей почувствовать себя так, словно чья-то невидимая, холодная рука сдавила ей сердце.

— Потом мне сказали, что это был резус-конфликт, но выкидыш спровоцировали кое-какие обстоятельства, — добавила она.

Питер кивнул. Он знал, что у Габриэллы — как и у него самого — отрицательный резус, и был прекрасно осведомлен о том, что такое резус-конфликт и чем он может грозить молодой женщине.

— Бедная, бедная Габи! — тихо произнес Питер. — Для тебя это был тяжелый год.

А у нее вообще была нелегкая жизнь. Питеру оставалось только гадать, как Габриэлле удалось не озлобиться, не сойти с ума и не отправиться вслед за Джо, как поступил бы на ее месте кто-то более слабый.

— Если ты имеешь в виду Стива, — сказала она, — то это совсем другое. Быть может, тебе это покажется странным, но наши отношения были почти честными и, если хочешь, примитивными. Не скрою, когда он предал меня, мне было очень больно, но в глубине души я всегда знала, что не люблю его по-настоящему. С самого начала я попала в ловушку, из которой мне нелегко было выбраться, но Стива я не любила. Никогда. Даже вначале.

— Для него ты была легкой добычей, — согласился Питер, глядя на нее и пытаясь представить, какой была Габриэлла год назад и какой она стала сейчас. — Надеюсь, он получит чертовски долгий срок и просидит в тюрьме до самой старости. — Полицейский инспектор сказал ему, что это весьма вероятно, и Питер был искренне этому рад. — А ты? Что ты собираешься делать дальше?

— Я? — Габриэлла, казалось, даже растерялась. — Не знаю. Наверное, начну все сначала. Буду писать, работать. Теперь я стала умнее... — тут она рассмеялась, но сразу снова стала серьезной. — С тех пор как я вышла из монастыря, я многому научилась. В обители я не знала, что такое реальный мир, — там я была защищена от всего и привыкла чувствовать себя в безопасности. Должно быть, страх потерять такую защиту и погубил Джо. Он просто не знал, как жить без этого. И как выжить...

Но Питер только покачал головой. Джо дезертировал в самый решительный момент, оставив Габриэллу совершенно одну. Накидывая на шею петлю, он думал только о себе. Его не остановило даже то, что Габриэлла будет винить в его смерти себя. Нет, этот Джо определенно ему не нравился, — судя по всему, он был слабым, эгоистичным человеком, а эгоистов Питер не переносил.

Впрочем, Габриэлле он ничего об этом не сказал.

— Тебе нужно время, — негромко проговорил он. — Время, чтобы успокоиться и залечить свои раны. Того, что ты уже пережила, хватило бы на десять жизней, и, прежде чем начинать жить сначала, тебе просто необходимо найти ответы на свои вопросы и расставить все точки над «и».

— Я надеюсь, что мне в этом поможет работа над рассказами, — ответила Габриэлла. — Когда пишешь — легче разобраться в своих собственных чувствах. Мне трудно сейчас все объяснить, но... Профессор Томас, о котором я рассказывала, открыл мне новый путь, о существовании которого я прежде даже не подозревала. Этот путь... он ведет в мою собственную память и в мою душу — туда, где осталось что-то недовысказанное, недорешенное. Именно так я сумею в конце концов разобраться и с собой, и со всем, что со мной было. Только потом я смогу говорить со всем миром как настоящая писательница, которая не выдумывает сюжеты, а живет ими.

— Я, конечно, не писатель и ничего в этом не понимаю, — усмехнулся Питер, — но мне кажется, что ты всегда знала, где находится этот путь, и интуитивно, ощупью уже шла по нему. Профессор только ярче осветил его для тебя и, возможно, предсказал самые крутые участки и самые опасные повороты. В одном ты права: никто не сможет пройти этот путь за тебя...

Габриэлла хотела что-то сказать, но в этот момент в палату заглянула дежурная сестра, которая разыскивала Питера. В больницу только что привезли подростка, которого сбила неизвестная машина.

— О Господи!.. — воскликнул Питер и вскочил. Он готов был разговаривать с Габриэллой хоть до утра, но в данном случае ничего поделать было нельзя. Питер был врачом, и его работа состояла в том, чтобы спасать чужие жизни. И, попрощавшись с Габриэллой, он бегом выбежал из палаты.

После того как дверь за ним закрылась, Габриэлла еще долго лежала без сна, думая о Питере и удивляясь себе. Она еще ни с кем не разговаривала так откровенно, и теперь он знал всю ее историю. И, как ни странно, Габриэлла нисколько об этом не жалела.

Через три часа Питер вернулся. Он тихо зашел в палату, но Габриэлла крепко спала, и Питер только молча постоял рядом с ней несколько минут. Потом он ушел в свой чуланчик и улегся там на походную кровать. Питер очень устал, но заснуть долго не мог: он вспоминал все, что рассказала ему Габриэлла, и удивлялся, как человек может перенести столько боли и разочарований. Главное, чего Питер никак не мог понять, это почему в мире никак нельзя обойтись без страданий. Он не знал, что тот же самый вопрос задавала себе и Габриэлла, но ответа на него не знал, наверное, никто на земле.

Глава 24

Недели, которые потребовались Габриэлле для того, чтобы окончательно оправиться, показались и ей, и Питеру невыносимо долгими. Особенно медленно время потянулось, когда Габриэллу перевели из травматологии в общее отделение. К счастью, оно находилось всего лишь этажом выше. Питер мог заходить к Габриэлле поболтать каждый раз, когда у него выдавалась свободная минутка. Когда Габриэлла начала уверенно ходить, она сама стала спускаться, и они подолгу разговаривали друг с другом. Наконец настал день, когда Габриэлла закончила последний курс физиотерапии и лечащий врач сказал, что через день она может отправляться домой.

В день выписки Питер специально приехал в больницу за час до начала своей смены, чтобы подарить Габриэлле букет цветов и поздравить с выздоровлением.

— Мне будет очень не хватать тебя, — пошутил он и как-то странно замолчал, и Габриэлла поняла, что он хотел добавить что-то еще.

Питер и в самом деле давно хотел сказать ей одну важную вещь, однако ему потребовалось довольно много времени, чтобы набраться смелости. Он еще никогда не делал ничего подобного, к тому же ему было неудобно говорить подобные вещи, пока Габриэлла оставалась пациенткой больницы. Но теперь, когда ее выписали, соображения врачебной этики больше не могли служить Питеру оправданием несвойственной ему робости.

— Знаешь, мне тут пришло в голову... — смущенно начал он, чувствуя себя смешным и глупым, как новорожденный щенок. — Как ты посмотришь, если мы с тобой как-нибудь поужинаем вместе? Или пообедаем... или просто выпьем кофе? — поспешно добавил он, вдруг испугавшись, что слишком поторопился.

— Я не против, — осторожно ответила Габриэлла. Она тоже много думала о нем и хотела поддерживать с Питером дружеские отношения, однако ее ждало одно очень важное дело, с которым она должна была покончить, прежде чем двигаться дальше.

И, увидев, как огорчился Питер, заметивший ее колебания, она поспешила объяснить ему все.

— Я хочу разыскать своих родителей, Пит...

— Зачем тебе это? — удивился Питер. Из их долгих разговоров он понял, что Габриэлла не хочет никогда больше встречаться ни с отцом, ни — в особенности — с матерью. Поэтому ее слова оказались для него полной неожиданностью. Кроме того, физические силы ее были подорваны болезнью и еще не восстановились до конца. Питер просто боялся за Габриэллу, хотя и не мог не видеть, что за прошедшие недели запас ее душевных сил не только не пострадал, но даже, пожалуй, умножился.

— Ты уверена, что это тебе действительно необходимо? — спросил он с беспокойством.

— Может быть, и нет, — улыбнулась Габриэлла. В последние дни перед выпиской она испытывала небывалый душевный подъем и чувствовала себя бесконечно храброй. И именно это нравилось в ней Питеру. Габриэлла была из тех людей, которые могли заставить считаться с собой кого угодно, и хотя до сих пор подобное поведение оборачивалось для нее лишь новыми бедами и неприятностями, не уважать такой характер было невозможно.

И вместе с тем Питер был уверен, что именно из-за этой своей черты Габриэлла больше других нуждается в помощи и защите. Он был старше ее на одиннадцать лет и неплохо знал, как устроен этот мир, который во многих отношениях продолжал оставаться для Габриэллы незнакомым и новым. Понимая, что именно ей нужно, Питер готов был дать ей это, поскольку его многому научили ошибки, которые он совершал в своей жизни. Ради нее, ради Габи, он тоже готов был начать все сначала и попробовать быть немножечко лучше и умнее, чем тот Питер Мейсон, которого он оставлял в своей прошлой жизни.

— Я просто знаю, что должна это сделать, — попыталась объяснить Габриэлла, когда увидела, что Питер как-то странно молчит. — Если я не найду их и не получу ответа на все мои вопросы, мне всегда будет чего-то не хватать, словно какая-то частичка моей души осталась где-то в прошлом.

— А мне кажется, ты давно знаешь все ответы, — возразил Питер. — Они всегда были с тобой, внутри тебя, и если ты не сумеешь извлечь их оттуда, то ни отец, ни мать тебе не помогут.

Тайны, которые не давали Габриэлле покоя, принадлежали прошлому, в то время как перед ней расстилалось будущее, ради которого ей предстояло жить и работать. Но Габриэлла чувствовала, что Питер уже значит для нее очень много — больше, чем врач, и больше, чем друг. И именно ради него ей хотелось быть человеком с цельной душой, который может смело глядеть в будущее, ибо перестал бояться прошлого.

— Я должна, — повторила Габриэлла. Она уже решила, каким будет ее первый шаг. От матушки Григории Габриэлла надеялась узнать адрес матери или отца, но она понимала, что рассчитывать на это можно лишь до известной степени. Не исключено было, что старая настоятельница вовсе откажется с ней разговаривать. За весь год, прошедший с тех пор, когда ворота обители навсегда закрылись за ней, Габриэлла ни разу не встречалась с матушкой Григорией, не звонила ей и не писала, понимая, что настоятельница не имеет права отвечать ей. Но сейчас она надеялась, что настоятельница поймет ее и не откажется сообщить то, что ей известно.

Ответ Габриэллы нисколько не успокоил Питера, но он ничего не мог поделать: ее решимость была чересчур велика, а он через час заступал на дежурство. Тогда он попытался взять с нее обещание ничего не предпринимать хотя бы сегодня, но Габриэлла отвечала уклончиво.

Вечером Питер позвонил ей в пансион, и Габриэлла была рада слышать его голос. Успокаивая его, она призналась, что чувствует себя еще слишком усталой, и что даже подниматься пешком на четвертый этаж ей пока достаточно трудно. Собственная комната ей решительно разонравилась. Все здесь напоминало ей о Стиве, однако деться ей было некуда. Мадам Босличкова успела сдать квартиру профессора (книги, которые принадлежали теперь Габриэлле, были аккуратно уложены в коробки и перенесены в подвал), и теперь все комнаты — включая прежнюю комнату Стива — были заняты. В остальном же в пансионе мало что изменилось.

Питер представил себе, как Габриэлла сидит одна в комнате, с которой у нее было связано столько неприятных воспоминаний, и ему вдруг захотелось оказаться рядом с ней. В больнице Питер привык часто навещать Габриэллу. Теперь ему было странно, что он не может увидеть ее. Заметил он и то, что в телефонном разговоре

Габриэлла держалась с ним отчужденнее, чем раньше, но как раз это было ему более или менее понятно: очевидно, она считала, что не будет готова к будущему, пока окончательно не разберется со своим прошлым.

Но, вопреки его опасениям, Габриэлла в эту ночь спала крепко. Утром она встала, испытывая прилив сил и новой уверенности, и сразу же позвонила матушке Григории. Назвав себя, она попросила к телефону мать-настоятельницу. Послушница, ответившая на звонок, попросила ее подождать. Габриэлла очень боялась, что ей в конце концов будет сказано, что настоятельница не может с ней говорить, однако минуты через полторы она услышала знакомый голос и почувствовала, как на глаза у нее наворачиваются слезы. Это была та самая женщина, которую Габриэлла не переставала любить и по которой сильно скучала все это время.

— Как дела, Габи? С тобой все в порядке? — Матушка Григория тоже прочла статью в «Нью-Йорк таймс», в которой говорилось о Стиве и Габриэлле, и ей потребовалось все ее смирение и душевные силы, чтобы не нарушить монастырский устав и не поехать к ней. Все время, пока Габриэлла лежала в больнице, настоятельница звонила туда и, не называя себя, справлялась у медперсонала о ее состоянии.

— Все в порядке, матушка. — Габриэлла сразу поняла, что имеет в виду настоятельница. После той злосчастной статьи она стала своего рода знаменитостью. — Все уже прошло.

Потом она объяснила, зачем звонит. Ей нужны были адреса родителей, и в первую очередь — адрес матери. Габриэлла знала, что Элоиза каждый месяц присылала чеки на ее содержание, и в монастырских бухгалтерских книгах должен был быть ее почтовый адрес. Но когда она попросила матушку Григорию дать ей его, настоятельница заколебалась. Она знала, что не должна этого делать — таково было требование самой Элоизы Харрисон, однако вот уже больше пяти лет в монастыре о ней ничего не слышали. Кроме того, настоятельница считала, что большого вреда в этом не будет. Она прекрасно понимала, почему Габи решила разыскать мать после стольких лет разлуки, и в глубине души поддерживала это решение. Матушке Григории было совершенно ясно, что Габриэлла явится к матери не с упреками, а с одним-единственным вопросом. Когда-то ей самой хотелось задать Элоизе Харрисон этот вопрос.

Матушка Григория сообщила Габриэлле последний адрес ее матери в Сан-Франциско, предупредив, что это сведения пятилетней давности. Потом, после недолгих сомнений, она продиктовала ей адрес отца.

Джон Харрисон жил в Нью-Йорке, на Ист-Сайде, в районе Семидесятых улиц.

— Как?! — удивленно воскликнула Габриэлла. — Он... здесь? А как же Бостон?.. Ведь он...

— Насколько мне известно, Габи, в Бостоне твой отец прожил всего несколько месяцев. Потом он вернулся в Нью-Йорк и жил здесь все время, пока ты...

— Но почему он ни разу не навестил меня? Почему?!

— Этого я не знаю, Габи, — негромко ответила старая настоятельница, хотя она догадывалась, почему Джон Харрисон не давал о себе знать.

— Он... он звонил вам? — спросила Габриэлла неожиданно дрогнувшим голосом.

— Нет, никогда. Его адрес дала мне твоя мать. На всякий случай, как она выразилась. Но этот случай так и не наступил. Мы так никогда и не обращались к нему.

— Наверное, он не знал, где я и что со мной! — с надеждой произнесла Габриэлла. Даже теперь эта ситуация представлялась ей ужасной. Она-то думала, что ее отец в Бостоне, а он, оказывается, все это время жил совсем близко, в нескольких кварталах от монастыря.

— Об этом тебе лучше спросить у него. — Матушка Григория дала Габриэлле домашний и служебный адрес отца и оба телефона, хотя эти сведения были еще более древними, чем адрес Элоизы. Возможно, Джон Харрисон уже давно куда-то переехал со своей новой семьей, однако в любом случае для Габриэллы это была вполне конкретная отправная точка для дальнейших поисков.

Габриэлла тоже подумала об этом. Она собиралась сразу же позвонить по обоим телефонам и выяснить, что сталось с ее отцом.

— Спасибо, матушка, — негромко сказала Габриэлла, потом добавила осторожно: — Мне очень вас не хватало. За это время произошло так много всего...

— Мы все молились за тебя, Габи, — ответила настоятельница. — Кстати, я читала твой рассказ в «Нью-йоркере». Это отличная вещь, Габи, и я... и все мы очень гордимся тобой.

Габриэлла была тронута этими словами до глубины души и, чтобы скрыть смущение, принялась рассказывать настоятельнице о профессоре, о том, сколько он для нее всего сделал, о деньгах, которые он ей оставил. Старая настоятельница слушала ее закрыв глаза, и из-под ее плотно сомкнутых ресниц катились на черное платье горячие слезы. Она буквально упивалась голосом, который всегда любила, и вспоминала маленькую, робкую девочку, которую вырастила и воспитала. Настоятельница была очень рада, что вне монастыря Габриэлле встретился хотя бы один порядочный и честный человек, который был добр к ней. Сама она ничего не могла сделать для той, которую продолжала считать своей дочерью, поскольку в монастыре по-прежнему было запрещено даже упоминать имя Габриэллы.

— Можно, я напишу вам, когда узнаю, что сталось с моими родителями? — спросила Габриэлла в конце разговора, и матушка Григория надолго замолчала.

— Нет, дитя мое, — сказала она наконец, и в ее голосе неожиданно прозвучала глубокая материнская печаль. — Никто из нас не должен ни видеться, ни говорить с тобой. Этот наш разговор — последний. Да благословит тебя Господь, Габриэлла...

— Я люблю вас, матушка... мама. И всегда буду любить... — С губ Габриэллы сорвалось короткое сдавленное рыдание, но она тут же постаралась взять себя в руки, чтобы не расстраивать настоятельницу еще больше. Но та уже давно плакала не стыдясь.

— Будь осторожна, Габи, береги себя. И — прощай...

Слезы помешали ей договорить. Если бы Габриэлла могла видеть ее сейчас, она поразилась бы тому, какой старой выглядит ее приемная мать. За прошедшие десять месяцев матушка Григория постарела на десять лет — так дорого обошлась ей потеря Габриэллы.

Габриэлле хотелось рассказать настоятельнице про Питера, но она не решилась. Да и рассказывать, собственно, было нечего. Возможно, Питер скоро забудет ее, поскольку теперь у него были другие пациенты, другие заботы. Быть может, он и внимание-то на нее обратил только потому, что она была у него, так сказать, под рукой, и флиртовать с нею ему было проще простого. О, Габриэлла больше не будет такой доверчивой, иначе кто-то снова сделает ей больно.

— Прощайте, матушка, — ответила она тихо, но в трубке уже давно раздавались короткие гудки отбоя, и Габриэлла поняла, что скорее всего она никогда больше не увидит мать-настоятельницу, не услышит ее голоса, не ощутит тепла ее ласковых рук. Сознавать это было так горько и страшно, что Габриэлла заплакала от отчаяния и острого чувства безвозвратной потери.

Прошло несколько минут, прежде чем Габриэлла успокоилась и смогла перевести дух. Только потом она набрала один из номеров, которые дала ей матушка Григория. Это был рабочий телефон Джона Харрисона — Габриэлла не хотела ждать вечера, пока отец вернется к себе домой. Она знала, что номер старый, но, может быть, там все еще помнят его и могут подсказать, как его найти. Но когда она попросила к телефону мистера Харрисона, добавив, что звонит его дочь, ее сразу же соединили с кабинетом отца.

— Габриэлла? Это действительно ты?.. — В голосе отца, который она, оказывается, хорошо помнила, смешались удивление, настороженность, недоверие, но отнюдь не радость, и его образ — знакомый образ Прекрасного Принца, который Габриэлла вызвала в памяти, пока набирала номер, — сразу потускнел, растаял. Она невольно подумала, что Джон Харрисон, должно быть, очень изменился.

И все же, отвечая ему, Габриэлла снова почувствовала себя девятилетней.

— Папа?..

— Где ты? — спросил Джон с еще большей тревогой.

— Здесь, в Нью-Йорке. Я только что узнала твой номер — все это время я думала, что ты живешь в Бостоне.

— Я переехал обратно лет двенадцать назад, — ровным голосом объяснил Джон, и Габриэлла снова задумалась о том, что он сейчас чувствует. Быть может, то же, что и она, решила наконец Габриэлла. В ее представлении, во всяком случае, иначе и быть не могло.

— Мама оставила меня в монастыре, когда мне было десять, — выпалила Габриэлла, горя желанием объяснить ему, где она была и почему он не мог ее найти. Это было совершенно детское наивное желание, но ничего с собой поделать она не могла.

— Я знаю, — ответил он все тем же ровным механическим голосом, из которого были тщательно изгнаны любые намеки на владевшие им чувства, и Габриэлле показалось, что, за исключением первых двух фраз, их дальнейший разговор пройдет в том же ключе. — Она написала мне из Сан-Франциско.

— Когда? Когда она тебе написала?

Теперь пришел черед Габриэллы удивляться. Значит, он все знал? Тогда почему он не позвонил, не зашел, чтобы хотя бы повидаться с ней? Что ему помешало?

— Она написала мне сразу после развода, — ответил Джон. — С тех пор я ничего о ней не слышал. Я даже не знаю, вышла ли она второй раз замуж, как собиралась.

— Так ты знал? Знал все эти тринадцать лет? — потрясенно спросила она, но отец не ответил. Вместо этого он сказал:

— Жизнь не стоит на месте, Габриэлла. Меняются времена, меняются люди, обстоятельства. Мне тогда было очень тяжело...

Он что, ждал от нее сочувствия или понимания? Габриэлла знала только одно: как бы тяжело ни пришлось Джону Харрисону пятнадцать лет назад, его дочери было еще тяжелее. Гораздо тяжелее, чем он знал, чем хотел знать. В этом отношении Джон, похоже, нисколько не переменился.

— Когда мы сможем увидеться? — спросила она напрямик.

— Я... — Джон не ожидал такой просьбы и решил, что Габриэлла хочет попросить денег. Между тем его карьера в банке не была блестящей — за все эти годы он так и не сумел пробиться наверх.

— Ты уверена, что это необходимо? — спросил он, и в его голосе снова прозвучала настороженность.

— Мне бы очень этого хотелось, — ответила Габриэлла, начиная нервничать. Отец, похоже, не очень обрадовался ее звонку.

— Можно, я приеду сегодня? — Воспоминания детства были все еще сильны в ней, и сейчас она снова чувствовала себя девятилетней просто от того, что слышала его голос. Габриэлла почти забыла о том, что ей уже исполнилось двадцать четыре года и что она давно стала взрослой.

И снова Джон заколебался. Он просто не знал, что ей сказать. Прошло несколько томительно долгих секунд, прежде чем он заметил лазейку, которую оставила ему Габриэлла.

— Ты хочешь приехать сейчас? В офис? — уточнил он, и когда Габриэлла ответила «да», она услышала вздох облегчения. Отец явно хотел поскорее покончить с этой неловкой для обоих проблемой. Что ж, раз так, то и Габриэлла не станет откладывать встречу.

— Как насчет трех часов? — торопливо предложил Джон, и снова Габриэлла ответила согласием.

— Хорошо, я приеду, — сказала она и положила трубку. Но когда она поднялась из вестибюля к себе в комнату, на лице ее сияла радостная улыбка.

У нее в запасе было еще несколько часов, и все это время Габриэлла ничего не могла делать. Она так нервничала, что у нее все буквально валилось из рук. В мозгу ее роились тысячи вопросов: как он выглядит, что он ей скажет, как объяснит все, что произошло с их семьей много лет назад. Этот последний вопрос она непременно должна была задать отцу и добиться ответа. В глубине души она была почти уверена, что во всем была виновата ее мать, но ей хотелось узнать, что думает по этому поводу Джон. И, главное, как он это допустил.

В половине третьего она переоделась в свой лучший

темно-синий полотняный костюм и взяла такси, которое доставило ее на Пятьдесят третью улицу.

Инвестиционная фирма, в которой работал Джон Харрисон, была очень небольшой, но пользовалась безупречной репутацией и была широко известна. Кто бы мог подумать, что ее отец все это время работал именно здесь?

Секретарша, к которой обратилась Габриэлла, сказала, что ее ждут, и сразу же повела ее к кабинету мистера Харрисона. Идти нужно было по длинному коридору, и все это время с лица Габриэллы не сходила широкая, счастливая улыбка. Вопреки всем своим страхам и сомнениям сейчас она была совершенно уверена, что стоит ей только увидеть отца, и все сразу разрешится наилучшим образом.

Ровно в одну минуту четвертого (время Габриэлла определила по большим электронным часам на стене, циферблат которых горел ярким изумрудно-зеленым светом) секретарша распахнула перед Габриэллой двери кабинета мистера Харрисона и почтительно отступила в сторону, пропуская ее внутрь. Кабинет оказался просторной, светлой комнатой с панорамным окном на задней стене. Из него открывался потрясающий вид на город, но Габриэлла едва обратила внимание на эту красоту. Стоило ей только переступить порог, как взгляд ее нашел человека, сидевшего за длинным полированным столом, — нашел и остановился на нем.

Это был он, ее отец, и в первое мгновение Габриэлле показалось, что за пятнадцать лет он совершенно не изменился. Джон Харрисон был все так же красив, но когда она пригляделась получше, то различила седину в его волосах, опущенные вниз уголки рта и несколько морщин, которых раньше не было. Впрочем, удивляться тут не приходилось: произведя в уме несложный подсчет, Габриэлла сообразила, что ее отцу пятьдесят один год.

— Здравствуй, Габриэлла, — сказал Джон, пристально глядя на нее из-за стола. Он был удивлен тем, какой она стала: красивой, грациозной, женственной. От него Габриэлла унаследовала светлые мягкие волосы и яркие голубые глаза, которые делали ее красоту особенно изысканной. Ничего от Элоизы в ней не было, и Джон невольно обрадовался этому.

— Садись. — Он взмахнул рукой, указывая ей на кресло напротив, и Габриэлла поневоле подчинилась. Ей очень хотелось обнять отца, поцеловать, прижаться к нему, как в детстве, но он не сделал ни малейшей попытки даже встать ей навстречу. Нет, не так она представляла себе все это...

Впрочем, она тут же решила, что он, наверное, чувствует себя очень неловко, и что он поцелует ее потом — когда они немного привыкнут друг к другу.

Потом Габриэлла увидела у него на столе фотографии в рамках: на них были изображены две очень похожих друг на друга девушки примерно одного с ней возраста, и два мальчика лет десяти-двенадцати. На стене слева висел большой фотопортрет черноволосой женщины в красном платье. Она пыталась улыбаться, но брови ее были нахмурены, и улыбка выглядела неестественно. Габриэлла сразу подумала, что счастье, должно быть, досталось ей дорогой ценой.

То, что на столе отца не было ее детских фотографий, было вполне понятно. Их просто не существовало в природе, и все же Габриэлла почувствовала себя разочарованной.

— Ну, как ты поживала все это время? — спросил Джон, смущенно пряча глаза, и Габриэлла подумала, что он, наверное, чувствует себя виноватым перед ней. Ведь с какой стороны ни посмотри, он первый бросил ее и ушел из семьи, хотя, возможно, ему действительно нелегко было принять такое решение. Так, во всяком случае, ей хотелось считать.

— Это твои дети, папа? — не удержалась от вопроса Габриэлла, указывая на фотографии на столе.

Джон кивнул.

— Девочки — дочери Барбары от первого брака, а мальчишки — мои. Наши... Их зовут Джеффри и Уинстон. Младшему сейчас девять, а старшему — двенадцать... — И, торопясь поскорее покончить с этим щекотливым вопросом и выяснить, зачем она пришла к нему, он спросил: — Так зачем ты хотела видеть меня, Габриэлла?

— Я давно хотела разыскать тебя, — ответила Габриэлла, машинально отметив, что даже сейчас он не назвал ее Габи. — Все это время я думала, что ты живешь в Бостоне. Никто не сказал мне, что ты вернулся в Нью-Йорк...

Да, тринадцать лет он жил совсем рядом с ней, жил своей жизнью со своей новой семьей, и за все это время он ни разу не вспомнил о ней, не попытался разыскать. Почему?..

Габриэлла никак не могла этого понять.

— Барбаре не понравилось в Бостоне, — сказал Джон с таким видом, словно это все объясняло.

— Если ты знал, что я... что мама оставила меня в монастыре, почему ты не забрал меня к себе? Почему ты даже ни разу не навестил меня там? — напрямик спросила она и увидела, как на лице Джона медленно проступает выражение, которое было хорошо ей знакомо. Это было выражение туповатой, болезненной беспомощности, которое означало, что Джону не по плечу справиться с ситуацией. Именно с таким лицом он наблюдал от дверей за тем, как Элоиза избивает ее.

— А какой смысл?.. — Джон пожал плечами. — От брака с твоей матерью у меня остались самые неприятные воспоминания. Думаю, и у тебя тоже... В конце концов мне начало казаться, что для тебя и для меня будет гораздо лучше, если мы оба закроем эту страницу и попробуем забыть все, что с нами было. Наша семья, если ее можно назвать семьей, прекратила свое существование, и мне не хотелось лишний раз напоминать тебе обо всем...

«Напоминать о чем? — удивилась Габриэлла. — О том, что у меня есть или был отец?»

— ...Элоиза была очень плохой женщиной, — продолжал между тем Джон. — Я был совершенно уверен, что в конце концов она тебя убьет.

Эти слова так поразили Габриэллу, что она не сумела удержаться и задала ему тот самый вопрос, который задавала себе тысячи раз на протяжении всей своей жизни:

— Почему же ты не остановил ее? Почему хотя бы не попытался вмешаться?

Ожидая ответа, она даже затаила дыхание. Для нее это было бесконечно важно.

— Я не смог бы ее остановить. Как?! — Он, казалось, был искренне удивлен тем, что Габриэлла не понимает таких простых вещей. Но она больше не была маленькой девочкой и знала, что отец мог пригрозить Элоизе, мог применить силу, развестись с ней, оставив ребенка себе, обратиться в суд и так далее и так далее. О, сколько он мог сделать — большой и сильный Джон Харрисон, так и не заметивший маленькую Габриэллу.

Она с недоумением посмотрела на отца, но тот не заметил ее выразительного взгляда.

— Что я мог сделать? — продолжал разглагольствовать Джон Харрисон, по-прежнему глядя в сторону. — Если я начинал выговаривать ей за то, что она наказывает тебя слишком жестоко, Элоиза только больше злилась, и в результате тебе доставалось еще больше. Мне оставалось только уйти и попробовать начать все сначала в другом месте. И надеяться, что она образумится... Для меня это был единственный выход.

«А как же я? — захотелось крикнуть Габриэлле. — Ты подумал, что будет со мной? Какую «новую жизнь» означает для меня твой уход?!» Но Джон ответил на этот невысказанный вопрос так:

— ...Что касается тебя, то мне казалось, что тебе будет лучше в монастыре. К тому же твоя мать никогда бы не позволила мне забрать тебя к себе.

— А ты спрашивал у нее? Когда ты хотел забрать меня к себе — до того, как мама оставила меня в монастыре, или после? — спросила Габриэлла. Мысль о том, что она, быть может, причиняет отцу страдания, пришла ей в голову только на мгновение и тут же исчезла. Теперь ее ничто не могло остановить. Она хотела знать все. Ответов именно на эти вопросы она от него ждала.

— Нет, я никогда не спрашивал об этом у Элоизы, — честно признался Джон. — Какой смысл — ведь я заранее знал, что она скажет. Да и Барбара была бы против того, чтобы ты жила с нами. Ты была частью другой, прежней жизни, о которой нам всем хотелось поскорее забыть... — Он немного помолчал и нанес последний, сокрушительный удар.

— Мы стали чужими друг другу, Габриэлла, — проговорил он. — Столько лет наши жизни никак не пересекались, и этого уже не сбросишь со счетов. Если Барбара узнает, что я сегодня встречался с тобой, она ужасно разозлится на меня, потому что ей будет казаться, что я предал наших с нею детей. И я ее понимаю...

Габриэллу его слова повергли в ужас. Она поняла, что совершенно не нужна отцу. И никогда не была нужна. Когда Элоиза допекла его, он просто ушел, предоставив ей выпутываться самой. По его собственному признанию, он был уверен, что мать непременно ее убьет. И это его нисколько не волновало.

— А ее собственные дочери? — прошептала Габриэлла похолодевшими губами. — Разве они не жили с вами?

— Разумеется, они жили с нами, но это совсем другое дело.

— Почему? Почему они — другое дело?

— Мардж и Нора были для меня просто ее дочерьми, а ты... ты была кусочком кошмара, напоминанием о жизни, от которой я стремился уйти. Теперь ты понимаешь, почему я не мог взять тебя к себе? Я и сейчас не могу... Пойми, Габриэлла, нас разделяет пропасть, через которую уже не перейти. У тебя нет отца, Габриэлла, а у меня — нет дочери...

Да, но у него были жена и четверо других детей — родных и приемных. У нее же не было никого.

— Как ты можешь говорить такие ужасные вещи? — Габриэлла почувствовала, как к глазам подступили слезы, но она изо всех сил старалась не заплакать. — Как?!

— Поверь, Габриэлла, мне тоже очень тяжело, но это — правда. Подумай сама, каково тебе будет, если мы будем... каждый день видеться? Каждый раз я буду напоминать тебе всю боль, которую мать... мы тебе причинили, и в конце концов ты возненавидишь меня за то, что я не пришел тебе на помощь тогда...

Но он немного ошибся. Габриэлла начинала его ненавидеть уже сейчас. Ее отец оказался совсем не таким, каким она его себе представляла. Он был слабым, бессильным и никчемным. Он был таким всегда, но только теперь она увидела это со всей ясностью.

— Неужели ты не мог мне даже позвонить? — спросила Габриэлла, чувствуя, что еще немного, и она все-таки заплачет. Джон Харрисон никогда не любил ее и, как она теперь подозревала, не любил даже своих новых детей. Когда-то Элоиза правила им железной рукой, а когда он ушел от нее, то Барбаре пришлось сделать то же самое. Должно быть, именно этим и объяснялось суровое выражение лица Барбары на портрете. В конце концов он разочаровал и ее.

— Что я мог тебе сказать, Габриэлла? — Джон вздохнул и, бросив на нее быстрый взгляд через стол, снова отвел глаза. — Я... Мне очень не хотелось с тобой встречаться.

Вот так — ни больше и ни меньше... Все было очень просто: ему «не хотелось» видеть ее тогда и не хотелось видеть сейчас. У ее отца было пустое, холодное сердце. Он не мог дать ничего ни ей, ни своим собственным детям, которые улыбались ему с фотографий. Габриэлле было очень жаль и их, и Барбару, но в первую очередь — его самого, потому что Джон Харрисон был ничем. Его нельзя было даже назвать личностью — он был просто картонным человечком.

Между тем Джон Харрисон буквально ерзал от нетерпения в своем кожаном кресле, ожидая, когда же она наконец уйдет.

— Еще один вопрос... — тихо сказала Габриэлла. — Вы... вы когда-нибудь любили меня? Хотя бы один из вас?

Сдавленное рыдание на мгновение прервало ее, и Джон Харрисон нашел это проявление чувств неуместным и демонстративным. Его буквально передернуло, но Габриэлле было все равно, ибо она оплакивала не его, а себя. Она готова была уйти, но сначала она хотела выслушать ответ на свой вопрос.

Джон не отвечал, и Габриэлла посмотрела на него в упор.

— Я задала тебе вопрос...

Он неловко пошевелился.

— Я... не помню точно, что я тогда чувствовал. Ты была очаровательным ребенком. Должно быть, я все-таки любил тебя. Но мой брак с Элоизой оказался неудачным. Больше того, это была катастрофа. И ты была символом этой катастрофы.

— Скорее уж жертвой...

— Мы все были в той или иной степени жертвами, — печально сказал Джон.

— Но, в отличие от меня, ты ни разу не оказывался в больнице... — Габриэлле уже расхотелось плакать. Наоборот, она стремилась уязвить его, хотя и понимала, что это неправильно. Но сейчас она добивалась правды, всей правды.

— Я знаю, — согласился он. — Теперь ты, наверное, ненавидишь нас за это. Я говорил ей, но... В гневе Элоиза уже не могла сдержать себя.

— Но почему она ненавидела меня так сильно? Что я ей сделала? — Вот и прозвучали эти слова, мучившие Габриэллу столько лет. Вот она и произнесла их вслух.

Джон Харрисон вздохнул и откинулся на спинку кресла. Лицо его выглядело усталым, словно он вдруг разом постарел на все те полтора десятка лет, что они не виделись.

— Элоиза ревновала меня к тебе, ревновала с самого начала, когда ты только родилась. Наверное, в ней было что-то, что мешало ей стать нормальной матерью. А может, напротив, чего-то не хватало... Когда я женился на ней, я этого не заметил, хотя, наверное, должен был...

И в нем самом недоставало главного, чтобы быть отцом, чтобы быть просто человеком.

— Ну что, Габриэлла, я ответил на все твои вопросы? — неожиданно сказал Джон, спеша поскорее отделаться от нее.

— Да, на все, — произнесла Габриэлла грустно, ибо ей было ясно, что на главные вопросы она, наверное, уже никогда не найдет ответов. Прав был Питер, который предсказал, что все ответы на вопросы были внутри ее самой. Просто прежде Габриэлла бежала этого знания и только сейчас она набралась мужества, чтобы посмотреть истине в лицо.

Джон Харрисон встал и посмотрел на Габриэллу. Он так и не вышел из-за стола, не потянулся к ней навстречу, чтобы обнять или хотя бы прикоснуться к собственной дочери. Наоборот, Джон старался держаться как можно дальше от нее, и Габриэлла мельком удивилась тому, что ей от этого по-прежнему больно.

— Спасибо, что зашла, — сказал Джон Харрисон, давая понять, что аудиенция закончена. С этими словами он нажал на столе какую-то кнопку, и в дверях бесшумно возникла секретарша. Габриэлла поняла, что пора уходить, и тоже встала.

— Спасибо, — сказала и она. Ей не хотелось ни назвать его «папой», ни целовать. Человек, которого она помнила как своего отца, был достаточно плохим, но тот, который стоял сейчас перед нею, был тенью человека. Джон Харрисон перестал быть ее отцом. Он отрекся от нее четырнадцать лет назад, но Габриэлла помнила его. Теперь отец, которого она когда-то любила, перестал существовать.

И все же, выходя из кабинета, Габриэлла на мгновение задержалась на пороге и оглянулась, стараясь получше запомнить его лицо. Потом, так и не сказав ни слова, она решительно шагнула вперед и исчезла за поворотом коридора. Ей действительно больше нечего было ему сказать.

Как только секретарша закрыла за Габриэллой дверь, Джон Харрисон снова сел и сморщился так, словно у него вдруг мучительно разболелись зубы. Визит дочери живо напомнил ему прошлое со всеми его кошмарами. Да, Габриэлла выросла очень красивой, но Джон не чувствовал к ней ровным счетом ничего. Он уже давно решил, что Габриэлла для него не существует, и менять в этом что-либо он не хотел. Да это, наверное, было просто невозможно.

И, чтобы не думать о Габриэлле и не вспоминать ее взгляда, который по-прежнему жег его словно раскаленное железо, Джон Харрисон открыл бар, налил полбокала виски и, отвернувшись к окну, медленно выпил его, глядя на расстилавшуюся за стеклом панораму большого города.

Глава 25

Габриэлла после этой малоприятной встречи отправилась на Пятую авеню, где была билетная касса, и купила билет на завтрашний рейс до Сан-Франциско. Обратно в пансион она пошла пешком и всю дорогу вспоминала свой разговор с отцом. В душе у нее остался неприятный осадок, но, несмотря на это, Габриэлла испытывала что-то похожее на облегчение. Теперь она убедилась, что все ее детские неприятности происходили вовсе не от того, что она сама была непослушной или испорченной. Просто ей не повезло с родителями. В них обоих был какой-то необъяснимый изъян. И единственное, о чем Габриэлла жалела, это о том, что понимать это она начинала только сейчас.

Отец... Когда-то она любила его и писала о нем рассказы и сказки, но он оказался пустым, никчемным, равнодушным и трусливым.

Но в одном Джон Харрисон был, безусловно, прав. Сейчас было слишком поздно что-либо менять. Пятнадцать лет она тосковала о нем, мечтала и тешила себя надеждой, что когда-нибудь папа отыщет ее и заберет к себе, но теперь ей открылось, что все это время он, оказывается, прекрасно знал, где она. Знал и, живя в десяти минутах езды от монастыря, не предпринял ничего, чтобы увидеться с ней. Отец не любил ее и не нуждался в ней — в этом не могло быть никаких сомнений. И хотя сознавать это Габриэлле было больно, но в то же самое время это знание освободило ее. Она чувствовала себя так, словно ее отец умер пятнадцать лет назад. Или, если быть точной, все эти пятнадцать лет он считался без вести пропавшим, но теперь она нашла тело и могла со спокойной совестью предать его земле.

Габриэлла вернулась в пансион и узнала, что ей звонил Питер. Она сразу же перезвонила ему в больницу и рассказала о своей встрече с отцом.

— Ну что, теперь тебе лучше? — с беспокойством спросил Питер.

— Немного, — честно ответила она. Ей все еще было горько от того, что отец не захотел ни обнять, ни поцеловать ее, но этого, наверное, и следовало ожидать. Сейчас она припоминала, что и в детстве он никогда не ласкал ее. Единственный раз, когда Джон был почти нежен с ней, это в ночь накануне его ухода, но теперь Габриэлла знала, что он скорее всего терзался сознанием своей вины и пытался таким образом успокоить свою совесть.

— Ты был прав в одном, — сказала она Питеру. — Теперь я тоже понимаю, что некоторые ответы есть во мне самой. Просто раньше я этого не знала.

Она надеялась, что Питера обрадуют эти слова, и действительно, он вздохнул с облегчением. Ее желание вернуться в собственное прошлое, чтобы разобраться в нем, изрядно беспокоило его. В первую очередь потому, что это могло оказаться весьма неприятным и болезненным для нее самой. Габриэллу скорее всего ожидало очень много горьких разочарований, и одно из них она, похоже, уже испытала. Впрочем, Габриэлла не чувствует себя обиженной и уязвленной. И слава богу.

— И что ты собираешься делать дальше? — спросил он.

— Завтра я лечу в Сан-Франциско, — ответила она.

Питер не знал — зачем, но ему показалось, что в этот раз ему непременно нужно поехать с ней. Но он не мог: смена выдалась очень непростой. Питер предчувствовал, что ему наверняка придется задержаться, чтобы помочь коллегам. Да и Габриэлла вряд ли позволила бы ему сопровождать себя. В ее прошлое затерлись несколько драконов, и она должна была сразиться с ними один на один, какими бы сильными и опасными они ни были. И это тоже восхищало его.

— Как тебе кажется: ты одна справишься? — спросил он полушутя, и Габриэлла поняла, что Питер имеет в виду не трудности дальнего перелета.

— Думаю, что да, — честно ответила она. Мысль о том, что она снова увидит свою мать, пугала ее, но Габриэлла знала, что должна это выдержать. Только Элоиза могла дать ей настоящий, окончательный ответ на вопрос, почему она никогда не любила свою дочь.

— Знаешь, — сказала Габриэлла Питеру, — я чувствую себя героиней волшебной сказки, которая ищет под грибами ответы на свои вопросы. Как Алиса или как Дороти из «Волшебника страны Оз».

— Если ты подождешь до послезавтра, я мог бы полететь с тобой, — предложил он. — У меня осталось несколько дней от отпуска. Мне кажется, со мной тебе было бы несколько легче.

— Нет, я должна все сделать сама, — возразила Габриэлла. — Не волнуйся, я позвоню тебе из Сан-Франциско.

— Береги себя, Габи, — тихо сказал он и неожиданно добавил: — Мне тебя очень не хватает.

— Мне тоже, — ответила Габриэлла, чувствуя, что эти слова являются прелюдией чего-то огромного, хорошего, светлого в их отношениях. Но, чтобы уверенно смотреть в будущее, она должна была окончательно разобраться с прошлым. Габриэлла знала, что до тех пор, пока она не узнает ответ на свой главный вопрос, она не сможет отдать себя Питеру целиком, без остатка. Боль и разочарования детства, сознание того, что ее никто никогда не любил, всегда будут стоять между ними. Она не сможет верить ему и будет все время ждать, что рано или поздно Питер уйдет, бросит ее, как бросали Габриэллу остальные. И страх перед этим убьет их чувство.

— Позвони мне, когда прилетишь во Фриско, — еще раз попросил Питер и торопливо распрощался с Габриэллой — его вызывали в операционную.

Повесив трубку, Габриэлла поднялась к себе, чтобы упаковать в дорогу свой старый облезлый чемодан. Как и накануне, крошечная комнатка показалась ей унылой и чужой. Она была чересчур полна Стивом, полна страшными снами и призраками прошлых кошмаров. Габриэлла знала, что перед завтрашним путешествием ей надо как следует выспаться, но заснуть так и не смогла. Вспоминая все, что с ней было, Габриэлла почти всю ночь провела, глядя в темноту и раздумывая о поездке в Сан-Франциско. Несколько раз она хотела позвонить Питеру, но спускаться и подниматься по лестницам ей все еще было тяжело, поэтому Габриэлла осталась лежать и ждать рассвета.

Когда рано утром она уходила, весь пансион еще спал, и Габриэлла оставила мадам Босличковой записку. «Я улетела в Сан-Франциско к маме», — написала она. Эта фраза ей очень нравилась, но Габриэлла сразу подумала, что она звучала бы еще лучше, будь у нее другая мать.

Перелет до Сан-Франциско прошел без приключений и ничем особенным Габриэлле не запомнился, хотя это был ее первый в жизни полет на самолете. В аэропорту она сразу села на автобус, который доставил ее в город. Больше всего ее удивил холод: стояло только начало сентября, но Габриэлла основательно продрогла и достала из чемодана свитер.

Свитер она надела в дамской комнате небольшого кафе, куда она зашла, чтобы выпить кофе и перекусить. Потом позвонила по телефону, который дала ей матушка Григория.

Уже набирая номер, Габриэлла сообразила, как глупо она поступила, что не позвонила матери из Нью-Йорка. Вдруг Элоиза с мужем уехали куда-то в отпуск, и она их не застанет? Теперь Габриэлле оставалось только положиться на удачу, но ей не повезло. В трубке зазвучал записанный на пленку голос, который сообщал, что номер отсоединен, и Габриэлла совсем растерялась. Она не знала, что делать дальше, и первое, что пришло ей в голову, это взять такси и отправиться по известному ей адресу. Так она и поступила, но, когда она позвонила у дверей небольшой усадьбы, владельцы сказали, что не знают никого по фамилии Уотерфорд или Харрисон. Сами они приобрели этот дом всего полгода назад у некоего мистера Форрестера, который вскоре после этого уехал не то в Бразилию, не то в Аргентину.

В такси Габриэлла вернулась чуть не плача, и водитель, узнав, в чем дело, видя ее состояние, предложил ей то, что Габриэлле следовало сделать еще в Нью-Йорке. Он довез ее до ближайшего телефона-автомата, и Габриэлла позвонила в справочный стол. Там ей тоже ответили, что никакой Элоизы Харрисон в Сан-Франциско не зарегистрировано, и она попросила дать ей адрес Джона Уотерфорда.

Приятеля матери Габриэлла помнила довольно смутно. Единственное, что задержалось в памяти, это то, что он был весьма хорош собой и что он никогда с ней не разговаривал. «Что ж, — подумала Габриэлла, — сейчас ему придется поговорить со мной!»

На этот раз ее ждала удача. Телефонистка сказала, что мистер Джон Уотерфорд проживает на Двадцать восьмой авеню в районе Сиклифф, и дала его новый номер.

Габриэлла сразу же позвонила по нему, но голос женщины, которая взяла трубку в доме Джона Уотерфорда, нисколько не напоминал голос Элоизы. Тогда Габриэлла подумала, что это, наверное, домработница или экономка. И действительно, когда она попросила к телефону миссис Уотерфорд, женщина сказала ей, что хозяева вернутся только в половине пятого.

Габриэлла поблагодарила и повесила трубку. Выходя из телефонной будки, она посмотрела на часы и увидела, что по местному времени уже половина четвертого, и что ей нужно только немножко подождать. Несколько минут она раздумывала о том, стоит ли ей предварительно позвонить, но в конце концов решила ехать к матери без звонка.

Ровно в половине пятого ее такси остановилось перед аккуратным, утопающим в зелени особнячком. На подъездной дорожке стоял новенький серебристый «Бентли», и Габриэлла поняла, что Элоиза и ее новый муж вернулись.

Держа в руках чемоданчик, Габриэлла позвонила у дверей особняка. Это был тот самый фибровый чемодан, с которым мать когда-то привезла ее в монастырь. Он сопровождал Габриэллу по-прежнему. За это время гардероб Габриэллы стал, разумеется, совсем другим, но новый чемодан она купить так и не удосужилась — ведь она никогда не путешествовала.

— Да? — спросила женщина в желтом кашемировом свитере, открывшая ей дверь. На вид ей было лет пятьдесят, и ее от природы светлые волосы были тщательно подкрашены. — Чем могу вам помочь, мисс?

Она доброжелательно улыбнулась Габриэлле, которая со своим облезлым чемоданчиком и развевающимися по ветру волосами была похожа на юную беспризорницу.

— Мне нужна миссис Уотерфорд, — сказала Габриэлла.

— Я — миссис Уотерфорд, — последовал ответ, и Габриэлла едва не застонала от огорчения. Должно быть, решила она, в справочном ей дали адрес другого Джона Уотерфорд.

— Понимаете, я разыскиваю свою мать... — пробормотала Габриэлла и стала еще больше похожа на несовершеннолетнюю девочку-подростка, сбежавшую от родителей. Миссис Уотерфорд посмотрела на нее с сочувствием.

— Мне очень жаль, милочка, — сказала она, — но вас, по-видимому, неправильно информировали.

Габриэлла уже собиралась попросить прощения за беспокойство и откланяться, когда за спиной миссис Уотерфорд появился высокий, хорошо сложенный, но уже почти совершенно седой мужчина в клетчатой ковбойке.

— В чем дело? — озабоченно спросил он, и Габриэлла, подняв на него взгляд, сразу его узнала. Никаких сомнений быть не могло — это был тот самый Джон Уотерфорд. Оказывается, она очень хорошо запомнила его. Габриэллу не ввело в заблуждение даже то, что за прошедшие четырнадцать лет он немного постарел.

Джон Уотерфорд тоже окинул ее взглядом. Девчонка с чемоданом, стоящая на пороге его дома, была ему совершенно не знакома, и он решил, что кто-то ошибся адресом.

— Эта юная леди разыскивает свою маму, — пояснила миссис Уотерфорд, оборачиваясь к нему. — Как ты думаешь, не можем мы ей чем-нибудь помочь?

Джон неожиданно нахмурился и поднес руку к подбородку.

— Габ... Габриэлла? Это ты?.. — растерянно спросил он.

Джон Уотерфорд хорошо помнил очаровательную, но запуганную девочку, которая, словно призрак, изредка мелькала в коридорах дома Элоизы. Сегодняшняя Габриэлла выглядела совсем другой: она выросла и похорошела еще больше, так что он вряд ли бы узнал ее на улице. Только большие голубые глаза и мягкие светлые волосы остались прежними.

— Да. — Габриэлла кивнула. — А вы — мистер Уотерфорд? Джон Уотерфорд?

Он улыбнулся ей, все еще несколько удивленный ее неожиданным появлением.

— Я разыскиваю свою мать, — добавила Габриэлла, и мистер и миссис Уотерфорд обменялись быстрым взглядом. Теперь им обоим было совершенно ясно, кто она такая и что привело ее в Сан-Франциско.

— Она, очевидно, не живет здесь? — проговорила Габриэлла, несколько сбитая с толку. — Тогда не будете ли вы так добры сказать мне...

— Нет, твоя мать не живет здесь, — сдержанно ответил Джон Уотерфорд. — Может быть, ты зайдешь к нам на минутку, Габи?

И Габриэлла неожиданно поймала себя на том, что уже кивает, соглашаясь, не успев даже подумать. Ей почему-то казалось, что он рад ее видеть. У него были добрые глаза, и она вспомнила, что они понравились ей еще тогда.

Джон Уотерфорд провел ее в гостиную и предложил вина или коктейль, но Габриэлла отказалась. Она только попросила стакан воды, поскольку от волнения у нее пересохло в горле, и миссис Уотерфорд вышла на кухню.

— Это ваша жена? — спросила Габриэлла, как только миссис Уотерфорд закрыла за собой дверь.

Джон молча кивнул.

— Вы с мамой развелись? — был ее следующий вопрос.

Джон Уотерфорд неожиданно заколебался. Потом, словно приняв какое-то решение, он выпрямился на стуле и взглянул ей прямо в глаза.

— Нет, Габи, мы не развелись. Твоя мать умерла пять лет назад.

Это известие так потрясло Габриэллу, что она долго молчала. Элоиза умерла! Умерла и унесла с собой в могилу все тайны... Теперь она уже никогда не узнает ответы на свои вопросы, никогда не сможет быть свободной.

— Я был уверен, что твой отец сообщил тебе об этом, — проговорил Джон, растягивая слова на техасский манер, и Габриэлла вспомнила, как ее мать говорила про него когда-то, что он родом «из страны быков и ковбоев».

— Я послал ему копию свидетельства о смерти и номер местной газеты с некрологом, — добавил он. — Почему он ничего не сказал тебе?

Он явно чего-то не понимал, и Габриэлла попыталась разъяснить ему ситуацию.

— За прошедшие пятнадцать лет, — медленно проговорила она, — я видела своего отца только один-единственный раз, и это было вчера днем. Он ничего мне не сказал. Впрочем, и я не упоминала, что собираюсь в Сан-Франциско.

— Разве ты все это время жила не с ним? — Брови Джона Уотерфорда поползли вверх. — Элоиза много раз говорила мне, что отказалась от опеки над тобой в пользу твоего отца, чтобы выйти за меня замуж. Рассказывала, что твой отец не разрешает ей видеться с тобой. Она даже не хранила твоих фотографий, потому что, по ее словам, ей было слишком больно...

Он не договорил — теперь вся картина была ему более или менее ясна. Да-а, любопытные были у Габриэллы родители — мистер и миссис Харрисон. То, что они сделали со своей дочерью, не было даже случайностью — все это было заранее обдумано и воплощено в жизнь злой волей Элоизы.

Габриэлла только вздохнула, пораженная тем, сколько лжи нагромоздили ее отец и мать только для того, чтобы избавиться от нее.

— Знаете, почему у нее не было моих фотографий, мистер Уотерфорд? — сказала она. — Потому что меня никто никогда не снимал — только однажды, да и то очень давно. Эту фотографию она сама порвала, потому что на ней я была с отцом. А примерно через год после того, как отец ушел от нас, мать отвезла меня в монастырь Святого Матфея в Нью-Йорке и оставила там. Она сказала, что ей нужно съездить на несколько недель в Рино, но так и не вернулась за мной. С тех пор я никогда ее не видела — она мне не писала и не звонила. Раз в месяц приходил чек на мое содержание в обители. Когда мне исполнилось восемнадцать, деньги просто перестали поступать.

— Элоиза умерла примерно через год после этого, — пояснил Джон, чувствуя, что последние фрагменты головоломки встают на место. — Мне она всегда говорила, что занимается благотворительностью и жертвует деньги монастырю, монахини которого когда-то чем-то ей помогли. Мне и в голову не приходило, что там живешь ты!..

Лицо у него сделалось таким, словно он чувствовал себя виноватым перед ней. Джону действительно хотелось попросить у нее прощения за эту нелепую и злую комедию, но и Габриэлла знала, что он здесь и правда ни при чем. Во всем виновата была ее мать, чья злоба продолжала преследовать Габриэллу, даже когда Элоиза уже давно лежала в могиле.

— Это на нее похоже, — проговорила она и вдруг спросила: — Как она умерла, мистер Уотерфорд?

— От рака груди, — ответил он, искоса глянув на Габриэллу. В ее глазах было столько печали, что ему захотелось прижать эту девочку к себе и утешить как родную.

— Элоизу не назовешь счастливой женщиной, — дипломатично добавил Джон, не желая ни оскорбить Габриэллу, ни разрушить последние ее иллюзии насчет матери, которые она, возможно, все еще питала вопреки всему, что ей было известно. — Мне кажется, она скучала по тебе. Да нет, я почти уверен в этом!..

— Я приехала в Сан-Франциско, чтобы спросить у нее об этом, — объяснила Габриэлла и, с благодарностью приняв от миссис Уотерфорд стакан воды, отпила из него небольшой глоток. — Об этом и еще кое о чем, но я опоздала.

— Быть может, я смогу чем-то помочь, — предложил

Джон Уотерфорд, и Габриэлла посмотрела на него с интересом. Когда-то она написала сказку о том, как этот человек в компании с Иисусом Христом поплыли куда-то за тридевять земель, чтобы спасти ее папу от ледяного плена. Но, как она теперь знала, Джон Харрисон вовсе не стоил того, чтобы его спасали. Габриэлла была очень рада тому, что хотя бы мистер Уотерфорд вернулся из этого похода невредимым.

— Не думаю... — Габриэлла покачала головой. — Вы многого не знаете. Я хотела спросить, почему мама бросила меня, и почему...

Тут она вынуждена была прерваться, чувствуя, что слезы подступили к глазам, а горло сжало словно железным обручем. Ей было очень неловко плакать перед этими незнакомыми людьми, но они смотрели на нее так доброжелательно, с таким сочувствием и пониманием. Миссис Уотерфорд протянула платок. Габриэлла неожиданно прониклась к ним полным доверием.

— Я хотела спросить у нее, почему она так со мной обращалась. И почему она никогда не любила меня...

Это были очень трудные и очень серьезные вопросы. Джон Уотерфорд сразу понял, что не знает и половины подлинной истории Габриэллы. И ему не оставалось ничего другого, кроме как быть с ней откровенным. Лгать, изворачиваться или пытаться подсластить пилюлю было все равно уже слишком поздно. Габриэлла заслуживала прямого и честного к себе отношения. По крайней мере — с его стороны. Ибо он, сам того не желая, стал невольным сообщником Элоизы.

— Откровенность за откровенность, Габи, — сказал он, наклоняясь вперед в кресле. — Быть может, тебе будет больно и неприятно слушать то, что я тебе сейчас скажу, но мне почему-то кажется, что это тебе поможет. Я был женат на твоей матери девять лет, и это были самые страшные девять лет в моей жизни. Мы уже подумывали о разводе, но тут у нее обнаружили рак. Я решил, что в подобных обстоятельствах не имею права оставлять ее одну. Я оставался с ней до конца, однако своего мнения об Элоизе я не изменил. Твоя мать была холодной, равнодушной, жестокой, злой и мстительной женщиной, у которой не было в душе ничего доброго и светлого. Я не знаю, какой матерью она была тебе, но догадываюсь, что вряд ли Элоиза была к тебе добрее, чем ко мне. Мне даже кажется, что свое единственное благодеяние по отношению к тебе она совершила, когда оставила тебя в монастыре. Элоиза была... скверным человеком и, наверное, скверной матерью. Под конец я почти возненавидел ее.

Свою маленькую речь Джон закончил до странности ровным голосом, и его жена, которую звали Диана, участливо потрепала его по руке. Джон Уотерфорд перевел дыхание и продолжил более естественным тоном:

— Поверь, Габи, я действительно сожалею о том, что ты осталась одна, но мне кажется, что с такой матерью, как Элоиза, ты никогда бы не была счастлива. У меня самого осталось в Техасе пять... — он показал Габриэлле растопыренную пятерню, — пять младших сестер и целая куча племянников и племянниц, но, когда я женился на твоей матери, они перестали навещать меня. Элоиза ненавидела моих сестер, и они ненавидели ее до тех пор, пока она не умерла. Надо сказать, я их нисколько не осуждаю. К этому времени я и сам уже давно не любил Элоизу. Порой мне казалось, в ней нет ни одной черточки, которая хоть как-то искупала бы ее злобу, ее нетерпимость, ее приступы неконтролируемой ярости. Посвященный ей некролог в газете состоял всего из двух строчек, поскольку, как ты знаешь, о мертвых либо хорошо, либо — ничего... И действительно: никто — буквально ни один человек из тех, кто ее знал, — не смог сказать о твоей матери ничего хорошего, когда она скончалась.

Тут Джон внимательно посмотрел на Габриэллу, опасаясь, не перегнул ли он палку, и она подбодрила его кивком головы.

— Вы говорите, говорите, мистер Уотерфорд. Быть может, мне удастся...

Она не договорила, но Джон понял: в его словах она надеялась найти ответы на свои вопросы.

— Так вот, еще тогда, в Нью-Йорке, она пыталась убедить меня, будто ты разрушила ее брак с твоим отцом, с мистером Харрисоном... Но я не представлял, как это возможно. Я чувствовал другое — она не то чтобы ревнует, а просто...

Он поморщился, подыскивая слова, и даже несколько раз щелкнул в воздухе пальцами.

— Нет, не знаю... Если это и была ревность, то совершенно противоестественная. Элоиза не хотела делить с тобой внимание, которое уделяли ей он, ваши гости, люди на улицах, все. Поэтому я не очень удивился, когда она сказал мне, что отказалась от опеки над тобой в пользу мистера Харрисона. Ты мешала ей, но, Габи, мне и в голову не могло прийти, что Элоиза может просто взять и бросить тебя совершенно одну! Если бы я знал, что она так поступила, я, наверное, не женился бы на ней. Любая женщина, которая способна на такое, просто... — В этом месте Джон явно сдержал крепкое словцо, готовое сорваться с его губ. — Наверное, тебе повезло, что она поступила именно так, а не выкинула что-нибудь похуже. Удивительно только, как за все эти годы я так ничего об этом и не узнал. Правда, мы с ней почти не говорили о тебе — как-то раз она сказала, что ей, мол, больно вспоминать свою дочь, и я, болван, молчал, молчал из обычной человеческой деликатности!

Он стукнул себя кулаком по колену и покачал головой. В самом деле, история получалась совершенно удивительной. И мать, и отец Габриэллы просто отреклись от нее, похоронили вместе со своим прошлым и забыли о ней.

И Габриэлла, испытывая небывалый прилив доверия и благодарности к Джону, рассказала Уотерфордам, как ей жилось с Элоизой, как мать избивала ее и таскала за волосы, и как отец только наблюдал за этим. Побои, больницы, синяки, упреки, обвинения, ненависть, злоба — все было в этом рассказе, который продолжался очень и очень долго. Когда же он наконец закончился, все трое плакали, и Джон Уотерфорд держал Габриэллу за руку, а его жена Диана обнимала ее за плечи. После матушки Григории и профессора это были самые хорошие люди, которых Габриэлла когда-либо встречала. Она невольно подумала, что Элоиза не заслуживала того, чтобы такой человек, как Джон Уотерфорд, стал ее мужем. Джон дорого заплатил за сомнительное удовольствие назвать Элоизу Харрисон своей женой. Когда он рассказывал о ней, его лицо было мрачным, и Габриэлла подумала про себя, что седина и большинство морщин, избороздивших его лицо, появились за те девять лет, что он прожил с ее матерью.

— Я очень хотела спросить у них, почему они никогда не любили меня, — сказала она, немного успокоившись. — Но теперь я этого никогда не узнаю.

Для нее это был ключ ко всему — единственный ключ, который запирал двери, ведущие в прошлое. Габриэлла не переставала спрашивать себя, что же было в ней такого, что вызывало в ее матери лютую ненависть и злобу? Или все-таки вина была не ее, а ее родителей? Или дело было в чем-то другом — хотя бы в том же раке, который свел Элоизу в могилу? Быть может, он начинался уже тогда, и Элоиза, чувствуя в себе смертельную болезнь, спешила получить от жизни как можно больше удовольствий, счастья, внимания?..

Нет, все было не то! Если бы Элоиза была жива и им удалось встретиться, то Габриэлла, наверное, приняла бы в качестве ответа любую ложь, любые отговорки. Еще отправляясь в Сан-Франциско, она в глубине души рассчитывала, что мать извинится перед ней, попросит у нее прощения, скажет, что любила ее, но не знала, не умела выразить свою любовь. Она была согласна на все что угодно, лишь бы забыть о той непримиримой, лютой злобе и ненависти, которые она видела в глазах матери и чувствовала в обрушивающихся на нее ударах на протяжении десяти лет своей жизни. Но Элоиза умерла, и некому было ответить на вопрос Габриэллы.

— Мне кажется, я могу ответить на этот вопрос, Габи, — неожиданно сказал Джон, вытирая глаза. — Элоиза не могла никого любить, потому что всю жизнь любила только одного человека — себя. Она могла только брать и не умела отдавать... Да ей и нечего было отдавать. Мне неудобно говорить так о мертвой, но Элоиза... Она была гнилой, как старая колода, ядовитой, как змея, и злой, как целый рой земляных ос. Ни один нормальный человек не может быть таким... бесчеловечным. Сначала я думал, что она стала такой из-за меня. Ну, если я в чем-то обманул или разочаровал ее, но потом я понял: нет — все дело в ней самой. И как только я это понял, мне стало немного легче. Я стал жалеть ее, но... Но это не значит, что мне стало с ней легче жить, — добавил он с невеселой усмешкой. — То, как она обращалась с тобой, просто чудовищно, Габи! Воспоминания об этом останутся в твоей душе навсегда, как шрамы, с которыми придется жить. Но дело не в этом. Главное, что ты должна сейчас решить, это готова ли ты простить Элоизу, или ты просто постараешься забыть ее, как она забыла тебя. Но что бы ты ни решила, ты должна помнить: то, что было когда-то, не имеет никакого отношения к тебе! Любой другой человек в мире, за исключением тех двоих, которым выпало быть твоими родителями, любил бы тебя крепко и горячо, как, собственно, и положено нормальным отцу и матери. Считай, что тебе просто не повезло. Когда ангелы на небе бросали свои кости, тебе выпал несчастливый номер.

Джон немного помолчал, что-то припоминая. Встал, прошелся из угла в угол. Потом, видимо, обдумав свои слова, продолжил:

— Вот что важно, Габи: тебя уже не было, ты была далеко, но Элоиза оставалась такой же, как прежде, а значит — ты ни при чем. Никакие твои детские поступки ни на что не влияли. И сама Элоиза, будь она жива, ничего не сказала бы тебе. Разве что постаралась бы вновь выплеснуть на тебя нечеловеческую злобу, которая пожирала ее саму.

Тут Джон Уотерфорд печально улыбнулся.

«Вот, значит, как? — задумалась Габриэлла. — Неужели все действительно так просто?» Но она уже чувствовала, что Джон прав, и никакой ее вины не было в том, что с ней случилось. Она получила свой ответ. Во всем была виновата судьба, теория вероятностей, злой случай, игра бездушной природы, редчайшее, случающееся не чаще одного раза в миллион лет столкновение планет, взрыв сверхновой, который опалил ее жизнь своим убийственным жаром.

Иными словами, ответа на заданный ею вопрос просто не существовало, как не существовало никакого рационального объяснения тому, почему мать не любила ее. Элоиза Харрисон не любила никого и никогда. Она была выродком, извергом рода человеческого, не способным на любовь даже в отношении своей собственной дочери.

И как только эта мысль угнездилась, улеглась в душе Габриэллы, она сразу почувствовала, как на нее снизошло давно забытое ощущение мира и покоя, словно она подошла к концу долгого, долгого пути и неожиданно обнаружила, что вернулась домой. Ее одиссея заняла полных двадцать четыре года. Но теперь Габриэлла могла с удовлетворением сказать, что была достаточно мужественной и храброй, чтобы смотреть трудностям в лицо, а не искать обходных троп. Она хотела получить ответы на свои вопросы и сделала это.

Да, все, кто говорил ей, что она сильная, были правы. В ней жила тихая, незаметная, неодолимая сила, и теперь Габриэлла сама это знала. Никто из тех, кто искал в ее силе оправдания своей слабости, больше не мог причинить ей боль. Она пережила их всех.

Потом Уотерфорды предложили ей остаться на ужин, и Габриэлла с радостью согласилась. Мысль о том, что Джон на протяжении четырнадцати лет был ее отчимом, одновременно и забавляла, и трогала ее. Диана ей тоже очень понравилась. Она была вдовой и вышла за Джона три года назад. С тех пор они почти не разлучались, нежно любя друг друга, и это было так очевидно, что Габриэлла почувствовала, как у нее теплеет на сердце. Диана рассказала ей, что, когда она познакомилась с Джоном, он был в весьма плачевном состоянии и благодаря Элоизе начинал уже ненавидеть всех женщин, но ей удалось это исправить.

Услышав это, Джон расхохотался и сказал:

— Не верь ни одному слову, Габи! Ди была вдовой, и к ней уже подбирался один старый кретин из Палм-Бич, у которого всего-то достоинств было, что коллекция древних автомобилей да несколько миллионов на счете в банке. И быть бы Ди сторожем при этой свалке металлолома, но я увел ее прямо у него из-под носа. Старикан и опомниться не успел, как мы уже поженились!

После ужина Диана и Джон предложили Габриэлле остаться у них ночевать, но ей не хотелось их стеснять. Она сказала, что собиралась остановиться в отеле при аэропорте, чтобы завтра утром вернуться домой, но Джон настоял на своем. Он говорил, что чувствует себя обязанным хотя бы раз дать ей кров и ночлег, чтобы иметь право именоваться ее отчимом не только с формальной точки зрения. Этот аргумент неожиданно подействовал на Габриэллу сильнее всего. Она просто не могла не задуматься, какой могла бы быть ее жизнь, если бы четырнадцать лет назад Джон Уотерфорд заменил ей отца. Но ей сразу подумалось о том, что Элоиза бы этого ни в коем случае не допустила.

Габриэлла неожиданно легко согласилась на предложение Джона, и он сразу повел ее на второй этаж, чтобы показать ей гостевую спальню. Комната оказалась очень уютная, хотя и небольшая, с видом на залив и мост «Золотые Ворота», обитая очень красивыми штофными обоями. Но время было уже позднее, и Габриэлле было не до красот. За сегодняшний день она так устала и нанервничалась, что уснула едва ли не раньше, чем коснулась головой подушки.

На следующий день она проснулась свежей и бодрой. Горничная подала ей завтрак в постель, и Габриэлла вдруг почувствовала, что ей никуда не хочется уезжать из этого гостеприимного дома, но она знала, что должна вернуться в Нью-Йорк.

Перед отъездом в аэропорт Габриэлла решила позвонить Питеру. В больнице его не оказалось, и сначала это расстроило Габриэллу. Она так привыкла, что он все время на дежурстве, что даже не догадалась взять у него домашний номер, но стоило ей назвать себя, и дежурная сестра, предупрежденная Питером, тут же сообщила ей все, что требовалось.

Похоже, Габриэлла разбудила его, но Питер все равно был очень рад ее слышать. Ему не терпелось узнать, как у нее дела. Габриэлла вкратце рассказала ему про Джона Уотерфорда и про все, что она от него узнала.

Такой поворот дел очень обрадовал Питера. Он был крайне доволен тем, что Габриэлла не встретилась со своей матерью. Как и Джон Уотерфорд, он придерживался мнения, что личная встреча ничего бы не изменила и лишь дала бы Элоизе возможность причинить Габриэлле новую боль. Поэтому и слова Габриэллы о том, что ее поиски, похоже, завершились, Питер воспринял с нескрываемым облегчением. Действительно, теперь в каждой фразе Габриэллы слышались такие спокойствие и умиротворенность, что он с трудом узнавал ее. Однако когда она сказала, что хочет как можно скорее вернуться, он снова напомнил ей, что у него есть четыре дня отпуска и что ему всегда нравился Сан-Франциско.

— Почему бы тебе не пожить там несколько дней? — предложил он. — Я приеду к тебе, и мы проведем эти четыре дня вместе.

Несколько мгновений Габриэлла молчала, не зная, что сказать. Они с Питером были знакомы всего лишь чуть больше месяца, и она, наученная горьким опытом, боялась торопиться, как бы ей этого ни хотелось. С другой стороны, Габриэлла чувствовала, что победила всех демонов и злых драконов, которые преследовали ее и днем и ночью, сумела примириться со своим прошлым и с теми, кто его населял. Теперь она могла идти вперед, предоставив мертвым погребать своих мертвецов. Отец, мать, Стив, даже Джо — теперь все это существовало для нее только в прошлом. Габриэлла больше не боялась этих бесплотных призраков. Благодаря разговору с Джоном Уотерфордом она поняла, что́ с ней произошло. Ей просто не повезло, как не везет человеку, которого ни с того ни с сего вдруг поражает молнией. А ведь все эти годы она была совершенно искренне убеждена в своей вине. Теперь же Габриэлла ясно видела, что даже в том, что случилось с Джо, ее вины не было или почти не было. В конце концов, он сам все решил и сам довел дело до конца.

— Ну, что скажешь? — поторопил ее Питер, и Габриэлла с улыбкой повернулась к окну спальни, откуда были хорошо видны освещенные солнцем «Золотые Ворота».

— Имей в виду, — сказала она, — в Сан-Франциско довольно прохладно.

Это был ответ на его вопрос, и Габриэлла нисколько не жалела о том, что сказала «да». Она была абсолютно уверена, что может себе это позволить. Ей пока не было известно, к чему все это приведет. Но после того, что с ней было, она заслуживает только самого лучшего и самого светлого. Она больше не чувствовала себя про́клятой, обреченной на вечное несчастье и страдания. Здесь, во Фриско, где была похоронена ее мать, Габриэлла сбросила с себя бремя вины, стряхнула оковы воспоминаний и наконец-то обрела долгожданную свободу.

— Значит, договорились, — быстро сказал Питер, боясь, что Габриэлла передумает. — Тогда сегодня во второй половине дня я вылетаю. Встретимся в отеле возле аэропорта — я заранее забронирую там номер. Годится?

Но когда Габриэлла сообщила Уотерфордам, что к ней прилетает друг и что она решила снять номер в отеле, намереваясь пожить в Сан-Франциско еще несколько дней, Джон сказал, что никуда ее не отпустит. «Живите здесь, сколько вам захочется. Как-никак, Габи, мы все-таки родственники!» — заявил Джон и захохотал, стараясь скрыть смущение. Диана тоже сказала, что ей хотелось бы узнать Габриэллу получше. В конце концов Габриэлла согласилась. Уотерфорды были очень приятными и милыми людьми, а главное — она видела, что им действительно хочется, чтобы она осталась.

— Да и мне не грех самому взглянуть на будущего зятька, чтобы ты не сделала новой ошибки, — поддразнил Джон Габриэллу, когда она рассказала им, кто такой Питер и при каких обстоятельствах они встретились. На самом деле история Стива Портера ужаснула их, и Габриэлла понимала, что в словах Джона не все шутка. Он действительно волновался за нее.

После обеда она вызвала такси и уехала в аэропорт — встречать Питера. Уотерфорды проводили ее до дверей, а потом вернулись в гостиную и сели перед камином, в котором потрескивали кедровые поленья. Джон никак не мог окончательно успокоиться: он все повторял Диане, каким кошмаром была жизнь Габриэллы, и казнил себя за то, что не заметил, не понял этого с самого начала. Если бы он сразу разгадал, чтó за чудовище Элоиза Харрисон, тогда он, конечно, не стал бы с ней связываться и, возможно, сумел бы сделать что-то и для Габриэллы. На это Диана ответила ему, что и сейчас еще не поздно сделать для нее много хорошего. Джон согласился, признавшись, что ему доставляет удовольствие думать о Габриэлле как о своей приемной дочери.

— У нее есть голова на плечах, — сказал он, задумчиво глядя в огонь. — И голова на плечах, и сердце на месте... Иначе бы ей просто не пережить все, что выпало на ее долю.

— Она славная девушка, — согласилась Диана. — Хорошо, что этот кошмар кончился...

Они еще долго сидели и смотрели в огонь, потом вышли в сад над обрывом, чтобы полюбоваться видом на залив, и Джон обнял Диану за плечи.

Именно в этот час в аэропорту Сан-Франциско приземлился самолет Питера Мейсона.

Глава 26

Габриэлла следила за посадкой самолета со смешанным чувством радости и волнения. Ей очень хотелось снова увидеть Питера, но она боялась, что и он в жизни может оказаться не таким, каким она его представляла. Правда, пока Габриэлла лежала в травматологии и в общей терапии, они много и откровенно разговаривали друг с другом, но она еще никогда не видела его вне больницы и не знала, каков Питер, живущий в реальном мире, а не среди болезней, страданий и нередких смертей.

Сама она пока тоже не до конца освоилась. Всего три дня прошло с тех пор, как ее выписали из больницы, но за эти три дня произошло так много. Габриэлла чувствовала, что изменилась самым кардинальным образом. Не было больше ни тяжких воспоминаний, ни давящего чувства вины, ни боязни обнаружить в себе какой-то роковой недостаток, который невозможно ни изжить, ни исправить. Взамен всего этого ее переполняло ощущение свободы, радости и какого-то бесшабашного счастья, от которого ей хотелось то плакать, то прыгать до потолка и смеяться. Казалось, даже походка ее изменилась — она стала легкой, летящей, словно за спиной Габриэллы выросли крылья, способные в любой момент поднять ее высоко в небо.

И еще она была рада тому, что приехала в Сан-Франциско. Здесь она не только освободилась от прошлого, но и нашла себе приемного отца в лице Джона Уотерфорда. Он и Диана предложили им с Питером пожить у них до воскресенья, и Габриэлла согласилась. Она бы осталась и подольше, но Питеру нужно было возвращаться в больницу, и она решила, что тоже выйдет на работу в книжный магазин.

Она стояла немного в стороне от выходных ворот, поэтому Питер не сразу заметил ее. Он смотрел прямо перед собой, и когда Габриэлла вдруг выступила ему навстречу, на лице его отразились удивление, радость и какое-то непонятное волнение.

— Я здесь! — Габриэлла улыбнулась ему, и Питер ответил ей широкой, счастливой улыбкой. Волосы Габриэллы сияли как светлое золото, глаза были похожи на два кусочка весеннего неба, и ему очень хотелось поцеловать ее, но вместо этого Питер только обнял ее за плечи, и они медленно пошли к стоянке такси.

По дороге к выходу из аэропорта Габриэлла подробно рассказала ему обо всем, что с ней случилось здесь, обо всех своих маленьких открытиях, о том, как ей понравились Уотерфорды. Питер подумал, что не ошибся, она действительно выглядит счастливее, чем когда-либо. Особенно поразило его выражение ее глаз; в них отражались и радость, и нежность, и легкая грусть. Глубина их притягивала его как магнитом. Но главное — и самое удивительное, — в ее взгляде не было ни тени печали, ни следа боли и страха, словно все, что произошло с Габриэллой раньше, произошло не с ней, а с кем-то другим.

— Я очень скучал по тебе, — сказал Питер, внимательно глядя на нее. — Без тебя наше отделение травматологии просто осиротело.

Сам Питер вот уже третий день не находил себе места, снедаемый каким-то неясным томлением, которое он объяснял себе беспокойством за Габриэллу. Но как бы он ни обманывал себя, даже ему было ясно: дело было не только в этом.

— Я тоже скучала по тебе, Питер. — Габриэлла улыбнулась ему, и он снова увидел ее глаза — глаза мудрой, сильной и храброй женщины, глаза, которые больше не боялись смотреть на него. — Спасибо, что ты тоже решил приехать сюда.

— А тебе спасибо за то, что ты попала к нам в больницу, в мое отделение...

«Спасибо за то, что выжила, не сломалась, уцелела после всего, что с тобой было», — хотелось добавить ему. Именно ее, сам того не сознавая, Питер ждал столько лет. Только сейчас он понял, что все женщины, которых он когда-либо встречал, на самом деле ничего для него не значили. Да и он тоже не подходил ни одной из них. Даже Лилиан, с которой он прожил пять лет, не хватило ни мужества, ни терпения, чтобы удержаться рядом с ним — врачом-травматологом, для которого цинизм стал защитной броней против жестокости, несправедливости и бессилия перед смертью.

Что касалось Габриэллы, то Питер почему-то был уверен: она сможет понять его и не испугается ни трудностей, ни бесконечных дежурств, ни его скверного характера. Питер чувствовал, что в трудную минуту Габриэлла сможет поддержать его, а он — ее. Они оба были людьми, которым хватало силы и мужества делать то, что нужно делать, добиваться своего во что бы то ни стало и служить друг для друга поддержкой и опорой, как бы тяжело им ни приходилось.

Это далось им дорогой ценой. Путь к свободе был нелегким для обоих, в особенности — для Габриэллы. Она побывала в аду и вернулась оттуда израненная, но не сломленная, опаленная, но не побежденная. И вот теперь она улыбалась ему одному, улыбалась так, словно нашла наконец счастье, которое искала всю жизнь. Тени прошлого, преследовавшие ее столько лет, вернулись обратно в преисподнюю. Габриэлла была счастлива и свободна в реальном мире, который она только-только начинала постигать заново.

Потом Питер взял ее за руку, и они вместе вышли из аэропорта на площадь. Им обоим некуда было спешить — целая жизнь лежала перед ними, и никакие кошмары, от которых надо было бежать, не гнались за ними по пятам. Единственное, чего они хотели сейчас, это быть вместе. Они завоевали свободу, и у них была еще целая вечность, чтобы наслаждаться ею и друг другом.

Они медленно шли через залитую золотым сентябрьским солнцем площадь, и вдруг Габриэлла остановилась и, глядя на Питера снизу вверх, залилась звонким, счастливым смехом. Путь, который она прошла, был бесконечно труден, опасен и порой казался бесконечным. Но сейчас, когда — будто бы с вершины горы — Габриэлла оглядывалась назад, эта дорога представлялась ей совсем не такой каменистой и крутой, какой она была на самом деле. Не раз и не два она чуть не погибла в пути, но теперь все опасности и трудности были позади, в невозвратимом прошлом, и Габриэлла могла забыть о них. Она знала, что — где бы она ни была — она вернулась домой, чтобы быть свободной...

Литературно-художественное издание

Даниэла Стил

НИ О ЧЕМ НЕ ЖАЛЕЮ

Редактор *А. Юцевич*
Художественный редактор *С. Курбатов*
Технические редакторы *Н. Лукманова, И. Ковалева*
Корректор *В. Назарова*

Изд. лиц. № 065377 от 22.08.97.

Налоговая льгота — общероссийский классификатор
продукции ОК-005-93, том 2; 953000 — книги, брошюры.

Подписано в печать с готовых диапозитивов 20.08.99.
Формат 84×108¹/₃₂. Гарнитура «Таймс».
Печать офсетная. Усл. печ. л. 27,72. Уч.-изд. л. 27,2.
Тираж 20 000 экз. Заказ № 4591.

ЗАО «Издательство «ЭКСМО-Пресс»,
123298, Москва, ул. Народного Ополчения, 38.

Отпечатано с готовых диапозитивов
в полиграфической фирме «КРАСНЫЙ ПРОЛЕТАРИЙ»
103473, Москва, Краснопролетарская, 16.

Наталья КОРНИЛОВА
Криминальный цикл «ПАНТЕРА»

Когда смерть смотрит в упор, уйти от нее невозможно. Но сотруднице детективного агентства, красавице Марии, удается обмануть костлявую и с честью выйти из очередной переделки. Словно пантера, она умеет неподвижно сидеть в засаде, драться в кромешной тьме, переносить нечеловеческую боль. И если схватка с бандитами для нее обычное дело, то поединок с маньяком-убийцей выдержит не каждый... Что же помогает ей оставаться во всех схватках победительницей? Эту тайну знает она одна...

«Пантера»
«Пантера: ярость и страсть»
«Пантера: за миг до удара»
«Пантера: одна против всех»

Дмитрий ЩЕРБАКОВ
Криминальный цикл «НИМФОМАНКА»

Публичные дома, воровские притоны, особняки «авторитетов», вокзалы и гостиницы – в этом мире приходится существовать и отчаянно бороться за выживание бандиту Северу и его подруге Миле. Они стремятся к нормальной человеческой жизни, но болезнь Милы, требующая «секса» на грани смертельного риска, не дает им вырваться из кровавого криминального хоровода. Вновь и вновь, как в кошмарном сне – сексуальные «сеансы», отчаянные схватки с подонками самых разных мастей, погони... И только чистая, подлинная любовь помогает им оставаться людьми.

«Нимфоманка»
«Нимфоманка: беспощадная страсть»
«Нимфоманка: любовь путаны»
«Нимфоманка-4»

Все книги объемом 500-600 стр., твердая, целлофанированная обложка, шитый блок.

ПОЭЗИЯ

Жизнь без поэзии бледна и уныла, как без пения птиц, благоухания цветов, без любви и красоты. Язык поэзии – язык возвышенного движения души, великой радости и светлой печали. Не все говорят на нем, но понять его может каждый. Для тех, кто хочет обогатить свою жизнь бесценными сокровищами поэтического слова, издательство «ЭКСМО» готовит серию книг, в которую войдут лучшие творения отечественных и зарубежных поэтов. Домашняя библиотека поэзии – это хлеб насущный для трепетных сердец и пытливых умов. Прислушайтесь к голосам Орфеев нашего века, и вы согласитесь, что жизнь без поэзии – просто не жизнь.

НОВИНКИ СЕРИИ:

М.Цветаева «Просто – сердце»,
А.Пушкин «Я вас любил...»,
В.Высоцкий «Кони привередливые»,
А.Ахматова «Ветер лебединый»,
Хафиз «Вино вечности»,
М.Петровых «Домолчаться до стихов»,
«Гори, гори, моя звезда» (старинный русский романс),
У.Шекспир «Лирика»,
Л.Филатов, В.Гафт «Жизнь – Театр»,
Г.Шпаликов «Пароход белый-беленький»,
А.Пушкин «И божество, и вдохновенье...» (подарочное издание),
А.Пушкин «Евгений Онегин».

В планах издательства:
Сборники стихотворений Б.Ахмадулиной, Э.По, Р.Киплинга, Камоэнса, К.Бальмонта, Ф.Сологуба, И.Северянина, М.Петровых и др.

Все книги объемом 400-550 стр.,золотое тиснение,
офсетная бумага, шитый блок.

«ДЕТЕКТИВ ГЛАЗАМИ ЖЕНЩИНЫ»

Собрание сочинений Т.Поляковой

Что общего между любовью и... преступлением? А то, что по жизни они идут рука об руку. Сексуальные и умные, страстные и прагматичные героини романов Т.Поляковой не боятся крови и мертвецов, милиции и бандитов. Они шутя играют со смертью, они готовы преступить самую последнюю черту и не блефуют только в настоящей любви. Потому что спрятаться от самой себя невозможно!

Т.Полякова «Невинные дамские шалости»
Т.Полякова «Ее маленькая тайна»
Т.Полякова «Мой любимый киллер»
Т.Полякова «Капкан для спонсора»

Собрание сочинений П.Дашковой

Если от чтения у вас перехватывает дыхание, если вам трудно отложить книгу, не дочитав ее до конца, если, прочитав роман, вы мысленно возвращаетесь к нему снова и снова... Значит, все в порядке — в ваших руках побывал детектив Полины Дашковой. Ведь каждая ее книга — новое откровение для поклонников детективного жанра!

П.Дашкова «Место под солнцем»
П.Дашкова «Образ врага»
П.Дашкова «Золотой песок»

Собрание сочинений А.Марининой

Что ни говори, а книги Александры Марининой запали в душу читателей. Их любят молодые и старые, женщины и мужчины, утонченные эстеты и просто поклонники остросюжетного жанра. Александра Маринина – это детективное чудо, происходящее у нас на глазах. Ее популярности могут позавидовать и эстрадные звезды, и знаменитые актеры, и телеведущие. Ибо сегодня Маринину знают все.
Ее книги разыскивают, расхватывают, их «проглатывают». Но главное, их всегда ждут.

А.Маринина «Я умер вчера»
А.Маринина «Мужские игры»
А.Маринина «Светлый лик смерти»

Все книги объемом 500-600 стр., целлофанированная обложка, шитый блок.